KB142514

올림포스산, 그리스 리토호로

제우스 신전, 그리스 아테네

제우스, 그리스 아테네 국립고고학박물관

포세이돈 신전, 그리스 수니온곶

아테나 구신전, 그리스 아테네 아크로폴리스

아테나, 그리스 아테네 국립고고학박물관

파르테논, 그리스 아테네 아크로폴리스

디오니소스 극장, 그리스 아테네 아크로폴리스 초입

아폴론 신전, 그리스 델피

파르나소스산, 그리스 델피

아폴로, 바티칸시국 바티칸박물관

아르테미스, 바티칸시국 바티칸박물관

비너스, 프랑스 파리 루브르박물관

아프로디테, 판과 에로스, 그리스 아테네 국립고고학박물관

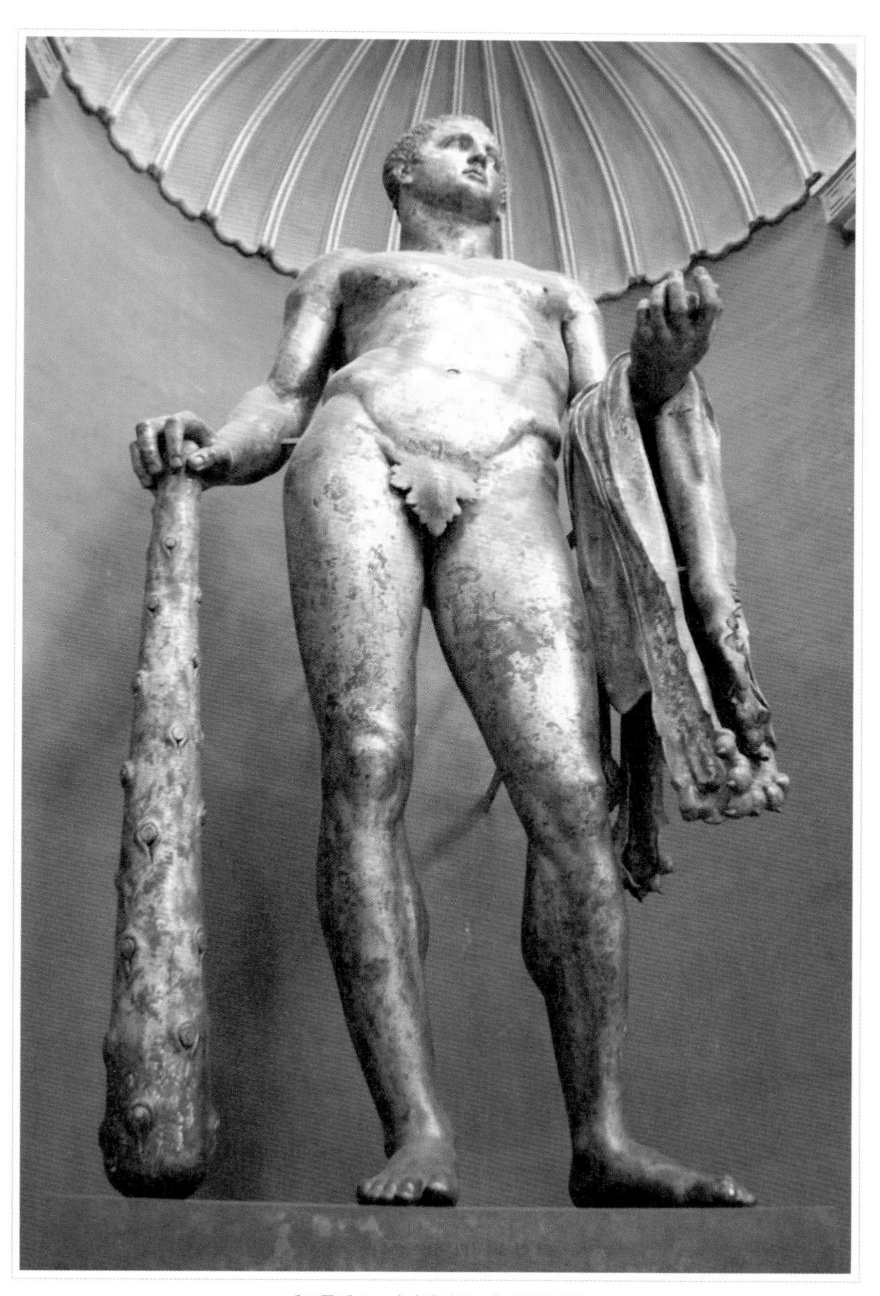

헤르쿨레스, 바티칸시국 바티칸박물관

크노소스 궁전, 그리스 크레타

트로이, 터키

고대 스파르타, 그리스

타이게토스산 배경의 에우로타스강, 그리스 스파르타

미케네 궁전, 그리스 미케네

아가멤논 무덤, 그리스 미케네

스핑크스, 그리스 델피고고학박물관

테베고고학박물관, 그리스 테베

에트나 화산, 이탈리아 시칠리아

영미시와 그리스 로마 신화

**안중은** 1955년 대구 출생
경북대학교 대학원 영어영문학과 문학박사
미국무부 초청 미시시피대학교 국제객원교수
미국 오리건대학교 객원교수
육군3사관학교 영어교관
안동대학교 명예교수
한국T.S.엘리엇학회 회장 역임
한국영미어문학회 회장 역임
한국예이츠학회 상임이사 겸 연구이사
미래영어영문학회 자문위원
『미네르바』 등단시인
한국영미어문학회 봉운학술상
한국T.S.엘리엇학회 공로패
한국영미어문학회 원암학술상
대한민국 홍조근정훈장
논문 60편, 저서, 편저서, 편역주서 등 23권
저 서: T. S. 엘리엇의 시와 비평(개정3판 브레인하우스, 2008)
T. S. 엘리엇과 상징주의(동인, 2012)
T. S. 엘리엇의 『황무지』 해석(동인, 2014)
Greek and Roman Myths in British and American Poetry(서린, 2020)
사랑과 여행과 회상(서린, 2020)
영미시와 그리스 로마 신화(동인, 2020)

# 영미시와 그리스 로마 신화

초판 발행일 2020년 12월 31일

**지은이** 안중은
**발행인** 이성모
**발행처** 도서출판 동인
**주 소** 서울시 종로구 혜화로3길 5 118호
**등 록** 제1-1599호
TEL (02) 765-7145 / **FAX** (02) 765-7165
E-mail dongin60@chol.com / **Homepage** www.donginbook.co.kr
ISBN 978-89-5506-833-7
**정 가** 42,000원

# 영미시와 그리스 로마 신화

안중은 지음

도서출판 동인

# 서문

그리스 로마 신화와 성경, 즉 헬레니즘Hellenism과 헤브라이즘Hebraism의 거대한 사상적 두 기둥이 서구의 문학, 철학, 예술, 종교의 태동과 형성에 지대한 공헌을 했다는 것은 주지의 사실이다. 특히, 그리스 로마 신화는 제프리 초서Geoffrey Chaucer, 에드먼드 스펜서Edmund Spenser, 윌리엄 셰익스피어William Shakespeare, 존 밀턴John Milton, P. B. 셸리P. B. Shelley, 존 키츠John Keats, 알프레드 테니슨 경Alfred Lord Tennyson, W. B. 예이츠W. B. Yeats, 에즈라 파운드Ezra Pound와 T. S. 엘리엇T. S. Eliot 같은 10명의 위대한 영국과 미국 시인들에게 커다란 영향을 끼쳤다. 흥미롭게도 토마스 불핀치Thomas Bulfinch는 그의 『불핀치의 신화』(*Bulfinch's Mythology*, 1979)에서 고전 신화를 생동적으로 묘사하면서 아주 다양한 저명 영미시인들의 영시를 적절하게 인용하고 있다. 대표 시인으로는 스펜서, 셰익스피어, 밀턴, 존 드라이든John Dryden, 알렉산더 포프Alexander Pope, 윌리엄 워즈워스William Wordsworth, S. T. 콜리지S. T. Coleridge, 바이런 경Lord Byron, 셸리, 키츠, 헨리 와즈워스 롱펠로Henry Wadsworth Longfellow, 테니슨, 제임스 러셀 로웰James

Russell Lowell 등의 대시인들, 그리고 존 플레처John Fletcher, 에드먼드 왈러 Edmund Waller, 존 다이어John Dyer, 제임스 톰슨James Thomson, 윌리엄 쿠퍼 William Cowper, 에라스무스 다윈Erasmus Darwin, 월터 새비지 랜더Walter Savage Landor, 토마스 캠벨Thomas Campbell, 토마스 무어Thomas Moore, 헨리 하트 밀먼Henry Hart Milman, 에드워드 영Edward Young 같은 아류 시인들로 구성되어 있다.

이 책에서 필자는 영시의 아버지 초서를 위시하여 스펜서, 셰익스피어, 밀턴, 셸리, 키츠, 테니슨, 예이츠, 파운드 및 20세기 모더니즘의 거장 엘리엇에 이르기까지 10명의 위대한 영미 시인들이 원용하거나 인유하고 있는 서양 문명에 엄청난 사상적 영향을 끼친 수많은 그리스 로마 신화의 다양한 함의와 상징성을 천착하고 있다. 연구의 일환으로서 200여 년간 지속적으로 애독된 존 랑프리에르John Lemprière, 1765-1824의 방대한 『고전 사전』(*A Classical Dictionary*, *Bibliotheca Classica*, 1788), 삐에르 그리말Pierre Grimal의 『고전 신화 사전』(*Dictionary of Classical Mythology*, *Dictionnaire de la Mythologie Grecque et Romaine*, 1986), 『불핀치의 신화』뿐만 아니라, 그리스의 장님 시인 호메로스Homer, Ὅμηρος, 기원전 800?-750의 『일리아스』(*The Iliad*, *Ἰλιάς*)와 『오디세이아』(*The Odyssey*, *Ὀδύσσεια*), 그리스 시인 헤시오도스Hesiod, Ἡσίοδος, 기원전 750-650의 『신통기神統記』(*Theogony*, *Θεογονία*, 기원전 c. 700), 로마 시인 베르길리우스Virgil, Vergil, Vergilius, 기원전 70-19의 『아이네이스』(*The Aeneid*, *Aeneis*) 및 로마 시인 오비디우스Ovid, Ovidius, 기원전 43-기원후 17/18의 『변신이야기變身譚』(*Metamorphoses*, *Metamorphōseōn librī*, 기원후 8)를 참고할 것이다. 파노라마같이 전개되는 무수한 그리스 로마 신화들로 직조된 중세, 르네상스, 낭만주의, 빅토리아조 및 모더니즘의 영미 시들이 고대로부터 현대에 이르는 인간과 사회의 실재를 확실히 반영하고 있다. 리처드 엘만Richard Ellmann과 찰스 페이델슨 2세Charles Feidelson, Jr가

공저『현대의 전통: 현대문학의 배경』(*The Modern Tradition: Backgrounds of Modern Literature*, 1965)에서 현대의 특성으로서 "상징주의"(Symbolism), "사실주의"(Realism), "자연"(Nature), "문화사"(Cultural History), "무의식"(The Unconscious), "실존"(Existence), "신앙"(Faith)뿐만 아니라 "신화"(Myth)를 소개하고 있듯이 고대의 고전 신화들은 현대시에 아직도 생생하게 살아 숨 쉬고 있다. 또한 윌리엄 블레이크William Blake, 테니슨, 프리드리히 니체Friedrich Nietzsche, 지그문트 프로이트Sigmund Freud, 예이츠, D. H. 로렌스D. H. Lawrence, 파운드와 엘리엇을 조명하는『신화와 현대성의 형성: 20세기 초기 문학의 근원 문제』(*Myth and the Making of Modernity: The Problem of Groundling in Early Twentieth-Century Literature*, 1998)의 공저자인 마이클 벨Michael Bell과 피터 폴너Peter Poellner는 신화가 모더니즘 문학의 중요한 초석이라고 강조하고 있다.

이 책의 내용은 총 10장으로 구성되어 있다. 제1장은 제프리 초서의「기사의 이야기」와 그리스 로마 신화, 제2장은 에드먼드 스펜서의『선녀여왕』제1권 제1-6칸토와 그리스 로마 신화, 제3장은 윌리엄 셰익스피어의 시와 그리스 로마 신화, 제4장은 존 밀턴의『실낙원』제1-2권과 그리스 로마 신화, 제5장은 P. B. 셸리의 초기 작품과 그리스 로마 신화, 제6장은 존 키츠의 시와 그리스 로마 신화, 제7장은 알프레드 테니슨 경의 신화시와 그리스 로마 신화, 제8장은 W. B. 예이츠의 시와 그리스 로마 신화, 제9장은 에즈라 파운드의 초기『칸토스』와 그리스 로마 신화, 제10장은 T. S. 엘리엇의 시와 그리스 로마 신화이다. 지난 5년 동안 영시 학자로서 필자는 그리스 로마 신화와 관련된 이 10편의 논문을『영미어문학』과『신영어영문학』학회지에 게재하였다. 동시에 한국영미어문학회, 신영어영문학회, 미래영어영문학회, 21세기영어영문학회, 한국T.S.엘리엇학회, 한국예이츠학회가 주최하는 여러 학술대회에서 논문을 공개 발표하였다. 그리스 신화에 대한 이해를 제고하기 위하여 필자는 테살로니키Thessaloniki 인근의 리토호로 Litochoro에 위치한 그리스 12신들의 올림포스산Mount Olympus, 올림포스산 자락에 있는 디온고고학박물관Archaeological Museum of Dion과 디온고고학공원Archaeological Park of Dion, 아테네의 제우스 신전Temple of Zeus과 파르테논 Parthenon 및 국립고고학박물관National Archaeological Museum, 델피의 아폴론 신전Temple of Apollo과 파르나소스산Mount Parnassus, 크레타의 크노소스 궁전 Palace of Knossos과 헤라클리온고고학박물관Heraklion Archaeological Museum, 스파르타의 고대 스파르타Ancient Sparta 유적지와 에우로타스강Evrotas River, 미케네 궁전Mycenaean Palace과 미케네고고학박물관Archaeological Museum of Mycenae, 테베고고학박물관Archaeological Museum of Thebes을 포괄하는 그리스의 주요 신화 유적지와 심지어 터키의 트로이Troy까지 두 번 답사하였다. 아울러 로마에서 세 차례 체류하면서 수많은 신화적 보물들이 전시되어 있는 바티칸시국의 바티칸박물관Musei Vaticani, Vatican Museums과 같은 로마의 신화 유물과 유적을 관찰하고, 시칠리아의 카타니아에 위치한 에트나 화산 Mount Etna과 이탈리아의 놀라울 정도로 잘 발굴된 폼페이Pompeii 사적지도 한 번 방문하였다. 무한한 가치의 고전 유물을 살펴보기 위하여 영국 런던의 대영박물관British Museum을 네 번, 프랑스 파리의 루브르박물관Musée du Louvre, Louvre Museum과 오르세박물관Musée d'Orsay, Orsay Museum을 두 번 찾아갔다. 필자는 이러한 신화의 장소와 박물관 답사, 그리고 최근에 출판되거나 입수한 자료들에 근거하여 이 책을 철저히 수정하고, 일부는 다시 집필하였다.

이 책은 지난 1월에 출간된 필자의 영문판 저서인 『영미시와 그리스 로마 신화』(*Greek and Roman Myths in British and American Poetry*)를 한글로 번역하고, 수정 보완하였음을 밝혀둔다. 아울러 이 책이 10명의 위대한 시인들의 영미시뿐만 아니라 워즈워스, 바이런 경, 매슈 아놀드Matthew

Arnold, 에밀리 디킨슨Emily Dickinson, W. H. 오든W. H. Auden, 2020년 노벨문학상 수상 여류시인 루이즈 글릭Louise Glück 등의 영미시에 나타나 있는 그리스 로마 신화를 통하여 작가의 의도나 시적인 상징성을 심도 있게 파악하기를 바라는 독자들에게 아주 유용하기를 진심으로 기원한다. 모쪼록 이 저서가 영미시와 고전 신화 연구에 미력이나마 일조하기를 간절히 바라면서 강호제현의 따끔한 질정叱正을 기대한다. 또한 이 저서를 출판하는 데 흔쾌히 협조해주신 도서출판 동인의 이성모 대표님과 편집에 수고하신 박하얀 선생에게 심심한 사의를 전하고, 교정을 적극적으로 도와주신 한국예이츠학회 유병구 교수, 한국T.S.엘리엇학회 이사들인 박성칠 박사, 박상일 교감, 이미영 선생에게 깊은 감사를 드린다.

2020년 11월 2일

안동 서재에서

저자

# 차례

## | 약어목록 |

시인들의 시집과 저서 및 신화를 인용할 때에 약어를 아래와 같이 채택하였고, 출판사와 출판연도는 참고문헌에 표기하였다.

| | |
|---|---|
| *A* | *Autobiographies.* |
| *BM* | *Bulfinch's Mythology.* |
| *C* | *The Cantos of Ezra Pound.* |
| *CCT* | *Chaucer's Canterbury Tales: An Interlinear Translation.* |
| *CD* | *A Classical Dictionary.* |
| *CM* | *Dictionary of Classical Mythology.* |
| *CPP* | *The Complete Poems and Plays of T. S. Eliot.* |
| *CPS* | *The Complete Poems of Percy Bysshe Shelley.* |
| *CPWT* | *The Complete Poetical Works of Alfred Tennyson.* |
| *CPY* | *Collected Poems: W. B. Yeats.* |
| *CSP* | *The Complete Sonnets and Poems.* |
| *CT* | *The Canterbury Tales: Nine Tales and the General Prologue.* |
| *DC* | *The Divine Comedy.* |
| *FQ* | *The Faerie Queene.* |
| *GK* | *Guide to Kulchur.* |
| *IMH* | *Inventions of the March Hare: Poems 1909-1917.* |
| *KCP* | *Keats: The Complete Poems.* |
| *LE* | *Literary Essays of Ezra Pound.* |
| *PL* | *Paradise Lost.* |
| *PTSE* | *The Poems of T. S. Eliot* I. |
| *S* | *The Sonnets.* |
| *SP* | *Selected Prose of T. S. Eliot.* |
| *SPP* | *Shelley's Poetry and Prose.* |
| *TP* | *Tennyson's Poetry.* |
| *WBYP* | *W. B. Yeats: The Poems.* |
| *WLF* | *The Waste Land: A Facsimile and Transcript of the Original Drafts.* |
| *WT* | *The Works of Tennyson.* |

# 1

# 제프리 초서의 「기사의 이야기」와 그리스 로마 신화

## I

제1장은 영시의 아버지이자 중세의 가장 위대한 시인 제프리 초서c. 1343-1400의 시에 나타난 모든 그리스 로마 신화의 다양한 함의와 상징성을 천착한다. 그의 시는 주로 『공작부인의 책』(*The Book of the Duchess*, 1368, 1532), 『명예의 전당』(*The House of Fame*, 1379), 『새들의 회의』(*The Parliament of Fowls*, 1381-1382), 『트로일로스와 크리세이드』(*Troilus and Criseyde*, c. 1382), 『선한 여인들의 전설』(*The Legend of Good Women*, 1385-1386)과 걸작 『캔터베리 이야기』(*The Canterbury Tales*, *Tales of Caunterbury*, 1387)로 구성되어 있다. 초서는 『트로일로스와 크리세이드』와 『선한 여인들의 전설』 및 『캔터베리 이야기』 제1화 「기사의 이야기」("The Knight's Tale," 1386?)를 포함한 "신화"(mythological) 시(Bush, *Renaissance Tradition* 19)와 신화창작mythopoeic 시에서 고전 신화를 원용하고 있는데, 필자는 후자를 집중적으로 조명하고자 한다. 헤럴드

블룸Harold Bloom의 결정판 『기사의 이야기』(*The Knight's Tale*, 1988)는 그리스 로마 신화를 다루고 있지 않기 때문에 이 연구를 통하여 그 부분을 보완하려고 한다. 이 연구를 위하여 필자는 오비디우스의 신화적 서사 『변신 이야기』뿐만 아니라 다른 전설적 출처에 나타난 그리스 로마 신화를 추적하고자 한다. 『캔터베리 이야기』에 대하여 지금까지 출판된 다양한 시집 중에서 필자는 빈센트 F. 호퍼Vincent F. Hopper의 『초서의 『캔터베리 이야기』: 행간 번역』(*Chaucer's Canterbury Tales: An Interlinear Translation*, 1959)과 V. A. 콜브V. A. Kolve와 글렌딩 올슨Glending Olson이 편찬한 『『캔터베리 이야기』: 아홉 이야기와 서시』(*The Canterbury Tales: Nine Tales and the General Prologue*, 1989)를 참고할 것이다.

## II

「기사의 이야기」를 논하기 전에 초서가 제왕운帝王韻, rime royale을 사용하는 중세영어로 작시한 서사시 『트로일로스와 크리세이드』에서 트로이 전쟁Trojan War에 근거한 그리스 로마 신화를 원용하고 있는 것은 간략하게 언급할 만한 가치가 있다. 시인은 트로이의 전설적 왕 프리아모스King Priam, Πρίαμος의 아들 트로일로스Troilus, Τρωΐλος와 그리스 연합군을 지원한 트로이의 예언자 칼카스Calkas, Calchas의 딸인 크리세이드Criseyde 또는 크레시다Cressida 사이의 비극적 사랑 이야기를 묘사하고 있다. 그들의 사랑 이야기의 기원은 그 배경이 고대의 고전 신화로 소급될 수 있지만, 사실 12세기의 중세 로맨스이다. 이런 의미에서 초서는 최초의 신화창조자mythopoeist로서 후대의 신화창조자들인 셸리, 테니슨, 파운드 등에게 영향을 끼친 셈이다. 최초의 『트로일로스와 크리세이드』판은 트로일로스와 크리세이드가 아닌 브리세이다

Briseida의 사랑 이야기에 초점을 맞춘 브놔 드 생뜨-모르Benoît de Sainte-Maure의 『트로이의 로맨스』(*Le Roman de Troie*, c. 1160)이다. 브놔의 『트로이의 로맨스』와 라틴어 산문으로 작성된 귀도 데 콜룸프니스Guido de Columpnis의 『트로이 역사』(*Historia Trojana*, 1287)에 근거한 8운각*ottava rima*으로 작시된 지오반니 보카치오Giovanni Boccaccio의 이야기 『필로스트라토』(*Il Filostrato*, 1340)가 이번에는 초서의 『트로일로스와 크리세이드』와 셰익스피어의 연극 『트로일로스와 크레시다』(*Troilus and Cressida*, 1602)에 영감을 준 것이다(Gordon xiii). 이 시의 주요 인물들은 트로이 성 포위 기간에 등장하는 트로일로스, 크레시다, 디오메데스Diomedes, 파리스Paris, Πάρις, 헬레네Helen, Ἑλένη, 아킬레우스Achilles, Ἀχιλλεύς, 헥토로Hector, 프리아모스, 데이포보스Deiphobus, 카산드라Cassandra, 판다루스Pandarus 등과 같은 신화적 및 신화창조적 인물들로 구성되어 있다.

놀랍게도 『캔터베리 이야기』의 「기사의 이야기」 앞에 있는 「서시」의 제5행에 등장하는 고대 그리스의 서녘바람, 즉 서풍의 신 "제피로스"(Zephirus, Zephyrus) 용어는 주목할 만하다.

> 과일 향기 달콤한 따뜻한 4월의 봄비
> 3월의 마른 뿌리에 스며들어
> 수액이 흐르는 온 세상 줄기들을 촉촉이
> 적셔 꽃봉오리 터뜨릴 즈음,
> 서녘바람 감미로운 입김을
> 숲과 나무 여린 새싹에 불어넣는다,
> 이제 태양이 백양궁(白羊宮) 한가운데를 서둘러 지날 때.
>
> (Chaucer 9)[1]

---

1) 『캔터베리 이야기』의 한글 번역은 고 김진만 교수의 번역시를 인용했으나 일부 수정하였다.

Whan that Aprill with his shoures sote
The droghte of Marche hath perced to the rote,
And bathed every veyne in swich licour,
Of which vertu engendred is the flour;
Whan Zephirus eek with his swete breeth
Inspired hath in every holt and heeth
The tendre croppes, and the yonge sonne
Hath in the Ram his halfe cours y-ronne; (*CT* 3)

셸리가 그의 「서풍부西風賦」("Ode to the West Wind," 1819) 제1행에서 "오 거센 서풍이여, 너 가을의 숨결이여!"(O wild West Wind, thou breath of Autumn's being)라고 서풍을 돈호법頓呼法으로 부른 것과 같이, 일반적으로 가을에 부는 서풍은 초서의 시어 "4월"(Aprill)의 한봄과는 모순일 수 있다. 그러나 서풍의 신 제피로스Zephyr, Ζέφυρος는 편재遍在하므로 이 하위신은 비유적 심상으로 수용 가능할 것이다. 황도대의 "백양궁"(the Ram)과 관련된 언급은 예이츠에 관한 제8장에 상술되어 있다.

초서의 「기사의 이야기」는 4부, 즉 기승전결起承轉結로 구성된 2,250행의 장시로서 보카치오의 서사 로맨스 『테세이다』(*Teseida*, *Teseide*, *The Book of Theseus*, *Teseida delle Nozze d'Emilia*, *The Theseid Concerning the Nuptials of Emily*, c. 1340)에서 차용했고, 테베의 몰락을 다루고 있는 로마 시인 푸블리우스 파피니우스 스타티우스Publius Papinius Statius, c. 45-c. 96의 서사시 『테바이스』(*Thēbaïs*, *Thebaid*, *The Book of Thebes*, c. 92)의 영향을 받았다(Bloom, *Knight's Tale* 69; Miller 322). 제1화 「기사의 이야기」는 17,000행 이상이나 되는 24개 이야기로 구성된 미완성 장시 『캔터베리 이야기』 중에서 「방앗간주인의 서시와 이야기」("The Miller's Prologue and Tale") 바로 앞에 있다. 이 기사도 로맨스는 확실히 그리스의 전설적 영웅이

자 왕 테세우스Theseus, Teseo, Θησεύς와 그의 활약을 소재로 직조된 것이다. 「기사의 이야기」 제1부에서 초서는 "고귀한 공작"(worthy duk) 테세우스를 "아테네"(Athenes)의 "군주요 통치자"(lord and governour), "대단한 정복자"(swich a conquerour)로 규정하고 있다. 테세우스는 "아테네와 아마존족"(Athenës and Amazones)과의 대전에서 모든 "페메니에 영토"(the regne of Femenye), 즉 과거에 "스키티아"(Scithia, Scythia)로 불렸던 아마존족the Amazons을 정복했고, 스키티아의 "아름답고도 강력한 여왕"(faire hardy quene)인 "히폴리테 여왕"(quene Ipolita, queen Hippolyta)과 결혼했다 (*CCT* 55-56). 흥미롭게도 셰익스피어의 『한여름 밤의 꿈』(*A Midsummer Night's Dream*, 1596)은 아테네 성에서 테세우스 공작과 아마존의 여왕 히폴리테 약혼녀 사이의 대화로 시작된다.

제57-68행에서 초서는 개선하여 귀국하는 테세우스 앞에 "검은 상복"(clothes blake) 차림의 "불쌍한 여인들"(wrecched wommen)(*CCT* 57-59)이 나타나서 올리는 탄원을 묘사하는 데에서 로마 신화의 운명의 여신 포르투나Fortuna를 원용하고 있다.

"운명의 여신이 승리를 선사하시고
정복자로 우뚝 서신 왕이시여,
. . . . . .
운명의 여신에게 감사드리지만, 변덕스러운 수레바퀴 때문에
우리는 어떠한 지위나 안정도 기약하지 못하게 되었습니다.

(Chaucer 42)

"Lord, to whom Fortune hath yiven
Victorie, and as a conquerour to liven,
. . . . . .

> Thanked be Fortune and hire false wheel,
> That noon estat assureth to be weel. (*CT* 25-26)

운명이 의인화된 포르투나는 흔히 운명의 수레바퀴*Rota Fortunae*와 코르누코피아*cornucopia*, 풍요의 뿔 및 구베르나쿨룸*gubernaculum*, 배의 키으로 표상되고 있다(Chaucer 42; *CCT* 58-59). 소경인 포르투나는 그 손으로 재물과 가난, 행운과 불운, 축복과 고통을 가져왔다("Fortuna"; *CD* 241). 신격화된 "운명"(Fortune)은 제2부 제632행 "운명이 그(알시테)를 올무에 가둘 때까지"(Til that Fortune had broght him (Arcite) in the snare.)에서 반복되어 나타난다. 앞에서 언급한 가련한 과부 여인들은 보름 동안 "클레멘스 여신의 신전에서"(in the temple of the goddesse Clemence) 테세우스를 기다리고 있었다(*CCT* 59). 초서의 시구 "클레멘스 여신" 또는 클레멘시Clemency는 로마 신화에서 "관용, 자비, 용서, 참회, 구속救贖, 사면, 구원"의 여신인 클레멘티아Clementia를 지칭한다("Clementia"). 과거에 카파네우스 왕King Capaneus, Καπανεύς의 왕비였던 과부가 테세우스에게 테베공략 7장군의 전쟁War of the Seven Against Thebes에서 그녀의 남편이 무엄한 대우를 받은 데 대해 복수를 해달라고 간청한다. 결국 테세우스는 오이디푸스 이후의 고대 그리스 도시의 통치자였던 "폭군 크레온"(the tyraunt Creon)을 격멸하기 위하여 "그의 군기軍旗"(His baner)를 "높이 휘날리며 모든 군사들을 이끌고 / 테베를 향해 진격했다"(desplayeth, and forth rood / To Thebes-ward, and al his host bisyde)(*CCT* 61-62). 승리를 상징하는 로마 신화의 전쟁신 마르스Mars는 제117-18행 "창과 방패를 든 군신軍神 마르스의 붉은 입상이 크고 하얀 그의 군기 속에서 빛나자."(The rede statue of Mars, with spere and targe, / So shyneth in his whyte baner large.)에서 보듯이 테세우스 편에 선다(Chaucer 44). 테세우스의 군기 옆에는 그가 아리아드네Ariadne, Ἀριάδνη

의 도움으로 크레타의 라비린토스Labyrinth, λαβύρινθος, Labyrinthus, 즉 미궁迷宮에서 죽인 "미노타우로스"(Minotaur)가 새겨진 "온통 금박을 입힌"(Of gold ful riche) 삼각기가 걸려 있었다. 이와 같이 아테네의 영웅은 "평원의 결전"(pleyn bataille)에서 "용감한 기사답게"(manly as a knight) "테베의 왕"(which that was of Thebes king) 크레온을 살해함으로써 여인들의 한을 풀어주게 된다(*CCT* 62-63).

「기사의 이야기」의 제147행 이후에 초서는 신화적 영웅에서 관심을 돌려서 문학적 두 인물들－크레온과의 전투에서 빈사상태로 약탈꾼들에 의해 테세우스의 천막 안으로 옮겨진 "왕족"(the blood royal)인 젊은 사촌이자 기사인 알시테Arcite, Arcita와 팔라몬Palamon, Palamone[2]을 서술하고 있다. 테세우스는 이들을 아테네의 철창에 종신형으로 수감하였다. 어느 5월 아침, 팔라몬은 "거대한 탑"(grete tour)의 쇠창살 창문을 통하여 테세우스 성을 산책하는 히폴리테의 젊은 여동생－"푸르른 줄기 위에 핀 백합보다 / 보기에 더 아름답고 / 꽃 피는 5월보다 더 싱싱한"(that fairer was to sene / Than is the lilie upon his stalke grene, / And fressher than the May with floures newe－) 아리따운 에밀리Emelye, Emelya, Emilia, Emily를 보고 첫눈에 반하여 신음하게 된다(Chaucer 45; *CCT* 65-67). 염려하는 알시테의 질문에 제243-49행에서 팔라몬은 에밀리를 로마 신화에서 사랑과 미의 여신인 비너스베누스, Venus와 동일시하는 답변을 한다.

> 그녀가 사람인지 여신인지 모르겠지만
> 아마 비너스 여신이 틀림없을 걸세."
> 그리고 팔라몬은 무릎을 꿇고 빕니다.

2) 이 테베 기사들의 이야기는 드라이든의 시 「팔라몬과 알시테」("Palamon and Arcite," 1700) 창작에 영감을 주었다.

> "비너스 여신이여, 이 정원에서,
> 슬프고 비참한 제 앞에 이렇게 변신하여
> 나타나심이 당신의 뜻이라면,
> 우리가 이 감옥에서 나갈 수 있게 도우소서. (Chaucer 46-47)

> I noot wher she be womman or goddesse,
> But Venus is it soothly, as I gesse."
> And therwithal on kneës doun he fil,
> And seyde: "Venus, if it be thy wil
> Yow in this gardin thus to transfigure
> Bifore me, sorweful wrecched creature,
> Out of this prisoun help that we may scapen. (*CT* 30)

알시테 역시 에밀리의 풋풋한 고혹적 아름다움에 이끌려 첫눈에 반해버린다. 결과적으로, 영어囹圄의 몸이 된 팔라몬과 알시테는 매혹적인 에밀리의 사랑을 독차지하기 위한 치열한 경쟁심으로 인하여 이중으로 감옥에 갇히게 된 셈이다. 에밀리의 아름다움에 갑자기 매료되어 비너스 같은 그녀에게 집착하는 두 기사들은 궁정 사랑이나 기사도 로맨스 또는 사랑의 삼각관계를 형성하게 된다.

한편, 테세우스 공작의 절친이자 알시테를 알고 있던 페이리토오스 공작 Duke Perotheus, Pirithous, Πειρίθοος(제369행)의 개입으로 알시테는 테세우스의 "모든 왕국"(any countree)에서 영원히 추방되고, 체포되면 교수형에 처한다는 조건으로 감옥에서 석방된다. 제376-79행에서 괴로워하는 알시테는 팔라몬에게 "이번 모험에서는 자네가 이겼네, / . . . / 감옥이라고? 아니야, 그곳은 천국이야!"(Thyn is the victorie of this aventure, / . . . / In prison? Certes nay, but in paradys!)라고 중얼거림으로써 질투한다(*CCT* 78-79). 이어서 그는 제380행 “운명은 자네에게 유리하도록 주사위를 힘껏 던졌어”(Wel hath Fortune y-turned thee the dys)와 제384행 “운명은 변덕스러우니.”(Fortune is chaungeable.)에서와 같이 앞에서 언급한 운명의 여신 포르투나를 인정하고 있다.

다른 한편, 감옥에 있는 팔라몬은 알시테에 대해 “자네는 지금 테베를 유유히 거닐고 있겠지, / . . . / 또 아테네에 아주 격렬한 전쟁을 선포할 수 있을 걸세, / . . . / 에밀리를 연인이나 아내로 맞을 수도 있겠지,”(Thou walkest now in Thebes at thy large, / . . . / And make a werre so sharp on this citee, / . . . / Thou mayst have hir to lady and to wyf,)라고 중얼거리면서 질투한다(Chaucer 51; *CCT* 81-82). 그리고 그는 제470-75행에서 로마의 신 사투르누스Saturne, Saturn, Saturnus와 여신들인 유노주노, Juno와 비너스를 언급하면서 애통해한다.

> 허나 사투르누스와 질투에 눈먼 유노 여신이
> 테베의 훌륭한 거의 모든 가문을 모조리 멸하고
> 두꺼운 테베의 성벽을 폐허로 만들었기에
> 나는 감옥에 갇히는 신세가 되었습니다.
> 거기에다 비너스 여신은 알시테에 대한
> 질투와 두려움으로 나를 죽이려 합니다. (Chaucer 52)

> But I mot been in prison thurgh Saturne,
> And eek thurgh Juno, jalous and eek wood,
> That hath destroyed wel ny al the blood
> Of Thebes, with his waste walles wyde.
> And Venus sleeth me on that other syde
> For jalousye, and fere of him Arcite.” (*CT* 35)

로마 신화의 사투르누스는 그리스 신화에서 모래시계를 들고 금강석 낫을 휘두르는 크로노스Cronos, Kronos 아버지 시간Father Time과 상응한다. 따라서 시구 "사투르누스"로 인해thurgh Saturne는 "시간이 경과하여" 또는 "신과 운명의 섭리"(purveyaunce of God, or of Fortune)를 함의한다(Chaucer 51; *CCT* 80). 팔라몬은 알시테를 위하고, 테베와 비너스와 겨루는 질투하는 유노가 그 자신과도 대적한다고 생각한다. 서술자 기사는 "그대 연인들"(Yow loveres), 즉 1차적으로 기사의 이야기를 듣고 있는 캔터베리 대성당으로 순례하는 일행, 또는 2차적으로 시를 읽는 독자들 중에서 사랑하는 자들에게 "알시테와 팔라몬 중에 누가 더 불행하겠습니까?"(Who hath the worse, Arcite or Palamon?)라고 질문함으로써 제1부의 결론을 맺고 있다(*CCT* 85-86).

제2부 제527-34행에서 초서는, 한두 해 고국 테베에서 "에로스의 상사병"(maladye / Of Hereos, 제515-16행)(*CCT* 87)에 걸린 사람 마냥 고통을 받고 있는 비통한 연인 알시테를 아테네로 데려오기 위해 로마 신화의 메르쿠리우스머큐리, Mercurie, Mercury, Mercurius를 원용하고 있다.

> 어느 날 밤, 그가 잠든 꿈속에서
> 날개 돋친 메르쿠리우스가
> 현몽하여 기운 내라고 당부하는 듯했습니다.
> 메르쿠리우스는 잠을 자게 하는 지팡이를 손에 높이 들고,
> 빛나는 머릿결 위에는 모자를 쓰고 있는 모습이,
> 아르고스를 잠재웠을 때와 똑같은 차림이었습니다.
> 그리고 메르쿠리우스가 알시테에게 말했습니다.
> "아테네로 가거라. 그러면 그곳에서
> 네 슬픔이 끝나도록 되어 있을 것이다." (Chaucer 53)

Upon a night, in sleep as he him leyde,
Him thoughte how that the winged god Mercurie
Biforn him stood and bad him to be murye.
His slepy yerde in hond he bar uprighte;
An hat he werede upon his heres brighte.
Arrayed was this god, as he took keep,
As he was whan that Argus took his sleep;
And seyde him thus: "To Athenes shaltou wende:
Ther is thee shapen of thy wo an ende." (*CT* 36)

키츠에 관한 제6장에서도 추가로 언급되는 그리스 신 헤르메스Hermes, Ἑρμῆς와 상응하는 메르쿠리우스는 고대 로마의 판테온Pantheon 내부에 있는 12신Dii Consentes 중의 한 신으로서 로마 신화의 주신이다(Ahn 30). 그의 특징은 "날개 돋친 신"(winged god), "잠을 자게 하는 지팡이"(sleepy yerde, sleeping wand), 즉 케뤼케이온*kerykeion*, κηρύκειον 또는 카두케우스*caduceus*, "빛나는 머릿결"(heres brighte, bright hair) 위에 쓴 "모자"(An hat), 즉 페타소스*petasos*, *petasus*, "아르고스를 잠재웠을"(Argus took his sleep) 등의 시구들에서 드러난다. 그리스 로마 신화에서 제우스Zeus, Ζεύς 또는 유피테르주피터, Jupiter는 100개 눈의 아르고스Argos, Ἄργος, Argus가 감시하고 있던 하얀 암소로 변신한 그의 연인이자 요정인 이오Io를 풀어주기 위하여 헤르메스 또는 메르쿠리우스를 시켜서 이 거한을 살해하게 한다. 목동으로 변장한 전령의 신은 그의 리라 연주 소리로 아르고스의 모든 눈이 감기자 돌을 던져서 거한을 죽이게 된다(*CD* 73-74; *BM* 886; *CM* 58). 꿈에 나타난 메르쿠리우스의 보호 아래 알시테는 "필로스트라테"(Philostrate)[3]라는 가명의

3) "사랑에 지배당한 자"의 뜻으로 초서는 보카치오의 장편 연애시 『필로스트라토』에서 원용하였다(Chaucer 54n).

“가난한 노동자”(povre laborer)로 변장하고, “거의 날마다 그의 연인”(his lady wel ny day by day) 에밀리를 보기 위하여 아테네로 간다(*CCT* 89, 91).

한편, 어두컴컴한 감옥에서 “사슬과 족쇄에 묶여서”(In cheynes and in fettres) 비애와 고통으로 괴로워하던 팔라몬은 간수에게 “테베산 마취제와 아편”(nercotikes and opie of Thebes)을 섞은 포도주를 준 친구의 도움으로 7년 만에 탈옥하게 된다(*CCT* 85, 93). 팔라몬의 의도는 에밀리를 아내로 쟁취하기 위하여 친구들의 도움으로 군사를 일으켜 테세우스와 전쟁을 하는 것이었다. 이제 초서는 알시테를 묘사하기 위하여 제635-36행 “불덩이 같은 포이보스가 눈부시게 떠오르자, / 온 동녘 하늘이 그 빛을 받아 환하게 웃는 것 같았습니다,”(And fyry Phebus ryseth up so brighte, / That al the orient laugheth of the lighte,”)에서와 같이 보통명사인 “태양”(the sun) 대신에 그리스 로마 신화의 태양신 포이보스 아폴론피보스 아폴로, Phebus (Phoebus) Apollo, Φοῖβος Ἀπόλλων의 이름으로서 “발광체의 밝음과 찬란함”을 함의하는 “포이보스”를 사용하고 있다(*CD* 471). 시인은 알시테가 숲속에서 부르는 노래에서 비너스의 날로서 맑았다가도 비가 내리는 “금요일”(Friday)을 반복하면서 제678-80행에서 “꼭 금요일처럼 변덕스러운 비너스는 / 그녀를 신봉하는 연인들의 마음을 화창하게 하다가도 이내 먹구름으로 뒤덮고, / 그녀의 치장 또한 변화무쌍합니다.”(gery Venus overcaste / The hertes of hir folk; right as hir day / Is gerful, right so chaungeth she array.)라고 그 특성을 서술하고 있다(Chaucer 56; *CCT* 97-98).

한편, 제685-94행에서 초서는 계속하여 테베의 멸망과 왕가의 멸문에 대한 알시테의 한숨에서 유노뿐만 아니라 테베 건설자인 카드모스Cadme, Cadmus, Κάδμος와 테베의 성벽 축성자인 암피온Amphioun, Amphion, Ἀμφίων의 그리스 신화들을 원용하고 있다.

잔인한 유노 여신이여, 당신은 얼마나 더
테베 도시와 전쟁할 생각입니까?
슬프도다! 카드모스와 암피온의
왕가의 혈통은 멸망해버렸습니다.
테베를 건설하고, 최초의 도시를 창건하고
처음 통치한 최초의 왕
카드모스의 혈통은 멸망해버렸습니다.
나는 그분의 핏줄이며
왕가의 직계 후손입니다. (Chaucer 56-57)

How longe, Juno, thurgh thy crueltee,
Woltow werreyen Thebes the citee?
Allas! y-broght is to confusioun
The blood royal of Cadme and Amphioun—
Of Cadmus, which that was the firste man
That Thebes bulte, or first the toun bigan,
And of the citee first was crouned king.
Of his lynage am I, and his ofspring
By verray ligne, as of the stok royal; (*CT* 40)

자신의 조국 테베와 왕족의 몰락에 대하여 유노와 마르스에게 향한 알시테의 원망은 제697행과 제701-02행에서 “게다가 유노 여신은 나를 더욱 수치스럽게 했습니다, / . . . / 아! 잔인한 군신 마르스여, 아! 유노 여신이여, / 당신들의 분노가 우리 혈통을 이 세상에서 지워버렸습니다.”(And yet doth Juno me wel more shame, / . . . / Allas! thou felle Mars, allas! Juno, / Thus hath your ire our kinrede al fordo.)에서 보듯이 지속되고 있다 (Chaucer 57; *CCT* 99). 이어서 알시테는 에밀레에 대한 자신의 깊은 연정을 로마 신화의 사랑의 신 큐피드Cupide, Cupid의 화살에 맞은 자신의 처지에 비유하면서 "사랑의 신은 뜨겁게 불타는 화살을 쏘아 / 내 진정 근심걱정에 시달린 심장을 꿰뚫었습니다,"(Love hath his fyry dart so brenningly / Y-stiked thurgh my trewe careful herte,)라고 한탄한다(Chaucer 57; *CCT* 99). 제765-67행에서 서술자 기사는 절친한 사촌이자 고귀한 기사들에게 집요하게 개입하는 사랑의 신에게 "오 무자비한 큐피드여! / 오 그 누구와도 권력을 나누지 않는 왕국의 통치자여!"(O Cupide, out of alle charitee! / O regne, that wolt no felawe have with thee!)라고 사랑의 독점적 배타성을 표명하면서 돈호법으로 부르고 있다(Chaucer 58; *CCT* 103).

마침내 팔라몬과 알시테는 에밀리에 대한 서로의 사랑 때문에 불공대천不共戴天의 원수가 되어 숲속에서 야생의 "성난 사자"(wood leoun)와 "무서운 호랑이"(cruel tygre) 또는 "사나운 멧돼지들"(wilde bores)처럼 피투성이가 되기까지 격렬하게 싸운다(*CCT* 105). 때마침 평소 군신 마르스를 섬기던 "위풍당당한 테세우스"(mighty Theseus)(제815행)가 사냥의 여신 디아나를 섬기듯이 숲으로 사슴 사냥하러 나갔다. 테세우스는 "그의 아름다운 왕비 히폴리테"(his Ipolita, the fayre quene)(제827행)와 "온통 초록색으로 치장한 에밀리"(Emelye, clothed al in grene)(제828행)를 대동하고 가다가 숲속 빈터에서 치열하게 자웅을 겨루는 기사들을 목격하게 된다. 이들의 야외결투를 중지시킨 테세우스가 팔라몬의 자백을 통하여 그들의 약조 위반과 탈옥의 죄상을 밝힌 후에, "하느님 맙소사"(By God)(제952행)를 뜻하는 "군신 마르스에 맹세코"(By mighty Mars) 표현을 "군신 마르스에 맹세코, 내 눈앞에서 칼을 휘두르는 자는 이 자리에서 죽여버리겠다."(By mighty Mars, he shal anon be deed / That smyteth any strook that I may seen!)(제850-51행)와 "붉은 얼굴의 군신 마르스에 맹세코 너희들은 곧 숨을 거둘 것이다!"(Ye shal be deed, by mighty Mars the rede!)(제889행)라고 단호한 판결을 내리는 데에서 초서에게 끼친 로마 신화의 강력한 영향을 분명히 드러내고 있다(*CCT* 106-08). 그러나 흐느끼는 히폴리테와 에밀리 및 다른 여자 시종들의 여성성이 테세우스의 마음을 극적으로 변화시켜서 "그 둘이 지은 죄와 그 원인도"(trespas of hem bothe, and eek the cause)(제906행) 재고하게 만들었다. 여기서 연민을 느끼는 테세우스가 앞에서 언급한 과부들의 애도로 격동되어 테베의 폭군 크레온과 전쟁을 치렀다는 것을 상기할 만하다. 마침내 알시테와 팔라몬의 범죄는 왕비와 에밀리의 간청으로, "아, 사랑의 신이여 우리에게 강복하소서"(The god of love, *a! benedicite*)(제927행)라고 큐피드를 돈호법으로 부르면서 아리아드네와 사랑에 빠진 경험이 있던 테세우스가 이들에게 사면을 내리고, 이 기사들의 결투는 그들의 사랑을 위하여 경쟁하는 기사들이 완전무장을 하고 "50주"(fifty wykes)(제992행) 뒤에 "백 명의 기사들"(an hundred knightes)(제993행)을 데리고 서로 싸우는 조건으로 일단락된다.

제1002-08행에서 초서는 테세우스의 결정을 묘사하는 데에서 신화적 용어인 "운명"(Fortune)과 기독교적 용어인 "하느님"(God)을 동시에 사용함으로써 헬레니즘과 헤브라이즘 중 어느 것에도 치우치지 않음을 시사하고 있다.

> 운명을 다스리는 여신의 은총을 받은 사람에게
> 에밀리를 아내로 맞이하도록 하겠다.
> 나는 바로 이 자리에 마상시합장을 만들겠으며,
> 공평하고 진실한 심판을 할 수 있도록
> 하느님이 내 영혼을 긍휼히 여겨 주시기를 바라노라.
> 너희 가운데 하나는 죽거나 포로가 되어야 한다.
> 그 밖의 다른 방법은 없는 줄 알아라. (Chaucer 63)

Thanne shal I yeve Emelya to wyve
To whom that Fortune yeveth so fair a grace.
The listes shal I maken in this place,
And God so wisly on my soule rewe,
As I shal even juge been and trewe.
Ye shul non other ende with me maken,
That oon of yow ne shal be deed or taken. (*CT* 47)

제3부에서 서술자 기사는 테세우스가 건설하고 있는 웅장한 원형경기장 뿐만 아니라 하얀 대리석 동문 위쪽으로 "사랑의 여신"(goddesse of love)(제1046행) 비너스 신전Temple of Venus과 제단, 서문 위쪽으로 전쟁의 신 마르스 신전Temple of Mars과 제단, 북쪽 성벽의 작은 탑에는 "순결"(chastitee)(제1054행)의 여신 디아나 신전Temple of Diane, Diana을 묘사하고 있다. "황금빛 금관"(of yelwe goldes a gerland)과 "손 위에 앉은 뻐꾸기"(a cokkow sitting on hir hand)의 치장을 한 비너스 여신의 모든 특성들이 "쾌락과 희망, 욕망, 무모함, / 아름다움과 젊음, 쾌활함, 풍요로움, / 주술과 힘, 거짓, 아첨, / 낭비, 음모와 질투"(Pleasaunce and Hope, Desyr, Fool-hardinesse, / Beautee and Youthe, Bauderie, Richesse, / Charmes and Force, Lesinges, Flaterye, / Dispense, Bisynesse, and Jelousye)(제1067-70행) 등과 같은 시어들에서 드러난다(*CCT* 122). 제1082-92행에서 "키타이론산"(mount of Citheroun, Κιθαιρών, Citheron, Cithaeron)(1,409 m)(*CCT* 123)[4]에서 살고 있는 비너스 여신은 나르키소스Narcissus, 솔로몬왕King Solomon, 헤르쿨레스Hercules 또는 헤라클레스, 메데이아Medea, Μήδεια, 키르케Circe, Κίρκη, 투르누

4) 초서는 비너스 여신이 살았다는 키테라Cythera섬을 뮤즈들이 살았던 키타이론산으로 혼돈하고 있는데, 이것은 테베 인근의 키타이론산에 비너스 신전이 있다는 보카치오의 해석의 오류에 근거하고 있다(Chaucer 64n).

스Turnus 및 크로이소스Croesus, Κροῖσος보다 모든 면에서 더욱 위대한 존재로 신전벽화에 그려져 있다.

> 문지기 태만(怠慢)도 빠지지 않고,
> 먼 옛날에 살았던 아름다운 나르키소스,
> 솔로몬왕의 어리석은 행동,
> 천하장사 헤르쿨레스와
> 메데이아와 키르케의 마법,
> 용감무쌍한 투르누스,
> 감옥에서 최후를 맞이한 갑부 크로이소스도 그려져 있었다.
> 여기서 지혜나 부(富)도,
> 아름다움이나 간계도, 힘이나 용기도
> 자기 마음대로 세상을 지배하는
> 비너스를 당할 수 없다는 점을 알 것입니다. (Chaucer 65)

> Nat was foryeten the porter, Ydelnesse,
> Ne Narcisus the faire of yore agon,
> Ne yet the folye of king Salamon,
> Ne yet the grete strengthe of Hercules,
> Th'enchauntements of Medea and Circes,
> Ne of Turnus, with the hardy fiers corage,
> The riche Cresus, caytif in servage.
> Thus may ye seen that wisdom ne richesse,
> Beautee ne sleighte, strengthe ne hardinesse,
> Ne may with Venus holde champartye,
> For as hir list the world than may she gye. (*CT* 49)

초서는 고전 신화에서 나르키소스의 빼어난 "아름다움"(Beautee), 크로이소스의 엄청난 "부"(richesse), 헤르쿨레스의 막강한 "힘"(strengthe), 메데이아와 키르케의 마법을 활용한 "간계"(sleighte), 투르누스의 불굴의 "강단剛斷"(hardinesse)이나 구약 성경에서 솔로몬의 특출한 "지혜"(wisdom)도 비너스 여신과는 상대가 되지 않는 점을 강조하고 있다. 여기서 추후 조명되지 않는 투르누스와 크로이소스는 언급할 만한 가치가 있다. 로마 신화에서 비범한 힘으로 표상되고 "새로운 아킬레우스"로 일컬어지는 투르누스는 『아이네이스』 후반을 장식하는 루툴리족the Rutuli, the Rutulians의 왕인데, 이탈리아 중부 라티움Latium 지역에 트로이 전쟁에서 패배하여 피신하러 오는 트로이들의 정착을 거부하고, 라티움의 왕 라티누스Latinus의 딸인 매혹적인 라비니아Lavinia 공주와의 결혼 경쟁자로 비너스의 아들 아이네이아스와의 결전에서 죽임을 당한다(*CD* 630; *BM* 276-77; *CM* 444; "Turnus"). 그리스 신화에서 크로이소스는 리디아Lydia의 마지막 왕으로서 최초의 금화를 주조하고, 델피의 아폴론 신전에 황금사자를 비롯한 진귀한 선물들을 바쳤으며, "크로이소스만큼 부유한"(rich as Croesus)의 관용구가 나올 정도로 부자의 동의어가 되었지만, 그의 부로 인한 교만은 기원전 547년 페르시아와의 전쟁에서 패하고 아내의 자살로 전복된다("Croesus"). 이어서 초서는 찬란한 비너스 신상을 "벌거벗은 채(Was naked) / 드넓은 바다 위에 떠올라 있었고(fleting), / 배꼽 아래는 수정처럼 빛나는 푸른 파도(With wawes grene)에 가려져 있었"고, "오른손에는 현악기(A citole)를 들고, / 머리 위에는 신선하고 향기로운 장미 화관(A rose gerland)을 쓰고, / 머리 위로 비둘기가 날고 있는(hir dowves flikeringe)" 형상으로 미의 여신의 특성을 한 폭의 그림같이 묘사하고 있다. 로마 신화에서 장미, 도금양, 사과는 비너스에게 신성한 것이고, 비둘기, 백조, 종달새는 여신이 총애하는 새들이기 때문이다(Chaucer 65; *CCT* 124; *CD* 638). 게다가 비너스 앞에는 여신의 아들로서 로마 신화의 사랑의 신 큐피드Cupido, Cupid가 "어깨에는 두 날개를 달고; / 흔히 묘사되듯이 눈이 멀었고; / 빛나는 활과 날카로운 화살을 지니고"(Up-on his shuldres winges hadde he two; / And blind he was, as it is ofte sene; / A bowe he bar and arwes brighte and kene.)(제1106-08행) 서 있는 모습으로 그 특성이 잘 그려져 있다(Chaucer 65; *CCT* 124).

이제 서술자 기사는 트라키아Thrace의 거대한 마르스 신전과 유사한 "군신 마르스" 또는 "막강한 군신 마르스"(armor-mighty Mars)의 신전에 관한 자신의 이야기를 한다. 보카치오의 『테세이다』(*Teseida*) 「주해」("Gloss")에 의하면, 지형학적 용어인 트라키아는 "물과 바람과 얼음이 가득 차고, 황량하고 열매 없는 나무들이 빽빽하고, 구름으로 덮여 있는 추운 곳에 있으며, 태양을 싫어하고 혼란이 충만한 그늘진 곳"에 있다(Miller 334 재인용). 이와 유사하게 앙상한 고목들만 있고, 바람 세찬 숲이 있는 산 아래 경사진 곳에 솟아 있는 마르스 신전은 강철로 세워졌고, 성난 바람에 모든 문은 뒤흔들렸으며, 장식 못 박혀 있는 문은 금강석으로, 기둥들은 빛나는 쇠로 만들어졌다(Chaucer 66; *CCT* 125-26). 마르스의 모든 특성들도 "분노"(Ire), "공포"(Drede), "싸움"(Contek), "불행"(Meschaunce), "광기"(Woodnesse), "무장 반란"(Armed Compleint), "절규"(Out-hees), "폭행"(Outrage), 그리고 "정복"(Conquest)(제1139-70행) 등과 같은 시어들에서 드러난다. 마르스 신전의 내부는 군신의 협박을 통하여 출생 이전에 벌써 "율리우스 카이사르, / 위대한 네로와 안토니우스의 학살"(the slaughtre of Julius / Of grete Nero, and of Antonius;)(제1173-74행)로 장식되어 있다. 갑옷을 입고 전차를 타고 있는 마르스 신상은 광란자 같은 끔찍한 표정에다 머리 위에는 점성술에 등장하는 푸엘라Puella와 루베우스Rubeus라는 두 별자리 형상이 빛나고 있었고, 그의 발밑에는 붉은 눈의 늑대가 사람을 잡아먹는 모습이 그려져 있었다(Chaucer 67; *CCT* 128-30, 444). 마르스는 일반적으로 투구와 단창 및 방패에다 갑옷의 무장을 하고, "비행"(Flight)과 "공포"(Terror)라는 사나운 말들이 끄는 마차를 탄 노인의 형상으로 표상되고 있는 로마 신화에 초서의 서술이 상당히 바탕을 두고 있음을 알 수 있다(*CD* 349).

제1196-214행에서 서술자 기사는 사냥과 순결에 관한 그리스 로마 신화들로 벽들이 장식되어 있는 디아나 신전을 묘사하고 있다. 유피테르와의 통정으로 임신이 탄로 나서 디아나에 의해 처음에는 "곰"(bere)으로 나중에는 유피테르에 의해 "북극성"(lode-sterre)으로 변한 디아나 신전의 여사제 칼리스토Calistopee, Callisto, Καλλιστώ, 격정에 빠진 아폴론의 추격을 피하다가 월계수로 바뀐 강신江神 페네우스Peneus의 딸 요정 다프네Dane, Daphne, 목욕하는 여신의 나신裸身을 훔쳐봄으로써 디아나의 분노로 수사슴으로 바뀌어서 자신의 사냥개들에게 잡아먹힌 악타이온Attheon, Actaeon, 성난 달의 여신이 보낸 칼리돈의 멧돼지를 사냥하는 처녀 사냥꾼 아탈란테Atthalante, Ἀταλάντη, Atalanta 및 그녀의 연인이자 영웅인 멜레아그로스Meleagre, Μελέαγρος, Meleager의 변신이야기들로 그려져 있다. 칼리스토, 다프네, 악타이온의 신화들은 예이츠, 파운드, 엘리엇에 관한 제8-10장에 상술되어 있다(Ahn 24; 10-11; 6, 21-22). 아탈란테와 멜레아그로스의 신화는 오비디우스의 『변신이야기』 제8권 제272-547행에서 「칼리돈의 멧돼지」("The Calydonian Boar")와 「멜레아그로스의 낙인」("The Brand of Meleager") 제목 아래에 기술되어 있다. 칼리돈Calydon의 오이네우스왕King Oeneus이 추수 후에 희생제물을 바치는 것을 잊어버리자, 분노한 디아나(그리스 신화의 상응 여신 아르테미스)가 그 왕국의 들판을 황폐시키기 위하여 거대한 칼리돈의 멧돼지를 보냈다. 멜레아그로스는 게걸스러운 멧돼지를 잡기 위하여 테세우스, 이아손Jason, 펠레우스Peleus, 라에르테스Laertes, 네스토르Nestor, 카스토르Castor와 폴룩스Pollux 형제 및 아탈란테를 중심으로 사냥팀을 조직했다. 일부 남성 영웅들의 반대에도 불구하고 아탈란테를 동경했던 멜레아그로스는 그들을 설득하여 그녀를 포함시켰던 것이다. 아탈란테는 화살로 "멧돼지를 명중시켜서 피를 흘리게 한 최초의 사냥꾼"이었고, 마침내 멜레아그로스는 "그의 창으로" 그 괴물을 찔러 죽였다. 그는 아탈란테에게 "빳빳한 털가죽"(the bristling hide)과 "긴 엄니의 머리"(long-tusked head)를 선물로 주었다. 그러나 멜레아그로스의 삼촌들인 플렉시푸스Plexippus와 톡세우스Toxeus는 질투하여 그 선물을 아탈란테로부터 탈취하였다. 분노한 멜레아그로스는 그들을 멧돼지를 죽인 자신의 "사악한 무기"(evil steel)로 살해한 것이다. 슬픔에 격노한 그의 어머니 알타이아Althaea 여왕이 복수하기 위하여 화목火木난로 침대 위로 마법의 통나무를 던지자 멜레아그로스는 그의 생식기에 생긴 열병의 극심한 고통으로 죽게 된다(Ovid, *Metamorphoses* 194; *CM* 264-65; "Atalanta"). 이어서 제1217-30행에서 "황록색"(gaude grene) 옷으로 치장한 디아나 신상은 사슴 위에 앉아 있고, 발치에 조그만 사냥개들을 거느리고, 발밑에는 달이 그려져 있었고, 손에는 활과 화살 가득한 화살통을 들며, 플루톤Pluto의 암흑의 왕국을 좌시하는 모습이었다. 또 디아나 앞에는 난산하는 산고産苦의 여인이 출산의 여신 루키나Lucyna에게 간구하는 모습이 생동감 있게 그려져 있었다(Chaucer 68; *CCT* 131-32). 달과 사냥의 여신 디아나는 유피테르와 라토나Latona의 딸로서 어머니의 산고를 보았기 때문에 결혼을 혐오하고, 굽은 활과 화살통을 들고 개들이 수행하고 때로 하얀 두 마리 수사슴이 모는 전차를 타고 사냥하였으며, 아버지로부터 평생 독신으로 지내는 허락을 받아 여인들의 산고를 주관하게 된 로마 신화를 초서가 작품에 적절하게 원용하고 있음을 알 수 있다(*CD* 201).

한편, 팔라몬과 알시테는 "여인을 놓고 다투기 위해"(To fighte for a lady)(제1257행) 테세우스와의 약조에 따라서 아테네의 싸움터로 온다. 전자의 기사는 그리스 신화의 괴물 "그리핀"(griffon, γρυψ)(제1275행)처럼 주위를 둘러보는 "트라키아의 위대한 왕"(the grete king of Trace)(제1271

행) 리쿠르고스Ligurge, Λυκοῦργος, Lycurgus를 추종하는 "왕, 공작, 백작들"(dukes, erles, kinges)(제1324행)을 포함한 100명의 무장한 귀족들과 함께, 후자의 기사도 "군신 마르스"(the god of armes, Mars)(제1301행)와 흡사한 "인도의 위대한 왕 에메트레우스"(The grete Emetreus, the king of Inde)(제1297행)를 추종하는 100명의 무장한 귀족들과 함께 "사랑을 위하고 기사도를 찬미하기 위하여"(for love and for encrees of chivalrye)(제1326행) 결전에 참가하게 된다.

제1363-66행에서 일요일 일출 두 시간 전, 즉 비너스의 시간[5]에 팔라몬은 축복과 은총을 받은 "키테레아"(Citherea, Cytherea), 즉 비너스 여신에게 참배를 결심하고 비너스 신전으로 가서 기도한다.

"아리따운 여신 가운데 가장 아름다운 여신이며,
요베의 따님이시고 불카누스의 신부이며,
키타이론산에 기쁨을 선사하시는 나의 비너스 여신이여,
아도니스에게 베푸신 사랑으로
저의 뜨겁고 슬픈 눈물에 동정을 베푸시고,
당신의 가슴에 저의 보잘것없는 소원을 새겨주소서. (Chaucer 71)

"Faireste of faire, O lady myn, Venus,
Doughter to Jove and spouse of Vulcanus,
Thou gladere of the mount of Citheroun,
For thilke love thou haddest to Adoun,
Have pitee of my bittre teres smerte,
And tak myn humble preyere at thyn herte. (*CT* 55)

---

5) 일요일의 첫 번째 시간은 아폴론에 속하며, 두 번째 시간은 비너스에 속한다. 하루 24시간 가운데 비너스는 9번째, 16번째, 23번째 시간을 지배한다. 날이 밝기까지 2시간은 23번째 시간이므로 비너스의 시간에 속한다(Chaucer 71n).

“가장 아름다운”(Faireste of faire), “요베조브의 따님이시고 불카누스의 신부”(Doughter to Jove and spouse of Vulcanus (Vulcan)), “키타이론산에 기쁨”(gladere of the mount of Citheroun (Citheron)) 및 “아도니스에게 베푸신 사랑으로”(For thilke love thou haddest to Adoun (Adonis))와 같은 시구와 시행들은 비너스의 탄생, 거처, 결혼, 미, 사랑과 같은 주요 특성들을 지칭한다. 보카치오의『테세이다』「주해」는 키타이론산을 다음과 같이 기술하고 있다. “키타이론산이 테베 가까이 있기 때문에 테베 사람들은 엄숙한 축제를 열었고 . . . 비너스에게 경배하기 위하여 수많은 희생제물을 바쳤다”(Miller 336 재인용). 제1400행과 제1402행에서 팔라몬은 자신의 사랑을 위하여 “마음을 이해하여 주시는 고매한 여신”(lady bright, that knowest weel)(제1373행)에게 “알시테가 그녀를 아내로 삼는다 해도. / . . . / 사랑스럽고 복된 여신이여, 사랑하는 여인을 저에게 주십시오.”(Though that Arcita winne hir to his wyf. / . . . / Yif me my love, thou blisful lady dere.”)라는 기도를 마치고 공물을 바친다. 그의 기도에 응답하여 비너스 신상이 흔들리면서 징조를 보낸다(Chaucer 71-72; *CCT* 141-43).

제1415-38행에서 3시간 후에 해가 뜨자, 에밀리도 불과 향과 예복과 공물을 준비한 시녀들을 거느리고 디아나 신전으로 가서 우물물로 목욕재계沐浴齋戒하고 기도한다.

“오 푸른 숲속에 계시는 순결의 여신이여,
하늘과 땅과 바다를 굽어살피시는 여신이여,
암흑의 지하 왕국에 계신 플루토의 왕비이며,
처녀들의 여신이여, 오랫동안 당신은
제 마음을 헤아려주셨고 저의 소원을 아셨습니다.
악타이온이 끔찍하게 자초한
당신의 복수와 분노에서 저를 해방시켜 주소서.

정결의 여신이여, 당신은 제가 평생
처녀로 지내기를 원하고, 누군가 애인이나 아내가
되고 싶지 않다는 사실을 알고 계십니다. (Chaucer 72-73)

"O chaste goddesse of the wodes grene,
To whom bothe hevene and erthe and see is sene,
Quene of the regne of Pluto derk and lowe,
Goddesse of maydens, that myn herte hast knowe
Ful many a yeer, and woost what I desire,
As keepe me fro thy vengeaunce and thyn ire,
That Attheon aboughte cruelly.
Chaste goddesse, wel wostow that I
Desire to been a mayden al my lyf,
Ne never wol I be no love ne wyf. (*CT* 57)

"푸른 숲속에 계시는 순결의 여신"(chaste goddesse of the wodes grene), "플루톤 왕국의 왕비"(Quene of the regne of Pluto), "처녀들의 여신"(Goddesse of maydens), "악타이온이 끔찍하게 자초한 / 당신의 복수와 분노"(thy vengeaunce and thyn ire, / That Attheon aboughte cruelly)와 같은 시구들은 디아나의 처소, 결혼, 보호, 분노를 내포하는 주요 특성들을 가리킨다. 제1459행과 제1467행에서 자신의 처녀성을 위하여 에밀리는 "지상에서 디아나, 하늘에서 루나, 지하세계에서 프로세르피나"(Diana on earth, Luna in heaven, and Proserpina in the underworld)(*DC* 259; *CT* 57n)의 "삼체여신"(三體女神, thre formes, *Diva triformis*)으로 나타나는 "무구無垢한 순결의 여신"(goddesse of clene chastitee)(제1468행)에게 "그 두 사람(팔라몬과 알시테)이 마음에 평화를 이루어 우정을 되찾게 해주소서, / . . . / 저

를 간절히 원하는 사람을 제게 보내주소서."(As sende love and pees bitwixe hem two; / . . . / As sende me him that most desireth me.)라고 눈물 흘리면서 간구한다(Chaucer 73; *CCT* 146-47). 그녀의 기도에 응답하여 디아나는 사냥꾼처럼 손에 활을 들고 나타나서 "너는 너로 인해 큰 고통과 슬픔을 겪고 있는 두 사람 가운데 한 사람과 결혼해야 한다."(Thou shalt ben wedded un-to oon of tho / That han for thee so muchel care and wo.)(제1493-94행)라고 말한다(Chaucer 74; *CCT* 147-48).

제1509-32행에서 알시테도 이튿날 마르스의 시간[6]에 "험악한 마르스"(fierse Mars)(제1511행) 신전으로 가서 기도하고, 팔라몬과 대적하는 에밀리에 대한 자신의 "열화"(熱火, hote fyr)와 같은 격정을 불카누스와 대적하고 비너스를 사랑한 로마신과 비교하고 있다.

> 기도하노니 제 고통을 불쌍히 여기소서.
> 지금 저를 괴롭히는 이 고통과 격정은
> 일찍이 당신이 느꼈던 욕망과 같습니다.
> 젊고 신선하고 자유분방한 비너스 여신의
> 아름다움에 반하시어 마침내
> 그녀를 품에 안고 마음껏 즐기셨지만,
> 그때가 과거의 쓰라린 고통이었지요.
> 불행히도 당신은 불카누스가 쳐놓은 그물에 걸려
> 그의 아내와 동침하시다가 들키고 말았습니다. (Chaucer 74-75)

> Thanne preye I thee to rewe upon my pyne.
> For thilke peyne and thilke hote fyr
> In which thou whylom brendest for desyr,

---

6) 월요일의 네 번째 시간인 듯하다(Chaucer 74n).

Whan that thou usedest the beautee
Of fayre yonge fresshe Venus free,
And haddest hir in armes at thy wille－
Although thee ones on a tyme misfille
Whan Vulcanus hadde caught thee in his las,
And fond thee ligginge by his wyf, allas!－ (*CT* 59)

『사랑의 신화들: 중세문학과 고전적 연인들』(*The Myths of Love: Classical Lovers in Medieval Literature*, 1990)에서 캐서린 하인릭스 Katherine Heinrichs는 "신들의 가장 볼만한 연애 사건은 마르스와 비너스의 것이다"라고 적절하게 주장하고 있다. 그러나 기사가 "당신은 불카누스가 쳐놓은 그물에 걸려 / 그의 아내와 동침하시다가 들키고 말았습니다." (Vulcanus hadde caught thee in his las, / And fond thee ligginge by his wyf)라고 마르스와 비너스의 불륜을 서술하는 것과는 역설적으로 혼외정사 婚外情事를 한 비너스의 남편이자 화산과 불의 대장장이 신 불카누스가 올림포스 "신들의 조롱거리가 된 것이다"(57; *CD* 348). 제1561-62행에서 알시테는 자신의 사랑을 쟁취하기 위하여 "이제 마르스 신이여, 저의 크나큰 슬픔에 자비를 베푸시고 / 제가 승리할 수 있도록 도와주소서. 그 이상은 아무 것도 원치 않습니다."(Now lord, have routhe up-on my sorwes sore, / Yif me victorie, I aske thee namore.)라고 승전을 기원하는 기도를 끝마친다. 그의 기도에 응답하여 마르스 신상은 갑옷 소리를 내기 시작하고, 전쟁의 신을 상징하는 "승리"(Victorie)(제1575행)라고 속삭인다.

마침내 지상에서 팔라몬과 알시테가 드린 기도에 응답하기 위하여 천상에서 심한 언쟁을 벌이는 비너스와 마르스 사이를 유피테르가 중재하려고 애쓴다. 그러다가 제1595-1620행에서 창백하고 냉정한 사투르누스가 딸 비너스에게 자신의 특징과 업적을 말하고, 지지를 약속해줌으로써 모든 갈등을 해결한다.

“사랑스러운 나의 딸 비너스여.” 사투르누스가 말했습니다.
“나의 운행은 너무 광대하여 내 힘은
그 누구도 헤아릴 수 없을 만큼 크도다.
. . . . . .
내가 사자자리에 있으면
복수를 하기 위해 징벌을 내린다.
높은 궁전을 폐허로 만들기도 하고,
탑이나 성벽을 무너뜨려서
광부나 목수를 죽일 수도 있다.
나는 기둥을 마구 흔들던 삼손을 죽였다.
. . . . . .
자 이제 울음을 멈추어라. 나는 최선을 다해
너에게 소원을 빈 기사 팔라몬이
네가 약속한 여인을 가질 수 있도록 힘을 쓰겠다. (Chaucer 76)

“My dere doghter Venus,” quod Saturne,
“My cours, that hath so wyde for to turne,
Hath more power than wot any man.
. . . . . .
I do vengeance and pleyn correccioun,
Whyl I dwelle in the signe of the leoun.
Myn is the ruine of the hye halles,
The falling of the toures and of the walles
Upon the mynour or the carpenter.
I slow Sampsoun, shakinge the piler;
. . . . . .

Now weep namore; I shal doon diligence
That Palamon, that is thyn owne knight,
Shal have his lady, as thou hast him hight. (*CT* 60-61)

제1608행 "나는 기둥을 마구 흔들던 삼손을 죽였다."(I slow Sampsoun, shakinge the piler)는 사사기 제16장 제29-30절에 나와 있는 마지막 사사로서 블레셋인들the Philistines의 국신國神인 물고기 신 다곤 신전Temple of Dagon의 가운데 두 지주 기둥을 밀어서 자신을 포함한 그곳에 있던 모든 사람들을 죽인 역사力士 삼손Samson, שִׁמְשׁוֹן을 원용한 것이다. 흥미롭게도 초서는 정통 히브리 성경Hebrew Bible을 전복시켜서 로마 신화의 사투르누스와 접맥하고 있다. 여기서 노인의 지혜에 대한 초서의 존경심은 눈여겨볼 만한 대목인데, 문제를 해결하는 중재자로서 올림포스올림푸스 신Olympian god 제우스 또는 유피테르보다는 거신巨神, Titanic god 사투르누스 또는 크로노스를 원용하기 때문이다.

제4부에서 팔라몬과 알시테의 결전에 참가한 모든 사람들의 생명을 보전하기 위하여 테세우스는 자신의 처음 계획이었던 치명적 결투 방식을 변경한다. 다시 말해, "활도, 전투 도끼도, 단도도 / . . . / 날카로운 칼날로 찌르는 단검도"(No maner shot, ne pollax, ne short knyf / . . . / Ne short swerd for to stoke, with poynt bytinge,)(제1686-88행) 지니지 못하며, 상대방에 대한 마상馬上 공격도 금지되었다(*CCT* 161). 서쪽으로 알시테가 100명의 기사를 대동하고 붉은 깃발 휘하에 마르스 신전 문으로 들어오고, 동쪽으로 팔라몬도 대등한 기사를 거느리고 하얀 깃발 휘하에 비너스 신전 문으로 들어오는 것이 장관이었다. 온종일 이들의 백중지세伯仲之勢의 결투 결과는 피투성이가 된 팔라몬이 말뚝 쪽으로 끌려가자, 제1800행에서 "테베의 알시테에게 에밀리를 주겠노라."(Arcite of Thebes shal have Emelye.)라고 진

실하고 공정한 심판관 테세우스가 선언하는 판결에 따라서 알시테의 승리와 팔라몬의 패배로 드러난다. 그러나 초서의 반전의 기교는 눈물 흘리고 통곡하는 사랑의 여신인 "아름다운 비너스"(faire Venus)(제1805행)에게 사투르누스가 "안심해라, 내 딸아. / 마르스는 그의 뜻을 이루었고, 그의 기사는 모든 은총을 얻었노라, / 그러나 맹세하건대 네게도 곧 만족스러워할 일이 생길 것이다."(Doghter, hold thy pees. / Mars hath his wille, his knight al his bone, / And, by myn heed, thou shalt ben esed sone.)(제1810-12행)라고 위로하는 개입에서 돌연히 드러난다(Chaucer 80; *CCT* 168-69). 비너스와 팔라몬에게 기적이 생겨서 승자 "알시테 경"(daun Arcite)(제1815행)으로 하여금 에밀리를 맞이하게 하는 "운명의 축복"(favour of Fortune)(제1824행)을 전복시킨다. 사투르누스의 요청으로 죽음과 지하세계의 로마 신 플루토가 보낸 "지옥의 불"(a furie infernal)(제1826행), 신화적으로 해석하면 분노의 여신 푸리아Furia가 땅에서 올라오니 알시테가 탄 말이 깜짝 놀라서 뒷걸음질 치며 펄쩍 뛰더니 넘어지면서 기수의 "정수리를 땅에 처박아"(on the pomel of his heed)(제1831행) 버린다(Chaucer 80). 비너스와 팔라몬의 복잡한 위기를 해소하기 위하여 초서가 플루토를 갑자기 이용하는 것은 "신에 의한 뜻밖의 해결"(*deus ex machina*)의 플롯 장치인 것이다.

이후에 백약이 무효가 되자 알시테는 임종 전에 에밀리와 팔라몬을 불러서 제1928-39행에서 자신의 영혼을 유피테르에게 의탁하는 동시에 그들이 부부로 맺어지도록 주선을 한다.

> 유피테르 신이여, 진정한 기사로서
> 갖추어야 할 모든 속성에 대하여
> 말할 수 있도록 내 영혼을 이끌어주소서—
> 다시 말해, 진실과 명예와 기사도와

지혜와 겸손과 지위와 고귀한 혈통과
아량과 사랑의 기술에 속하는 모든 것을—
유피테르 신이여, 이처럼 내 영혼에 개입하소서.
이 세상 그 무엇보다 당신만을 섬기고,
앞으로도 평생 당신을 섬길 팔라몬 만큼
당신의 사랑을 받을 만한 사람은 없을 것입니다.
그리고 그대가 다른 사내와 결혼할 생각이 있다면
이 고결한 사람 팔라몬을 부디 잊지 마시오." (Chaucer 82-83)

And Jupiter so wis my soule gye,
To speken of a servant proprely,
With alle circumstaunces trewely—
That is to seyn, trouthe, honour, knighthede,
Wisdom, humblesse, estaat, and heigh kinrede,
Fredom, and al that longeth to that art—
So Jupiter have of my soule part,
As in this world right now ne knowe I non
So worthy to ben loved as Palamon,
That serveth yow and wol don al his lyf.
And if that evere ye shul been a wyf,
Foryet nat Palamon, the gentil man." (*CT* 68)

여기서 팔라몬이 그의 연적戀敵이었던 알시테로부터 "진실과 명예와 기사도와 / 지혜와 겸손과 지위와 고귀한 혈통"(trouthe, honour, knighthede, / Wisdom, humblesse, estaat, and heigh kinrede) 그리고 "아량과 사랑의 기술에 속하는 모든 것"(Fredom, and al that longeth to that art)의 시구와 같이 진정한 기사의 모든 속성을 구비한 "고결한 사람"(gentil man)으로 예찬

받는 것은 주목할 만하다. 알시테의 참된 기사도 정신은 안토니Anthony가 그의 정적政敵 브루투스Brutus의 자결 후에 그를 “참된 로마인”(true Roman)이라고 부르는 것과 일맥상통한다. 알시테가 죽자 “마르스가 그의 영혼을 인도하고”(ther Mars his soule gye)(제1957행), 초서는 그의 죽음에 대하여 “목숨을 잃고 트로이로 / 실려 왔던”(y-broght, al fresh y-slayn, / To Troye)(제1974-75행) 헥토르Ector, Hector의 죽음보다 아테네의 남녀노소가 더 비통해한다고 과장되게 표현하고 있다.

제1988-91행에서 비탄에 잠긴 테세우스는 “이 세상의 무상無常”(this worldes transmutacioun)(제1981행)을 터득한 그의 늙은 부왕 아이게우스Egeus, Aegeus로부터 위로를 받는다.

> “이 세상에서 언젠가 죽지 않는 사람은 없느니라.
> 이 세상은 고통으로 가득 찬 길에 지나지 않으며,
> 우리는 그 길을 지나가는 순례자일 뿐이거늘,
> 죽음은 이 세상에서 겪는 모든 고통의 끝이니라.” (Chaucer 84)

> “In al this world, that som tyme he ne deyde.
> This world nis but a thurghfare ful of wo,
> And we ben pilgrimes, passinge to and fro;
> Deeth is an ende of every worldly sore.” (*CT* 70)

여기서 초서는 다시 앞에서 언급한 사투르누스와 유사한 노인의 지혜를 원용하고 있는데, 현명한 아이게우스의 생사관生死觀이 아테네의 모든 애도하는 그리스인들을 교훈적으로 위로하고 있는 것이다. 테세우스는 알시테의 장지를 팔라몬과 알시테가 사랑을 얻기 위해 처음 겨루었던 아름답고 푸른 숲으로 정하고, 그리스 국장國葬에 버금가는 성대한 장례식을 치러주었다.

화장용 장작더미는 자연의 정령과 목신木神 및 나무의 정령인 "님페들, 파우누스, 하마드리아데스"(Nymphes, Faunes, and Amadrides)(제2070행)가 거주하는 모든 종류의 나무들7)을 벌목한 것으로서 테니슨이 묘사한 다양한 나무들을 상기시킨다(Ahn 185).

장례식 후에 테세우스는 아테네 의회에서 팔라몬과 에밀리가 참석한 가운데 자연만물의 생성소멸을 결정하는 "하늘에 계신 만물의 원동력이신 분"(firste moevere of the cause above)(제2129행)인 "유피테르 왕"(Jupiter the king)(제2177행)에 대해 긴 철학적인 위로의 명연설을 한다. 결론적으로 그는 모두에게 "즐거워하고"(be merie), "그(유피테르)의 모든 은총"(al his grace)에 감사하라고 충고한다(제2210-11행). 기사의 이야기는 테세우스의 주례사와 팔라몬과 에밀리에게 부부로서 손을 잡게 하는 절차를 통한 이들의 행복한 "혼인 또는 결혼"(matrimoine or mariage) 서약 서술로 끝난다. 초서가 살았던 중세의 지배적인 로마 가톨릭의 신보다는 반복되는 로마 신화 신이자 왕인 유피테르가 압도적으로 이 시를 지배하고 있다. 마지막 한 시행에서만 "하느님이시여, 이 아름다운 두 사람을 강복하소서! 아멘."(And God save al this faire companye! −Amen.)으로 나와 있기 때문이다(*CCT* 196).

---

7) 이 나무들은 제2063-65행에 상술되어 있다.

> 참나무, 전나무, 자작나무, 사시나무, 딱총나무, 졸참나무, 포플러,
> 버드나무, 느릅나무, 플라타너스, 물푸레나무, 회양목, 밤나무, 보리수, 월계수
> 단풍나무, 가시나무, 너도밤나무, 개암나무, 주목나무, 층층나무, (Chaucer 85-86)
>
> As ook, firre, birch, asp, alder, holm, popler,
> Wilow, elm, plane, ash, box, chasteyn, lind, laurer,
> Mapul, thorn, beech, hasel, ew, whippel-tree, (*CCT* 184)

## III

초서의 「기사의 이야기」 서술자 기사는 허구의 인물이면서 실제 인물이기도 하다. 전기비평적 접근으로 고찰하면, 초서가 1386년 켄트주Kent의 카운티 기사Knight of the Shire, *milites comitatus*로 선출되어 웨스트민스터 궁Palace of Westminster에 출석했는데, 이 무렵에 작품이 완성되었기 때문이다. 에드워드 3세Edward III 휘하의 외교관으로서 1373년에 11개월 동안 이탈리아에 체류하면서 "위대한 천재"(great genius) 초서는 엄청난 지성적 · 문화적 부흥의 선구자인 단테Dante, 페트라르카Petrarch, 그리고 보카치오의 『필로스트라토』와 『테세이다』를 포함하여 14세기에 시작된 이탈리아 르네상스Italian Renaissance의 영향을 분명히 받았다고 유추할 수 있을 것이다(Bowden 4, 11; Gardner 205-06). 동시대 작가 토마스 우스크Thomas Usk가 규정한 "고귀한 철학 시인"(noble, philosophical poet)(Gardner 225) 초서는 장대하고 극적인 효과를 위하여 「기사의 이야기」 속에 중세의 기사도 로맨스와 그리스 로마 신화를 반전과 "신에 의한 뜻밖의 해결"의 기교, 생명과 사랑과 전쟁과 죽음에 관한 교훈적 연설이나 철학적 명제들로서 직조하고 있는 것이다.

결론적으로, 초서가 「기사의 이야기」에서 수많은 그리스 로마 신화를 원용하는 기교는 그의 시적 함의를 심화시키고, 문학적 관점을 확장시키면서 기사도, 기사의 로맨스, 궁정 사랑, 교훈주의의 중세 관념을 확실히 드러내고 있다. 이 연구는 초서의 『트로일로스와 크리세이드』 및 『선한 여인들의 전설』뿐만 아니라 스펜서 작품의 그리스 로마 신화를 탐색하는 또 다른 시도로 연결될 것이다.

# 2

# 에드먼드 스펜서의 『선녀여왕』 제1권 제1-6칸토와 그리스 로마 신화

## I

제2장은 에드먼드 스펜서Edmund Spenser, 1552-1599의 미완성 풍유 서사시 『선녀여왕』(*The Faerie Queene*, 1590, 1596)의 제1권 제1-6칸토(Book I, Cantos 1-6)를 집중적으로 그의 시에 나타난 모든 그리스 로마 신화의 다양한 함의와 상징성을 탐색한다. 16세기 영국 르네상스 시기의 가장 위대한 시인이자 스펜서 연Spenserian stanza 창안자의 작품들은 그의 최초의 주요 목가시 『목동의 월력』(*The Shepheardes Calender*, 1579), 대작 『선녀여왕』, 단시 전집인 『고소장』(*Complaints*, 1591)과 『연애소곡과 축혼가祝婚歌』(*Amoretti and Epithalamion*, 1595), 그리고 유명한 결혼의 시 「축혼전가祝婚前歌」(“Prothalamion,” 1596) 등이다. 스펜서는 자신의 목가시에 베르길리우스의 영향을 간략하게 언급하고 있지만, 더글러스 부시Douglas Bush가 그의 『영시에서 신화와 르네상스 전통』(*Mythology & the Renaissance Tradition in English Poetry*)에서 적절하게 주장했듯이, 특히 『선녀여왕』에

서 신화적 인유mythological allusions를 능수능란하게 구사하고 있다. 이와 유사하게 메리트 Y 휴즈Merritt Y Hughes의 『베르길리우스와 스펜서』(*Virgil and Spenser*, 1929), D. M. 로젠버그D. M. Rosenberg의 『풀피리와 트럼펫: 베르길리우스, 스펜서, 밀턴의 목가시와 서사시』(*Oaten Reeds and Trumpets: Pastoral and Epic in Virgil, Spenser, and Milton*, 1981) 및 시리스 퓨Syrithe Pugh의 『스펜서와 베르길리우스: 목가시』(*Spenser and Virgil: The Pastoral Poems*, 2016)는 스펜서의 『목동의 월력』에 끼친 로마의 목가 시인 베르길리우스의 『목가시』(*Eclogues*, 기원전 40)의 영향을 천착하고 있다. 오래전부터 스펜서 시의 고전 신화는 치열하게 연구되어 왔는데, 대표적 사례들은 예일대학교 박사학위청구논문인 앨리스 엘리자베스 소텔Alice Elizabeth Sawtelle의 『스펜서의 고전 신화의 기원』(*The Sources of Spenser's Classical Mythology*, 1896), 이것을 보완하고 확장한 연구이자 프린스턴대학교 박사학위청구논문인 헨리 기번즈 랏스파이크Henry Gibbons Lotspeich의 『에드먼드 스펜서 시와 고전 신화』(*Classical Mythology in the Poetry of Edmund Spenser*, 1932), 로라 E. 럽Laura E. Rupp의 버틀러대학교Butler University 석사학위청구논문인 「에드먼드 스펜서의 『선녀여왕』 제1-2권과 고전 신화의 원용」("The Use of Classical Mythology in Edmund Spenser's *Faerie Queene* Book I and II," 1932) 등이다. 초기 연구들과 대조적으로 이 장에서는 스펜서의 『선녀여왕』 제1권 제1-6칸토를 집중적으로 조명하고자 하는데, 이 부분이 다양한 그리스 로마 신화들로 폭넓게 직조되어 있기 때문이다. 본 연구를 위하여 필자는 호메로스의 정전화된 서사시 『일리아스』와 『오디세이아』, 헤시오도스의 『신통기』, 베르길리우스의 『아이네이스』, 오비디우스의 신화적 서사 『변신이야기』를 추적하고자 한다. 스펜서의 서사시에 대하여 지금까지 출판된 다양한 시집 중에서 필자는 A. C. 해밀턴A. C. Hamilton이 편찬한 방대한 『선녀여왕』(1995)을 참고할 것이다.

## II

우선 선배 시인들인 호메로스와 베르길리우스와 같이 스펜서는 『선녀여왕』의 서문Proem 제1연 제1-7행에서 자신의 작시 과정에서 시적 영감을 받기 위하여 그리스 여신 "뮤즈"(Muse) 또는 "신성한 뮤즈"(the sacred Muse)를 돈호법으로 부르고 있다. 시인은 그가 노래할 대상은 "풀피리"(Oaten reeds)가 변한 "준열한 트럼펫"(trumpets sterne)으로 "기사들과 여인들의 고매한 업적"(Knights and Ladies gentle deeds), 그리고 그들의 격렬한 전투와 진솔한 사랑이라고 선언한다(*FQ* 27). 서문의 제2연 제1행 시구 "오 아홉 중에 으뜸이신 성 처녀여"(O holy Virgin chiefe of nine)에서와 같이 역사 뮤즈 클리오Clio, Kleio, Κλειώ와 더불어, 스펜서는 계속하여 서문의 제3연에서 창작의 영감을 위하여 로마 신화에서 하늘의 신 유피테르의 별칭인 "아버지 요베"(*Jovis pater*)(*BM* 918)이자 "지고한 요베"(highest *Ioue*, *Jove*)의 가장 무서운 악동이자 사랑과 미의 여신인 "아름다운 비너스"(faire *Venus*)의 아들인 사랑의 신 큐피드를 불러내고 인유하고 있다.

그리고 그대 지고한 요베의 가장 무서운 아이,
　아름다운 비너스의 아들, 그대의 잔혹한 화살로
　저 선한 기사를 너무도 교묘하게 쏘아 맞추어
　그의 가슴속에 영예의 불길을 지펴 놓았던 이여,
　이제 그대의 치명적 흑단(黑檀)의 활을 옆에 치워놓고
　그대의 온화한 어머니와 함께 와서 날 도와주오.
　둘 다 오시오, 또한 그대들 외에 승전의 마트도
　그 살인적 난동과 피맺힌 격분을 가라앉힌 후에,
사랑과 고매한 즐거움들로 잔뜩 둘러싸인 채로 데리고 와주오.
(Spenser 20)[8]

---

8) 『선녀여왕』의 한글 번역은 임성균 교수의 번역시를 인용했으나 일부 수정하였다.

And thou most dreaded impe of highest *Ioue*,
Faire *Venus* sonne, that with thy cruell dart
At that good knight so cunningly didst roue,
That glorious fire it kindled in his hart,
Lay now thy deadly Heben bow apart,
And with thy mother milde come to mine ayde:
Come both, and with you bring triumphant *Mart*,
In loues and gentle iollities arrayd,
After his murdrous spoiles and bloudy rage allayd. (*FQ* 28)

"치명적 흑단의"(deadly Heben, ebony) 활이 없는 큐피드와 더불어, 스펜서는 자신의 사랑과 전쟁의 주제를 표현하기 위하여 "그대의 온화한 어머니"(thy mother milde)인 비너스와 "승전의 마트"(triumphant *Mart*)가 지칭하는 로마 신화의 전쟁의 신 마르스를 초대하고 있다. 서문 제4연 제1-3행 시구 "오 천상의 빛이신 여신이여, / 자애로움과 성스러운 위엄을 비추는 거울이시며, / 가장 위대한 섬나라의 위대한 여신이시며"(O Goddesse heauenly bright, / Mirrour of grace and Maiestie diuine, / Great Lady of the greatest Isle.)에서 스펜서는 자신의 서사시 주제로 대영제국의 아름다운 여왕인 엘리자베스 1세Elizabeth I를 신격화하여 제시하고 있다. 그녀의 찬란한 빛은 세계를 두루 비추는 그리스의 태양신 "포이보스"(*Phœbus*, I.4.4) 아폴론에 비유되고 있는 것이다(Spenser 21).

『선녀여왕』 제1권 제1칸토 제1-2연에서 스펜서는 1권의 주제를 "숭고한 기사"(Gentle Knight)(I.1.1.1), 즉 "성결聖潔"(Holiness)의 미덕을 표상하는 "레드크로스(적십자) 기사"(Knight of the Redcrosse)라고 진술하고 있다. 그 기사는 "막강한 무장으로 몸을 감싸고 은빛 방패를 들고"(cladd in mightie armes and siluer shielde)(I.1.1.2), 가슴과 방패 위에 구세주 예수 그리스도의 죽음을 상징하는 "붉은 십자가"(a bloudie Crosse)(I.1.2.1)를 새긴 채 그의 필마를 몰고 들판을 달려 나갔다(Spenser 23). 제1칸토 제3연 제2-3행에서 스펜서는 다시 한번 그의 걸작의 주제로서 엘리자베스 1세 여왕을 시사하고 있는 "저 가장 위대한 글로리아나"(That greatest *Gloriana*), "정령나라의 저 가장 위대한 영광스러운 여왕"(that greatest Glorious Queene of *Faerie* lond)을 소개하고 있다. 제1칸토 제6연 제6-7행 "화가 난 요베가 무시무시한 폭풍우를 몰고 와 / 자기 연인의 무릎자락에 너무도 엄청나게 퍼부어"(And angry *Ioue* an hideous storme of raine / Did poure into his Lemans lap so fast)에서 보듯이 말을 타고 가는 레드크로스 기사와 그의 옆에서 "눈보다 더 흰 어린 나귀"(a lowly Asse more white then snow)(I.1.4.2)를 타고 가는 그의 "아리따운 숙녀"(louely Ladie)(I.1.4.1)의 길을 막는 폭풍우를 묘사하기 위하여 스펜서는 신의 분노를 표출하는 것으로서 요베의 폭풍을 원용하거나 인유하고 있다(Spenser 26; Sawtelle 75; Lotspeich 75). 해밀턴에 의하면, 이것은 "창조의 시작인 대지와 하늘의 결혼 신화"를 시사한다(*FQ* 31n). 그러나 요베(유피테르) 또는 제우스가 그리스 신화의 태초신들primordial deities인 우라노스Uranus, Ουρανός와 가이아Gaia, Γαῖα의 자식이고, 요베 연인Leman의 무릎자락은 광대한 대지의 여신 가이아Gaia the Earth를 지칭할 수도 있기 때문에 이 주장은 그대로 수용하기에는 무리가 있다. 마침내 기사와 그의 숙녀는 "깊은 숲속의 / 텅 빈 동굴"(a hollow caue, / Amid the thickest woods)(I.1.11.6-7)에 당도했다. 이곳은 "방황의 숲이고, 여기는 에러의 동굴인데, / 신과 인간이 모두 미워하는 악독한 괴물"(the wandring wood, this *Errours den*, / A monster vile, whom God and man does hate)(I.1.13.6-7)인 것이다. "정열과 의욕적 혈기로 가득 차 있는"(full of fire and greedy hardiment)(I.1.14.1) "젊은 기사"(The youthfull knight)(I.1.14.2)와 "반쪽은 뱀처럼 생긴 끔찍한 모습이었고, / 다른 반쪽은 여자의 형체를 지니고 있었던"(Halfe like a serpent horribly displaide, / But th'other halfe did womans shape retaine)(I.1.14.7-8) "흉측한 괴물"(the vgly monster)(I.1.14.6)과의 결투는 결국 후자의 패배로 끝난다. 이 둘의 대결은 포근한 저녁 무렵 "불그레한 포이보스가 서편으로 지기 시작할 때"(When ruddy *Phœbus* gins to welke in west)(I.1.23.2)에 "선량한 목동"(gentle Shepheard)(I.1.23.1)과 "한 떼의 성가신 각다귀"(A cloud of combrous gnattes)(I.1.23.5)와의 싸움에 비유되고 있다. 여기에서 인간의 시간을 묘사하기 위하여 스펜서는 그리스 신화의 태양신 포이보스 아폴론을 원용하고 있다. 제1칸토 제32연 제8-9행 "하루 온종일 하늘을 여행하고 다니는 태양조차도 / 밤에는 자신의 말들을 대양의 파도 사이에서 쉬게 해 줍니다."(The Sunne that measures heauen all day long, / At night doth baite his steedes the *Ocean* waues emong)라는 숙녀의 서술에서 포이보스 아폴론의 신화가 인유되고, 이것과 그리스 신화의 대양신 오케아노스Ocean, Oceanus, Ὠκεανός가 병치된다(Spenser 38). 올림포스 신은 제2칸토 제1연 제7-8행 "포이보스의 불타는 마차가 / 재빠르게 동쪽 언덕에서 올라오고 있는 중이라고"(*Phœbus* fiery carre / In hast was climbing vp the Easterne hill)에서 장엄한 일출, 즉 인간 시간의 "아침"(Bush, *Renaissance Tradition* 97)의 생동적인 묘사에서 반복된다(Spenser 51). 포이보스 아폴론은 제5칸토 제2연 제3-5행 "포이보스가 신선하게 . . . / 이슬젖은 머리카락을 흩날리며 춤추며 나와서 / 어두운 허공에 자신의 찬란한 광채들을 흩뿌렸다"(*Phœbus* fresh . . . / Came dauncing forth, shaking his deawie haire: / And hurld his glistring beames through gloomy aire)에서 보듯이 아름다운 일출의 생생한 묘사에서도 반복적으로 나타난다(Spenser 123). 태양신은 또한 햇빛의 "격렬한 더위"(the fierce heat)(I.2.29.9)를 "이제 황금빛 포이보스가 중천에 높이 떠올라 / 자신의 아름다운 마차의 불타는 바퀴들에서 / 너무 지독히 잔인할 만큼의 뜨거운 빛을 퍼부었다"(For golden *Phœbus* now ymounted hie, / From fiery wheeles of his faire chariot / Hurled his beame so scorching cruell hot)(I.2.29.3-5)에서와 같이 그림 같은 기술에서도 반복되어 나타난다(Spenser 65). 포이보스 아폴론은 다시 "순결한 포이보스가 / 피곤에 지친 마차를 서쪽의 물결 속에서 쉬도록 하는 동안,"(whilst *Phœbus* pure / In westerne waues his wearie wagon did recure)(I.5.44.8-9)에서 보듯이 서쪽에서 편안한 밤에 휴식을 취하는 묘사에서도 나타난다(Spenser 144). 마지막으로 포이보스 아폴론은 제6칸토 제6연 제5-8행 "날아가던 포이보스는 그런 치욕스러운 광경을 보자 / 붉게 달아오른 자신의 얼굴을 짙은 구름으로 감싸 / 창피함을 숨겼다."(And *Phœbus* flying so most shamefull sight, / His blushing face in foggy cloud implyes, / And hides for shame)에서와 같이 정욕적인 상로이Sansloy에 의하여 강탈당한 성채와 같은 우나Una의 순결을 공감의 효과를 제고하기 위하여 생생하게 묘사하는 데에서도 반복적으로 나타난다(Spenser 153). 한편, 거신 오케아노스는 대양을 신격화한 것인데, 지구의 3,000명 아들인 강신 포타모이Potamoi, Ποταμοί와 3,000명 딸인 물의 요정 오케아니데스Oceanids, Ὠκεανίς, Oceanides의 아버지이다. 또한 오케아노스는 제3칸토 제31연 제1-2행 "마치 녹초가 되어버린 뱃사람이 / 드넓은 대양을 오랫동안 방황하면서 다니다가"(as when the beaten marinere, / That long hath wandred in the *Ocean* wide.)에서도 반복된다(Spenser 89).

기사와 숙녀 "우나"(*Vna*, I.1.45.9)에게 쏟아지는 "죽음 같은 잠"(deadly sleepe)(I.1.36.6)을 묘사하기 위하여, 스펜서는 제1칸토 제36연 제3-4행 "마치 모르페우스의 전령이 달콤한 졸음의 이슬을 / 그들에게 뿌려서"(As messenger of *Morpheus* on them cast / Sweet slombring deaw,)에서와 같이 그리스 로마 신화의 모르페우스Morpheus, Μορφευς를 원용하고 있다. 일반적으로 모르페우스는 한 손에 화병을, 다른 손에 양귀비를 들고 있는 날개 돋친 잠자는 아이로 표상된다(*CD* 380). 『변신이야기』 제11권 제634-49행에서 "형태"를 의미하는 그리스어 "모르페"(μορφή)에서 파생된 모르페우스는 그리스 신화의 잠의 신 히프노스Hypnos, Ὕπνος 또는 로마 신화의 솜누스Somnus의 아들로서 인간에게 모든 형태로 나타나는 꿈의 신으로 등장한다(Ovid, *Metamorphoses* 279). 그러나 모르페우스와 히프노스 또는 솜누스는 교차 사용이 가능하므로 "모르페우스 자신은 꿈을 통제하는 잠의 신인 것이다"(Sawtell 84; Lotspeich 83). 제1칸토 제37연 제4-9행에서 스펜서는 침소에서 잠을 자는 기사와 숙녀의 "잠든 마음을 괴롭히기 위하여"(to trouble sleepy mindes)(I.1.36.9) 서재에서 "자기 마술책들과 여러 가지 종류의 술수들"(His Magick bookes and artes of sundry kindes)(I.1.36.8) 중에서 "위력 있는 주문들"(mighty charmes)(I.1.36.9)을 찾아 나서는 노인의 초자연적 행위를 기술하기 위하여 프로세르피나Proserpina와 고르곤Gorgon의 고전 신화들을 인유하거나 원용하며, 코퀴토스Cocytus, Κωκυτός강과 스틱스Styx, Στύξ강과 같은 신화적 장소들을 의인화하고 있다. "시커먼 플루토의 무서운 부인"(blacke *Plutoes* griesly Dame)(I.1.37.4)의 시구는 케레스Ceres 또는 데메테르Demeter의 유괴당한 딸인 가공할만한 프로세르피나Proserpine 또는 그리스 신화의 페르세포네Persephone, Περσεφόνη를 가리킨다. 그녀는 플루톤Pluton, Πλούτων 또는 플루토Pluto 또는 하데스Hades, Ἅδης 또는 문자 그대로 의미가 "부자"(The Rich Man)인 디스파테르Dīs Pater가 지하세계의 신이자 왕의 아내이기 때문이다(*BM* 938, 940; *CM* 360, 377). 프로세르피나는 "사악한 주인"(wicked maister)(I.2.2.3) 아키마고Archimago(I.1.43.6)의 좌절된 마음을 묘사하는 데에서 제2칸토 제2연 제15-16행 시구 "지옥의 아픔과 / 슬픈 프로세르피나의 분노"(hellish paine / And sad *Proserpines* wrath)로 반복되어 나타난다. 프로세르피나 이외에 아키마고는 문자 그대로 의미가

"대마술사"(chief magician)인데, 그 "대담한 악인"(bold bad man)은 "어둠과 죽음의 밤을 다스리는 왕 / 위대한 고르곤"(Great *Gorgon*, Prince of darknesse and dead night)(I.1.37.7-8)을 소환하고 있다(*FQ* 40n). 호메로스는 『일리아스』(제5권 제849행)와 『오디세이아』(제11권 제726행)에서 지하세계의 끔찍한 괴물인 단수 고르곤Γοργών을 언급하고 있는 반면에(Homer, *Iliad* 188; *Odyssey* 270), 헤시오도스는 『신통기』에서 복수형 고르곤들-스테노Stheno, 에우뤼알레Euryale, 메두사Medusa, Μέδουσα를 묘사하고 있으며(Hesiod, *Theogony* 25), 베르길리우스는 『아이네이스』(제6권 제328행)에서 아이네이아스Aeneas가 지옥의 문 입구에서 만나는 무서운 고르곤들을 서술하고 있다(Virgil, *Aeneid* 191). 지하세계에서 고르곤을 보자마자 의인화된 통곡의 강 "코퀴토스"(*Cocytus*)는 "사시나무처럼 떨고"(quakes), 죽음의 강 "스틱스"(*Styx*)는 "도망치고"(is put to flight) 있는데, 이 두 강은 밀턴에 관한 제4장에 언급되어 있다(Ahn 193). 스틱스강은 "잠 못 드는 영혼을 위하여 / 복수하세요. 영혼이 저 위에서 그대를 부릅니다. / 스틱스의 강기슭에서 방황하며"(let not his restlesse spright / Be vnreueng'd, that calles to you aboue / From wandring *Stygian* shores)(I.4.48.7-9)라고 말하면서 레드크로스 기사에게 형제 상포이Sansfoy의 복수를 하라고 상조이Sansjoy를 부추기는 두엣사Duessa의 진지한 연설에서 형용사 "스틱스의"(Stygian)로 다시 등장한다(Spenser 120). 형용사 "스틱스의"는 제5칸토 제10연 제6-7행 "검은 스틱스의 호숫가에 앉아서 울고 있는가, / 그대(상포이)의 방패는 승자의 전리품으로 여기 걸려 있는데?"(Doest thou (Sansfoy) sit wayling by black *Stygian* lake, / Whilest here thy shield is hangd for victors hyre?)에서와 같이 복수심에 가득 찬 상포이의 하소연으로 반복된다(Spenser 127).

제1칸토 제39연에서 밤하늘의 바다와 달을 묘사하기 위하여 스펜서는 "정령"(The Sprite)(제43연 제1행), 즉 아키마고의 전령이 서둘러가는 앞에서 언급한 "모르페우스의 집"(*Morpheus* house) 또는 "거처"(dwelling)뿐만 아니라 고전 신화들인 테티스Tethys, Τηθύς와 킨티아신시아, Cynthia, Κυνθία를 원용하고 있다. 칠흑 같은 "슬픈 밤"(sad Night) 하늘 아래에 "깊은 잠"(deep sleep)을 함의하는 모르페우스는 제1칸토 제40연 제8-9행 "모르페우스에게 가보니, 그는 깊은 잠의 수렁에 / 한없이 푹 빠져 있는 것이었다."(And vnto *Morpheus* comes, whom drowned deepe / In drowsie fit he findes.)에서 반복되어 나타난다(Spenser 42). 또다시 모르페우스는 레드크로스 기사와 상조이가 그들의 결전에서 이기는 방법을 궁리하는 밤 바로 직전 궁정의 모든 사람들에게 엄습하는 깊은 잠을 묘사하는 데에서 제4칸토 제44연 제6-7행 "모르페우스가 납으로 만든 묵중한 철퇴를 가지고 / 궁정에 있는 모든 사람들을 잠에 사로잡았을 때"(But whenas *Morpheus* had with leaden mace / Arrested all that courtly company.)에서도 반복된다(Spenser 118). 한편, 헤시오도스의 『신통기』에서 테티스는 우라노스와 가이아－거신 오케아노스의 자매이자 아내이고, 강신들인 포토모이와 물의 요정들인 오케아니스의 어머니－의 여성 거신Titaness-딸로서 묘사되고 있다(Hesiod, *Theogony* 31; *BM* 949; *CM* 424). 환유換喩, metonymy로서 여성 거신은 제1칸토 제39연 제6-7행 "거기서는 테티스가 그의 / 젖은 침대를 항시 씻고 있으며"(there *Tethys* his wet bed / Doth euer wash.)에서와 같이 항상 출렁이는 바다를 함의한다. 짠 바닷물을 의미하는 테티스는 제3칸토 제31연 제3행 "때론 테티스의 짠 눈물에 뒤덮여 푹 젖거나"(Oft soust in swelling *Tethys* saltish teare.)에서 반복된다(Sawtelle 114; Spenser 89). 그리고 디아나의 별칭인 킨티아는 문자 그대로 낮은 화강암 암산이자 델로스Delos섬의 아르테미스Artemis, Ἄρτεμις 또는 디아나와 아폴론의 출생지인 "킨토스산에서"(from Mount Cynthus, Κύνθος)(150m)의 의미인데, 원래는 달의 여신 아르테미스의 형용사인 것이다(*CD* 184; *BM* 898). 또한 이 시어는 환유로서 제8-9행 “킨티아는 언제나 / 기울어져 있는 그의 머리를 은빛 이슬로 적신다.”(*Cynthia* still doth steepe / In siluer deaw his euer-drouping hed.)에서와 같이 은빛 달을 상징한다(Spenser 42).

제1칸토 제43연 제2-3행에서 스펜서는 잠자고 있는 기사를 감히 담대히 깨우는 정령의 위협적인 말에서 그리스 신화의 헤카테Hecate, Hekate, Ἑκάτη를 원용하고 있다. 데모고르곤Demogorgon과 프로세르피나와 더불어 헤카테는 마법, 마술, 주술, 유령 및 십자로의 “무서운”(dreaded)(I.1.43.2) 여신이다. 한편, 제45연에서 아키마고는 마술적으로 기사의 숙녀 우나와 아주 흡사한 “한 숙녀를 또 다른 정령으로”(a Lady of that other Spright) 만든다. 가짜 숙녀와 더불어 정령에 의해 형성된 정욕적인 꿈속에서 “잠에 빠져 누워 있는”(in slomber lay)(I.1.47.2) 기사에게 압도적으로 영향을 주는 “허황된 환락과 사악한 쾌락”(wanton blis and wicked joy)(I.1.47.6)을 암시하기 위하여 스펜서는 제1칸토 제47연 제8-9행 “저 날개 돋친 못된 애가 어떻게 / 자신의 순결한 마음을 눌러 쾌락의 여인의 희롱을 배우게 했는지”(how that false winged boy / Her chast hart had subdewd, to learne Dame pleasures toy)에서 보듯이 큐피드와 비너스의 로마 신화들을 인유하고 있다(Spenser 46). 정말로 “저 날개 돋친 못된 애”는 육체적 사랑의 전령 큐피드를, “쾌락의 여인의 희롱”은 그의 어머니와 전쟁의 신 마르스와의 혼외정사로 인하여 사랑의 여신 비너스의 정욕적인 희롱을 시사한다(*FQ* 41n). 비너스는 아름다운 가짜 숙녀와 “또 다른 못된 정령”(false other Spright)(I.2.3.2)으로 만든 “젊은 지주”(a young Squire)(I.2.3.4) 사이의 성적인 암시를 묘사하는 데에서 제2칸토 제4연 제7-8행 “사악한 인간들은 / 비너스의 창피한 사슬로 자신들을 묶어 버렸는데.”(wicked wights / Haue knit themselues in *Venus* shamefull chaine;)에서와 같이 반복되어 나타난다. 비너스의 창피한 사슬은 불륜에 탐닉하던 여신과 마르스를 붙잡은 여신의 남편 불카누스가 던진 사슬 또는 그물을 상징하기 때문이다.

제1칸토 제48연에서 스펜서는 꿈속에서의 기사와 우나의 육체적 결합을 묘사하는 데에서 그리스 로마 신화들인 비너스, 그레이스들Graces 또는 카리테스Charites, Χάριτες 또는 그라티아이Gratiae, 히멘Hymen 및 플로라Flora를 원용하고 있다.

> 또한 그에게 미의 여왕인 아름다운 비너스가 직접
> 　우나를 그의 침대로 데리고 오는 것이 보였는데,
> 　깨어있을 때 그는 언제나 그녀에 대해 생각하기를
> 　이제까지 지상의 나뭇가지에서 피어난 모든 것 중에서
> 　가장 순결한 꽃이며 어느 왕의 외동딸로 여겼으나,
> 　지금은 사악한 음행에 사로잡힌 난잡한 애인이었다.
> 　또한 그레이스들이 다 함께 노래하는 것이 보였다,
> 　히멘 이오 히멘이라며, 빙 둘러 춤을 추면서.
> 그러는 동안 싱싱한 플로라는 그녀에게 담쟁이 화관을 씌웠다.
>
> (Spenser 46)

> And she her selfe of beautie soueraigne Queene,
> 　Faire *Venus* seemde vnto his bed to bring
> 　Her, whom he waking euermore did weene
> 　To be the chastest flowre, that ay did spring
> 　On earthly braunch, the daughter of a king,
> 　Now a loose Leman to vile seruice bound:
> 　And eke the *Graces* seemed all to sing,
> 　*Hymen iõ Hymen*, dauncing all around,
> Whilst freshest *Flora* her with Yuie girlond crownd. (*FQ* 42)

여기서 로마 신화에서 사랑, 미, 욕망, 성, 풍요, 번성의 여신 비너스(화보 참조)는 “미의 여왕”(beautie soueraigne Queene)과 레드크로스 기사를 중매하는 역할을 하는 것 같다. 선녀여왕 우나는 “가장 순결한 꽃”(the chastest flowre)과 같았지만, 이제 그의 꿈속에서 “난잡한 애인”(a loose Leman)으로 어렴풋이 나타난다. 비너스 또는 아프로디테Aphrodite, Ἀφροδίτη를 따르는 여신들로서 그레이스는 헤시오도스 이후부터 아글라에아Aglaea, Ἀγλαΐα(광휘), 에우프로시네Euphrosyne, Εὐφροσύνη(환희), 탈리아Thalia, Θάλεια(풍요)의 우아한 삼미신三美神, Three Graces이다(*BM* 909; *CM* 94). 로마인들의 축혼가 시구 “히멘 이오 히멘”(*Hymen iõ Hymen*)에서 추정되듯이 고전 신화에서 히멘Hymen, Ὑμήν, Hymenaios, Hymenaeus은 바쿠스와 비너스 또는 아폴론과 한 뮤즈의 아들이고, 아테네의 빼어난 미남이자 결혼의 신이다(*FQ* 42n; *CD* 283). 따라서 삼미신과 더불어 비너스는 아서왕의 로맨스에 등장하는 란슬롯Lancelot 기사와 귀네비어Guinevere 왕비의 불륜에 라이트모티프로 영향을 끼친 트리스탄Tristan 기사와 이줄트Iseult 왕비의 육체적 결합과 아주 유사한 레드크로스 기사와 여왕의 관계를 분명히 강조하고 있다. 플로라는 로마의 꽃, 특히 메이플라워의 여신으로서 “담쟁이 화관을 씌웠다”(with Yuie girlond crownd)와 같은 행위로서 이들의 부도덕한 성애를 전형적으로 제시하고 있다. 담쟁이 화관Ivy garland은 포도주와 종교적 환희의 신 디오니소스Dionysus, Dionysos, Διόνυσος 또는 바쿠스Bacchus를 상징하는 꽃으로서 호색을 표상하기 때문이다.

제2칸토 제1연 제1-5행에서 스펜서는 “북쪽의 마부”(Northerne wagoner)와 “일곱 마리 말”(seuenfold teme)과 같은 시구를 통하여 가장 밝은 아르크투루스Arcturus와 기타 일곱별을 포함하는 목동자리Boötes의 전설이 된 아르카디아Arcadia의 왕 아르카스Arcas, Ἀρκάς 신화를 인유하고 있다. 또한 시인은 시어 “붙박이별”(stedfast starre)을 통하여 사냥꾼 아르카스가 변신한 작은곰자리Ursa Minor 성좌에서 가장 밝은 북극성Polaris 신화를 인유하고 있다. 목동자리와 작은곰자리 및 북극성은 예이츠와 엘리엇에 관한 제9장과 제10장에 상술되어 있다.

제2칸토 제6연 제6-7행 "마침내 아름다운 헤스페로스가 드높은 하늘에서 / 자신의 등불을 다 써버리고 새벽의 여명을 불러왔다."(At last faire Hesperus in highest skie / Had spent his lampe, and brought forth dawning light.)에서 보듯이 밝아오는 여명을 알리기 위하여 스펜서는 그리스 신화의 헤스페로스Hesperus, Ἕσπερος, Hesper 또는 로마 신화의 베스페르Vesper를 원용하고 있다(Spenser 54). 의인화된 헤스페로스는 새벽의 여신 에오스Eos, Ἠώς 또는 아우로라오로라, Aurora의 아들이고, 아침별Morning Star인 포스포로스Phosphorus의 이복형으로서 저녁별Evening Star인 금성Venus을 가리킨다(*CD* 274). 제2칸토 제7연에서 숙녀가 깨어나서 떠나가 버린 기사와 자신의 하인 난쟁이Dwarf를 찾았으나 고립무원孤立無援이 된 아침 시간을 그림같이 묘사하기 위하여 스펜서는 고전 신화들인 아우로라, 티토노스Tithon, Τιθωνός, Tithonus 및 거신 히페리온Titan Hyperion, Ὑπερίων을 원용하거나 인유하고 있다.

> 이제, 장밋빛 손가락을 가진 아름다운 아침이
> 　늙은 티토노스의 샤프란 색 침대에 싫증을 느끼고
> 　자기의 보랏빛 겉옷을 이슬 젖은 대기에 펼쳐 널고,
> 　또한 티탄이 높은 언덕들을 드러내 보일 때,
> 　그 왕족의 처녀는 졸음에 겨운 머리를 떨쳐내고서
> 　자신의 보잘것없는 침실에서 일어나 밖으로 나와,
> 　이미 멀리 가버리고 없는 자기의 기사를 찾았으며
> 　언제나 대기하고 있던 자신의 난쟁이를 찾았다.
> 그리곤 비참한 곤경에 처한 것을 깨닫고 흐느껴 울기 시작했다.
>
> (Spenser 54-55)

Now when the rosy-fingred Morning faire,
    Weary of aged *Tithones* saffron bed,
    Had spred her purple robe through deawy aire,
    And the high hils *Titan* discouered,
    The royall virgin shooke off drowsy-hed,
    And rising forth out of her baser bowre,
    Lookt for her knight, who far away was fled,
    And for her Dwarfe, that wont to wait each houre;
Then gan she waile and weepe, to see that woefull stowre. (*FQ* 45)

위의 시구들인 "장밋빛 손가락을 가진 아름다운 아침"(rosy-fingred Morning faire), "샤프란 색 침대"(saffron bed) 및 "자기의 보랏빛 겉옷"(her purple robe)은 노골적으로 혹은 은밀하게 트로이의 왕자 "늙은" 티토노스를 불행한 애인으로 둔 로마 신화의 아우로라를 인유하고 있다. 일반적으로 새벽의 여신은 "시인들에 의하여 장밋빛의 전차를 타고, 장밋빛 손가락으로 동쪽 문을 열고, 대지에 이슬을 뿌리고, 꽃이 자라게 하는 것으로 표상되며", 샤프란은 그녀의 상징이기 때문이다(*CD* 98). 이 여신과 인간 왕자와의 아름답지만 슬픈 이야기는 셸리와 테니슨에 관한 제5장과 제7장에서 상세히 천착되어 있다(Ahn 258-59; 180-81). 시구 "티탄이 높은 언덕들을 드러내 보이는"(the high hils *Titan* discouered)에서의 시어 "티탄"(Titan)은 태양 거신 히페리온을 지칭하지만, 거신과 여성 거신 테이아Titaness Theia의 아들인 태양 거신 헬리오스Titan Helios, Ἥλιος, Helius도 함의하며, 시인들에 의해 흔히 원용되듯이 여기서는 태양신 포이보스 아폴론과 동일시된다(*CD* 263, 284). 태양 거신 히페리온은 제4칸토 제8연 제5-6행 "한 처녀 여왕이 / 번쩍이는 황금과 견줄 수 없는 보석들로 티탄의 광선처럼 빛난"(A mayden Queene, that shone as *Titans* ray, / In glistring gold, and peerelesse pretious stone.) 옥좌의 묘사에서 바벨탑을 연상시키는 수많은 높은 탑이 있는 웅장한 궁전인 죄악의 "교만의 집"(House of Pride)에서 찬란한 여왕을 서술하는 데에서도 반복된다.

제2칸토 제10-11연에서 "여러 가지 형체와 모습"(many formes and shapes)으로 다양하게 변신하는 악마 같은 아키마고의 마력을 기술하기 위하여 스펜서는 그리스 신화의 프로테우스Proteus, Πρωτεύς를 원용하고 있다. 초기 예언의 신이자 바다의 신 프로테우스는 호메로스가 『오디세이아』 제4권 제409행에서 소위 "바다 노인"(the Old Man of the Sea)이라고 불렀으며, 예언을 물으면 답변하지 않고 호랑이나 사자 등으로 변신하듯이 "날짐승"(a fowl), "물고기"(a fish), "여우"(a fox), "용"(a dragon), "선한 기사"(good knight)(I.2.11.2) 자신인 가짜 "성 조지"(*Saint George*)로 계속적으로 스스로 변신한다(*CD* 509; *CM* 377-78; Sawtelle 103-04; Lotspeich 104). 그러나 진정한 성 조지는 방황하다가 길에서 우연히 "믿음 없는 사라센인"(faithlesse Sarazin)(I.2.12.6)을 만나서 격렬하게 싸웠는데, 후자의 커다란 방패에는 프랑스어로 "믿음 없는"(sans foi)을 뜻하는 "상 포이"(*Sans foy*)(I.2.12.8), 즉 "상포이"(Sansfoy)라는 풍유적 글자가 화려하게 쓰여 있었다. 따라서 성 조지 "레드크로스"(the *Redcrosse*)(I.2.15.1) 기사는 기독교 신앙을 상징하고, 반면에 사라센인 상포이는 무슬림 이교주의Muslim paganism를 대변한다. 패배하여 참수당하는 상포이는 가짜 숙녀 피뎃사Fidessa의 애원하는 서술에서 다른 두 동생들인 프랑스어로서 "무법의"(sans loi)를 뜻하는 풍유적 이름인 "상 로이"(*Sans loy*), 즉 "상로이"(Sansloy)와 "기쁨 없는"(sans joi)을 뜻하는 "상 조이"(*Sans ioy*), 즉 "상조이"(Sansjoy)의 맏형으로 드러난다(I.2.25.7-9). 피뎃사는 문자 그대로 "신실한 숙녀"(faithful lady)의 뜻이지만 역설적으로 "믿음 없는 여인"(faithless woman)이 되며, 그녀의 실제 이름은 "두엣사"(*Duessa*)(I.2.34.8)로서 문자 그대로 "이중 인간"

(Double Being)을 의미한다(*FQ* 52n). 승리한 기사는 가짜 "어여쁜 숙녀"(faire Lady)(I.2.26.8) 피뎃사, 즉 "사악한 마녀"(a false sorceresse)(I.2.34.8)의 현혹적인 말과 변장한 외모에 속아 넘어간다. 제2칸토 제34연에서 "모험을 찾아 나서는 수많은 기사들"(many errant knights)을 유혹하여 비참한 파탄에 빠뜨리는 요부妖婦, *femme fatale* 두엣사는 "사악한 마녀"(wicked witch)(I.2.38.1)로 드러난다.

한편, 풍유적이고 환상적 인물 프라두비오*Fradubio*, 즉 라틴어로 "fra"(안 또는 사이에)와 "doubio"(의심)의 합성어로서 "한때 사람"(once a man)이었다가 "이젠 나무"(now a tree)인 복합적 존재의 서술에서 혹한을 묘사하기 위하여 제2칸토 제33연 제7행 "보레아스는 살을 에듯 매섭게 몰아쳐 불어오고"(Where *Boreas* doth blow full bitter bleake.)에서 보듯이 스펜서는 그리스 신화의 휘페르보레아Hyperborea 산맥에서 불어오는 북풍의 신 보레아스Boreas 또는 보라스Boras, Βορᾶς를 원용하고 있다(*FQ* 51n; *CD* 108). 프라두비오 기사는 레드크로스 기사와 유사한데, 라틴어 접두사 "프라"(Fra)가 "형제"를 의미하기 때문이다. 서술자 프라두비오는 자신의 아름다운 숙녀 "프랠릿사(*Frælissa*)(I.2.37.8)(이탈리아어로 프라젤라Fralezza)가 문자 그대로 "연약한 여인"(frail woman)을 뜻하는데, 외관상 아름다운 마녀의 실체는 "불결하고 끔찍한 노파"(a filthy foule old woman)(I.2.40.8)인 두엣사의 주술과 마술로 나무로 변신했다는 것을 밝혀낸다.

다른 한편, 타락한 가톨릭교회를 상징하는 풍유적 인물 "커크라파인"(Kirkrapine)(I.3.22.3) 교회도둑이 작은 오두막의 문을 두드리고 있는데, 이곳에 문자 그대로 "눈먼 자"(blind of heart)인 장님 노파 코세카Corceca, 그녀의 딸 아벳사Abessa, 버림받은 우나, 즉 자신의 연인인 레드크로스 기사를 찾는 진리 및 그녀의 "막강한 호위병"(strong gard)(I.3.9.2)인 사자Lyon가 "모두 죽음 같은 잠에 빠져"(all in deadly sleepe)(I.3.16.3) 있는 한밤중을 묘사하는 데에서 제3칸토 제16연 제1-2행 "이제는 바야흐로 알데바란 별이 높이 떠올라서 / 빛나는 카시오페이아성좌의 의자 너머로 왔으며."(Now when *Aldeboran* was mounted hie / Aboue the shynie *Cassiopeias* chaire.)에서와 같이 스펜서는 그리스 신화의 카시오페이아Cassiopeia, Κασσιέπεια를 원용하고 있다(*FQ* 58n; Spenser 82). 카시오페이아성좌 위로 높이 솟아오르는 황도12궁 성좌의 황소자리Taurus의 붉은 거성 알데바란Aldeboran, Aldebaran은 자정의 시간을 지칭한다. 카시오페이아는 에티오피아Ethiopia의 왕 케페우스Cepheus의 아내이자 안드로메다Andromeda, Ἀνδρομέδα의 어머니이다. 시구 "카시오페이아성좌의 의자"는 허영심 많은 왕비 또는 자신의 딸 안드로메다가 모든 바다의 요정들인 네레이데스Nereids, Νηρηΐδες나 헤라Hera, Ἥρα 자신보다 더 아름답다고 자랑한 교만으로 포세이돈Poseidon, Ποσειδῶν을 격노하게 한 뒤에 하늘에서 받는 처벌을 함의하고 있다. 13개 별로 구성된 카시오페이아성좌는 매일 밤 고문 기구를 상징하는 자신의 옥좌, 즉 의자에서 겸손의 교훈으로서 뒤로 또는 아래로 머리를 숙이며 절반의 시간을 보내면서 천구의 북극 주위를 회전하는 운명에 처하게 되었다(Sawtelle 39; *CD* 128; *BM* 118-20, 893-94; *CM* 87).

제3칸토 제21연 제4-6행 "그녀(우나)의 떠나간 기사를 찾기 위하여, / 사랑을 위해서 신이 되기를 거절하고 / 그토록 오래 방랑했던 그리스인보다 훨씬 더 고생하면서."(her (Una's) wandring knight to seeke, / With paines farre passing that long wandring *Greeke*, / That for his loue refused deitie.)에서 보듯이 스펜서는 우나와 사자의 더욱 힘든 여정을 과장적으로 묘사하기 위하여 그리스 신화의 오디세우스Odysseus, Ὀδυσσεύς, Ulysses를 인유하고 있다(Spenser 85). 시구 "그토록 오래 방랑했던 그리스인"은 10년간 트로이 전쟁의 그리스 영웅 오디세우스 그리고 자신의 트로이 목마Trojan Horse 계략으로 정복한 트로이로부터 또다시 10년간 이타카Ithaca 왕국까지 방랑하면서 귀향하는 항해를 함의한다. 『오디세이아』 제1권 제16-18행에 의하면, 자신의 신실한 아내 페넬로페 또는 페넬로페이아Penelope, Πηνελόπεια의 사랑을 위하여 오디세우스는 7년간 오귀기아Ogygia섬에서 난파당한 왕과 부하들에게 극진히 환대했던 요염妖艶한 바다 요정이자 침묵의 여신 칼립소Calypso, Καλυψώ가 제안하는 "신"(deitie), 즉 불멸의 남편이 되는 것을 거부한다(*CD* 121; *BM* 245, 893; *CM* 83).

제3칸토 제31연에서 드디어 외견상 레드크로스 기사로 변신한 아키마고와 조우하는 우나의 무척 기쁜 감정을 비교하기 위하여 스펜서는 앞에서 언급한 오케아노스와 테티스뿐만 아니라 그리스 신화들인 오리온Orion, Ὠρίων과 시리우스Sirius, Σείριος 및 네레우스Nereus를 원용하거나 인유하고 있다.

그러한 느낌은 마치 녹초가 되어버린 뱃사람이
　드넓은 대양을 오랫동안 방황하면서 다니다가,
　아무도 견뎌낼 수 없게 몰아치는 하늘의 호흡과
　오리온의 흉맹한 사냥개가 지져대는 화염 때문에
　때론 테티스의 짠 눈물에 뒤덮여 푹 젖거나
　자신의 황갈색 등허리를 오랜 시간 그을리면서,
　멀리서부터 항구가 있다는 것을 발견하고 즉시로
　신나는 휘파람을 즐겁게 불어대며, 술잔을 들어
네레우스를 칭송하고, 동료들은 돌아가며 그에게 건배하듯이.

(Spenser 89-90)

Much like, as when the beaten marinere,
　That long hath wandred in the *Ocean* wide,
　Oft soust in swelling *Tethys* saltish teare,
　And long time hauing tand his tawney hide

With blustring breath of heauen, that none can bide,
And scorching flames of fierce *Orions* hound,
Soone as the port from farre he has espide,
His chearefull whistle merrily doth sound,
And *Nereus* crownes with cups; his mates him pledg around. (*FQ* 61)

시어 "오리온"(*Orion*)은 포세이돈의 아들로서 아르테미스를 겁탈하려다가 그 여신이 머리 위에 전갈을 올려서 물려 죽고, "견좌犬座 시리우스가 뒤따르는 오리온성좌가 된" 거한 사냥꾼 오리온과 연결된다(*BM* 933; *CM* 314). 게다가 시구 "오리온의 흉맹한 사냥개"(fierce *Orions* hound)는 문자적으로 "지져대는"(scorching)의 뜻이고, 구어적으로 큰개자리Canis Major, Greater Dog 성좌에서 "천랑성"(天狼星, Dog Star)으로 알려진 가장 밝은 별 시리우스를 가리킨다. 한여름에 태양과 더불어 "지져대는 화염"(scorching flames)의 시리우스가 떠오르면 가장 덥고 건조한 "복날"(dog days)의 시작을 알린다. 추가로 기뻐하는 우나를 거친 물을 헤치며 오고 있는 자신의 배를 바라보며 "즐거워하는 상인"(the glad merchant)(I.3.32.3)과 비교하기 위하여 스펜서는 제3칸토 제32연 제5행 "상인은 맹세를 남발하며 넵투누스를 찬양하곤 한다."(He hurles out vowes, and *Neptune* oft doth blesse.)에서 로마 신화의 바다의 신 넵투누스Neptune, Neptunus(그리스 신화의 상응신 포세이돈)를 사용하고 있다. 제3칸토 제36연 제6행 "이제로부터 그(상포이)의 영혼은 안타까운 고통에서 벗어나 / 평안하게 레테 호수를 건너갈 수 있을 것이며,"(Henceforth his (Sansfoy's) ghost, freed from repining strife, / In peace may passen ouer *Lethe* lake.)에서 그리스의 신화적 장소인 레테Lethe, Λήθη는 망각의 강인데, 레드크로스 기사로 변장한 아키마고에 대하여 참수당한 상포이의 복수를 다짐하는 상로이의 말에서 생사의 경계선 의미로 도입되고 있다(Spenser 92).

제4칸토 제9연에서 "교만의 집"의 여왕을 비교적으로 묘사하기 위하여 스펜서는 제1행 시구 "포이보스의 멋진 아들"(*Phœbus* fairest childe)로서 포이보스 아폴론의 교만한 아들인 파에톤Phaethon, Φαέθων 신화를 인유하고 있다. 그리스 신화에서 파에톤은 태양 거신 헬리오스와 오케아니스Oceanid, Ὠκεανίς, 즉 바다의 요정 클리메네Clymene의 아들(*CM* 344) 또는 『변신이야기』(제2권 제28-40행)에서 태양신 포이보스 아폴론의 아들로 등장한다 (Ovid, *Metamorphoses* 38-45; *BM* 937). 파에톤이 아버지 아폴론의 "불타는 마차"(fierie wayne)(I.4.9.2)를 자기 멋대로 무모하게 몰다가 하늘과 대지를 불태움으로써 무질서를 간파한 제우스의 벼락에 맞아서 치명적인 추락을 하게 되는 신화(*CD* 457)에 관한 오비디우스의 400행이나 되는 긴 시행을, 스펜서가 자신의 짧은 9행의 스펜서 연으로 압축한 것은 분명하다. 제4칸토 제11연 제1-2행 "그녀는 바로 징그러운 플루토의 딸이었고, 또한 / 지옥의 여왕인 슬픈 프로세르피나의 딸이었다."(Of griesly *Pluto* she the daughter was, / And sad *Proserpina* the Queene of hell.)에서 교만한 여왕 루시페라*Lucifera*(I.4.12.1)를 묘사하는 데에서 스펜서는 앞에서 언급한 로마 신화들인 명부冥府의 부부인 플루토와 프로세르피나를 원용한다(Spenser 102). 지옥계地獄界의 왕 플루토는 제5칸토 제14연 제6-8행 "보세요, 저 지옥에서 온 세력이 / 죽음의 밤 같은 구름으로 기사님의 적을 뒤덮어서 / 플루토의 구슬픈 처소로 그자를 데려가 버렸어요."(lo th'infernall powres / Couering your foe with cloud of deadly night, / Haue borne him hence to *Plutoes* balefull bowres.)에서 승리한 레드크로스 기사에게 말하는 두엣사의 가식된 진술에서도 반복된다(Spenser 129). 흥미롭게도 사탄의 원래 이름인 루시퍼Lucifer의 여성 상대가 루시페라인데, 교만하여 벼락을 던지는 제우스까지 자신의 "남편"(syre)(I.4.11.6)이라고 과장되게 공언한다. 게다가 제4칸토 제16연 제4-5행 "마치 아름다운 아우로라가 보랏빛 겉옷을 입고 / 먼동이 트는 낮을 부르는 것처럼”(As faire *Aurora* in her purple pall, / Out of the East the dawning day doth call.)에서 보듯이 지나치게 거만한 여왕 루시페라의 “왕 같은 걸음”(Princely pace)(I.4.16.3)은 앞에서 언급한 낮을 소환하는 새벽의 여신 아우로라에 비유된다(Spenser 105).

제4칸토 제17연에서 루시페라의 멋진 마차를 그림같이 묘사하기 위하여 스펜서는 고전 신화들인 플로라, 유노, 요베 및 아르고스를 원용하고 있다.

> 그렇게 그녀는 나아가서 자신의 마차에 올랐는데,
> 　그것은 온통 황금과 화려한 꽃으로 꾸며져 있었고
> 　꽃은 플로라가 절정에 이른 때처럼 신선했으며
> 　왕궁의 고귀한 치장들을 가지고 위대한 유노의
> 　황금마차와 경쟁하려는 듯했다. 사람들은 말하지,
> 　유노가 마차를 타고 황동이 깔린 하늘길을 통해
> 　요베의 드높은 집으로 갈 때, 신들이 서서 바라보았다고.
> 　마차는 자존심이 남달리 강하고, 아르고스의 눈으로
> 가득한 꼬리를 넓게 펼쳐 보이는, 아름다운 공작들이 끌고 있었다.
> (Spenser 105)

> So forth she comes, and to her coche does clyme,
> 　Adorned all with gold, and girlonds gay,
> 　That seemd as fresh as *Flora* in her prime,
> 　And stroue to match, in royall rich array,
> 　Great *Iunoes* golden chaire, the which they say
> 　The Gods stand gazing on, when she does ride
> 　To *Ioues* high house through heauens bras-paued way
> 　Drawne of faire Pecocks, that excell in pride,
> And full of *Argus* eyes their tailes dispredden wide. (*FQ* 67)

"꽃"(flower)을 의미하는 라틴어 "플로스"(flos)에서 파생된 고대 로마의 꽃의 여신 플로라와 "요베의 드높은 집"(*Ioues* high house)에서와 같이 그리스 로마 신화의 하늘과 천둥의 신 요베는 명백히 교만한 루시페라의 아름다움과 권능을 강조하고 있다. "하늘"을 의미하는 요베의 높은 처소는 제5칸토 제19연 제1-2행 "그렇게 두엣사는 울었다. 요베의 드높은 집 / 빛나는 등잔불에 불이 켜지는 저녁이 될 때까지."(So wept *Duessa* vntill euentide, / That shyning lampes in *Ioues* high house were light.)에서도 반복된다(Spenser 131). 또한 시구 "위대한 유노의 황금마차"(Great *Iunoes* golden chaire)도 황금과 신선한 꽃들로 온통 장식된 루시페라 여왕의 "마차"(coche)를 극도로 강화하고 있다. 로마 신화의 여신 유노의 황금마차는 "아르고스의 눈으로 가득한"(full of *Argus* eyes) 꼬리를 활짝 펼치는 의기양양意氣揚揚한 공작이 끌고 있다. 『변신이야기』(제1권 591-723행)에서 아르고스Argus, Argos 또는 아르구스 판옵테스Argus Panoptes, Ἄργος Πανόπτης는 문자 그대로 "만물을 보는"의 뜻이고, 유피테르의 애인이자 송아지-요정 이오Io를 감시하는 백 개의 눈이 달린 신화적 거한이지만 그 신의 부탁으로 메르쿠리우스에게 죽임을 당하는데, 그 결과 유노는 자신이 애호하는 공작의 꼬리에 눈을 붙이게 된다(Ovid, *Metamorphoses* 21-25; *CD* 73-74; *BM* 886; *CM* 58).

제5칸토 제8연 제2-3행 "마치 먹이를 쥐고 있던 그리폰 한 마리가 / 날다가 불을 뿜는 용과 맞닥뜨리게 되었을 때"(As when a Gryfon seized of his pray, / A Dragon fiers encountreth in his flight.)에서 레드크로스 기사와 상조이의 격렬한 전투를 묘사하기 위하여 스펜서는 그리스 신화의 그리폰Gryphon, Griffon, γρύφων 또는 그리핀Griffin을 화룡火龍, Firedrake과 병치시킨다. 물론, 시어 "먹이"(pray)는 기사가 승전물로 거꾸로 들고 다니는 살해당한 상포이의 방패를 함의한다. 그리폰은 "사자의 몸뚱이와 독수리의 머리와 날개를 가진" 전설적 동물이다(*BM* 909). 따라서 시어 "그리폰"(Gryfon)은 레드크로스 기사 또는 예수 그리스도를, 반면에 불을 뿜는 "용"(Dragon)은 사악한 상조이 또는 적그리스도를 상징한다.

제5칸토 제20연 제1-2행 "거기서 죽음처럼 험한 표정의 흉측한 밤이 / 포이보스의 명랑한 얼굴을 감히 한 번도 보지 못하고"(Where griesly *Night*, with visage deadly sad, / That *Phœbus* chearefull face durst neuer vew.)에서 밝은 낮과 극명하게 대조되는 어두운 "밤"(*Night*)을 기술하기 위하여 스펜서는 "밤"의 의인화를 통하여 그리스 신화의 닉스Nyx, Νύξ 또는 로마 신화의 녹스Nox를 인유하고, 태양신 포이보스 아폴론을 원용하고 있다(Spenser 132). 밤의 태초 여신 닉스는 카오스Chaos, χάος의 딸이고, 죽음의 신 타나토스Thanatos, Θάνατος와 잠의 신 히프노스Hypnos의 어머니를 표상하는 것으로서 검은 아이와 흰 아이를 두 팔로 안고 있는 모습으로 가끔 그려진다(*CD* 401). 닉스의 과거 계보는 상조이를 잃어버린 두엣사가 이 여신의 도움을 간청하는 말인 "오, 그대, 모든 것의 시조가 되시는 할머니이시며 / 당신께서 처음 낳은 요베보다도 오래되시고"(O thou most auncient Grandmother of all, / More old then *Ioue*, whom thou at first didst breede) (I.5.22.2-3)에서 다소 과장적으로 제시되어 있다(Spenser 133). 요베, 즉 유피테르 또는 제우스가 닉스 대신에 거신 크로노스Cronos, Cronus, Kronos, Χρόνος 또는 사투르누스와 레아Rhea의 여섯째 막내아들이기 때문이다(*BM* 918; *CM* 454, 466). 제5칸토 제22연 제4-5행 "천상의 신들이 사는 저 거대한 집보다 오래되셨는데, / 그러한 신들은 데모고르곤의 회당 안에서 태어나"(Or that great house of Gods cælestiall, / Which wast begot in *Dæmogorgons* hall.)에서 스펜서는 계속하여 모든 신보다 선행하는 태초의 혼령-신 "데모고르곤"(Demogorgon)을 원용하고 있다(Spenser 133). 사실 데모고르곤은 그리스 로마 신화를 집대성하고 있는 랑프리에르의 『고전 사전』이나 그리말의 『고전 신화 사전』 또는 『불핀치의 신화』에 등장하지 않지만, 밀턴과 셸리에 관한 제4-5장에서도 등장하므로 추가적인 조명이 필요하다.

한편, 제5칸토 제25연 제4-6행 "허지만 누가 운명의 흐름을 돌려놓을 것이며 / 요베의 영원한 보좌에 단단히 붙들어 매여 있는 / 강력한 인과응보因果應報의 사슬을 끊을 수 있다는 말이냐?"(But who can turne the streame of destinee, / Or breake the chayne of strong necessitee, / Which fast is tyde to *Ioues* eternall seat?)에서 앞에서 언급한 인간 운명의 결정자로서 신들의 왕인 요베는 "어둠의 여왕이신 음울한 여인"(dreary Dame, of darknesse Queene)(I.5.24.1)인 닉스의 위로하는 말에서 묘사된다(Spenser 134).

제5칸토 제31연 제3행의 연기와 유황으로 뒤덮인 "아베르누스의 깊은 동굴이 입을 벌린 입구"(To yawning gulfe of deepe *Auernus* hole)로 닉스와 두엣사가 상조이의 육중한 시신을 운반하는 여신의 철마차를 타고 지하세계 아래로 가는 여정을 묘사하는 데에서 스펜서는 신화적 장소로 지옥의 어두운 밑바닥 입구인 아베르누스Avernus를 원용하고 있다(Spenser 137). 화산호 아베르누스의 동굴은 현재 남부 이탈리아의 화산 호수인 아베르누스호Lake Avernus 또는 아베르노호*Lago d'Averno* 부근의 동굴로 여겨진다. 이어서 스펜서는 지하세계에서 죄인들에게 공포를 주는 로마 신화의 복수의 세 여신들인 "무서운 퓨어리들"(dreadfull *Furies*)(I.5.31.8)을 사용하고 있는데, 이들은 녹스와 티탄의 아들 아케론Acheron 또는 플루토와 프로세르피나의 세 딸이고, 그리스 신화에서 에리니에스Erinyes, Ἐρινύες, 또는 완곡하게 에우메니데스Eumenides, Εὐμενίδες이다(*CD* 243; *BM* 906).

한편, 닉스와 두엣사는 지하세계인 타르타로스Tartarus, Τάρταρος에서 "플루토의 거처"(*Plutoes* house)(I.5.32.3)를 지나가고, 슬픔의 강 "아케론의 쓰디쓴 물결들"(the bitter waues of *Acheron*)(I.5.33.1)과 불의 강 "플레게톤이 불타는 듯 넘실대는 곳"(fiery flood of *Phlegeton*)(I.5.33.3)을 통과한다.

지옥의 입구에서 닉스는 무섭게 짖어대는 명계冥界의 문지기 사냥개인 "흉측하게 변형된 세 개의 머리"(three deformed heads)(I.5.34.1-2)에다 "맹독이 있는 수천 마리의 살무사가 뒤엉켜 있는"(curled with thousand adders venomous)(I.5.34.3) "케르베로스"(*Cerberus*, Κέρβερος)를 진정시킨다.

제5칸토 제35연에서 지옥에서 영원히 고통받는 인간계의 왕들과 여인들 및 불멸의 거신이자 피조물을 묘사하는 데에서 스펜서는 닉스와 두엣사의 시점에서 고전 신화들인 익시온Ixion, Ἰξίων, 시시포스Sisyphus, Σίσυφος, 탄탈로스Tantalus, Τάνταλος, 티티오스Tityus, Tityos, Τιτυός, 티포에우스Typhoeus, Τυφωεύς, Typheus, 테세우스 및 다나오스Danaus, Δαναός의 50명의 딸들을 원용하거나 인유하고 있다.

감히 하늘의 여왕을 시험하여 죄를 짓도록 했기에
　돌아가는 바퀴에 매달리게 된 익시온이 있었고,
　또한 거대한 둥근 바위를 산 위로 굴려 올리는
　끝도 없는 노동을 하고 있는 시시포스가 있었다.
　목말라하는 탄탈로스가 턱으로 매달려 있었고
　티티오스는 제 창자로 독수리를 먹이고 있었다.
　티포에우스의 사지관절은 형틀에 매여 늘어났고
　저주로 법에 의해 영원한 늘보가 된 테세우스도,
구멍 난 물동이에 물을 긷고 있는 오십 명의 자매들도 있었다.

(Spenser 81)

There was *Ixion* turned on a wheele,
　For daring tempt the Queene of heauen to sin;
　And *Sisyphus* an huge round stone did reele
　Against an hill, ne might from labour lin;
　There thirstie *Tantalus* hong by the chin;

And *Tityus* fed a vulture on his maw;
*Typhœus* ioynts were stretched on a gin,
*Theseus* condemned to endlesse slouth by law,
And fifty sisters water in leake vessels draw. (*FQ* 81)

테살리아Thessaly 왕 익시온은 "하늘의 여왕"(the Queene of heauen) 헤라를 겁탈하려다가 제우스에 의해 타르타로스에서 강풍으로 계속 돌아가는 불타는 바퀴에 매어 달리는 형벌을 받았다(*BM* 917; *CM* 228). 에피라Ephyra, Ephyre(현재 코린토스Corinth)의 시조 시시포스는 제우스에 대한 간교한 속임수와 교만으로 그 신에 의하여 타르타로스에서 산 위로 커다란 바위를 영원히 굴려 올리는 형벌을 받았다(*CD* 571; *BM* 946; *CM* 404). 제우스와 요정 플루토Pluto, Plouto의 아들 탄탈로스는 리디아에 위치한 고대 시필로스산 Mount Sipylus, Σίπυλος(현재 터키의 스필산Mount Spil, Spil Dağı(1,513m)의 왕이었는데, 신들의 신주神酒, nectar와 신찬神饌, ambrosia을 훔쳐서 인간 친구들에게 주었거나, 또는 아들 펠롭스Pelops를 죽여서 사지를 스튜로 만들어서 신들에게 대접한 그의 잔인성과 불경 때문에 지하세계에서 영원한 갈증과 기근으로 고통받는 처벌을 받았다(*CD* 590; *BM* 948; *CM* 414). 거한Giant 티티오스는 대지의 태초 여신 가이아의 아들이자 에우로페Europa, Εὐρώπη의 아버지인데, 제우스의 정부情婦 레토Leto(로마 신화의 라토나)를 겁탈하려다가 제우스와 레토의 자식인 아폴론과 아르테미스에게 살해당하고, 타르타로스에서 뱀에 의해 끊임없이 간이 삼켜지거나, 제우스 또는 유피테르의 상징인 "독수리"(a vulture)에 의해 내장이 밤새 다시 자라나 쪼아 먹히는 영원한 고통에 처하는 형벌을 받았다(*CD* 621-22; Tate 43). 이것은 인간에게 신들의 불을 훔쳐 주어서 제우스로부터 코카서스Caucasus 산정에서 사슬에 매여 처벌을 받던 거신 프로메테우스Titan Prometheus, Προμηθεύς와 유사하다(*BM*

269-70, 950; *CM* 244). 흥미롭게도 스펜서는 티티오스의 비극적 운명에 대한 두 가지 신화들을 잘 조합함으로써 시어 "maw"(창자)와 "law"(법)의 각운의 효과를 제고하고 있음을 알 수 있다. 태초신들인 가이아와 타르타로스Tartarus의 막내아들인 티포에우스 또는 티폰Typhon은 100개의 뱀 또는 용의 머리가 달려 있고 입과 두 눈에서 불을 뿜는 거한으로서, 격렬한 거한들의 싸움인 기간토마키아Gigantomachia, Gigantomachy에서 올림포스 신들을 타도할 뻔했으나 제우스의 벼락에 맞아 패배하여 활화산 에트나산Mount Etna 아래의 무한지옥 타르타로스에 갇히게 된다(*CD* 631; *BM* 952; *CM* 446-47). 아테네의 영웅이자 시조인 테세우스는 크레타 공주 아리아드네Ariadne가 건네주는 칼과 붉은 실타래의 재치 있는 도움으로 크노소스 미궁(화보 참조)에서 반인반우半人半牛 괴물 미노타우로스Μῑνώταυρος를 살해함으로써 유명하지만, 스펜서는 여기서 『아이네이스』 제6권 제617행에 나와 있는 원래의 시구인 지옥에서 "불운한 테세우스는 의자에 앉아 있고 거기서 영원히 앉아 있을 것이다."(Doomed Theseus sits on his seat and there he will sit forever.)를 "영원한 늘보"(endlesse slouth)로 풀어서 쓰고 있다(*CD* 607-08; *BM* 886, 927; Virgil, *Aeneid* 202). 리비아Libya의 왕이자 아르고스Argos의 창건자 다나오스의 50명의 딸들, 즉 다나이데스Danaides는 히페름네스트라Hypermnestra, Ὑπερμνήστρα를 제외하고, 결혼식 첫날밤에 아버지의 명령으로 자신들의 49명의 남편들－부왕의 쌍둥이 형제이자 적수인 이집트의 왕 아에깁토스Aegyptus의 린케우스Lynceus, Λυγκεύς를 제외한 49명의 아들들－을 대학살함으로써 흘린 피의 정화의 상징으로 하데스Hades에서 물이 새는 항아리를 끝없이 다시 채우는 형벌을 받았다(*CD* 189; *BM* 898; *CM* 118-19).

제5칸토 제36연 제7-9행 "불쌍한 아스클레피오스가 따로 떨어져 / 사슬에 묶인 채 구제받을 길 없이 감금되어 있었다, / 히폴리토스의 찢어진 시체를 그가 다시 살려냈기에."(sad *Æsculapius* farre a part / Emprisond was in chaines remedilesse, / For that *Hippolytus* rent corse he did redresse.)에서 닉스와 두엣사의 시점으로 스펜서는 계속하여 지옥의 깊고 불안하며, 서글프고 불편한 동굴 속에 감금된 고전 신화의 아스클레피오스Aesculapius, Ἀσκληπιός, Asclepius를 드러내고 있다(Spenser 140). 제5칸토 제37-40연에는 테세우스 왕과 아마존족의 여왕 히폴리테의 아들이자 행복한 사냥꾼 히폴리토스Hippolytus, Ἱππόλυτος와 연관된 아스클레피오스의 슬픈 전설적 이야기가 상술되어 있다. 히폴리토스는 "그의 음탕한 계모"(His wanton stepdame)로 인유된 파이드라Phaedra의 구애를 거부함으로써 후자가 테세우스를 속여서 그의 아들이 왕의 수호신이자 바다의 신 포세이돈이 보낸 두 괴물에 의해 무참히 공격받도록 저주를 함으로써 온몸이 갈기갈기 찢기는 죽임을 당했다. "히폴리토스의 친구"(*Hippolyts* frend)(I.5.39.7)였던 순결의 여신 아르테미스 또는 "디아나"(*Diane*)의 요청에 의하여 히폴리토스는 의술의 신 아스클레피오스에 의하여 소생하게 되었다. 자연 만물의 질서가 깨질 것을 두려워하여 제우스는 벼락으로 치유의 신인 "위대한 아폴론의 / 너무나 유명한 아들"(farre renowmed sonne / Of great *Apollo*)(I.5.43.6-7) 아스클레피오스를 내리쳐서 죽인 것이다(*CD* 19, 277; *BM* 879; *CM* 62, 204). 흥미롭게도 지옥의 광경으로서 이러한 신화적 인물들 이외에도 스펜서는 제47-50연에 걸쳐서 수많은 성서적 · 역사적 왕들과 여왕들 및 로마의 장군들을 적절하게 제시하고 있다. 이를테면, 바벨탑 건축자인 "위대한 님롯"(great *Nimrod*)으로부터 그리스 테살로니키를 방문하면 절감할 수 있는 신화적으로 제우스의 아들이자 마케도니아Macedonia 출신의 알렉산드로스 대제Alexander the Great, Ἀλέξανδρος ὁ Μέγας를 암시하는 "저 막강한 전제군주"(that mightie Monarch)와, "높은 카이사르"(high *Cæsar*)를 거쳐서 용의주도用意周到한 난쟁이Dwarf의 훔쳐보는 눈을 통하여 드러난 루시페라 궁전의 지하 감옥에 있는 "거만한 마음의 클레오파트라"(high minded *Cleopatra*)

이집트 여왕 등까지이다(*FQ* 84n). 여기서 스펜서가 열거하고 있는 기라성 같은 왕후장상王侯將相들 중에서 "아리따운 스테노보아"(faire *Sthenobœa*) (I.5.50.5)만이 그 출처가 그리스 신화인 것은 주목할 만하다. 『일리아스』 제6권 제189행에 등장하는 스테노보아Sthenoboea, 즉 안테이아Anteia는 아르고스의 왕 프로이토스Proetus의 아내인데, "시동생 벨레로폰Bellerophon, Βελλεροφῶν의 미모에 연정을 느끼고 접근했으나 그로부터 거절을 당했다"(*FQ* 85n). 그로 인하여 그녀는 벨레로폰이 자신을 유혹했다고 거짓으로 비난했지만, 나중에 이 영웅이 천마天馬 페가소스Pegasus, Πήγασος를 타고 승전을 했다는 소문을 듣자마자 "고의로 밧줄에"(with wilfull cord)(I.5.50.6) 목을 매고 자살한다(*CD* 580; *CM* 408).

제6칸토 제7연 제7-9행 "그때 파우누스와 사티로스의 무리가 아주 먼 숲속에서 / 다 함께 둥그렇게 모여서 춤을 추고 있었던 것이다, / 늙은 실바누스가 그늘진 그루터기에서 깊이 잠들어 있는 동안."(A troupe of *Faunes* and *Satyres* far away / Within the wood were dauncing in a rownd, / Whiles old *Syluanus* slept in shady arber sownd.)에서 스펜서는 숲속에서 정욕적인 상로이로부터 처음에는 유혹을 받다가 마침내 성폭행을 당함으로써 가련하게 처녀성을 잃어버린 우나의 "날카로운 비명"(shrill outcryes) (I.6.7.5)과 커다란 울부짖음에 놀란 파우누스와 사티로스 및 실바누스의 그리스 로마 신화를 도입한다. 파우누스Faun, Faunus 또는 판Pan, Πάν은 고전 신화의 반인반양半人半羊의 신으로서 "자애로운 신이고, 특히 목동과 양 떼의 수호신"이다(*CM* 153). 사티로스Satyr, σάτυρος는 숲속에서 거주했던 그리스의 불멸의 염소 또는 말-인간이며, 복수형 사티로스들Satyrs은 포도주의 신 디오니소스와 함께 마시고 춤을 추는 것으로 그려지고 있다(*BM* 944; *CM* 394). 문자 그대로 "숲의"(sylvan) 뜻이고, 그리스 신화의 판과 동일시되는 실바누스Sylvanus, Silvanus는 로마 신화의 숲속의 신이고 노인이며, 숲과 들판과 가축 떼의 수호신이다(*BM* 946; *CM* 401). 그런데 "난폭하고, 흉측하며, 괴물 같은 폭도들"(A rude, misshapen, monstrous rablement)(I.6.8.7)처럼 보인 "야만적인 숲속의 신들"(the wyld woodgods)(I.6.9.1)을 보고서 "달아오른 사라센인"(the raging Sarazin)(I.6.8.6) 상로이는 달아났다. 파우누스와 사티로스는 우나 주위에서 춤을 추고, "환호하고 노래하며"(shouting and singing)(I.6.13.7), 땅 위에 녹색 나뭇가지들을 온통 펼쳐놓고, 그녀의 머리에 올리브 화관을 씌우며, 그녀를 "여왕으로"(as Queene)(I.6.13.9) 기뻐하면서 섬겼다.

게다가 제6칸토 제15연에서 파우누스와 사티로스의 호위를 받으며 오고 있는 우나의 유쾌한 장면을 서술하기 위하여, 스펜서는 잠에서 깨어난 실바누스의 시점에서 바쿠스, 키벨레Cybele, Κυβέλη, 드리오페Dryope, Δρυόπη 및 폴로에Pholoe의 고전 신화들을 원용하고 있다.

멀리서 그는 궁금해했다, 왜들 그리 기뻐하는지,
　혹시 그들이 바쿠스의 기쁨의 열매를 찾았는지,
　아니면 키벨레의 광적인 의식들로 다 미쳤는지.
　가까이 다가와서 그들은 자신들의 신에게 내보였다,
　믿음의 꽃이며 동시에 탁월한 아름다움인 그녀를.
　신 그 자신도 그처럼 보기 드문 미의 화신을 보고
　놀라움에 오랫동안 서 있었으며 눈빛이 불타올랐다.
　이제 그는 어여쁜 드리오페도 아름답지 않고
폴로에는 촌닭이라고까지 생각했다, 이 여자와 비교하면.

(Spenser 157-58)

Far off he wonders, what them makes so glad,
　Or *Bacchus* merry fruit they did inuent,

Or *Cybeles* franticke rites haue made them mad;
They drawing nigh, vnto their God present
That flowre of faith and beautie excellent.
The God himselfe vewing that mirrhour rare,
Stood long amazd, and burnt in his intent;
His owne faire *Dryope* now he thinkes not faire,
And *Pholoe* fowle, when her to this he doth compaire. (*FQ* 89)

시구 "바쿠스의 기쁨의 열매"(*Bacchus* merry fruit)는 포도를 의미하는데, 유피테르와 카드모스의 딸 세멜레Semele, Σεμέλη의 아들 바쿠스는 그리스 신화의 상응신 디오니소스Dionysos, Διόνυσος이고, 로마 신화에서 포도주와 신비적 황홀의 신이기 때문이다(*CD* 99; *BM* 889; *CM* 128). 다음 시구 "키벨레의 광적인 의식들"(*Cybeles* franticke rites)은 어머니 여신 키벨레에게 북을 치고 춤을 추면서 바치는 신비적 사제들인 코리반테스Corybantes의 광적인 의식들을 함의한다. 키벨레는 아나톨리아Anatolia의 중서부 왕국 프리기아Phrygia, Φρυγία의 여신이자 크로노스의 아내인데, 프리기아에 있는 키벨레산Mount Cybele에서 경배를 받은 제우스의 어머니 레아, 케레스, 오프스Ops, 베스타Vesta와 동일시되고, 로마에서 신들의 대모大母, *Magna Deum Mater*로 알려져 있기 때문이다(*CD* 182; *BM* 897; *CM* 112). 흥미롭게도 제4-6행에서 스펜서는 자신이 그리스 로마 신화와 기독교를 동등하게 간주하는 르네상스 학풍을 과시할 수도 있다는 것을 나타내기 위하여 실바누스에 대해 이교적 "신"(god)보다는 기독교적 "신"(God)의 단어를 사용하고 있다. 한편, 은유적 표현인 "믿음의 꽃이며 동시에 탁월한 아름다움"의 화신인 우나는 드리오페의 또 다른 신화에서 파생된 전설적인 연꽃보다는 파우누스의 요정-아내이자 실바누스 자신의 아름다운 드리오페보다 과장적으로 뛰어나 있다. 또한 판 또는 실바누스의 아리따운 요정-애인 폴로에는 우나와 비교하면 경멸적으로 "촌닭"(fowle)에 불과하다(Sawtelle 100; Lotspeich 101). 제6칸토 제16연에서 실바누스는 계속하여 파우누스와 사티로스에 의하여 "숲의 여신"(Goddesse of the wood)으로 경배받는 우나와 로마 신화의 사랑과 미의 여신 비너스 및 순결과 사냥의 여신 디아나와 비교하고 있다. 그러나 우나는 제7행 "비너스는 그렇게 정갈한 모습이었던 적이 없었다." (*Venus* neuer had so sober mood)와 제9행 "활과 화살, 그리고 무릎까지 오는 신발이 없는"(misseth bow, and shaftes, and buskins to her knee.) 디아나에서처럼 이 여신들과는 다르다. 제6칸토 제17연은 아폴론이나 제피로스나 실바누스의 애인인 "퀴파리소스"(*Cyparisse*, Κυπάρισσος) 기원 신화를 상술하고 있지만, 그의 아름다움도 우나의 미보다는 비교적으로 열등하다. 그리스 신화에서 "미소년"(the louely boy)(I.6.17.6) 퀴파리소스는 우연히 자신의 창으로 신성한 수사슴을 찔러 죽였는데, 결과적으로 슬픔과 고통과 번민으로 시달리다가 슬픔의 나무를 상징하는 사이프러스cypress로 변신하게 되었다(*CM* 115).

제6칸토 제18연에서 우나의 "사랑스러운 얼굴"(louely face)(I.6.18.4)을 보러 빨리 달려서 함께 모여드는 요정들을 묘사하기 위하여 스펜서는 그들을 조롱하는 앞에서 언급한 사티로스뿐만 아니라 "하마드리아데스" (*Hamadryades*)와 "나이아데스"(*Naiades*) 신화를 원용하고 있다. 하마드리아데스Hamadryads, Ἁμαδρυάδες는 "숲의 요정들"(wooddy Nymphes)(I.6.18.1) 또는 나무의 요정들로서 그 생명은 특별히 지키는 보호수保護樹의 생명과 직결되어 있었다(*CD* 258; *BM* 911; *CM* 169). 그리고 "발 빠른"(Light-foot) (I.6.18.3) 나이아데스Naiads, Ναϊάδες는 호수, 강, 샘, 우물의 "생기를 받아서 살고 있는 물로 생명을 도로 돌려주는" 물의 요정들로서 젊고 아름다운 처녀들로 표상된다(*CD* 386; *BM* 929; *CM* 285). 단수형 사티로스는 "거친 숲 속에서 사티로스의 아들로 태어났으며"(A Satyres sonne yborne in forrest wyld)(I.6.21.1)와, "한 사티로스가 우연히 그녀가 방황하는 것을 보고는"(A Satyre chaunst her wandring for to find)(I.6.22.6)에서 보듯이 사티레인 Satyrane의 아버지와 티아미스Thyamis의 남편으로 다시 등장한다. 복수형 사티로스들도 "자기 주위에 둘러앉은 사티로스들을 가르치고 있는 / 너무도 생소한 의상을 입고 있는 그 낯선 여인"(Straunge Lady, in so straunge habiliment, / Teaching the Satyres, which her sat around)(I.6.30.7-8)인 가장 아름다운 우나의 제자들로 반복되어 나타난다. 또한 이 복수형은 "그리하여 어느 날 늙은 실바누스에게 경배하기 / 위하여 사티로스들이 모두들 떠나가고 없을 때에"(So on a day when Satyres all were gone, / To do their seruice to *Syluanus* old)(I.6.33.1-2) 그리고 "사티로스들이 그 소식을 들었을 때는 이미 늦었고 / 다시금 그녀를 되찾을 희망을 가질 수도 없었다."(Too late it was, to Satyres to be told, / Or euer hope recouer her (Una) againe)(I.6.33.5-6)와 같은 시행들에서도 반복된다(Spenser 166). 사티로스와 "아리따운 티아미스"(Faire *Thyamis*, Θύαμις)(I.6.21.4)－문자 그대로 "열정"의 뜻－요정의 아들인 "사티레인"이라는 신화창조적 용어를 고안한 것은 스펜서의 독창적인 창조력인 것이다. 이 신화창조적 인물은 "아, 사티레인, 나의 소중한 자식, 또 나의 기쁨"(Ah *Satyrane*, my dearling, and my ioy)(I.6.28.4)의 시행에서와 같이 우나의 가식적인 말에서 등장한다. 또한 사티레인 기사는 우나 자신이 숲을 도피하려는 "자신의 의도를 / 마침내 은밀히 사티레인에게 밝히고야 말았다."(At last in priuie wise / To *Satyrane* she shewed her intent)(I.6.32.6-7)의 시행들에서와 같이 반복된다. 요정의 아들은 "고상한 호전적 기사"(noble warlike knight)(I.6.20.1) 사티레인과 피투성이의 부상에서 회복한 "저 교만한 사라센인"(that proud Sarazin)(I.6.46.1) 이교인 상로이 사이의 격렬한 혈투에서 다시 등장한다.

## III

전기비평적 접근으로 고찰하면, 총 12권 각 12칸토로 구성될 스펜서의 『선녀여왕』의 작가 의도는 처음에는 아서왕King Arthur의 12원탁 기사들의 로맨스와 아주 유사한 신성Holiness, 절제Temperance, 정절Chastity, 우정Friendship, 정의Justice, 예의Courtesy를 포함하여 12덕목에 근거한 "낭만적 서사시"(the Romantic epic)(Hough 9)의 구조를 세울 계획이었다. 가장 길고 아름다운 장편 영시의 제1권 제1-6칸토는 주인공들로서 신성의 미덕과 "영국"을 상징하는 레드크로스 기사와 엘리자베스 1세 여왕과 "영국 교회"를 대변하는 선녀여왕 우나 사이의 로맨스 형식에서 또한 스코틀랜드의 메리 여왕Mary, Queen of Scots과 아일랜드가 신봉한 이교적인 로마 "가톨릭교"(Roman Catholicism)를 표방하는 적대자들인 아키마고, 두엣사, 상포이, 상로이, 상조이의 마술적인 음모와 격렬한 결투에서 다양한 고전 신화들의 원용과 인유를 통하여 섬세하게 직조되어 있다. 아일랜드에서 스펜서는 "개신교 시인"(Protestant poet)으로 거의 20년을 이 걸작을 집필하면서 보냈다(Waller 54-56, 72). 신화창조자로서 스펜서는 기존의 신화적 자료에 의존하지 않고, "사티레인"과 같은 자기 고유의 신화적 시어를 고안했다. 유사한 맥락에서, 시인이 모르페우스와 같은 고전 신화를 다루는 데에서 드러나는 오류적인 요소는 "시적 파격破格"(poetic license)의 관점에서 수용 가능할 것이다(Bush, *Renaissance Tradition* 94).

결론적으로, 스펜서의 『선녀여왕』 제1권 제1-6칸토에 나타나 있는 수많은 그리스 로마 신화들을 운용하는 기교는 그의 시적 함의를 심화시키고, 그의 문학적 조망을 확장시키면서, 사랑, 아름다움, 미덕, 신성, 기사도 및 전쟁에 대한 그의 르네상스 관념들을 확연히 제시하고 있다. 이 연구는 스펜서의 『선녀여왕』 제1권 제7-12칸토뿐만 아니라 셰익스피어의 시에서 그리스 로마 신화를 탐색하는 또 다른 시도로 연결될 것이다.

# 3

# 윌리엄 셰익스피어의 시와 그리스 로마 신화

## I

제3장은 의심할 여지없이 모든 시대의 가장 위대한 시인이자 극작가인 윌리엄 셰익스피어William Shakespeare, 1564-1616의 시에 나타난 모든 그리스 로마 신화의 다양한 함의와 상징성을 천착한다. 그의 시는 주로 『비너스와 아도니스』(*Venus and Adonis*, 1593), 『루크리스의 강간』(*The Rape of Lucrece*, 1594), 『열렬한 순례자』(*The Passionate Pilgrim*, 1599), 「여러 가지 음표에 부치는 소네트」("Sonnets to Sundry Notes of Music," 1599), 「피닉스와 산비둘기」("The Phoenix and the Turtle," 1601), 『애인의 불만』(*A Lover's Complaint*, 1609) 및 『소네트』(*The Sonnets*, 1609)로 구성되어 있다. 『비너스와 아도니스』와 『루크리스의 강간』은 서술시이지만, 전자는 로마 신화에, 후자는 로마 역사에 바탕을 두고 있다. 이상적인 사랑의 죽음에 관한 풍유시 「피닉스와 산비둘기」는 대체로 가장 위대한 최초의 형이상시로 간주된다. 오래전부터 셰익스피어의 희곡에 나타난 고전 신화들은 치열

하게 연구되어 왔는데, 이사벨 스토치Isabel Storch의 로욜라대학교 시카고Loyola University Chicago의 석사학위청구논문 「셰익스피어의 고전극에 나타난 신화」("Mythology in Shakespeare's Classical Plays," 1948)가 그 한 사례이다. 이전 연구들과는 대조적으로 본 장에서는 『비너스와 아도니스』와 『소네트』를 중심으로 한 셰익스피어의 시를 조명하고자 하는데, 이 작품들은 다양한 그리스 로마 신화들로 주로 직조되어 있기 때문이다. 이 연구를 위하여 필자는 오비디우스의 신화적 서사 『변신이야기』뿐만 아니라 다른 전설적 출처에 나타난 그리스 로마 신화를 추적하고자 한다. 지금까지 셰익스피어의 시에 대하여 출판된 다양한 시집 중에서 필자는 콜린 버로Colin Burrow가 편찬한 『소네트와 시 전집』(*The Complete Sonnets and Poems*, 2002)과 G. 블레이크모어 에반스G. Blakemore Evans가 편집한 『소네트』(*The Sonnets*, 1996)를 참고할 것이다.

## II

셰익스피어의 신화시 『비너스와 아도니스』의 서술 구조는 로마 시인 오비디우스의 『변신이야기』 제10권 제519-739행에 서술되어 있는 로마 신화에서 사랑의 여신 비너스와 젊은 사냥꾼 아도니스Adonis의 비극적 사랑을 중심으로 구축되어 있다(Ovid, *Metamorphoses* 251-58). 『케임브리지판 셰익스피어의 시와 동행』(*The Cambridge Companion to Shakespeare's Poetry*, 2007)의 한 장인 「비너스와 아도니스」("Venus and Adonis")에서 저자 코펠리아 칸Coppélia Kahn은 오비디우스의 라틴어 이야기시譚詩와 셰익스피어의 창작시와의 유사점과 차이점을 적절하게 지적하고 있다. 한 가지 차이점은 전자에서는 아도니스가 비너스의 사랑에 화답하지만, 후자에서는 인간이 여신을 거부하는 것이 대조적이다(75-77; Boyce 687). 『비너스와 아도니스』에서 셰익스피어의 기교는 그의 선배 시인 초서와 아주 유사하게 그리스 로마 신화들을 원용, 인유하고 있는 것이 놀라울 정도로 주목할 만하다.

우선 셰익스피어는 오비디우스의 『사랑의 노래』(*Amores*) 제1권, 비가 제15행과 제35-36행을 2행으로 압축, 인용하고 있는데, 『비너스와 아도니스』 시의 제사題詞, Epigraph에 그리스 로마 신화의 태양신 아폴로아폴론, Apollo와 요정 또는 영천靈泉 카스탈리아Castalia, Κασταλία를 원용, 인유하고 있다.

> 속물들은 잡것에 혹하게 놔두고, 금빛 머리 아폴로여,
> 저에게는 카스탈리아 샘물 잔 내리소서.[9] (Shakespeare 185)

> *Vilia miretur vulgus: mihi flavus Apollo*
> *Pocula Castalia plena ministret aqua.* (*CSP* 173)

라틴어 시행들 중 "카스탈리아 샘물 잔"(*Pocula Castalia*)은 아폴론 태양신전이 있는 그리스 델피Delphi, Δελφοί의 파르나소스산Mount Parnassus, Παρνασσός (2,457m)의 카스탈리아 샘Castalian spring, *Castalius fons*을 지칭하고 "뮤즈들의 물"을 함의하는데, 이 물을 마시면 시인이 된다는 "영감이 가득한 샘물"이다(*CSP* 173n). 그리스 신화에 의하면, 카스탈리아 샘은 델피의 요정 카스탈리아가 아폴론의 구애를 거부하면서 도망가다가 파르나소스산의 영천에 뛰어들어 익사했다는 슬픈 전설에 그 기원이 있는데, 이 샘물은 아폴론의 신탁神託을 받은 여사제 피티아Pythia, Πυθία에게 영감을 주었다(*CD* 129; *BM* 894; *CM* 87). 따라서 여기서 셰익스피어가 『비너스와 아도니스』의 위상을

9) 『비너스와 아도니스』의 한글 번역은 최종철 교수의 번역시를 인용했으나 일부 수정하였다.

다른 일반 작품보다 더욱 높게 설정한 것이 확실하다.

이 시의 첫 시행들에서 로마 신화의 사랑과 미의 여신 "상사병 난 비너스"(Sick-thoughted Venus)(제5행)가 "나보다 세 배 고운"(Thrice fairer than my self)(제7행), "남자보다 더 예쁘고"(more lovely than a man)(제9행), 또는 "비둘기나 장미보다 더 희고 붉은"(More white and red than doves or roses)(제10행) "장밋빛 뺨 아도니스"(Rose-cheeked Adonis)(제3행)에게 자신을 사랑해달라고 열화와 같이 집요하게 간청한다. 그러나 비너스의 "한 번의 달콤한 키스"(one sweet kiss)(제84행)를 아도니스가 입술을 돌려 거부하자, 제97-108행에서 여신은 자신의 남편이 불과 화산의 신 불카누스이지만, 자신에게 구애했던 로마 신화의 전쟁의 신 마르스까지 인유하면서 포기하지 않고 구애한다.

> "난 구애를 지금 내가 그대에게 간청하듯
> 바로 그 험상궂은 전쟁의 신에게 받았는데,
> 그는 모든 전투에서 절대 항복 안 했고
> 분쟁 있는 곳이면 어디든 나가서 정복해.
>   그런데도 그는 내 포로에다 노예였고
>   그대가 요청 않고 얻을 걸 나에게 애걸했어.
>
> "그는 나의 제단 위에 자기 창과
> 찌그러진 방패와 무적의 투구를 걸어 놓고
> 나를 위해 놀이하고, 춤추고, 장난치고,
> 희롱하고, 웃으며 농담할 줄 알게 됐고,
>   자신의 거친 북과 붉은 깃발 경멸하며
>   내 품을 전쟁터, 침대를 막사로 삼았어. (Shakespeare 191-92)

"I have been wooed as I entreat thee now,
Even by the stern and direful god of war,
Whose sinewy neck in battle ne'er did bow,
Who conquers where he comes in every jar,
    Yet hath he been my captive, and my slave,
    And begged for that which thou unasked shalt have.

"Over my altars hath he hung his lance,
His battered shield, his uncontrollèd crest,
And for my sake hath learned to sport, and dance,
To toy, to wanton, dally, smile, and jest,
    Scorning his churlish drum and ensign red,
    Making my arms his field, his tent my bed. (*CSP* 180-81)

비너스는 자랑스럽게 모든 전쟁의 승리자 마르스와 자신과의 연애 사건을 서술하고 있는데, 전쟁의 신은 제109-10행 "이렇게 군림하던 그를 나는 지배했고 / 붉은 장미 사슬로 죄수처럼 이끌었어."(Thus he that over-ruled, I over-swayed, / Leading him prisoner in a red-rose chain.)에서 보듯이 이 여신의 아름다움에 정복된 "포로"(captive)와 "노예"(slave)가 될 운명이었다(Shakespeare 192). 따라서 부정不貞한 여신은 자신의 입술이 아름다운 청소년 아도니스의 "그 고운 입술에"(with those fair lips)(제115행) 접촉되기를 간절히 동경하고 있다. 제140-43행 "내 눈은 잿빛에다 밝으며 . . . / 내 미모는 봄처럼 해마다 자라나며, / 내 살은 부드럽고 통통하며, 정력은 불타고, / 매끄럽고 습한 내 손"(Mine eyes are grey, and bright . . . / My beauty as the spring doth yearly grow, / My flesh is soft and plump, my marrow burning, / My smooth moist hand.)에서 보듯이 비너스는 자신의 고혹적 육체미를 연인에게 계속하여 자랑하고 있다(Shakespeare 193). 여기서 르네상스 시대 미인의 기준에는 "통통한" 살이 포함된 것으로 당대의 수많은 명화 속의 통통한 미인이 현대의 날씬한 미인과는 상당히 대조적이라는 것을 알 수 있다. 게다가 비너스는 아도니스에게 산의 요정 오레이아스Oread, Ὀρειάς인 에코Echo, Ἠχώ의 집요하지만 전할 수 없는 사랑을 거부함으로써 "냇물 속에 비친 자신의 그림자에 키스하려다 죽은"(died to kiss his shadow in the brook)(제161-62행) 그리스 신화의 미소년 "나르키소스"(Narcissus, Νάρκισσος)의 비극적 종말을 상기시켜 주기도 한다(*CD* 386). 나르키소스는 독일의 정신과 의사 파울 내케Paul Näcke, 1851-1913가 1899년 성적 도착倒錯인 과도한 자기애自己愛를 기술하기 위하여 고안한 용어 나르시시즘*Narcismus*, Narcissism의 기원이 되었다("Narcissus (mythology)").

한편, 제175-80행에서 셰익스피어는 뜨거운 한낮을 묘사하기 위하여 고전 신화의 제3세대－12올림포스 신들 중의 하나인 태양신 아폴론 대신에 그리스 신들의 제2세대－12거신들 중의 하나로서 "스스로 태양에 적용되는"(*CM* 209) 거신 히페리온을 인유하고 있다.

이 무렵 상사병 든 여왕은 땀 흘리기 시작해,
그들이 있는 곳의 그늘은 사라졌고
한낮의 열기에 지친 저 태양신이 그들을
불타는 눈으로 뜨겁게 내려다보면서
　아도니스가 자기 말을 인도하고 자기는
　그처럼 비너스 옆에 있고 싶어 했으니까. (Shakespeare 195)

By this the love-sick Queen began to sweat,
For where they lay the shadow had forsook them,
And Titan, tirèd in the midday heat,

With burning eye did hotly overlook them,
    Wishing Adonis had his team to guide,
    So he were like him, and by Venus' side. (*CSP* 184)

그러나 비너스를 암시하고 끈질기게 애원하는 "불쌍한 사랑 여왕"(Poor Queen of Love)(제251행) 또는 "상사병 난 사랑"(love-sick Love)(제328행)에게 아도니스의 첫 답변은 제185-86행 "쳇, 사랑은 관둬요! / 태양이 얼굴을 태워서 난 가야겠어요."(Fie, no more of love: / The sun doth burn my face, I must remove.)와 같이 역정을 내고 사랑에 무관심하다.

그럼에도 불구하고 제231-34행에서 비너스는 아도니스의 사랑을 얻기 위하여 전원풍경 같은 성적인 함의를 노골적으로 구사하면서 지속적으로 애원한다.

난 동산, 그대는 내 사슴이 될 거야.
산이든 골짜기든 맘대로 가서 먹어.
    입술에서 풀 뜯다가 그 언덕이 동나거든
    좀 아래의 즐거운 샘으로 내려와 봐. (Shakespeare 197)

I'll be a park, and thou shalt be my deer:
Feed where thou wilt, on mountain, or in dale;
    Graze on my lips, and if those hills be dry,
    Stray lower, where the pleasant fountains lie. (*CSP* 187)

위 시행들에서 "동산"(park), "산"(mountain), "골짜기"(dale), "언덕"(hills), "샘"(fountains)의 시어들은 비너스의 여성성을 함의한다고 쉽사리 유추할 수 있다. 이와 유사하게 프랭키 루빈스타인Frankie Rubinstein은 『셰익스피어의 성적 말재롱과 의미 사전』(*A Dictionary of Shakespeare's Sexual Puns and Their Significance*, 1984)에서 "정원"(garden)을 여성의 외음부, "숲"(forest)을 외음부와 음모로 상징하고 있기 때문이다(104, 108). 따라서 "산"과 "언덕"은 비너스의 봉긋이 솟아오른 젖가슴을, "골짜기"와 "샘"은 여신의 은밀한 음부를 각각 상징하는 것이다. 그러나 여전히 "오, 사랑을 배워봐"(O learn to love)(제407행)라고 애원하는 비너스의 "달콤한 욕망"(sweet desire)(제386행) 또는 "깊은 욕망"(deep desire)(제389행)은 결코 만족을 얻지 못한다. 제409-14행에서 아도니스는 "사랑 난 몰라요"(I know not love), . . . "수퇘지가 아니면 / 알려고도 안 해요. 그놈이면 뒤쫓고요. / . . . / 나의 사랑 사랑은 사랑을 망신 주는 것뿐인데, / 사랑이 죽음 속의 삶이라고 들었으니까요."(Nor will not know it, / Unless it be a boar, and then I chase it. / . . . / My love to love, is love but to disgrace it; / For I have heard it is a life in death)라고 마지못해 대꾸하면서 거부하기 때문이다(*CSP* 205). 여기서 아도니스는 자신의 관심이 여성적 영역과 밀접한 관계가 있는 사랑이 아니라, 남성적 범주와 관련 있는 전투를 포함한 사냥이라는 것을 분명히 적시하고 있다(Kahn 83). 흥미롭게도 셰익스피어는 비너스와 아도니스의 대화와 제424행 "사랑의 공격에도 (항복 않는 내 마음) 문을 열지 않을 테니"(To love's alarms it (my unyielding heart) will ope the gate)의 아도니스의 서술 및 제451-52행 "다시 한번 그 홍옥빛 입구가 열렸고 / 그의 말은 꿀처럼 거길 통과했는데."(Once more the ruby-coloured portal opened / Which to his speech did honey-passage yield.)에서 지속적으로 성적인 함의를 구사하고 있다. 드디어 "그의 표정에"(at his look)(제463행) 푹 쓰러진 "꾀 많은 사랑"(cunning Love)(제471행) 비너스는 "아도니스가 키스하고"(He kisses her)(제479행), 다시 말해 그가 "갈증 난 그녀의 입술"(her thirsty lips)(제543행)을 포개며, "그녀가 두 팔로 그의 목을 다정히 포옹하자 / 그들은 한 몸이 된 듯하고, 두 얼굴이 겹친다."(Her arms do lend his neck a sweet embrace: / Incorp'orate then they seem; face grows to face)(제539-40행)와, "입술 서로 맞붙은 채 땅 위로 쓰러지네."(Their lips together glued, fall to the earth)(제546행)와 같은 시구나 시행들에서 보듯이 아도니스의 사랑을 얻는 데 성공한다. 비너스의 "빠른 욕망"(Quick desire)(제547행)이나 "무모한 욕정"(careless lust)(제556행)은 제549행 "그녀의 입술은 정복자이고, 그의 입술 복종하며."(Her lips are conquerors; his lips obey.)에서와 같이 마침내 순종적인 "순진한 소년"(silly boy)(제467행) 또는 "딱한 바보"(poor fool)(제578행) 아도니스로부터 충족을 얻게 된다.

다른 한편, 제579-82행에서 셰익스피어는 "비너스가 꽉 껴안아 덥고 힘빠지고 지친"(hot, faint, and weary with her hard embracing)(제559행) 아도니스가 그 여신으로부터 떠나가는 모습을 묘사하는 데에서 로마 신화 큐피드를 사용하고 있다.

> 그녀는 그를 더 억류하지 않기로 결심하고
> 작별을 고하며, 그녀 마음 잘 돌봐 달라고 해.
> 　그것은 그녀가 단언컨대, 큐피드의 활에 의해
> 　그의 가슴속에 있고 그가 가져가니까. (Shakespeare 213)

> She is resolved no longer to restrain him,
> Bids him farewell, and look well to her heart,
> The which, by Cupid's bow, she doth protest,
> He carries thence encagèd in his breast. (*CSP* 206)

시구 "큐피드의 활에 의해"(by Cupid's bow)와 마지막 시행은 분명히 비너스와 아도니스 사이의 완성된 사랑을 시사하고 있는데, "욕망"을 뜻하는 로마 신화의 사랑의 신 큐피드가 쏜 납의 화살이 아닌 황금 화살은, 성취된 성적 욕망 또는 성애의 사랑을 상징하기 때문이다. 큐피드는 전통적으로 비너스와 마르스의 아들로 그려지고 있는데, 이들의 수치스러운 연애는 사랑과 전쟁의 풍유諷諭를 대변하고 있는 것이다.

제595-600행에서 멧돼지를 사냥한다는 아도니스의 말에 몸을 떠는 비너스의 극도의 괴로움을 묘사하기 위하여 셰익스피어는 그리스 신화의 탄탈로스와 전설적 천국 엘리시움Elysium을 병치시킨다.

> 그녀는 이제 진짜 사랑의 시합장 안에 있고,
> 그녀의 투사는 화끈한 교전을 위해 말을 탔어.
> 이 모든 게 상상임을 그녀는 안다네,
> 그가 비록 말을 탔지만 몰지는 않으니까.
> 　그래서 엘리시움을 품에 안고 환희를 못 얻는
> 　그녀의 아픔은 탄탈로스보다 더 심하다네. (Shakespeare 213)

> Now is she in the very lists of love,
> Her champion mounted for the hot encounter.
> All is imaginary she doth prove;
> He will not manage her, although he mount her,
> 　That worse than Tantalus is her annoy,
> 　To clip Elysium, and to lack her joy. (*CSP* 207)

그리스 신화에서 탄탈로스는 스펜서에 관한 제2장에서 조명했지만 부연하면, 제우스와 요정 플루토의 아들이고 리디아의 시필로스산의 왕인데 신들의 신성한 비밀을 인간들에게 누설함으로써 타르타로스에서 처벌을 받았다. 그의 형벌은 "턱까지 차는 물속에서 과일이 주렁주렁 달린 과수 아래에서 있는데, 갈증과 기아를 해소하려고 할 때마다 물과 과일이 물러나는 것이었다"(*BM* 948; *CM* 414). 아도니스를 상징하는 엘리시움 또는 엘리시온 Elysion, Ἠλύσιον은 그리스 로마 신화에서 눈도 추위도 비도 없고, 늘 푸른 초원과 상쾌한 시냇물이 흐르며, 새들이 숲속에서 끊임없이 지저귀는 지복의 장소 또는 섬이다(*CD* 220; *BM* 901; *CSP* 207n). 이러한 맥락에서, 행복의 나라 엘리시움은 그곳에 있어도 기쁨이 없는 끔찍한 상황에 처하게 된 비너스가 아도니스와의 사랑을 꿈도 꾸지 못하는 "상상적" 숲이나 공간을 함의한다. 결과적으로 제671-72행에서 비너스는 이튿날 아도니스가 야생 멧돼지와 조우하게 되면 그의 죽음, 즉 자신의 "산 슬픔"(living sorrow)이 될 것이라고 예언한다.

제721-32행에서 비너스의 서술을 통하여 아도니스의 임박한 죽음으로 인한 비너스의 슬픔을 생생하게 묘사하기 위하여, 셰익스피어는 "대지"(the earth)로서 그리스 신화에서 의인화된 가이아를 인유하고, 로마 신화의 달, 사냥, 자연의 여신으로 시적인 표현인 디안Dian, 즉 디아나와 그리스 신화의 대응신인 아르테미스를 가리키며 문자 그대로 델로스섬의 "킨토스산에서"의 의미인 킨티아를 원용하고 있다.

"그런데도 쓰러지면, 오, 이렇게 상상해 봐.
대지가 그대를 사랑하여 그 발을 걸었고,
모든 게 키스 한번 훔치려는 것뿐이라고.
견물생심이란 말이 있듯 그대의 입술도
  정숙한 디아나를 몰래 키스 한번 하고
  위증으로 죽을까 봐 흐리고 외롭게 만들어.

"이제야 난 이 밤이 어두운 이유를 알았어.

킨티아가 창피해 자신의 은빛을 흐려 놨어,
위조하는 자연이 신성한 원형들을
하늘에서 훔친 벌로 대역죄를 받기까지.
　자연은 그것들로 높은 하늘 무시하고
　낮엔 해, 밤엔 달을 창피 주려 그대를 빚었어. (Shakespeare 219)

"But if thou fall, O, then imagine this:
The earth, in love with thee, thy footing trips,
And all is but to rob thee of a kiss.
Rich preys make true men thieves: so do thy lips
　Make modest Dian cloudy and forlorn,
　Lest she should steal a kiss and die forsworn.

"Now of this dark night I perceive the reason:
Cynthia for shame obscures her silver shine,
Till forging Nature be condemned of treason,
For stealing moulds from heaven, that were divine,
　Wherein she framed thee, in high heaven's despite,
　To shame the sun by day, and her by night. (*CSP* 214)

여기서 비너스는 비록 아도니스가 신화적으로 자신의 어머니 미라Myrrha, Μύρρα와 할아버지인 키프로스Cyprus의 왕 키니라스King Cinyras 사이에 근친상간近親相姦으로 태어났지만(*CD* 9), 킨티아가 천상에서 빚은 빼어난 미소년 아도니스를 신격화하고 있는 것이다. 그리스 이름 아도니스Ἄδωνις는 실제 "주인"(lord)을 의미하는 가나안어 "아돈"('adōn)에서 파생되었으며, 시에서 "아돈"(Adon)은 제769행에서 단수형으로, 제1070행에서 복수형 "죽은 두 아돈들"(two Adons dead)에서 반복되어 나타난다.

제799-804행에서 사랑의 여신 비너스는 “욕망의 추한 유모”(desire's foul nurse)(제774행)를 상징하는 밤에 아도니스가 “비너스의 시야에서”(from Venus' eye)(제816행) 떠나기 전에 은유적 · 철학적으로 “사랑”(Love)과 “욕정”(Lust)을 대조하고 있다.

> “사랑은 비 온 뒤 햇빛처럼 위안을 주는데,
> 욕정의 결과는 해 나온 뒤 태풍 같죠.
> 사랑의 온화한 봄날은 언제나 신선하나
> 욕정의 겨울은 여름의 절반 전에 온답니다.
> 　사랑은 안 물리나 욕정은 폭식하고 죽어요.
> 　사랑은 다 참되나 욕정은 위조로 꽉 찼죠. (Shakespeare 223)

> “Love comforteth like sunshine after rain;
> But Lust's effect is tempest after sun;
> Love's gentle spring doth always fresh remain;
> Lust's winter comes ere summer half be done;
> 　Love surfeits not; Lust like a glutton dies:
> 　Love is all truth; Lust full of forgèd lies. (*CSP* 217)

셰익스피어가 외견상 비슷한 감정인 “사랑”과 “욕정”을 위안과 고통, 생명과 죽음, “진실”(truth)과 “거짓”(lies)에 극명하게 대비하는 것은 마치 엘리엇이 『네 사중주』 제1악장 「번트 노턴」(“Burnt Norton”) 제5부 제25-28행에서 “사랑”과 “욕망”(Desire)을 “비동非動”(unmoving)과 “동動”(movement), 바람직한 것과 “바람직하지 않은”(undesirable) 것으로 극단적으로 대조한 것을 상기시켜준다(*PTSE* 184).

또한 셰익스피어는 “칠흑 같은 밤”(pitchy night)(제821)을 지나고, “태양'(the sun)(제856)의 장엄한 솟아오름을 묘사함으로써 히페리온을 인유하고 있다. 제859-64행에서 비너스도 히페리온을 "밝은 신, 모든 빛의 후원자여"(clear god and patron of all light)(제860행)로 돈호법으로 부름으로써 인유하고, 아도니스의 지상의 어머니 미라도 인유하고 있다.

> 비너스는 그에게 고운 아침 인사하네.
> "오 그대 밝은 신, 모든 빛의 후원자여
> 천체와 빛나는 별 모두가 그대로부터
> 자신을 빛내는 멋진 힘을 들이마시지만
> 　지상의 어미젖 빤 이 아들은 그대가 남에게
> 　빛을 주듯 그대에게 빛을 줄 수 있어요." (Shakespeare 225)

> Venus salutes him with this fair good morrow:
> "O thou clear god and patron of all light,
> From whom each lamp and shining star doth borrow
> The beauteous influence that makes him bright,
> 　There lives a son that sucked an earthly mother
> 　May lend thee light, as thou dost lend to other." (*CSP* 220)

『변신이야기』 제10권 제298-518행에서 스미르나Smyrna, Σμύρνα로 알려진 "지상의 어머니"(earthly mother) 미라는 키프로스의 부왕 키니라스와 사랑에 빠져서 그를 속여서 수많은 밤에 근친상간의 관계를 맺었다. 감쪽같이 속은 것에 진노한 키니라스가 9개월 동안 번쩍이는 칼을 휘두르며 추격을 하자, 미라는 신들에게 간절한 기도를 드리고 응답으로 몰약沒藥, myrrh 나무로 변신하며, 결과적으로 나중에 활짝 열려서 아도니스를 출산하게 되었다 (Ovid, *Metamorphoses* 249; *CM* 13, 283).

한편, 제865행의 "도금양 숲"(a myrtle grove) 속에서 비너스는 궁지에 몰린 아도니스의 사냥개들의 "겁먹은 울음소리"(the timorous yelping)(제881행)를 듣고, "험악한 수퇘지, 거친 곰 아니면 고귀한 사자"(the blunt boar, rough bear, or lion proud)(제884행)－"거품 이는 입은 온통 붉게 물들은 / 잡힌 수퇘지"(the hunted boar, / Whose frothy mouth bepainted all with red)(제900-01행)를 보았다. 제931-36행에서 숨넘어갈 듯한 공포에 압도되어 여신은 "죽음"(Death), 즉 로마 신화에서 죽음의 의인화인 모르스Mors(그리스 신화의 대응신 타나토스Thanatos)를 극도로 힐난한다(*CM* 281).

> "못생긴 독재자, 추하고 가늘고 깡마른,
> 역겨운 사랑 훼방꾼아."－이렇게 죽음을 욕한다.－
> "섬뜩한 잇몸 웃음 웃는 유령, 땅벌레야,
> 왜 너는 미를 질식시키고 그의 숨을 빼앗지?
> 　그가 살아 있었을 때 그의 숨과 미모는
> 　장미에 윤기를, 제비꽃에 향기를 줬는데. (Shakespeare 228)
>
> "Hard-favoured tyrant, ugly, meagre, lean;
> Hateful divorce of love," thus chides she Death,
> "Grim-grinning ghost, earth's worm, what dost thou mean
> To stifle beauty, and to steal his breath?
> 　Who, when he lived, his breath and beauty set
> 　Gloss on the rose, smell to the violet. (*CSP* 224)

비너스는 제947-48행 "그를 죽인 죽음의 새까만 화살이 아닌 / 사랑의 금촉 화살이 그에게 날아갔어야 해."(Love's golden arrow at him should have fled, / And not Death's ebon dart to strike him dead.)에서 보듯이 희

망의 끈을 놓지 않고 계속하여 대조적인 모르스와 큐피드를 인유하고 있다. 그러나 제1111-16행에서 여신은 아도니스가 결국 "내리깐 눈으로 언제나 무덤을 찾는 / 흉측하고 비장한 고슴도치 주둥이의 수퇘지"(foul, grim, and urchin-snouted boar, / Whose downward eye still looketh for a grave)(제1105-06행)에 의해 죽임을 당했다는 것을 인정하게 된다.

> "맞아, 맞아, 아도니스는 그렇게 살해됐어.
> 그는 날 선 창 들고서 놈에게 달려들었는데,
> 놈은 그 보복으로 그의 몸에 이빨을 안 갈고
> 거기에서 키스로 그를 설득해 볼 요량으로
>     코로 그의 옆구리 비비다가 다정한 그 돼지는
>     무심결에 송곳니를 그 연한 사타구니에 꽂았어. (Shakespeare 236)

> "'Tis true, 'tis true, thus was Adonis slain:
> He ran upon the boar with his sharp spear,
> Who would not whet his teeth at him again,
> But by a kiss thought to persuade him there,
>     And, nuzzling in his flank, the loving swine
>     Sheathed unaware the tusk in his soft groin. (*CSP* 232)

반복되는 시구 "키스"(a kiss)를 통하여 셰익스피어는 역설적으로 두 가지 의미를 시사하고 있는데, 앞에서 언급한 비너스의 사랑과 생명을 갈애하는 입술에 키스하는 아도니스의 "달콤한 키스"이고, 증오와 죽음을 함의하는 아도니스의 "연한 사타구니"에 꽂힌 사랑스러운 멧돼지, 즉 수퇘지의 "송곳니"이다.

제1136-40행에서 아도니스가 죽은 후에 비너스의 예언으로서 셰익스피

어는 필연적으로 슬픔과 질투가 따라오는 사랑의 본질에 대하여 "도덕적 경구"(moral aphorisms)를 확실히 제시하고 있다(Bush, *Renaissance Tradition* 147).

그대가 죽었으니, 자, 난 여기서 예언한다.
지금부터 사랑에는 슬픔이 따르리라.
질투가 그 뒤를 좇을 것이고
시작은 달콤하나 끝은 불쾌할 것이다.
　공평한 건 절대 없이 높거나 낮아서
　사랑의 모든 기쁨 그 비탄과 못 겨룬다. (Shakespeare 237)

"Since thou art dead, lo, here I prophesy,
Sorrow on love hereafter shall attend.
It shall be waited on with jealousy,
Find sweet beginning but unsavoury end;
　Ne'er settled equally, but high or low,
　That all love's pleasure shall not match his woe. (*CSP* 233-34)

아도니스의 죽음 이후에 연인-화자 비너스를 통하여 담담히 표백表白하고 있는 사랑에 필연적으로 수반되는 슬픔, 질투, 비극적 종말에 관한 셰익스피어의 죽음관은 제1장에서 사랑, 질투, 결투를 거친 기사 알시테의 비참한 죽음 이후에 아테네의 선왕 아이게우스를 통하여 표출한 초서의 죽음관인 제행무상諸行無常을 상기시킨다.

마침내 전설에 근거한 제1165-70행에서 아도니스는 땅 위에 쏟은 자신의 피에서 솟아오르는 꽃으로 변신하게 된다.

이 무렵 죽어서 그녀 옆에 누웠던 소년은
증기처럼 녹아서 그녀의 눈에서 사라지고,
그 땅에 흘러내린 그의 피 속에서
흰 얼룩무늬의 자주색 꽃 한 송이 솟았는데,
  창백한 그의 뺨과 그 흰 바탕 위에
  방울방울 맺혔던 피를 꼭 닮았었지. (Shakespeare 238-39)

By this the boy that by her side lay killed
Was melted like a vapour from her sight,
And in his blood that on the ground lay spilled
A purple flower sprung up, chequered with white,
  Resembling well his pale cheeks, and the blood
  Which in round drops upon their whiteness stood. (*CSP* 235)

피어난 "흰 얼룩무늬의 자주색 꽃 한 송이"(A purple flower . . . , chequered with white)의 줄기는 꺾어보면 비너스가 아도니스의 눈물에 비유하는 "방울지는 녹색의 수액"(Green-dropping sap)이 나오는데, 오늘날 "그리스와 지중해에서 가장 전형적으로 잘 보이는 야생화 중에서 아네모네, 즉 그리스의 바람꽃은연화, 銀蓮花이다"(*CD* 9; Giesecke 53). 결국 아도니스의 사랑을 얻지 못해서 "세상에 싫증 난"(weary of the world)(제1189행) 비너스 여신은 "은빛 비둘기에 멍에를 씌우고"(yokes her silver doves)(제1190행), "가벼운 마차로"(in her light chariot)(제1192행) 바다에서 솟아오를 때에 처음 상륙한 키프로스에 있는 "파포스"(Paphos)(제1193행)로 빠르게 이동했다.

## III

셰익스피어의 『소네트』에 수록되어 있는 154편 모든 소네트들의 지배적인 그리스 로마 신화는 의심할 여지없이 엘리엇의 『네 사중주』(*Four Quartets*, 1943) 제3악장 「드라이 샐베이지즈」("The Dry Salvages," 1941) 제2부 제67행 "파괴자 시간은 보존자 시간이다."(Time the destroyer is time the preserver.)(*PTSE* 196)를 상기시켜 주는, 파괴와 동시에 창조를 표상하는 시간의 의인화로서 그리스 신화의 거신 크로노스 또는 로마 신화의 사투르누스이다. 소네트 12번에서 셰익스피어는 제13-14행 "시간의 대낫에 맞서서 / 방어할 수 있는 건 자식 말고 없으니까."(And nothing 'gainst Time's scythe can make defence / Save breed,)에서와 같이 낫, 대낫, 곡물, 뱀, 낫칼鎌劍 등이 상징인 수확의 거신 크로노스 또는 사투르누스를 인유하고 있다(Shakespeare 34). 특히 "대낫"(scythe)은 어머니 가이아 또는 테라Terra가 자신의 내장에서 추출한 금속으로 아들을 위해 만들어준 무기인 것이다(*CD* 545). 또한 소네트 15번에서도 제11-13행 "그 시야엔 파괴적 시간이 쇠락과 다투면서 / 자네의 젊은 낮을 더러운 밤으로 바꾸려 해. / 또한 자넬 사랑하여 시간과 총력전 펼치며"(Where wasteful Time debateth with Decay / To change your day of youth to sullied night, / And, all in war with Time for love of you)에서 보듯이 시인은 쇠락과 인간의 사랑에 적대적인 크로노스를 계속 인유하고 있다(Shakespeare 37; *S* 40). 게다가 소네트 16번 제2행에서 셰익스피어는 인간에게 피비린내 나는 전쟁을 가져다주는 아버지 시간의 잔인하고 무자비한 심상을 환기시키기 위하여 시구 "이 피비린 독재자 시간"(this bloody tyrant Time)을 원용하고 있다.

소네트 19번에서 죽음과 영원을 극명하게 대조하기 위하여 셰익스피어는 그리스 신화의 피닉스Phoenix, φοῖνιξ와 자신의 시뿐만 아니라 의인화된 시간, 즉 크로노스 또는 사투르누스의 여러 가지 특성들을 드러내고 있다.

> 삼키는 시간이여, 넌 사자의 발이나 썩히고
> 대지에게 자신의 예쁜 새끼 삼키라 해.
> 무서운 호랑이 턱에서 날카로운 이빨 뽑고
> 오래 산 피닉스를 그 피로 태워라.
> 날아가는 도중에 희비의 계절을 남기고,
> 이 넓은 세상과 사라지는 온갖 고운 것들에게
> 내키는 건 뭐든 해라, 발 빠른 시간이여.
> 하지만 극악 범죄 하나는 못 짓게 할 텐데,
> 오, 내 사랑의 고운 이마 시간으로 조각 말고
> 그 낡은 펜으로 거기에 아무 줄도 긋지 마라.
> 후세에게 그가 미의 전형이 되도록
> 네가 가는 도중에 물들지 않게 해 주거라.
> 　하지만 최악을 범해라, 늙은이 시간아, 그래도
> 　내 사랑은 내 시에서 언제나 젊을 거야. (Shakespeare 41)[10]

> Devouring Time, blunt thou the lion's paws,
> And make the earth devour her own sweet brood,
> Pluck the keen teeth from the fierce tiger's jaws,
> And burn the long-lived phoenix in her blood,
> Make glad and sorry seasons as thou fleet'st,
> And do whate'er thou wilt, swift-footed Time,
> To the wide world and all her fading sweets:
> But I forbid thee one more heinous crime,
> O carve not with thy hours my love's fair brow,

10) 『소네트』의 한글 번역은 최종철 교수의 번역시를 인용했으나 일부 수정하였다.

Nor draw no lines there with thine antique pen.
Him in thy course untainted do allow
For beauty's pattern to succeeding men.
    Yet do thy worst, old Time: despite thy wrong,
    My love shall in my verse ever live young. (*CSP* 419)

흥미롭게도 "시간"을 돈호법으로 부르는 셰익스피어는 "사자의 발"(the lion's paws)을 썩히고, "무서운 호랑이 턱에서 날카로운 이빨"(the keen teeth from the fierce tiger's jaws)을 뽑고, "오래 산 피닉스를 그 피로" 태우는 "삼키는 시간"(Devouring Time)과 "발 빠른 시간"(swift-footed Time)과 같은 시구들에서 동물 심상을 사용하고 있다. 심지어 "불사조"(不死鳥) 또는 "봉황"(鳳凰)으로 번역되는 "피닉스"는 시 「피닉스와 산비둘기」의 제목에서 반복되어 나타나고, 그리스 신화에서 주기적으로 재생하여 장수하는 전설적 새이지만, 정녕코 삼키는 시간에 의하여 역설적으로 또 일시적으로 태워지게 되는 것이다. 소네트 12번의 제10행 "그대도 시간의 황야로 가는데다가"(That thou among the wastes of time must go)를 상기시키는 제1행 시구 "삼키는 시간"은 그리스 신화에서 헤스티아Hestia, Ἑστία, 데메테르, 헤라뿐만 아니라 레아가 돌로 위장하여 강보襁褓에 싼 하데스, 포세이돈, 제우스를 집어삼킨 크로노스로까지 추적 가능할 것이다. 거신은 스스로 아버지 하늘 우라노스의 생식기를 금강석 대낫으로 잘라버림으로써 타도했었던 것과 같이 자신의 자식들에게 쫓겨날 것을 두려워했기 때문이다. 아니면, 셰익스피어가 『변신이야기』(제15권 제234-36행)의 "시간은 만물을 삼킨다. / 질투하는 나이와 함께. 서서히 갉아먹어 / 만물을 아주, 아주 서서히 소진시킨다."(Time devours all things / With envious Age, together. The slow gnawing / Consumes all things, and very, very slowly.)에서와 같이 오비디우스의 파괴자 시간의 주제에 영향을 받았을지 모른다(Ovid, *Metamorphoses* 372; *S* 127). 여기서 셰익스피어의 여러 비극을 해석하는 데에서 제임스 L. 콜더우드James L. Calderwood의 용어인 "죽음의 거부"(denial of death)를 그의 시에도 적용해볼 만한 가치가 있다(4). 소네트 5번 제5행 시구 "절대로 쉬지 않는 시간"(never-resting Time)을 연상시키는 제13행 시구 "늙은이 시간"(old Time) 크로노스는 "연대순의 시간"(chronological time), 즉 인간의 시간의 영원히 작동하는 특성을 함의한다. 인간의 시간, 즉 크로노스를 초월하는 신의 시간, 즉 카이로스Kairos, καιρός는 엘리엇의 「드라이 샐베이지즈」 제1부 제37-39행 "시계의 시간보다 오랜 시간 / 초조히 가슴 태우는 여인들이 세는 시간보다 / 더 오랜 시간"(a time / Older than the time of chronometers, older / Than time counted by anxious worried women)을 시사하고 있다(Eliot, 『전집』 151; *PTSE* 194).

소네트 123번 제1-4행에서도 "네 대낫"(thy scythe)(제14행)을 들고 있는 의인화된 아버지 시간 크로노스를 셰익스피어가 돈호법으로 부르는 것이 반복된다.

> 아니! 시간아, 넌 내가 변한다고 못 뻐겨.
> 더 새로운 힘으로 네가 지은 피라미드들은
> 내게는 새롭지도 낯설지도 않단다,
> 앞선 구경거리에 옷 입힌 것뿐이니까. (Shakespeare 145)
>
> No! Time, thou shalt not boast that I do change.
> Thy pyramids built up with newer might
> To me are nothing novel, nothing strange;
> They are but dressings of a former sight. (*CSP* 627)

이집트의 경이적인 피라미드를 포함한 인간의 역사는 시구 "네 연대기" (Thy registers)(제9행)에서와 같이 솔직히 시간의 경과와 더불어 시간의 힘에 의하여 건설된다. 그럼에도 불구하고, 시간을 향한 화자의 항의는 셸리의 시 「무상無常」("Mutability," 1821) 제1-2행 "오늘 미소 짓는 꽃은 / 내일은 죽는다."(The flower that smiles to-day / To-morrow dies;)에서와 같이 덧없는 무상을 애잔하게 상기시켜 준다(*CSP* 679). 여기서 셰익스피어는 연약한 인간들은 시간의 경과와 더불어 야생화 마냥 진실로 "변하고"(do change)(제1행) 사라지며, 새로 건설된 거석의 피라미드들도 일시적인 존재일 뿐이라는 것을 확연히 제시하고 있다. 그러므로 화자가 자신의 체격에서 늙어가는 순간마다 파괴자 시간 크로노스에게 단호하게 도전하는 것이다.

셰익스피어의 소네트에서 다음으로 가장 빈번하게 등장하는 그리스 로마 신화는 "뮤즈"(Muse)이다. 그 의미로서 소네트 21번 제1행의 시어 "저 뮤즈"(that Muse)는 "시를 쓰는 시인"이며, 소네트 32번 제10행 시구 "내 친구의 뮤즈"(my friend's Muse)는 영감 또는 창조적 능력을 함의한다(Shakespeare 43; *S* 134, 144). 소네트 38번에서 의인화된 "뮤즈"가 3번 반복되는 것은 주목할 만하다.

> 어찌 내 뮤즈에게 쓸거리가 모자랄 수 있나,
> 그대가 숨 쉬는 한 나의 시 안으로
> 평범한 글로 다 옮기엔 너무나도 빼어난
> 아름다운 주제를 쏟아 붓고 있는데?
> 오, 정독할 가치 있는 내 안의 그 무엇이
> 그대 눈에 띈다면 자신에게 감사하게.
> 그대가 창작의 빛을 밝혀 주는데
> 그 누가 그대에게 글도 못 쓸 벙어리일까?
> 그대는 시인들이 호소하는 늙은 아홉 뮤즈보다

열 배나 더 가치 있는 열 번째 뮤즈가 된 다음
그대를 부르는 사람은 긴 세월 뛰어넘을
영원한 시편을 내놓도록 해 주게.
  여린 내 뮤즈가 이 깐깐한 시절에 기쁨 주면
  그 수고는 내 것이나 칭찬은 그대의 것이네. (Shakespeare 60)

How can my Muse want subject to invent,
While thou dost breathe, that pour'st into my verse
Thine own sweet argument, too excellent
For every vulgar paper to rehearse?
O give thyself the thanks if aught in me
Worthy perusal stand against thy sight,
For who's so dumb that cannot write to thee,
When thou thyself dost give invention light?
Be thou the tenth Muse, ten times more in worth
Than those old nine which rhymers invocate;
And he that calls on thee, let him bring forth
Eternal numbers to outlive long date.
  If my slight Muse do please these curious days,
  The pain be mine, but thine shall be the praise. (*CSP* 457)

소네트 78번 제1행과 소네트 103번 제1행에서 반복되는 "내 뮤즈"(my Muse)와 위의 제13행 "여린 내 뮤즈"(my slight Muse)는 시인의 "창조적 능력" 또는 영감을 가리킨다(*S* 149 재인용). 그러나 남성 화자는 상대방 여성이 과장적으로 기술되고 있는 "시인들이 호소하는 늙은 아홉 뮤즈보다 / 열 배나 더 가치 있는"(ten times more in worth / Than those old nine which rhymers invocate.) 자신의 "열 번째 뮤즈"(tenth Muse)가 되기를 바라는 간절한 소망을 표출하고 있다. 전기비평적 접근으로 고찰하면, 셰익스피어는 마이클 드레이턴Michael Drayton, 1563-1631이 자신의 정부-후견인을 열 번째 뮤즈로 묘사하고 있는 64편의 소네트 전집 『이데아의 거울』(*Ideas Mirrour*, 1594)의 영향을 받았을 가능성이 있다(*S* 149; Sarker 200). 키츠에 관한 제6장에서 상술되는 "늙은 아홉" 뮤즈들Muses, Μοῦσαι은 학문과 예술의 영감을 주는 9명의 여신들이다. 그들은 칼리오페Calliope, Καλλιόπη(서사시), 클리오(역사), 에라토Erato, Ἐρατώ(연애시), 에우테르페Euterpe(서정시), 멜포메네Melpomene, Μελπομένη(비극), 폴리힘니아Polyhymnia, Πολυύμνια(찬가), 테르프시코레Terpsichore, Τερψιχόρη(합창무도), 탈리아Thalia, Θαλία, Thaleia, Θάλεια(희극) 및 우라니아Urania, Οὐρανία(천문학, 기독교시)를 지칭한다(*BM* 928-29; Ahn 23).

게다가 셰익스피어가 소네트 100번에서 의인화된 "뮤즈"와 신격화된 "시간"을 세 번 돈호법으로 부르거나 원용하고 있는 것에 주목하는 것은 아주 흥미롭다.

> 넌 어디에 있는데, 뮤즈여, 너의 모든 힘을 주는
> 그것에 대하여 그렇게 오래 잊고 말을 않지?
> 천한 대상 빛내 주는 네 능력에 먹칠하며
> 시시한 노래에 너의 시적 영감을 허비해?
> 돌아와, 잘 잊는 뮤즈여, 그리고 곧바로
> 그토록 헛되이 보낸 시간 귀한 시로 보상해.
> 네 가락을 존중하는 귀에게 노래하고
> 네 펜에는 기술, 주제, 양쪽을 넣어 줘라.
> 일어나, 게으른 뮤즈여, 시간이 내 사랑의
> 그 고운 얼굴에 주름을 팠는지 살펴보고,
> 그랬다면 파멸을 풍자하는 시를 지어

시간의 약탈을 사방에서 경멸하게 만들어라.
　내 사랑에게는 생명 꺾는 시간보다 명성을
　빨리 줘서, 그의 대낫과 굽은 칼을 미리 막아. (Shakespeare 122)

Where art thou, Muse, that thou forget'st so long
To speak of that which gives thee all thy might?
Spend'st thou thy fury on some worthless song,
Dark'ning thy pow'r to lend base subjects light?
Return, forgetful Muse, and straight redeem
In gentle numbers time so idly spent.
Sing to the ear that doth thy lays esteem,
And gives thy pen both skill and argument.
Rise, resty Muse, my love's sweet face survey,
If Time have any wrinkle graven there;
If any, be a satire to decay,
And make Time's spoils despisèd everywhere.
　Give my love fame faster than Time wastes life,
　So thou prevent'st his scythe and crookèd knife. (*CSP* 581)

시인-화자는 2인칭 단수형 "뮤즈"(제1행)로 하여금 "시시한 노래"(some worthless song)(제3행)를 잊고, "그토록 헛되이 보낸 시간 귀한 시로 / 보상해"(redeem / In gentle numbers time so idly spent)(제5-6행)라고 강력히 명령하는데, 후자는 「번트 노턴」의 엘리엇의 표현 "모든 시간은 되돌릴 수 없는 것이다"(All time is unredeemable)(제5행)를 기이할 정도로 연상시킨다. 여기서 명백히 에라토를 지적하고 있는 "뮤즈"의 보편적 특성들은 돈호법으로 부르는 "잘 잊는 뮤즈"(forgetful Muse)(제5행)와 "게으른 뮤즈"(resty Muse)(제9행)로 더욱 상술되고 있다. 마지막 2행에서 셰익스피어는

"네 가락"(thy lays)(제7행)이나 "네 펜"(thy pen)(제8행)의 시구들에서와 같이 불멸의 시 또는 소네트를 창작하는 창조력을 "그의 대낫과 굽은 칼"(his scythe and crookèd knife)(제14행)을 지니고 있는 불멸의 크로노스 아버지 시간의 파괴력보다 우위에 두고 있다. 후자에 대하여 버로는 "이 두 용어들은 아마 시간의 낫을 지칭한다. '굽은'은 악의를 함의하기 위하여 도입된 것이다"라는 의견을 피력하고 있다(*CSP* 580). 그러나 필자는 "굽은 칼"은 "그의 대낫"과 더불어 모든 인간들과 심지어 메두사를 포함한 불멸의 괴물까지 무자비하게 살해하는 크로노스의 굽은 불패의 무기—"낫칼"을 가리킬 뿐이라고 주장한다. 셰익스피어는 나아가서 "시간의 전통적인 대낫"을 소네트 126번 제2행에서 "낫"으로, 소네트 116번 제10행에서 "굽은 낫"(bending sickle)으로 표현하기 때문이다. 두 번째 예는 "또 다른 유형의 '굽은 칼'로서 초승달 형태에다 톱날이 있다는 점에서 이중으로 '굽은' 칼"을 암시하고 있다(*S* 209).

이와 유사하게, 키츠의 시 「그리스 항아리에 부치는 송시」("Ode on a Grecian Urn," 1819)의 제49행 "미는 진리이고, 진리는 미"(Beauty is truth, truth beauty)의 시어들을 연상시키는 "진실"(truth)과 "미"(beauty) 그리고 자신의 애인과의 관계를 서술하기 위하여 셰익스피어는 소네트 101번에서 고전 신화의 뮤즈를 지속적으로 원용하고 있다.

> 오, 태만한 뮤즈여, 미에 깃든 진실을
> 네가 무시하는 일은 어떻게 배상할 참이지?
> 진실과 미, 이 둘은 내 애인에 달려 있고,
> 너 또한 그러하며, 그 점에서 영예로워.
> 답으로, 뮤즈여, 넌 아마 이렇게 말하겠지.
> "정절은 고유의 색 외에 다른 색 필요 없고
> 미 또한 미의 진실 색칠할 연필이 필요 없지만

최고는 뒤섞이지 않았을 때 최고"라고.
그는 칭찬 필요 없어서 넌 입을 다물 거야?
침묵을 그렇게 변명 마라, 금칠한 묘지보다
그가 훨씬 오래 살고 다가올 시대에도
칭송받을 것이냐는 네게 달렸으니까.
　그러니 뮤즈여, 할 일 해. 먼 훗날 그가 네게
　지금처럼 보이게 하는 법 내가 알려줄 테니까. (Shakespeare 123)

O truant Muse what shall be thy amends
For thy neglect of truth in beauty dyed?
Both truth and beauty on my love depends:
So dost thou too, and therein dignified.
Make answer, Muse, wilt thou not haply say
"Truth needs no colour with his colour fixed,
Beauty no pencil beauty's truth to lay,
But best is best if never intermixed"?
Because he needs no praise, wilt thou be dumb?
Excuse not silence so, for 't lies in thee
To make him much outlive a gilded tomb,
And to be praised of ages yet to be.
　Then do thy office, Muse, I teach thee how,
　To make him seem long hence, as he shows now. (*CSP* 583)

시인은 뮤즈를 미에 깃든 "진실을 무시"(neglect of truth)하기 때문에 "태만한 뮤즈여"(truant Muse)(제1행)라고 돈호법으로 부르고 있다. 그는 "진실과 미, 이 둘"(Both truth and beauty)이 그의 애인 또는 청년에게 달려 있거나 그에 의해 좌우되며, 나아가서 뮤즈는 그의 애인에게서 품위 있게 보인다고 자랑스럽게 주장한다(*S* 210). 화자는 의인화된 "뮤즈"(Muse)(제5행, 제14행)에게 청년이 "금칠한 무덤보다 훨씬 오래 살"(much outlive a gilded tomb)(제11행) 수 있도록, 다시 말해 그에게 불멸을 주기 위하여 "입을 다물거나"(dumb) 침묵을 지키지 말라고 간청한다.

한편, 소네트 53번에서 애인의 "외적인"(external) 아름다움과 "우아미"(grace)를 그리기 위하여 셰익스피어는 앞에서 언급한 그리스 신화의 아도니스를 원용하고, 트로이의 헬레네Helen of Troy를 인유하고 있다.

> 자네의 본질은 뭣인가? 뭣으로 빚었기에
> 수백만의 이상한 형상이 자네를 따르나?
> 각자의 그림자는 각자가 하나인데 자네는
> 단 하나로 모든 형상 빌려줄 수 있으니까.
> 아도니스를 묘사해 봐, 그럼 그 모조품은
> 헬레네의 뺨 위에 미의 기술 다 입히면
> 그리스 복장의 자네가 새로 그려졌다네.
> 봄과 또 한 해의 풍작을 말하자면
> 한쪽은 자네의 아름다움의 형상 보여 주고
> 다른 쪽은 자네의 풍요로움으로 나타나며,
> 축복받은 모든 모습들에서 우린 자넬 본다네.
> 　자넨 모든 외적인 우아미를 약간씩 가졌지만
> 　한결같은 마음은 출중하게 남다르네. (Shakespeare 75)

> What is your substance, whereof are you made,
> That millions of strange shadows on you tend?
> Since every one hath, every one, one shade,
> And you, but one, can every shadow lend.
> Describe Adonis, and the counterfeit

Is poorly imitated after you.
On Helen's cheek all art of beauty set,
And you in Grecian tires are painted new.
Speak of the spring and foison of the year,
The one doth shadow of your beauty show,
The other as your bounty doth appear,
And you in every blessèd shape we know.
  In all external grace you have some part,
  But you like none, none you, for constant heart. (*CSP* 487)

르네상스 시대의 거장 시인이 영국 애인의 외형미를 그리스 로마 신화에서 아프로디테 또는 비너스를 매료시킨 아도니스와, 그리스 신화에서 남편인 스파르타의 왕 메넬라오스Menelaus를 포함한 수많은 그리스의 구혼자들뿐만 아니라 트로이의 왕자 파리스를 매혹시킨 헬레네의 출중한 미로서 과장되게 예찬하고 있는 것은 아주 자연스럽다. 또한 그 여인의 "아름다움"(beauty)과 "풍요로움"(bounty)은 "봄"(the spring)과 "한 해의 풍작"(foison of the year)(제10행)으로 표상되는 자연의 것들을 과장적으로 초월한다. 그러나 마지막 2행시의 기상奇想, conceit은 애인의 "외적인 우아미"(external grace)보다는 "한결같은 마음"(constant heart)의 가변성을 역설적으로 드러내고 있다.

소네트 102번에서 사랑을 시로 찬양하고, 화자의 사랑 노래를 나이팅게일의 것과 비교하기 위하여, 제6-8행에서 셰익스피어는 그리스 신화의 필로멜라Philomel, Φιλομήλη, Philomela를 차용하고 있다.

내가 그걸(사랑) 노래로 맞이하곤 했을 때
필로멜라가 여름의 초입에는 울다가

계절이 익어 가면 그의 피리소리 멈추듯이. (Shakespeare 124)

When I was wont to greet it with my lays,
As Philomel in summer's front doth sing,
And stops his pipe in growth of riper days: (*CSP* 585)

"삼림지의 물의 요정들만큼이나 아리땁고, 나무 요정들만큼이나 아리따운" (as lovely as the naiads, / As lovely as the dryads of the woodlands) 필로멜라는 미칠 정도로 욕정을 느낀 트라키아Thrace, Θράκη의 왕 테레우스Tereus, Τηρεύς에게 강간을 당한다(Ovid, *Metamorphoses* 143-44). 비극적 파국에서 필로멜라의 나이팅게일로의 변신은 오비디우스의 『변신이야기』 제6권 제413-721행에 서술되어 있고, 파운드와 엘리엇에 관한 제9-10장에서 추가로 조명되어 있다(Ahn 12-13, 21). 시인 자신과 흡사하게 시구 "그의 피리소리"(his pipe)에서와 같이 필로멜라의 성性을 여성에서 남성으로 전환한 것은 셰익스피어의 독특한 기교인 것이다.

소네트 119번 제1-4행에서 "악행의 혜택"(benefit of ill)(제9행), "미치게 만드는 이 열병의 착란"(the distraction of this madding fever)(제8행) 또는 "악행으로 얻는"(gain by ills)(제14행) 등의 시구들을 묘사하기 위하여, 셰익스피어는 그리스 신화 세이렌Siren, Σειρήν을 원용하고 있다.

내가 무슨 지옥만큼 더러운 증류기로
세이렌의 눈물을 걸러 만든 물약을 마셨나?
희망에 공포를, 공포에 희망을 섞으면서
병 이기는 날 봤는데 늘 지면서 마셨나? (Shakespeare 141)

What potions have I drunk of Siren tears,

Distilled from limbecks foul as hell within,
Applying fears to hopes, and hopes to fears,
Still losing when I saw myself to win! (*S* 92)

그리스 신화의 오디세우스 또는 로마 신화의 율리시스Ulysses와 그의 선원들을 유혹하는 고혹적이지만 치명적인 세이렌들은 테니슨에 관한 제7장에 상술되어 있다(Ahn 176). 여기서 시구 "세이렌의 눈물"(Siren tears)은 "속임수로 파멸을 가져다주는 유혹적 눈물"을 암시한다(*S* 231). 또한 시구 "미치게 만드는 이 열병"(this madding fever)은 "사람을 미치게 만드는 불타는 정신적 · 육체적 욕망"(*S* 232)을 의미하므로, 이러한 열병으로 발생한 "무너진 사랑"(ruined love)은 "재건될 땐 처음보다 / 더 곱고 더 강하고 훨씬 더 커지는"(when it is built anew, / Grows fairer than at first, more strong, far greater)(제11-12행) 것이 보편적으로 진실이다.

다른 한편, 소네트 153번에서 상사병의 치료법을 밝히기 위하여 셰익스피어는 앞에서 언급한 로마 신화에서 사랑의 신 큐피드, 그리고 달과 순결의 여신 "디안"(디아나)의 시녀를 원용하고 있다.

큐피드는 자신의 횃불을 내려놓고 잠들었고
디안의 시녀가 이 유리한 기회를 잡고서
사랑을 일으키는 그 불을 재빨리
그 지역의 차가운 계곡 못에 담갔는데,
그것은 사랑의 이 성스러운 불에서
끝없이 살아서 늘 지속되는 열을 빌어
펄펄 끓는 욕탕이 되었고, 사람들은 그것이
괴질에는 아직도 특효약이란 걸 안다네.
하지만 내 애인 눈빛에 사랑 횃불 다시 탔고,

그 소년은 확인차 그걸 내 가슴에 댔다네.
그래서 병든 나는 온천의 도움을 원했고
우울한, 탈이 난 손님으로 서둘러 갔지만
　약은 못 찾았네. 도움 줄 온천이 있는 데가
　큐피드가 새 불 얻은 곳, 내 애인의 눈이니까. (Shakespeare 175)

Cupid laid by his brand and fell asleep:
A maid of Dian's this advantage found,
And his love-kindling fire did quickly steep
In a cold valley-fountain of that ground;
Which borrowed from this holy fire of Love
A dateless lively heat, still to endure,
And grew a seething bath, which yet men prove
Against strange maladies a sovereign cure.
But at my mistress' eye Love's brand new fired,
The boy for trial needs would touch my breast;
I, sick withal, the help of bath desired,
And thither hied, a sad distempered guest;
　But found no cure: the bath for my help lies
　Where Cupid got new fire—my mistress' eyes. (*S* 109)

원전비평적 접근으로 고찰하면, 소네트 153번은 버로 편집본이 아닌 에반스 편집본의 『소네트』에서 인용하는 것이 적절할 것이다. 전자에서 의인화되지 않은 추상명사 "사랑"(love) 대신에 후자에서는 큐피드를 신화적으로 인유하는 의인화된 "사랑"(Love)으로 나와 있기 때문이다. 시어 "횃불"(brand)(제1행)은 큐피드가 들고 다니는 "불타는 횃불"(a flaming torch)인 "사랑을 일으키는 불"(love-kindling fire)(제3행)로 상술되어 있으므로 명백히 "남근의 상징"(a phallic symbol)이다. 순결의 여신 "디안"을 시중드는 처녀의 "여성 성기"(female pudenda)를 함의하는 "차가운 계곡 못"(a cold valley-fountain)(제4행)에 담근 "사랑의 성스러운 불"(holy fire of Love)(제5행)은 상사병 치료에 특효약이라고 간주되는 "펄펄 끓는 욕탕"(a seething bath)(제7행)에서 신화적으로 온천의 기원인 것이다(*S* 272-73). 그러나 상사병에 걸린 화자—"우울한, 탈이 난 손님"(a sad distempered guest)은 큐피드의 "새 불"(new fire)—그의 "애인의 눈"(mistress' eyes)(제14행) 이외에 전설적 온천에서 치료법을 역설적으로 발견하지 못한다.

이와 유사하게, 마지막 소네트 154번에서 셰익스피어는 남성성의 여성성에 대한 영원한 지배를 강조할 목적으로 큐피드를 인유하고, 요정들Nymphs을 원용하고 있다. 또한 "그 꼬마 사랑 신"(That little Love-god)(제1행) 또는 "그 뜨거운 욕망의 사령관"(the general of hot desire)(제7행) 큐피드는 자신의 "가슴을 불태우는 횃불"(heart-inflaming brand)(제2행), 즉 "사랑의 불"(Love's fire)(제10행) 옆에 누워 있다. 소네트 153번 제2행에서 이미 언급한 시구 "디안의 시녀"(A maid of Dian's)는 "순결한 삶을 지키기로 맹세한 수많은 요정들"(many nymphs that vowed chaste life)(제3행) 중에서 "가장 고운 숭배자"(The fairest votary)(제5행)로 상술하고 있다. 요정들은 고전 신화에서 "강이나 샘을 주관하는 수호 정령으로 간주된다"(*S* 274). 시구 "찬 샘"(a cool well)(제9행)과 앞의 시구 "차가운 계곡 못"은 둘 다 뜨거운 남성성을 경험하지 못한 처녀의 성기를 상징한다. 시구 "내 애인의 노예"(my mistress' thrall)(제12행)에서와 같이 자신의 애인에게 지나친 연정을 느껴서 상사병에 걸린 화자는 다른 "병든 사람들"(men diseased)(제12행)과 마찬가지로 그를 위한 "건강한 치유책"(healthful remedy)(제11행)이 있는 "욕탕"(bath), 즉 온천으로 갔다. 마지막 시행인 "사랑의 불 물 데워도 물은 사랑 못 식히네."(Love's fire heats water; water cools not love.)는 뜨거운 연정을 느끼는 남성 애인, 즉 남성성은 차가운 여성의 처녀성, 즉 여성성을 영원히 데우며 지배하는 것이지, 그 반대는 아니라는 것을 함축적으로 의미한다.

## IV

지금까지 『비너스와 아도니스』 그리고 『소네트』에 나타난 모든 그리스 로마 신화들과 신화적 인유들은 엑버트 파스Ekbert Faas의 『셰익스피어의 시학』(*Shakespeare's Poetics*, 1986)에서 셰익스피어가 초자연적인 것을 극화시키는 데에 붙인 용어로서 대문호의 "신화창조적 독창성"(mythopoeic creativity)에 의하여 뚜렷이 섬세하게 직조되어 있다(164). 오비디우스의 『변신이야기』에서 다수의 출처들－제10권의 미라와 아도니스, 제4권의 마르스와 비너스, 제3권의 나르키소스, 제4권의 냉소적이지만 아주 성적인 이야기 살마키스Salmacis, Σαλμακίς, 제8권의 칼리돈의 멧돼지 등을 흡수하여 아름다운 신화시 『비너스와 아도니스』를 꾸며낸 것은 셰익스피어의 위대한 창작력인 것이다. 전기비평적 접근으로 고찰하면, 셰익스피어는 오비디우스의 라틴 원본뿐만 아니라 아서 골딩Arthur Golding의 번역본 『변신이야기』(*Metamorphoses*, 1567)를 활용했을 수도 있다(Levi 85; Kahn 76). 또한 『비너스와 아도니스』가 사우샘프턴의 백작Earl of Southampton 헨리 라이어슬리Henry Wriothesley에게 헌정된 반면에, 『소네트』는 시인이 아닌 인쇄업자 T. T.(토마스 소프)Thomas Thorpe가 그에게 헌정했다고 추론되어 왔던 것도 주목할 만한 가치가 있다. 헌정 제사의 머리글자 "W. H."는 논쟁의 여지가 있지만, 후원자로서 소네트 작가 셰익스피어에게 당대에는 거액인 1,000파운드를 희사한 사우샘프턴의 백작 라이어슬리 헨리Wriothesley Henry를 의미할 수 있기 때문이다(Levi 93; Honan 169, 181).

결론적으로, 셰익스피어의 시에 나타나 있는 수많은 그리스 로마 신화들을 운용하는 기교는 그의 시적 함의를 심화시키고, 그의 문학적 조망을 확장시키면서, 사랑, 아름다움, 성애, 죽음, 불멸에 대한 그의 르네상스 관념을 확연히 제시하고 있다. 이 연구는 17세기 영국 르네상스 시대에서 가장 위대한 시인 존 밀턴의 시에 나타난 그리스 로마 신화를 탐색하는 또 다른 시도로 연결될 것이다.

# 4

# 존 밀턴의 『실낙원』 제1-2권과 그리스 로마 신화

## I

제4장은 존 밀턴John Milton, 1608-1674의 무운 서사시 『실낙원』(*Paradise Lost*, 1667, 1674) 제1-2권을 집중적으로 그의 시에 나타난 모든 그리스 로마 신화의 다양한 함의와 상징성을 천착한다. 17세기 영국 르네상스 시대의 가장 위대한 시인의 위대한 작품들은 성경에 근거하여 구성된 것들로서 그의 걸작 『실낙원』, 그 후속편 『복낙원』(*Paradise Regained*, 1671) 및 비극적 서재극 『투사 삼손』(*Samson Agonistes*, 1671) 등이다. 부시가 그의 『영시에서 신화와 르네상스 전통』에서 적절하게 주장했듯이, 밀턴은 앞의 주요 작품들뿐만 아니라 「그리스도 탄생의 아침에」(“On the Morning of Christ’s Nativity,” 1629), 애가 「리시다스」(“Lycidas,” 1637), 「쾌활한 사람」(“L’Allegro,” 1645), 「사색에 잠긴 사람」(“Il Penseroso,” 1645) 등의 단시들과 가면극 『코머스』(*Comus*, 1634)에서 신화와 신화 인유를 능수능란하게 구사하고 있다. 오래전부터 밀턴의 시에 나타난 고전 신화는 진지하게

천착되어 왔는데, 대표적 연구 자료들은 찰스 G. 오스굿Charles G. Osgood의 『밀턴 영시의 고전 신화』(*The Classical Mythology of Milton's English Poems*, 1900)와 「밀턴의 고전 신화」("Milton's Classical Mythology," 1901), 부시의 「밀턴의 고전 신화에 관한 주석」("Notes on Milton's Classical Mythology," 1931), 조너선 H. 콜렛Jonathan H. Collett의 「『실낙원』과 밀턴의 고전 신화 원용」("Milton's Use of Classical Mythology in *Paradise Lost*," 1970), 프랜시스 C. 블레싱턴Francis C. Blessington의 『『실낙원』과 고전 서사시』(*Paradise Lost and the Classical Epic*, 1979) 및 필립 J. 갤러거Philip J. Gallagher의 「『실낙원』과 그리스 신통기」("*Paradise Lost* and the Greek Theogony," 1979) 등이 있다. 그러나 『"신화"로서 『실낙원』』(*Paradise Lost as "Myth,"* 1959)에서 이사벨 갬블 맥캐프리Isabel Gamble MacCaffrey는 고전 신화보다 주로 "기독교 신화"(the Christian myth)에 근거하여 이 서사시를 분석, 해설하고 있다(73). 이러한 과거의 연구들과는 대조적으로 본 장에서는 밀턴의 『실낙원』 제1-2권을 집중적으로 조명하는데, 이 부분이 다양한 그리스 로마 신화들로 촘촘히 직조되어 있기 때문이다. 이 연구를 위하여 필자는 호메로스의 정전화된 서사시 『일리아스』와 『오디세이아』, 헤시오도스의 『신통기』, 베르길리우스의 『아이네이스』, 오비디우스의 『변신이야기』를 추적하고자 한다. 특히 스티븐 스컬리Stephen Scully가 그의 『헤시오도스의 『신통기』: 근동지역의 창조신화에서 『실낙원』까지』(*Hesiod's Theogony: From Near Eastern Creation Myths to Paradise Lost*, 2015)에서 주장하듯이, 『신통기』에 바탕을 둔 밀턴의 창조 신화는 심도 있게 조명되고 있다. 밀턴의 서사시에 대하여 지금까지 출판된 다양한 시집 중에서 필자는 밀턴의 최종판 『실낙원: 12권의 시』(*Paradise Lost: A Poem in Twelve Books*, 1674), 앨러스테어 파울러Alastair Fowler의 편찬본 『실낙원』(*Paradise Lost*, 1971)과 부시의 편찬본 『밀턴: 시 작품』(*Milton: Poetical*

*Works*, 1973)을 참고할 것이다.

## II

우선 『실낙원』 제1권 제6행 명령조인 "천상의 뮤즈여 노래하라"(Sing heavenly Muse)에서 밀턴은 모세오경 토라Torah, תורה의 제1권 창세기Genesis, γένεσις, בראשית 제2-3장에 처음으로 진술되어 있는 "인간 최초의 불순종"(man's first disobedience)(제1행), "금단의 / 나무열매"(the fruit / Of that forbidden tree)(제1-2행), "세상에 들어온 죽음"(death into the world)(제3행) 및 "에덴의 상실"(loss of Eden)(제4행)을 장중체로 서술할 목적으로 그리스 여신 "뮤즈"를 돈호법으로 소환하고 있다. 시어 "뮤즈"는 제376행 "뮤즈여, 그때 알려진 그들의 이름을 말하시라. 누가 앞이고 누가 끝인가." (Say, Muse, their names then known, who first, who last.)에서 반복된다 (Milton, 『실낙원』 30; *PL* 66). 뒤에 문자 그대로 "천상의"라는 뜻의 "우라니아"(Urania, Οὐρανία)(제7권 제1행)로 표현되는 "천상의 뮤즈"는 여기서 파울러가 주석을 달듯이 삼위일체Trinity의 제3위인 성령Holy Ghost이나 로고스Logos를 의미하는 것이 아니라, 부시가 각주를 달고 있는 "신의 창조력과 지혜의 의인화"이다(*PL* 41n; *Milton* 212n). 밀턴이 뮤즈를 불러냄으로써 "위로 / 날아오르기"(soar / Above)(제14-15행) 위한 자신의 "모험스러운 노래"(adventurous song)(제13행)를 위하여 언급하는 시구 "아오니아산"(Aonian mount)(제14행)은 작가 의도가 그리스 신화에서 뮤즈들에게 신성한 아오니아Aonia, 즉 헬리콘산Mount Helicon, Ἑλικών(1,749m)을 초월하는 것임을 시사하고 있다(*PL* 43n).

제192-203행에서 제1권 「줄거리」("The Argument")(*PL* 39)에 언급되어

있듯이 거대한 “뱀 속의 사탄”(Satan in the serpent), “지옥의 뱀”(infernal serpent)(제34행), 하늘의 호칭이 “사탄”(Satan)(제82행), 또는 팔레스타인에서 알려진 “바알세붑”(Beelzebub)(제81행)을 장중체로 묘사하기 위하여 시인은 그리스 로마 신화에 등장하는 뱀의 다리 모양의 “브리아레오스” (Briareos, Βριάρεως, Briareus) 또는 뱀의 머리 형상의 “티폰”(Τυφῶν)－“요베”에게 대항한 엄청난 전설적 거한들Giants, Gigantes, 그리고 히브리 신화의 “리바이어던”(Leviathan, ןתויל)－바다 괴물을 원용하고 있다.

이렇게 사탄은 바로 곁에 있는 친구에게 말한다.
머리를 물결 위에 추켜들고, 눈을
이글이글 태우면서. 그 몸뚱이의 다른 부분은
물결 위에 엎어진 채 길고 넓게 퍼져,
그 떠 있는 너비 수천 평. 그 덩치의 크기란 마치
옛날 이야기에 이르는 기형적 크기의－
요베와 싸운, 대지에서 태어난 티탄과도 같고
브리아레오스와도 같고, 또는 고대 타르수스 근처의 굴속에 살던
티폰과도 같고, 또는 저 바다의 괴수,
해류를 헤엄치는 만물 중 가장 큰
하나님의 창조물 리바이어던과도 같다. (Milton, 『실낙원』 22)[11]

Thus Satan talking to his nearest mate
With head uplift above the wave, and eyes
That sparkling blazed, his other parts besides
Prone on the flood, extended long and large
Lay floating many a rood, in bulk as huge
As whom the fables name of monstrous size,

11) 『실낙원』의 한글 번역은 고 이창배 교수의 번역시를 인용했으나 일부 수정하였다.

Titanian, or Earth-born, that warred on Jove,
Briareos or Typhon, whom the den
By ancient Tarsus held, or that sea-beast
Leviathan, which God of all his works
Created hugest that swim the ocean stream: (*PL* 55-56)

브리아레오스는 헤시오도스의 『신통기』 제147-53행[12]에서와 같이 태초신 하늘 우라노스Ouranos, Uranus, Heaven, Sky와 대지 가이아Earth의 괴물 자식들인 코토스Cottus와 기게스Gyges와 더불어 헤카톤케이레스Hecatoncheires, Ἑκατόγχειρες, 즉 세 백수거한百手巨漢, Hundred-Handers－100개의 손과 50개의 머리를 지닌 폭풍 거한 3형제 중 막내이다. 브리아레오스는 문자 그대로 "강력한"의 의미인 그리스어 "브리아로스"(βριαρός)가 어원이며, 오브리아레오스Obriareus로도 불린다(Hesiod, *Theogony* 53). 브리아레오스는 신들이 부른 호칭이며, 인간들은 이 거한을 "폭풍우의" 뜻인 아이가이온Aegeon, Aegaeon, Αἰγαίων이라고 불렀다(*CD* 111). 『신통기』 제713-16행 "그러나 그 때 선두에서 전쟁에 물리지 않는 / 코토스와 브리아레오스와 기게스가 혹독한 전투를 불러일으켰다. / 그들은 자신들의 억센 손들에서 삼백 개의 바위를 일제히 날려 보내 / 티탄족의 하늘을 자신들의 날아다니는 무기들로 어

12) 『신통기』의 한글 번역은 천병희의 번역시를 인용했으나 일부 수정하였다.

그리고 또 가이아와 우라노스에게서 태어난 강력하고 드세고
사람들이 그 이름을 말하기를 꺼리는 세 아들이 더 있었으니,
코토스와 브리아레오스와 기게스가 곧 그들이다.
그들은 실로 대단한 거한들이었으니, 그들의 어깨에는
백 개의 팔이 보기 흉하게 앞으로 뻗어 있었고,
각자의 어깨로부터는 쉰 개의 머리가 튼튼한 사지 위로 자라나 있었다.
그리고 그들의 거대한 형체에는 무한하고 강력한 힘이 깃들어 있었다.

(Hesiod, 『신통기』 35; *Theogony* 15)

듭게 했다"(Hesiod 2004, 68; *Theogony* 61)에 진술되어 있듯이 티타노마키아Titanomachia, Titanomachy 전쟁 기간에 헤카톤케이레스는 제우스를 도와서 거신들을 타도하였다. 또한 밀턴은 제68행 "요베와 싸운, 대지에서 태어난 티탄과도 같고"(Titanian, or Earth-born, that warred on Jove.)에서와 같이 거신 12신들의 어머니이자 대지의 여신 가이아와, 요베 또는 제우스와 티타노마키아 전쟁을 일으킨 12거신족, 즉 6명의 남성 거신족Titans, Τιτᾶνες－오케아노스, 코이오스Coeus, 크리오스Crius, 히페리온, 이아페토스Iapetus, 크로노스와 6명의 여성 거신족Titanides, Τιτανίδες－테이아, 레아, 테미스Themis, 므네모시네Mnemosyne, Μνημοσύνη, 포이베Phoebe, Φοίβη, 테티스를 인유하고 있다. 동시에 이 시행은 크로노스가 잘라버린 우라노스의 성기에서 떨어진 피를 수정한 가이아의 아들인 거한 티티오스Giant Tityos를 비롯한 거한족 기간테스Gigantes와 요베 또는 제우스에게 공격한 티폰을 함의하고 있다. 그의 신화적 인유들은 베르길리우스가 티티오스의 "9에이커 이상이나 빼곡히 벌어지는" 거대한 몸집을 묘사하는 데 근거를 둘 수 있는데, 이 거한은 『아이네이스』 제6권 제596행에서 무저갱無底坑 타르타로스의 고통을 받으며 누워 있기 때문이다(Virgil, *Aeneid* 202; *PL* 55n). 그리고 "대지에서 태어난" 시구에서와 같이 태초 여신 가이아와 타르타로스의 막내아들이자 오르토스Orthus, 케르베로스, 히드라Hydra, 키메라Chimera, 스핑크스Sphinx, Σφίγξ, 스킬라Scylla, Σκύλλα 및 고르곤의 아버지 티폰은 머리에 뱀 또는 용을 100마리나 달고, 불을 뿜는 거한이다(Hesiod, *Theogony* 27-29; 325). 티폰의 압도적 힘은 현재 터키의 카시오스산Mount Casius, Jebel Aqra(1,717m)에서 벌어진 올림포스 신들과의 싸움에서 제우스를 거의 제압하지만, 마침내 신은 벼락의 무기로 괴물을 퇴치하고 거한은 에트나 화산Mount Aetna, Etna(화보 참조) 아래의 타르타로스 속으로 추방된다(*BM* 952; *CM* 446-47). 이와 같은 기간토마키아에 대하여 밀턴은 이것을 "악마가 뒤틀어버린 천국의 전쟁"으로 인식하고 있다(Gallagher 123). 신화적 공간인 타르타로스에 대하여 파울러는 "르네상스 방식으로 밀턴은 기독교의 지옥을 타르타로스가 죄인들의 장소인 고전 신화의 지하세계와 동일시하고 있다"라는 주석을 달고 있다(*PL* 93n). 이곳은 제2권 제69행에서 "타르타로스의 유황과 기이한 불" (Tartarean sulphur, and strange fire)로 그려지고 있다. 성서적 공간으로 알려진 "타르수스"(Tarsus)는 킬리키아Cilicia의 수도이자 사도행전 제9장 제11절에 등장하는 사도 바울의 출생지인데, 전설적 장소로서 티폰의 서식지인 킬리키아 동굴 또는 "굴"(den)로까지 추적할 수 있을 것이다. 욥기(제41장 제1절), 시편(제74편 제14절, 제104편 제26절), 이사야서(제27장 제1절),[13] 아모스서(제9장 제3절) 등의 히브리 성경에서 언급되는 "바다의 괴수 / 리바이어던"(sea-beast / Leviathan)은 비교 신화에서 용, 세계사世界蛇 요르문간드Jörmungandr, 악어, 또는 거대한 고래와 유사할 수 있을 것이다.

한편, "불타는 호수 위에 사슬에 묶여"(chained on the burning lake)(제210행) 지옥불 속에서 영원히 고통을 받는 "마왕魔王"(arch-fiend)(제209행) 또는 "패배한 천사장"(lost archangel)(제243행) 사탄을 묘사하기 위하여 제225-41행에서 밀턴은 펠로루스Pelorus, 아이트나(에트나), 스틱스와 같은 신화적 장소를 원용하고 있다.

그러고는 활짝 날개를 펴고 난다,  
드높이, 무서운 무게로 어두컴컴한  
대기를 타고. 마침내 그는 마른 육지 위에  
내린다—그걸 육지라고 할 수 있다면,  
흐르는 물로 불붙은 호수처럼, 굳은 불이  
항상 불타고 있는 그런 것을, 또한 그 빛은 말하자면,

13) 개역개정 성경전서 참조: "그 날에 여호와께서 그의 견고하고 크고 강한 칼로 날랜 뱀 리워야단 곧 꼬불꼬불한 뱀 리워야단을 벌하시며 바다에 있는 용을 죽이시리라."

펠로루스곶이나 아이트나산의 그 연료에 채워져
타기 쉬운 내부에 불이 붙어 광물성 맹염으로 타오르고,
다시 바람 일으켜 온통 악취와 연기에 싸인
그슬린 밑바닥만 남기고선 그 바람의 힘으로
지상의 그슬린 천둥소리 요란한 그 산에서
작은 산 하나가 떨어져 나갈 때의 그런 것을
육지라 할 수 있다면. 이런 휴식처에 축복 잃은
발이 내린다. 그의 다음가는 친구 그를 따른다.
둘이 다 높으신 힘의 허락하심에 의해서가
아니라, 저희들의 회복한 힘에 의해서
신들처럼 지옥의 바다에서 도망쳐 나온 것을 우쭐댄다.

(Milton, 『실낙원』 23-24)

Then with expanded wings he steers his flight
Aloft, incumbent on the dusky air
That felt unusual weight, till on dry land
He lights, if it were land that ever burned
With solid, as the lake with liquid fire;
And such appeared in hue, as when the force
Of subterranean wind transports a hill
Torn from Pelorus, or the shattered side
Of thundering Aetna, whose combustible
And fuelled entrails thence conceiving fire,
Sublimed with mineral fury, aid the winds,
And leave a singed bottom all involved
With stench and smoke: such resting found the sole
Of unblessed feet. Him followed his next mate,
Both glorying to have scaped the Stygian flood

As gods, and by their own recovered strength,
Not by the sufferance of supernal power. (*PL* 57-58)

고대의 "펠로루스"는 오늘날 에트나 화산 부근 시칠리아Sicily섬 북동쪽의 펠로로곶Capo Peloro 또는 파로곶Cape Faro, Punta del Faro을 가리킨다. 밀턴의 "천둥소리 요란한 아이트나"(thundering Aetna)의 생동적인 묘사는 베르길리우스의 『아이네이스』 제3권 제570-82행14)에서 원용한 것인데, 이 서사시에 "거한 엔켈라두스Giant Enceladus, Ἐγκέλαδος가 산 아래에 누워있다는 신화적 견해"와 함께 "화산의 뽑혀진 내장"이 기술되어 있다(*PL* 58n). 그리스 신화에서 엔켈라두스엔켈라도스는 가이아와 타르타로스의 거한 자식들 중 한 명이었고, 어떤 전설에 의하면 앞에서 고찰한 티폰과 동일시되기도 한다(*CD* 220). 기간토마키아－패배한 티탄들을 복수하기 위하여 기간테스, 즉 거한들과 올림피안들, 즉 올림포스 신들 사이의 전쟁－기간에 패배한 거한 엔켈라두스는 에트나 화산 아래에 매장되어 있었다고 전해진다. 라틴어 시어 "아이트나"(Aetna)는 오늘날 시칠리아섬 동쪽 연안의 메시나Messina와

---

14) 『아이네이스』의 한글 번역은 천병희의 번역시를 인용했으나 일부 수정하였다.

> 그곳에는 바람이 닿지 않는 포구가 하나 있었는데,
> 그 포구는 조용하고 널찍했지만 바로 옆에서 아이트나가 천둥을 치며
> 무시무시한 파멸을 내뿜고 있었습니다. 이따금 그것은 하늘을 향해
> 먹구름과 역청처럼 검은 연기의 소용돌이와 하얗게 작렬하는 재를
> 쏘아 보내고 불덩이를 올려 보내 별들을 핥고 있었습니다.
> 이따금 그것은 산의 찢어진 내장들인 바위들을 토해냈고,
> 흐르는 바위들을 맨 밑바닥에서 끓여서는 신음소리와 함께
> 그것들을 하늘로 내던졌습니다. 소문에 따르면,
> 벼락에 반쯤 탄 엔켈라두스의 몸뚱이가 이 거대한 덩어리에
> 짓눌려 있고, 거대한 아이트나는 그 위에 앉아
> 찢어진 화덕에서 화염을 내뿜는데, 그자가 아픈 옆구리를
> 쉬게 하려고 돌아누울 때마다 전 시칠리아가 떨면서
> 굉음을 내고 연기로 하늘을 가린다고 합니다. (Virgil, 『아이네이스』 110-11; *Aeneid* 122)

카타니아Catania 사이에 위치한 에트나산Mount (Monte) Etna(3,346m)을 지칭한다(Arcidiacono 4). 이 산은 알프스 산맥the Alps 남쪽 이탈리아와 코카서스 산맥the Caucasus 밖의 유럽에서 가장 높은 활화산이다. 또한 신화적으로 에트나산은 아래에 헤파이스토스Hephaestos, Hephaistos, Ἥφαιστος, Hephaestus의 대장간이 위치하고, 『실낙원』 제3권 제470행 "아이트나의 화염 속으로 기꺼이 뛰어든"(leaped fondly into Aetna flames) 만물의 4원소(공기, 흙, 물, 불)를 주장했던 고대 그리스 철학자 엠페도클레스Empedocles로 유명하다. 그리고 의역을 한 "지옥의 바다"(the Stygian flood)의 형용사에서와 같이 문자 그대로 "증오의 강"의 뜻인 스틱스는 대지와 지하세계 하데스 사이의 경계를 형성하고 지옥을 아홉 번 돌아가는 강이고(*CD* 582), 하데스 중앙의 거대한 늪지로 모두 모여드는 플레게톤Phlegethon, Φλεγέθων, 아케론Acheron, Ἀχέρων, 레테, 코퀴토스를 포함한 다섯 강의 하나를 가리킨다. 형용사 시구 "지옥의 바다"는 제1권 제52행 시구 "불바다"(fiery gulf)를 상기시켜주고, 또한 이것은 아마 흑암을 의미하는데(*PL* 58n), 이 형용사는 지옥의 사탄 궁전인 "복마전伏魔殿"(Pandaemonium)(제1권 제756행)에서 열린 "지옥의 회의"(The Stygian council)(제2권 제506행)에서도 반복된다.

제299-314행에서 사탄은 "불타는 바다의 / 해안에 서서"(on the beach / Of that inflamed sea) "천사의 형상"(angel forms)을 한 자신의 군대를 부른다. 이들의 장관을 밀턴은 1638년 가을에 방문하여 그 경관을 직접 본 적이 있는, 이탈리아 플로렌스 동쪽 30km 정도 떨어진 실재 장소인 발롬브로사Vallombrosa 계곡의 "가을 나뭇잎"(autumnal leaves), 또는 그리스 신화에서 제우스에 의해 사냥꾼에서 변신하여 육안으로 봐도 칼, 곤봉棍棒, 혁대로 "무장한 오리온"(Orion armed) 성좌가 "홍해 연안을 뒤흔들 때"(Hath vexed the Red Sea coast)에 "흩어진 해초"(scattered sedge), 또는 출애굽기 제14장 제21-28절에 처음 등장하지만, 신화적으로 넵투누스와 이집트의 공주 리비아Libya, Λιβύη의 아들로서 이집트의 폭군 파라오 "부시리스"(Busiris)(*CD* 112)의 홍해에 수장되어 "시체는 떠돌고 / 전차는 부서져"버린 "멤피스 기병"(the Memphian chivalry)에 비유하고 있다(Milton, 『실낙원』 27n; *PL* 63n). 제392-521행에서 사탄은 예수와 똑같이 자신의 12제자를 모으는데, 이들은 가나안 신들인 몰록Moloch(제392행), 발림Baalim(제422행) 또는 바알Baal, 아스다롯Ashtoreth(제422행) 또는 아스토렛Astoreth(제438행) 또는 아스타르테Astarte(제439행), 다곤Dagon(제462행), 메소포타미아 신 타무즈Thammuz, Tammuz 또는 두무이즈Dumuzid(제446행), 이집트 신들인 오시리스Osiris, 이시스Isis, 오루스Orus(제478행) 또는 호루스Horus, 히브리의 흑암의 천사 벨리알Belial, לְעָלֵב(제490행), 그리스 로마 신들인 티탄(제510행), 사투르누스(제512행), 요베(제514행), 즉 유피테르 또는 제우스(*PL* 67n)이다. 특히 제445-57행에서 밀턴은 메소포타미아 신화의 타무즈, 그리고 초기 타무즈 신화에서 파생된 그리스 신화의 아도니스를 원용하고 있다. 구체적으로 제450-52행에서 "잔잔한 아도니스는 그 근원지 바위로부터 / 붉게 바다로 흐르고, 이것을 사람들은 / 해마다 상처 입은 타무즈의 피라고 생각했다."(While smooth Adonis from his native rock / Ran purple to the sea, supposed with blood / Of Thammuz yearly wounded.)와 같이 충격적으로 묘사되듯이, 타무즈와 메소포타미아의 사랑과 전쟁의 여신 이슈타르Ishtar의 "사랑의 이야기"(the love-tale)(제452행)를 아도니스와 "시온의 딸들도 같은 열병으로 감염시킨"(Infected Sion's daughters with like heat)(제453행) 그리스 신화에서 사랑과 미의 여신 아프로디테의 것과 병치시키고 있다. 시구 "잔잔한 아도니스"는 "근원지 바위", 즉 원천이 레바논에 위치한 아도니스강Adonis River 또는 아브라함강Abraham River을 가리킨다. 여기서 밀턴의 헬레니즘을 포함하는 이방 신화나 종교들과 상극되는 헤브라이즘을 포괄하는 개신 기독교Protestant Christianity 또는 개신교Protestantism 또는 청교주의

Puritanism를 선호하는 성향이 확연히 제시되어 있다.

제507-21행에서 이방 신화뿐만 아니라 비정통적인 종교를 진술하기 위하여 밀턴은 이오니아인들the Ionians－창세기 제10장 제2절에 등장하는 노아Noah의 아들 야벳Japheth의 넷째 아들인 "야반"(Javan, יָוָן)의 후예들－이 경배하는 "이오니아의 신들"(The Ionian gods), 즉 그리스 태초신들인 하늘(우라노스)과 대지(가이아), "하늘의 장자"(Heaven's first born) 거신 오케아노스, 사투르누스, 레아 및 올림푸스신 요베를 차용하거나 인유하고 있다. 이외에도 제우스의 출생지와 그리스 신들의 처소를 묘사하기 위하여 시인은 크레타Creet, 이다산Mount Ida, 올림포스올림푸스, Olympus, Ὄλυμπος, 델피 및 도도나Dodona, Δωδώνα를 사용하고 있다.

나머지는 말하기도 장황하다, 명성은 높지만.
야반의 자손들이 신으로 모셨건만, 저희가
자랑하는 양친, 하늘과 대지보다도 뒤라고 인정되었던
이오니아의 신들－하늘의 첫아들이고
수없는 아들들이 있었건만 동생 사투르누스에게
가독권(家督權)을 빼앗겼던 거신. 사투르누스는 또한 그 자신과
레아의 아들인 힘센 제우스에게 꼭 같은 처사당하여
결국 제우스가 찬탈하여 왕권을 쥐었다. 이들은 우선
크레타와 이다에 알려졌고, 그 후에
추운 올림포스의 눈에 덮인 산 위에서
저희의 지상천(至上天)의 중천(中天)을 다스렸다. 혹은
델피의 벼랑에서 혹은 도도나에서, 도리스 땅의
방방곡곡을. 또한 늙은 사투르누스와 더불어
아드리아를 넘어 헤스페리데스의 들판으로 도망치고,
켈트의 나라를 넘어서 극지(極地)의 섬들을 방황한 자들.

(Milton, 『실낙원』 37-38)

The rest were long to tell, though far renowned,
The Ionian gods, of Javan's issue held
Gods, yet confessed later than Heaven and Earth
Their boasted parents; Titan Heaven's first born
With his enormous brood, and birthright seized
By younger Saturn, he from mightier Jove
His own and Rhea's son like measure found;
So Jove usurping reigned: these first in Creet
And Ida known, thence on the snowy top
Of cold Olympus ruled the middle air
Their highest heaven; or on the Delphian cliff,
Or in Dodona, and through all the bounds
Of Doric land; or who with Saturn old
Fled over Adria to the Hesperian fields,
And o'er the Celtic roamed the utmost isles. (*PL* 73-74)

여기서 밀턴은 우라노스, 가이아, 오케아노스, 사투르누스, 레아 및 제우스에서 시작하고, 제우스의 출생지인 크레타Crete, Κρήτη에서 "도리스 땅"(Doric land), 즉 그리스를 거쳐서 서쪽 끝 정원을 함의하는 "헤스페리데스의 들판"(the Hesperian fields), 즉 이탈리아, "켈트의 나라"(the Celtic), 즉 프랑스, 심지어 "극지의 섬들"(the utmost isles), 즉 섬나라 영국까지 아우르는 그리스 신화의 기원과 성장을 개관하고 있다(*PL* 74n). 이 시 속에는 헤시오도스의 『신통기』까지 소급될 수 있는 그리스 신화에서 우주생성과 신들의 기원에 관한 아주 장황하고 복잡다단한 전설적 이야기들이 확실히 간결하게 압축, 요약되어 있다. 야반을 통하여 밀턴은 다시 한번 그리스 신화를 포괄하는 이교주의paganism를 반대하는 청교주의에 대한 자신의 독단적인 믿음을 드러내고 있다. 신화적 장소에 대하여 크레타에 있는 이다산Mount Ida(2,456m)은 문자 그대로 "여신의 산"을 의미하고, 그리스 신들의 왕 제우스의 출생지인데, 그의 어머니 거신 레아가 "아기 제우스를" 요정 또는 염소 "아말테이아Amaltheia에게 양육하도록 맡긴" 산인 것이다("Mount Ida"). 올림포스Olympos, Ὄλυμπος는 티타노마키아 이후에 만들어진 제우스의 통치 영역이며, 그리스 12신들의 전설적 고향이다. 시구 "추운 올림포스의 / 눈 덮인 산 위"(snowy top / Of cold Olympus)는 실제 그리스 올림포스산(화보 참조)의 최고봉이자 문자 그대로 "코"의 뜻인 미티카스Mytikas, Μύτικας (2,917m)를 가리킨다("Mount Olympus"). 시구 "델피의 벼랑에서"(on the Delphian cliff)는 델피 또는 피토Pytho에 있는 가파른 파르나소스산(화보 참조) 아래에 위치한 태양신 아폴론 신전(화보 참조)의 "피티아 신탁Pythian oracle의 장소"를 함의한다. 또한 그리스 북서부의 에피루스Epirus에 위치한 도도나는 가장 오래된 제우스의 신탁과 명성에서 델피의 아폴론 신탁 다음 가는 장소로 유명하다(*PL* 74n).

제573-79행에서 "그들의 위대한 두목"(their mighty chief)(제566행) 사탄을 따르는 무수한 가공스러운 전군全軍, 즉 "반신半神들"(demi-gods)(제796행)과 비교하여 전설적 인간 전사들을 경멸적으로 묘사하기 위하여 밀턴은 그리스 신화의 피그미족Pygmies, Πυγμαῖοι, 플레그라Phlegra에서의 기간토마키아, 테베공략 7장군의 전쟁 및 트로이 전쟁을 인유하고 있다.

> . . . . 일찍이 인간이 창조된 이래
> 이 엄청난 세력의 군대에 비하면, 어떤 것도
> 두루미 떼에 습격당했다는 저 소인부대보다
> 나을 것 없다. 플레그라의 모든 거한들이
> 테베와 일리움에서 싸운 영웅들의 무리와

합치고, 그 양쪽에 원군의 신들이
가담한다 해도. (Milton, 『실낙원』 41)

. . . : for never since created man,
Met such embodied force, as named with these
Could merit more than that small infantry
Warred on by cranes: though all the Giant brood
Of Phlegra with the heroic race were joined
That fought at Thebes and Ilium, on each side
Mixed with auxiliar gods; (*PL* 77-78)

시구 "두루미 떼에 습격당했다는 저 소인부대"(that small infantry / Warred on by cranes)는 셸리에 관한 제5장에서 추가로 다루는데, 매년 봄에 피그미족이 이동하는 두루미 떼의 공격을 받는다고 전해지는 그리스 신화를 인유한다(Ahn 254). 다른 시구 "플레그라의 모든 거한들"(all the Giant brood / Of Phlegra)은 거한들의 출생지 플레그라Φλέγρα, Pallene와 기간토마키아 전쟁이 "마케도니아의 플레그라 평원에서 시작하여 이탈리아의 쿠마에 Cumae 인근 플레그라에서 재개된" 것으로서 3중 의미를 내포하고 있다. 또 다른 시구 "테베와 일리움에서 싸운 영웅들의 무리와 / 합치고"(the heroic race were joined / That fought at Thebes and Ilium)는 테베의 왕 오이디푸스Oedipus, Οἰδίπους와 그의 어머니이자 왕비 이오카스테Jocasta, Ἰοκάστη 슬하의 쌍둥이 아들 에테오클레스Eteocles, Ἐτεοκλῆς와 폴리네이케스Polynices, Πολυνείκης 사이의 싸움—전자 휘하의 테베군에 대항하여 후자가 일으킨 아르고스 군Argive army과 7용사 사이의 전투를 기술하고 있는 아이스킬로스Aeschylus, 기원전 525-456의 세 번째 비극 『테베공략 7장군』(*Seven Against Thebes*, 기원전 467), 그리고 아가멤논Agamemnon, Ἀγαμέμνων이 이끈 그리스 연합군과 헥토르Hector, Ἕκτωρ 지휘하의 일리움, 즉 트로이군 사이의 10년 트로이 전쟁 중 마지막 1년에 집중하는 호메로스의 『일리아스』를 상기시킨다. 물론, 테베와 트로이 "그 양쪽에"(on each side)는 『테바이스』와 『일리아스』에 따르면, 전자는 메르쿠리우스, 비너스, 디아나, 바쿠스, 포르투나 등과, 후자는 아폴론, 아프로디테, 아레스, 아르테미스, 제우스 등 "원군의 신들"(auxiliar gods)의 지원을 받기도 한다(*PL* 78n). 게다가 제579-87행에서 서술자는 4-5세기 영국의 전설적 왕 "유서의 아들"(Uther's son)(제580행), 즉 아서왕과 그의 기사들 및 신성로마제국 황제 "샤를마뉴와 그의 용사들"(Charlemagne with all his peerage)(제586행)을 포함한 중세의 신화적·역사적 인간 전사들을 사탄과 그의 "엄청난 세력의 군대"(such embodied force)보다 과장적으로 폄하시키고 있다.

제738-51행에서 밀턴은 그리스 로마 신화의 헤파이스토스 또는 불카누스, 또는 라틴어로 문자 그대로 "용해자"溶解者의 뜻인 "물키베르"(Mulciber)를 원용하고 있는데, 이 대장장이들과 불과 화산의 신은 "건축가"(the architect)(제732행)로서 하늘에서 "홀笏을 쥔 천사들"(sceptred angels)(제734행)의 거처인 "높이 치솟은 수많은 건물들"(many a towered structure high)(제733행)을 만든 것으로 유명하며, 격분한 요베가 던져 지옥 아래로 거꾸로 떨어져서 복마전을 건설한 것으로도 악명이 높다.

> 또한 그의 이름은 고대 그리스에도 전해져
> 칭송받았으며, 아우소네스의 나라에선 그를
> 물키베르라 불렀다. 사람들의 이야기에 의하면,
> 그는 노한 요베가 내던져 하늘에서 수정 성벽 너머로
> 똑바로 떨어졌는데, 아침부터 한낮까지,
> 한낮부터 이슬 내리는 저녁까지
> 여름의 하루 해를 떨어져, 지는 해와 더불어

천심(天心)으로부터 유성처럼 에게해의
렘노스섬에 떨어졌다 한다. 그들은 이렇게 말하지만,
이것은 잘못, 그는 이미 오래전에 반역의 무리와 함께
떨어졌던 것이니, 하늘에 높은 탑 세운 것도
이젠 쓸데없는 일, 온갖 재간 다 부려도
피할 수 없어, 그는 부지런한 도당들과 함께
거꾸로 떨어져 쫓겨났다, 지옥에 집을 지으라고.

(Milton, 『실낙원』 48-49)

Nor was his name unheard or unadored
In ancient Greece; and in Ausonian land
Men called him Mulciber; and how he fell
From heaven, they fabled, thrown by angry Jove
Sheer o'er the crystal battlements: from morn
To noon he fell, from noon to dewy eve,
A summer's day; and with the setting sun
Dropped from the zenith like a falling star,
On Lemnos the Aegaean isle: thus they relate,
Erring; for he with this rebellious rout
Fell long before; nor aught availed him now
To have built in heaven high towers; nor did he scape
By all his engines, but was headlong sent
With his industrious crew to build in hell. (*PL* 86-87)

시인이 고대 그리스에서 시적으로 "이탈리아"를 뜻하는 "아우소네스의 나라"(Ausonian land)에서 대중적 이름인 물키베르를 사용한 것은 밀턴이 무의식적으로 자신의 이탈리아 여행 기간 그 나라에 대한 선호도가 생겨났다는 것을 의미할 수 있을 것이다(*PL* 86n). 서술자의 물키베르에 관한 상술은 분명히 호메로스의 『일리아스』 제1권 제591-93행에서 헤파이스토스가 하루 종일 추락하는 진술에 근거하고 있다(*PL* 87n; Homer, *Iliad* 97).[15] 헤파이스토스의 숭배는 밀턴이 이 절름발이 신이 전설적으로 "하늘에서 떨어진"(fell / From heaven) 땅이라고 지적한 에게해Aegean Sea의 섬 "렘노스"(Lemnos)에서 지켜졌다. 흥미롭게도 시구 "그들은 이렇게 말하지만, / 이것은 잘못"(thus they relate, / Erring)은 밀턴이 고전 신화를 성서적 진리나 역사와는 달리 거짓된 허구 또는 "가공의"(feigned)(제4권 제705행) 신화로 간주하고 있다는 것을 명백히 제시하고 있는 것이다(Bush, *Renaissance Tradition* 287; Collett 94).

## III

한편, 제2권 제28행 복마전에서 사탄이 피력하는 연설 가운데 시어 "대뇌신大雷神"(the thunderer)으로서 밀턴은 히브리 신 여호와Jehovah 또는 야훼Yahweh, יהוה와 동일시되는 하늘, 번개, 천둥 및 벼락의 그리스 로마 신 제우스(화보 참조) 또는 유피테르를 인유하고 있다. 제우스의 무기 벼락은 "지옥의 뇌성"(Infernal thunder)(제66행)과는 상대적인 것으로서 사탄의 얼굴에 "우레의 깊은 상흔"(제1권 제601행)을 낸 "하나님의 전능한 무기의 소리"(the noise of / Of his almighty engine)와 "번갯불"(lightning)(제64-66행)을 연상시킨다. 제232-33행에서 밀턴은 "영원의 운명"(everlasting fate)

15) 『일리아스』의 한글 번역은 천병희의 번역시를 인용했으나 일부 수정하였다.

> 그분은 제 발을 잡고 신성한 하늘의 문턱에서 내던지신 적이 있습니다.
> 그래서 저는 온종일 떨어지다가 해질 무렵 렘노스섬에
> 닿았을 때는 숨이 거의 끊어지다시피 했습니다. (Homer, 『일리아스』 48)

과 "무상의 우연"(fickle chance) 사이의 "싸움을 혼돈", 즉 카오스가 "심판할"(Chaos judge the strife)의 시구에서와 같이 그리스 신화의 카오스를 사용하고 있다(*PL* 100n). 의인화된 카오스는 문자 그대로 "텅 빔, 광대한 공간, 빈틈, 심연"을 뜻하는데, 태초의 존재 상태에서 창세기 제1장 제2절의 "땅이 혼돈하고 공허하며"에서와 같이 대지의 처음 상태와 유사하다. 그리스 신화에서 카오스에서 태초신 가이아, 타르타로스, 에로스Eros, Ἔρως, Love가 출현했고, 그 이후에 암흑계인 "에레보스"(Erebus, Ἔρεβος)(제883행)와 "밤"(night)(제134행)인 닉스가 생겨났다. 그러나 여기서 카오스는 제2권의 「줄거리」에서 언급되듯이 "지옥과 하늘 사이의 대심연大深淵"(the great gulf between hell and heaven)을 수호하는 주권자를 상징한다(*PL* 90). 제306-07행 "아틀라스 같은 두 어깨는 강대한 / 몇 왕국의 무게를 견딜 만도 하고"(With Atlantean shoulders fit to bear / The weight of mightier monarchies.)에서 밀턴은 사탄 이외에 누구보다 더 높은 지위에 있고, 일어나서 연설하는 바알세붑을 묘사하는 데에서 아틀라스Atlas, Ἄτλας 신화를 원용하고 있다. 그리스 신화에 의하면, 아틀라스는 티타노마키아에서 패배한 이후에 자신의 어깨로 하늘을 영원히 떠받치는 형벌을 제우스로부터 받은 거신이다(*CD* 92; *BM* 888; *CM* 68).

제528-46행에서 "지옥의 만군萬軍"(all the host of hell)(제519행)—"저 힘센 천사장天使長"(the mighty leading angel)(제991행) 사탄 주위를 에워싸는 "불의 치품천사熾品天使들"(a globe of fiery seraphim)과 회의 이후에 나팔을 부는 "동작 빠른 지품천사智品天使 넷"(four speedy cherubim)(제516행)을 포괄하는 타락한 천사들의 다양한 동작을 묘사하기 위하여 밀턴은 그리스 신화인 "올림피아 경기"(Olympian games), "피티아 경기장"(Pythian fields), "티폰의 분노"(Typhoean rage) 및 "알키데스"(Alcides, Ἀλκείδης), 즉 헤라클레스를 원용하고 있다.

더러는 들로, 더러는 공중으로 높이
날기도 하고, 경쟁하며 빨리 달리기도 한다,
올림피아 경기나 피티아 경기장에서처럼
더러는 화마(火馬)를 몰고, 더러는 빠른 수레 타고
목표물을 피하기도 하고, 혹은 전진(戰陣)을 치기도 한다.
. . . . . .
다른 한 패는 거한 티폰의 분노 이상으로 격하여
바위와 산을 모두 찢어발기고 선풍을 일으키며
대공(大空)을 난다. 지옥도 용납할 수 없는 거친 소란은
알키데스가 승리의 관 쓰고 오이칼리아에서
돌아왔을 때 옷에 묻은 독기에 감염되어
고통 끝에 테살리아의 소나무들을 뿌리째 뽑고,
리카스를 오이테의 산꼭대기로부터 에우보이아해로
내던지던 때와 같다. (Milton, 『실낙원』 77-78)

Part on the plain, or in the air sublime
Upon the wing, or in swift race contend,
As at the Olympian games or Pythian fields;
Part curb their fiery steeds, or shun the goal
With rapid wheels, or fronted brigades form.
. . . . . .
Others with vast Typhoean rage more fell
Rend up both rocks and hills, and ride the air
In whirlwind; hell scarce holds the wild uproar.
As when Alcides from Oechalia crowned
With conquest, felt the envenomed robe, and tore
Through pain up by the roots Thessalian pines,
And Lichas from the top of Oeta threw

Into the Euboic sea. (*PL* 114-15)

시구 "올림피아 경기나 피티아 경기장"(Olympian games or Pythian fields) 이 지적하듯이 고대 올림픽 경기Olympic Games, 즉 올림피아드Olympiad, Ὀλυμπιάς는 원래 올림피아Olympia에서 개최된 제우스를 위한 제전祭典이었고, 반면에 피티아 경기Pythian Games, 즉 델피 경기Delphic Games는 델피에서 아폴론에게 바치는 제전으로 열렸는데, 중요도에서 올림픽 경기에 버금갔다(*PL* 114n). 형용사 "피티아의"(Pythian)는 델피의 초창기 이름인 피토 또는 델피의 신탁Delphic Oracle을 주관하며, 그리스인들이 가이아가 어머니인 대지, 즉 세계의 중심이라고 믿은 델피의 옴팔로스*omphalos*—배꼽의 의미인 신성한 돌을 지키는 신화적 뱀 또는 용 피톤Python, Πύθων에서 파생된 것이지만, 그 괴물을 아폴론이 살해하고 결국 신탁을 접수하게 된다(*BM* 941; *CM* 383). 시구 "거한 티폰의 분노 이상으로 격하여"(with vast Typhoean rage more)로서, 밀턴은 타락한 히브리 천사들의 "거친 소란"(wild uproar)을 강력한 회오리바람이 있는 점에서만 "선풍旋風" 또는 토네이도와 유사한 "태풍"(颱風, typhoon)의 어근이 되는 그리스 신화의 거한 티폰 또는 티포에우스Typhoeus의 소란보다 과장적으로 상위에 두고 있다. 시인은 지옥에서 천사들의 과격한 행동, 즉 "마귀의 소동"(the turmoil of the fiends)을 제우스와 알크메네Alcmene, Alkmene의 아들인 대노한 알키데스, 즉 헤라클레스Heracles, Ἡρακλῆς, Herakles의 힘과 계속하여 비교한다(Osgood, *Mythology* xiv). 알키데스는 조부의 이름 알케우스Alceus, Alcaeus에서 형성된 것으로서 육체적 힘인 아르케ἀλκή를 의미한다(*BM* 881; *CM* 183). 『변신이야기』 제9권 제136-229행에 의하면, 고대 테살리아의 도시 "오이칼리아에서"(from Oechalia) 승리자로 귀환하는 헤라클레스가 "독이 묻은 옷"(the envenomed robe)을 입게 되는데, 이것은 칼리돈의 왕 오이네우스의 딸이자 그의 두 번째 아내인 데이아네이라Deianira, Δηϊάνειρα를 겁탈하려는 시도를 했기 때문에 신적인 영웅에게 살해당한 켄타우로스 네소스Nessus, Νέσσος의 치명적인 피로 염색한 선물이었다. 극심한 고통에 사로잡힌 헤라클레스는 나무들, 즉 "테살리아의 소나무들"(Thessalian pines)을 뽑아서 산을 향해 던지면서 옷을 가지고 온 그의 친구 리카스Lichas를 비난하면서 그를 "오이테의 산꼭대기로부터"(from the top of Oeta) 멀리 "에우보이아해"(the Euboic sea) 속으로 던져버린다 (Ovid, *Metamorphoses* 213-16; *PL* 114n). 오이테산Mount Oeta, Οἴτη(2,152m)은 오늘날 테살리아 남쪽으로 중앙 그리스주Central Greece에 있는 산이고, 에우보이아해, 즉 에우보이아만Gulf of Euboea은 그리스에서 두 번째 큰 에우보이아 또는 에비아Evia섬과 그리스 본토 사이에 있는 에게해의 만이다.

게다가 제574-85행에서 밀턴은 그리스 신화에 등장하는 하데스의 다섯 강에서 차용한 지옥의 넷 또는 다섯 강을 내려다보는 다른 타락한 천사들의 상이한 비행 동작을 묘사하고 있다.

> 지옥의 네 강의 둑을 따라 사방으로
> 날아 행진한다. 그 강들은 독기 있는
> 물줄기를 불타는 호수에 토하는 강들,
> 죽음 같은 미움이 흐르는 증오의 강,
> 검고 깊은 뼈저린 비애의 눈물의 강,
> 회한의 물 흐를 때 소리 높이 들리는
> 통곡에서 이름 지은 비탄의 강, 폭포 같은
> 불의 물결 격분하여 불타는 사나운 불의 강.
> 이 강들에서 멀리 떨어져 느리고 고요한 물길로
> 흐르는 망각의 강 레테는 굽이쳐
> 물의 미로를 이루니, 그 물 마시는 자는
> 당장에 전세(前世)의 상태와 존재를 잊고

즐거움과 슬픔, 기쁨과 아픔을 모두 잊는다. (Milton, 『실낙원』 79)

> Four ways their flying march, along the banks
> Of four infernal rivers that disgorge
> Into the burning lake their baleful streams;
> Abhorred Styx the flood of deadly hate,
> Sad Acheron of sorrow, black and deep;
> Cocytus, named of lamentation loud
> Heard on the rueful stream; fierce Phlegethon
> Whose waves of torrent fire inflame with rage.
> Far off from these a slow and silent stream,
> Lethe the river of oblivion rolls
> Her watery labyrinth, whereof who drinks,
> Forthwith his former state and being forgets,
> Forgets both joy and grief, pleasure and pain. (*PL* 116-17)

시구 "독기 있는 물줄기를 불타는 호수에 / 토하는 지옥의 네 강"(four infernal rivers that disgorge / Into the burning lake their baleful streams)은 키츠에 관한 제6장에서도 언급되는 "죽음 같은 미움"의 강 "스틱스", "슬픔"의 강 "아케론", "비탄"의 강 "코퀴토스", "불"의 강 "플레게톤"이다 (Ahn 38). "이 강들에서 멀리 떨어져"(Far off from these) "망각"(oblivion)의 강 "레테"가 "느리고 고요한 물길"(a slow and silent stream)로 굽이쳐 흐르고 있는데, 시구 "이 레테강 물목"(this Lethean sound)(제604행)에서 반복된다. 한편, 제592-93행에서 지옥의 "깊은 심연"(a gulf profound)에 비유되는 지형학적 용어인 "다미아타와 옛 카시우스산 사이에 있는 / 세르보니스 늪지"(Serbonian bog / Betwixt Damiata and Mount Casius old)는 사

탄에게 불길한 조짐의 전조가 된다. 이 신화적 장소는 "티폰이" 제우스에게 대항하여 "실패한 반역 이후로 호수 아래에 잠겨 있었던" 이집트의 세르보니스호Lake Serbonis를 지칭하기 때문이다(*PL* 117n). 레테강 너머로 깊은 심연 그리고 "바짝 마른 공기"(the parching air)(제594행)가 "얼어붙은 채"(frore)(제595행) 불타는 "얼어붙은 대륙"(a frozen continent)(제587행)과 같은 지옥으로 "괴조怪鳥의 발톱 가진 퓨어리들"(harpy-footed Furies)(제596행)은 "일정한 주기"(certain revolutions)(제597행), 즉 소정의 시간이 끝난 후에 "모든 죄인들"(all the damned)을 끌고 간다(*PL* 118n). 밀턴의 퓨어리들은 단테가 그의 『지옥편』(*Inferno*)(제13곡 제11행)(*DC* 62)에서 소개한 베르길리우스의 『아이네이스』(제3권 제211-18행)(Virgil, *Aeneid* 111)에 등장하는 새발톱손의 "하르피이아들"(Harpies, ἅρπυιαι), 그리고 그리스 로마 신화에서 아케론과 닉스의 세 딸이고, 복수의 여신들인 "퓨어리들" 또는 에리니에스 또는 에우메니데스—알렉토Alecto(끊임없는 분노), 메가에라Megaera(질투하는 격노), 티시포네Tisiphone(살인의 복수자)와의 결합이다(*PL* 117n; *BM* 906; *CM* 156).

제610-14행에서 레테 강가에서 한 방울의 단물이라도 맛보려는 죄인들의 필사적이나 성공하지 못하는 시도의 서술을 목적으로, 밀턴은 강의 여울목과 강물을 묘사하는 데 있어서 그리스 신화의 메두사와 탄탈로스를 병치시키고 있다.

> 그러나 운명은 이걸 거절하고, 메두사는
> 그런 노력조차 막으려고 고르곤의 공포로서
> 여울목을 지키고, 물 자신도 옛날 탄탈로스의
> 입술에서 도망쳤듯이 산 인간들이
> 맛보는 것을 피한다. (Milton, 『실낙원』 80-81)

But fate withstands, and to oppose the attempt
Medusa with Gorgonian terror guards
The ford, and of itself the water flies
All taste of living wight, as once it fled
The lip of Tantalus. (*PL* 118)

신화적 괴물 메두사는 문자 그대로 "문지기"의 뜻대로 레테강의 여울목을 "고르곤의 공포로서"(with Gorgonian terror) 지킨다. 세 고르곤 중에서 가장 악명 높고, 살아 있는 독사들로 된 머리카락과 보는 자들을 돌로 만드는 무시무시한 얼굴의 필멸의 메두사는 셸리, 예이츠, 파운드에 관한 제5장, 제8장, 제9장에서 다루어진다(Ahn 244-45; 45; 17). 물이 "탄탈로스의 / 입술에서 도망쳤듯이"(fled / The lip of Tantalus)의 시구에서와 같이 신들의 비밀을 인간에게 누설한 형벌로 타르타로스에서 갈증이나 기아를 충족하지 못하도록 영원히 고통을 받는 신화적 인물은 셰익스피어에 관한 제3장에서 이미 언급한 바 있다(Ahn 360). 이와 유사하게, 날아서 행군하는 "모험의 무리들"(adventurous bands)(제615행)의 시야에 들어온 "불과 얼음의 알프 같은 여러 산들"(many a frozen, many a fiery alp)(제620행)이 있는 지옥의 풍경, 즉 "죽음의 천지"(a universe of death)(제622행)를 서술하기 위하여, 밀턴은 지옥에서 "자연이 생산하는"(nature breeds)(제624행) "끔찍한 고르곤들과 히드라들과 키메라들"(Gorgons and Hydras, and Chimeras dire)(제628행)보다 더 사악하고 더 무서운 괴물들을 과장되게 언급하고 있다. 고대 그리스어의 이름 그대로 물뱀 모양의 괴물 히드라Hydra, Ὕδρα는 뱀 형상의 거한 티폰과 반인반사半人半蛇의 괴물 에키드나Echidna, Ἔχιδνα의 자식인 아홉 개의 머리가 달려 있고, 아르골리스Argolis의 레르나호Lake Lerna에 살았지만, 거대한 곤봉으로 무장한 헤라클레스의 두 번째 과업에서 도륙을 당한다

(*CD* 282; *BM* 144, 914-15; *CM* 207). 문자 그대로 "암염소"(she-goat)의 뜻인 키메라Chimaera, Χίμαιρα도 티폰과 에키드나의 자식으로서 머리는 사자, 몸통은 염소, 꼬리는 용 또는 뱀 형상의 불을 계속 뿜는 괴물이고 리키아Lycia에 살았지만, 결국 천마 페가소스의 고삐를 쥔 벨레로폰에 의해 죽음을 당한다(*CD* 143-44; *BM* 895; *CM* 95).

제654-66행에서 의인화된 죄Sin의 "배腹"(middle round)(제653행) 근처에서 짖어대는 더욱 끔찍한 "지옥의 개떼들"(hell hounds)을 묘사하기 위하여, 밀턴은 그리스 신화인 케르베로스, 스킬라, 헤카테, 즉 "밤의 마녀왕"(the Night-hag), 그리고 핀란드 신화Finnish myth 라플란드Lapland를 원용하거나 인유하고 있다.

> 지옥의 개떼들이 케르베로스의 커다란 입으로
> 쉴 새 없이 무섭게 큰 소리로 짖어댄다.
> 그러나 그 소릴 방해하는 게 있으면
> 마음 내키는 대로 그녀의 자궁 속으로 기어 들어가
> 거기에 자리 잡고, 안에 숨어서 여전히
> 짖어대며 고함친다. 물소리 거친 트리나크리아 해변과
> 칼라브리아 지방 사이의 바다에서 목욕하던
> 안절부절못하는 스킬라도 이 개들만큼 징그럽진 않았다.
> 또한 밤의 마녀왕이 비밀의 부름받고
> 어린애 피냄새에 홀려, 라플란드의 요녀들과
> 피곤한 달이 그들의 마술에 자지러질 때까지
> 춤추기 위하여 공중을 날아올 때도
> 이보다 추한 개는 뒤따르지 않았었다. (Milton, 『실낙원』 83)

> A cry of hell hounds never ceasing barked
> With wide Cerberian mouths full loud, and rung

A hideous peal: yet, when they list, would creep,
If aught disturbed their noise, into her womb,
And kennel there, yet there still barked and howled,
Within unseen. Far less abhorred than these
Vexed Scylla bathing in the sea that parts
Calabria from the hoarse Trinacrian shore:
Nor uglier follow the Night-hag, when called
In secret, riding through the air she comes
Lured with the smell of infant blood, to dance
With Lapland witches, while the labouring moon
Eclipses at their charms. (*PL* 121-22)

시구 "케르베로스의 커다란 입"(wide Cerberian mouths)의 형용사형은 티폰과 에키드나의 자식이고 지옥 입구의 문지기로서, 헤시오도스에 의하면 50개 또는 다른 신화학자들에 의하면 3개의 머리에다 뱀 머리의 갈기와 뱀 꼬리 형상의 개 케르베로스를 가리킨다(*CD* 138; *BM* 894; *CM* 91). 지옥의 개들의 가장 가공스러운 겉모습과 비교하여 밀턴은 『변신이야기』 제14권 제50-74행에 등장하는 바다 요정 스킬라의 변신, 다시 말해 시구 "바다에서 목욕하던 안절부절못하는 스킬라"(Vexed Scylla bathing in the sea)에서 시사하듯이, 바다의 신 글라우코스Glaucus, Γλαῦκος가 요정을 사랑하자 질투한 마녀 키르케의 마법으로 만pool의 물속에 들어간 그녀의 허리 아래가 여섯 마리 짖는 개로, 12개 발에다 여섯 개 머리가 달린 흉측한 모습으로의 변신과, 결국 자살하여 남부 이탈리아의 "칼라브리아"(Calabria)와 시칠리아의 "트리나크리아 해변"(Trinacrian shore) 사이에 있는 위험한 바위로의 변신을 병치시키고 있다(Ovid, 『변신이야기』 644-45; *Metamorphoses* 339-40; *PL* 121n). 이들의 추함과 또 다른 비교를 위하여 밀턴은 시구 "밤의 마녀왕"으로 그리스 신화의 세 몸통과 말, 개, 멧돼지의 세 머리 여인의 형체인 마법과 사자死者들의 여신 헤카테(*CD* 259-60; *BM* 911; *CM* 171)와 핀란드의 신화적 장소인 라플란드를 병치시키고 있다. 헤카테의 주술은 "스킬라에 대한 주문呪文"으로 여신의 딸 키르케가 사용하고, 라플란드는 시구 "라플란드의 요녀들"에서와 같이 "마술의 중심지로 유명세를 탄" 곳이며, 현재 핀란드에서 기이한 아우로라 보레알리스Aurora Borealis를 관측하는 곳으로 잘 알려져 있다(*PL* 121n).

한편, 죄의 출생을 묘사하기 위하여 제757-58행 "무장한 여신으로 / 내 그대 머리에서 튀어나왔다"(a goddess armed / Out of thy head I sprung.)에서 보듯이 밀턴은 그리스 신화의 아테나Athena, Ἀθηνᾶ 또는 로마 신화의 미네르바Minerva를 인유하고 있다. 의인화된 죄는 마치 제우스의 머리에서 창과 아이기스 방패로 무장한 전쟁과 지혜의 여신 아테나(화보 참조)가 튀어나오듯이 사탄의 머리에서 튀어나온다(*CD* 372; *BM* 887; *CM* 66). 밀턴이 아테나를 신화적으로 인유한 것은 명백히 헤시오도스의 『신통기』 제924-26행 "그분께서는 혼자서 머리로부터 빛나는 눈의 아테나를 낳으시니, / 전투를 불러일으키고 군대를 인솔하는, 아무도 이길 수 없는 / 이 존경스러운 여신에게는 함성과 전쟁과 전투가 마음에 들었다"(Hesiod, 『신통기』 77; *Theogony* 77)에 근거를 두고 있다. 『실낙원』 제2부 제803-18행의 서술에서와 같이 사탄과 죽음Death의 접전적인 조우와 죄가 개입하여 말리는 대화에서 근친상간 관계의 사탄이 아버지, 죄가 딸이자 어머니, 죽음이 아들이라는 것이 드러난다. 사무엘 존슨Samuel Johnson이 논평하듯이 죄와 죽음은 존 번연John Bunyan의 『천로역정天路歷程』(*Pilgrim's Progress*, 1678)에 나오는 두 등장인물과는 다르기 때문에 "더 이상 풍유가 아니다"(MacCaffrey 138 재인용). 맥캐프리가 주장하듯이 밀턴의 이 견고한 "창조물들은 신화와 풍유 사이의 경계선에서 존재하고 있다"(MacCaffrey 139). 게다가 전술한 카오스는 제894-95행 시구 "가장 오랜 밤과 혼돈, 즉 자연의 조상들" (eldest Night / And Chaos, ancestors of Nature), 제907행 시구 "심판관 혼돈"(Chaos umpire), 제988행 시구 "늙은 왕"(anarch old) 및 제911행 "자연의 자궁이면서 어쩌면 그 무덤"(The womb of nature and perhaps her grave)에서 반복되거나 거듭 인유되고 있는데, 후자의 시행은 "자궁womb과 무덤tomb의 양가적인 함의"를 전달하고 있는 것이다(MacCaffrey 91). 제943-50행에서 밀턴은 "악마"(the fiend) 사탄의 전력을 다한 날아오름을 고전 신화에서 "자지 않고 지키던 황금을 훔쳐 간"(purloined / The guarded gold) 애꾸눈 아리마스피족the Arimaspi, Arimaspians이 "산을 넘고 황야의 골짜기를 건너"(o'er hill or moory dale)가고, "황무지 들판을 날아가서" (through the wilderness) 추격하는 그리폰 또는 그리핀의 비행과 비교하고 있다. 스키티아에서 황금을 지키는 그리폰은 사자의 몸에다 독수리의 머리와 날개를 지닌 전설적인 복합체 새이다(*BM* 909; *CM* 166).

제959-67행에서 사탄이 통과하고 고전 신들이 지배하는 광명과 인접하는 "어두움의 가장 가까운 변경"(the nearest coast of darkness) 또는 "광명으로 가는 넓은 제국"(spacious empire up to light)(*PL* 134, 136)을 묘사하는 데에서 밀턴은 그리스 로마 신화의 원시적 공간이자 혼돈인 카오스, 태초 여신 닉스, 즉 "밤"과 태초신 데모고르곤, 지옥의 주요 신들인 "오르쿠스"(Orcus)와 "아데스"(Ades), 즉 하데스, 그리고 의인화된 하위의 신 "불화"(Discord), 즉 에리스Eris, Ἔρις를 원용하거나 인유하고 있다.

> . . . ; 혼돈 왕의 옥좌와
> 황량한 심연 위에 널리 펼쳐진 그의
> 어둠의 대천막을. 그와 함께 옥좌에 앉은 건
> 검은 옷을 입은 밤, 만물의 연장자,

그의 통치의 배우자. 그들 곁에 선 건
오르쿠스와 아데스, 그리고 이 이름도 무서운
데모고르곤. 그다음엔 풍문과 우연,
그리고 소요와 모두 뒤범벅이 된 혼란,
또한 수천의 다른 입을 가진 불화 등. (Milton, 『실낙원』 95)

. . . ; when strait behold the throne
Of Chaos, and his dark pavilion spread
Wide on the wasteful deep; with him enthroned
Sat sable-vested Night, eldest of things,
The consort of his reign; and by them stood
Orcus and Ades, and the dreaded name
Of Demogorgon; Rumour next and Chance,
And Tumult and Confusion all embroiled,
And Discord with a thousand various mouths. (*PL* 135)

밀턴이 고전 신화의 카오스와 닉스를 인유하는 것은 "틈이나 구멍"을 가리키는 "공간"(Chasm)으로서의 카오스와 그의 계보를 기술하고 있는 헤시오도스의 『신통기』에서 차용한 것인데, 제116행 이하에는 "진실로, 맨 처음에 생긴 것은 카오스이고, / 그다음이 눈 덮인 올림포스의 봉우리에 사시는 모든 불사신들의 / 영원토록 안전한 거처인 넓은 가슴의 가이아. . . / 카오스에게서 에레보스와 어두운 밤이 생겨난" 것으로 진술되어 있다(Hesiod, 『신통기』 32-33; *Theogony* 12-13). 흥미롭게도 로마 신화에서 지하세계의 신 오르쿠스, 즉 라틴어로 "디스파테르"이고, 그리스 신화의 대응신 아데스, 즉 하데스와 병치되어 있다. "이름도 무서운"(the dreaded name) 데모고르곤은 그리스 로마 신화에 등장하지 않는 태초신으로서 신비한 권능이나 혼령-신을 함의하며, 셸리에 관한 제5장에 상술되어 있다. 이교적 지하세계의 무질서한 특성들을 그리기 위하여, 밀턴은 계속하여 의인화된 풍문Rumour, 우연Chance, 소요Tumult 및 혼란Confusion을 도입한다. 마지막으로 의인화된 "수천의 다른 입을 가진 불화"(Discord with a thousand various mouths)는 그리스 신화에서 갈등과 불화의 여신 에리스 또는 로마 신화의 대응신 디스코르디아Discordia를 의미한다. 『신통기』 제226-32행에서 에리스는 닉스의 딸로 언급되고 있으며, 이 여신은 트로이 전쟁의 원인을 제공한 것으로서 그 악명이 높다(Hesiod, *Theogony* 20-21; *CM* 142-43).

한편, "늙은 왕" 카오스와 "힘센 천사장"(mighty leading angel)(제991행) 사탄과의 대화에서 제1004-06행 "다음으로, 최근에 이룩된 하늘과 땅, 이 별세계는 / 하늘의 그쪽과 황금 사슬로 연결되어 / 내 영토에 걸려 있다." (Now lately heaven and earth, another world / Hung o'er my realm, linked in a golden chain / To that side heaven,)와 제1051-53행 "그리고 또한 바로 곁에, 크기는 달 가까이에 있는 / 최하등급의 별밖에 안 되는, / 황금 사슬에 매달려 걸려 있는 이 세계를"(And fast by hanging in a golden chain / This pendent world, in bigness as a star / Of smallest magnitude close by the moon.)에서 공통으로 등장하는 시구 "황금 사슬"(a golden chain)은 밀턴이 호메로스의 『일리아스』 제8권 제21행 "거대한 황금 밧줄"(a great golden cable)(Homer, *Iliad* 232)에서 원용한 것이며, 제18-27행에 등장하는 신들 중에서 가장 위대하고 강력한 그리스 신화의 신 제우스를 인유하고 있는 것이다. 제우스가 자신의 전능한 힘을 과시하기 위하여 "만약 황금 사슬이 하늘에서 내려진다면, 나는 그것으로 땅과 바다뿐만 아니라 다른 모든 신들을 끌어 올릴 수 있으며, 올림포스 산정에서 그것들을 매달 수도 있다"(*PL* 139n)라고 주장하기 때문이다.

제1010-20행에서 카오스의 장광설長廣舌 이후 즉시 사탄의 재빠른 솟구침과 힘겨운 여정을 과장적이고도 한 폭의 그림같이 묘사하기 위하여, 밀턴은 그리스 로마 신화의 아르고Argo, Ἀργώ호의 흑해 동쪽 끝에 있는 두 바위 사이의 위험한 항해와 율리시스의 스킬라와 카리브디스Charybdis 사이의 목숨을 건 항해를 원용하거나 인유하고 있다.

그의 말이 끝났으나, 사탄은 대답하기 위해 머무르지 않고,
그 바다가 이제 해안에 가까워졌음을 기뻐하며,
새로운 활기와 새로운 힘으로서
마치 불의 피라미드같이 뛰어올라
광막한 허공 속으로 들어가, 제 원소들이 싸우며
사방으로 에워싸는 그 속의 충격을
뚫고 나아간다. 아르고호가 보스포루스 해협의
맞부딪는 바위 사이를 뚫고 통과할 때보다도
율리시스가 좌현(左舷)으로 카리브디스를 피하고
저쪽 소용돌이 가까이 배를 조종해 가던 때보다도
더 곤란에 싸이고 위험에 직면하였다. (Milton, 『실낙원』 97)

He ceased; and Satan stayed not to reply,
But glad that now his sea should find a shore,
With fresh alacrity and force renewed
Springs upward like a pyramid of fire
Into the wild expanse, and through the shock
Of fighting elements, on all sides round
Environed wins his way; harder beset
And more endangered, than when Argo passed
Through Bosporus, betwixt the jostling rocks:
Or when Ulysses on the larboard shunned

Charybdis, and by the other whirlpool steered. (*PL* 137-38)

시구 "아르고호가 보스포루스 해협의 / 맞부딪는 바위 사이를 뚫고 통과했던"(Argo passed / Through Bosporus, betwixt the jostling rocks) 것은 역사적으로 트로이 전쟁 이전 79년경, 즉 기원전 1263년 고대 그리스 영웅 이아손과 50명 또는 54명의 아르고호 원정대the Argonauts가 권위와 왕권을 상징하는 황금양피黃金羊皮, Golden Fleece를 찾으러 콜키스Colchis를 향해 트라키아의 보스포루스Bosporus, Βόσπορος 해협, 즉 이스탄불 해협Strait of Istanbul을 통과하여 항해했을 때 "그들의 배 아르고*Argo*호는 심플레가데스Symplegades, Συμπληγάδες—'맞부딪는 바위' 사이를 가까스로 통과하여 난파를 모면했다"는 것을 시사하고 있다(*CD* 71-72). 이아손과 아르고호 원정대의 모험은 기원전 3세기 알렉산드리아 태생 로도스의 아폴로니우스Apollonius of Rhodes의 서사시 『아르고나우티카』(*Argonautica, Ἀργοναυτικά*)에 최초로 기록되어 있고, 1963년 영화 <이아손과 아르고호 원정대>(*Jason and the Argonauts*)를 매개로 신화가 대중에게 더 가까이 다가간 바 있다("*Argonautica*"). 아르고호와 충돌 암초Clashing Rocks는 『오디세이아』 제12권 헬리오스, 즉 "태양신의 소들"(The Cattle of the Sun) 제하에 등장하는 키르케의 말에서 잠시 언급되고 있다. 여기에서 호메로스는 오디세우스, 즉 율리시스가 "치명적인 카리브디스"(Deadly Charybdis) 또는 "끔찍한 카리브디스의 소용돌이"(dire Charybdis' vortex)를 피하고, 시칠리아와 이탈리아 사이의 메시나 해협Strait of Messina을 통과하여 "저쪽 소용돌이"가 암시하는(*PL* 138n; *CM* 95, 396) "스킬라의 바위"(the crag of Scylla) 가까이 항해하는 데에 있어서 "현란한 여신"(the lustrous goddess)(Homer, *Odyssey* 272, 275, 284)의 충고를 따르는 위험한 귀환 항해를 제일 먼저 묘사하고 있다.

## IV

원전비평적 접근으로 고찰하면, 『실낙원: 12권의 시』에 나와 있는 신화적 용어들이 의도적으로, 또한 철자에서 파울러의 편찬본과 약간 상이한 것은 주목할 만한 가치가 있다. 예컨대, 제1권 제6행 시구 “heav’nly muse” / “heavenly Muse”, 제1권 제198행 시어 “earth-born” / “Earth-born”, 제1권 제510행 시어 “heav’n / “Heaven”, 제1권 제576행 시어 “giant” / “Giant”, 제2권 제233행 시어 “chaos” / “Chaos”, 제2권 제580행 시어 “Phlegeton” / “Phlegethon”, 제2권 제596행 시구 “harpy footed furies” / “harpy-footed Furies”, 제2권 제628행 시구 “Gorgions and Hydra’s” / “Gorgons and Hydras”, 제2권 제662행 시어 “night hag” / “Night-hag”, 제2권 제1018행 단어 “Bosphorus” / “Bosporus” 등이다. 따라서 밀턴이 일신교 기독교에 대한 그의 열렬한 신앙 때문에 후대의 편찬자들이 선호하는 대문자를 사용한 의인화된 신들 대신에 “muse”, “earth”, “heav’n”, “chaos”, “furies” 및 “night hag” 등과 같이 보통명사를 사용함으로써 다신교 고전 신화를 의도적으로 폄훼한 것이라는 추론은 가능할 것이다. 그러므로 여기서 스컬리가 『실낙원』을 “지옥 같은 이교적 다신론과 기독교적 일원론 사이의 영원한 상호 작용”(Scully 176)으로 규정하는 것은 어떤 의미에서 정확한 진단인 것이다.

전기비평적 접근으로 고찰하면, 밀턴의 개신교, 즉 급진적 “영국 청교주의”(English puritanism)(Campbell and Corns 329)에 대한 헌신적인 충성은 윌리엄 로드William Laud 캔터베리 대주교가 수장인 보수적 영국 가톨릭교Anglo-Catholicism와는 대척적이다. 호국경護國卿, Lord Protector 올리버 크롬웰Oliver Cromwell, 1599-1658의 의회 민주주의를 지지한 시인의 정치적 공화주의 또한 찰스 1세Charles I, 1600-1649의 절대 군주제나 전체주의와 대척적이다. 그리고 밀턴의 "반군주제 주장은 아마 그의 가장 영향력 있는 산문 작품인 『왕과 장관의 임기제』(*The Tenure of Kings and Magistrates*, 1649)와 더불어 영국 내전(1642-1651) 기간에 '기사당'(Cavaliers), 즉 왕당파와 대척적인 '원정당圓頂黨'(Roundheads), 즉 의회파를 지지하는 것"이다(Shawcross 13). 이러한 모든 밀턴의 종교적 또는 정치적 사상과 입지는 명시적·암시적으로 『실낙원』에 스며들었을 것이다. 게다가 밀턴의 고전 신화와 성경의 신비에 관한 왕성한 탐독과 해박한 지식은 확실히 장님 시인이 상상적으로 구술을 하고, 어린 두 딸 메리Mary와 드보라Deborah 필경사筆耕士들이 주의 깊게 받아 쓴 대작으로 직조되어진 것이다(Shawcross 18). 패배하여 감금된 사탄이 "하나님의 보좌와 주권에 대항하여"(Against the throne and monarchy of God) 벌인 "천국의 불경스러운 전쟁"(impious war in heaven)(제1권 제42-43행)은 밀턴의 상상력을 통하여 풍자적·역설적으로 역사적인 영국 내전과 병행을 이루고 있으며, 패배하여 투옥되다가 1649년에 참수 처형되고 윈저성Windsor Castle에 매장된 찰스 1세는 바로 작품의 소재가 된 것이다.

결론적으로, 밀턴의 『실낙원』 제1-2권에 나타나 있는 수많은 그리스 로마 신화들을 운용하는 기교는 그의 시적 함의를 심화시키고, 그의 문학적 조망을 확장시키면서, 자유, 반항, 권력, 전쟁, 혁명에 대한 그의 르네상스 관념들을 확연히 제시하고 있다. 이 연구는 밀턴의 『실낙원』 제3-4권뿐만 아니라 셸리의 작품에 나타난 그리스 로마 신화를 더욱 탐색하는 또 다른 시도로 연결될 것이다.

# 5

# P. B. 셸리의 초기 작품과 그리스 로마 신화

## I

제5장은 19세기 영국 낭만주의Romanticism에서 지성미의 시인 P. B. 셸리P. B. Shelley, 1792-1822의 초기 작품에 나타난 그리스 로마 신화의 다양한 함의와 상징성을 천착한다. 1815-1816년 겨울 셸리는 그의 가까운 친구이자 셸리의 전기 『회고록』(*Memoirs*)의 저자, 소설가, 시인 및 열렬한 그리스 학자인 토마스 러브 피콕Thomas Love Peacock, 1785-1866의 지도를 받아서 그리스 연구에 심취하게 되었다(Hodgart 15). 셸리가 키츠만큼 아주 많은 고전 신화로 자신의 시를 직조하지 않은 것은 사실이지만, 「아틀라스의 마녀」(“The Witch of Atlas,” 1820)를 포함하는 그의 모든 시들과 『풀려난 프로메테우스』(*Prometheus Unbound*, 1819)를 비롯한 그의 드라마들은 괄목할 정도로 고전 신화들로 장식되어 있다. 블룸의 『셸리의 신화창조』(*Shelley's Mythmaking*, 1969)와 바바라 찰스워스 겔피Barbara Charlesworth Gelpi의 『셸리의 여신: 모성, 언어, 주체성』(*Shelley's Goddess: Maternity, Language,*

*Subjectivity*, 1992)은 셸리의 작품인 「서풍에 부치는 송시」("Ode to the West Wind"), 『풀려난 프로메테우스』, 「민감한 식물」("The Sensitive Plant," 1820), 「아틀라스의 마녀」, 「에피사이키디온」("Epipsychidion," 1821) 및 「삶의 승리」("The Triumph of Life," 1822)에 나타난 고전 신화를 집중적으로 조명하고 있다. 이 장에서는 그리스어 방언인 도리스어 원전에서 영역한 소포클레스Sophocles, Σοφοκλῆς, 기원전 c. 495-406의 비극 『오이디푸스왕』(*Oedipus Tyrannus*, 1819) 그리고 호메로스, 에우리피데스Euripides, Εὐριπίδης 및 목가 시인들인 스미르나의 비온Bion of Smyrna과 모스코스Moschus, Μόσχος의 그리스어 원전에서 옮긴 『번역집』(*Translations*)[16]을 제외한 셸리의 초기 작품에 나타난 모든 그리스 로마 신화를 천착할 것이다. 이 연구를 위하여 필자는 호메로스의 정전화된 서사시 『일리아스』와 『오디세이아』, 오비디우스의 신화적 서사 『변신이야기』뿐만 아니라 다른 전설적 출처에 나타난 그리스 로마 신화를 추적하고자 한다. 셸리의 시에 대하여 지금까지 출판된 다양한 시집 중에서 필자는 셸리의 두 번째 아내이자 소설 『프랑켄슈타인: 또는 현대의 프로메테우스』(*Frankenstein: or, The Modern Prometheus*, 1818)의 저자 메리 셸리Mary Shelley의 「주석」("Notes")이 실린 방대한 『퍼시 비쉬 셸리의 시 전집』(*The Complete Poems of Percy Bysshee Shelley*, 1994)을 참고할 것이다.

16) 고전 신화에 관한 셸리의 『번역집』에는 「메르쿠리우스 찬가」("Hymn to Mercury"), 「카스토르와 폴룩스 찬가」("Hymn to Castor and Pollux"), 「미네르바 찬가」("Hymn to Minerva"), 「비너스 찬가」("Hymn to Venus"), 『키클롭스: 풍자 드라마』(*The Cyclops: A Satyric Drama*), 「아도니스의 죽음에 관한 비가 단편」("Fragment of the Elegy on the Death of Adonis") 및 「판, 에코, 그리고 사티로스」("Pan, Echo, and the Satyr")가 수록되어 있다(*CPS* xxii).

## II

우선 셸리는 그의 최초 주요시 『알라스토르, 또는 고독의 정신』("Alastor; or, The Spirit of Solitude," 1815) 제672-75행에서 그리스 신화의 메데이아를 인유하고 있다. 로마 신화에서 파생된 시제 "알라스토르" Alastor, Ἀλάστωρ는 복수의 악령 또는 복수자를 지칭하고, 풍유적으로 셸리의 고독한 마음을 함의한다(Graves 748).

> 오, 메데이아의 놀라운 마법의 액체가 있으면,
> 떨어지는 곳곳마다 대지가 빛나는 꽃들로
> 반짝였고, 겨울철 앙상한 나뭇가지에서도
> 봄꽃의 신선한 향기가 뿜어져 나오니!

> O, for Medea's wondrous alchemy,
> Which wheresoe'er it fell made the earth gleam
> With bright flowers, and the wintry boughs exhale
> From vernal blooms fresh fragrance! (*CPS* 17)

여자 마법사 메데이아는 콜키스의 왕 아이테스Aeetes의 딸이고, 헬리오스의 손녀이며, 키르케의 질녀였다. 이아손에 연정을 느낀 메데이아는 자신의 마술로 아르고호 원정대 지휘자를 도와서 그녀의 부왕으로부터 황금양피를 획득하는 것을 도와주었다. 그 이후 이아손의 아내로서 그녀는 마법의 약초 액체로 시아버지이자 테살리아 지역 이올쿠스Iolcus의 늙은 왕 아이손Aeson을 회춘시키고, 간계로 아르고호 영웅의 왕국을 찬탈한 이아손의 삼촌 펠리아스Pelias를 죽였다(*CD* 355; *BM* 924-25, 936; *CM* 259-10). 메데이아의 "놀라운 마법의 액체"(wondrous alchemy)란 셸리의 표현은 오비디우스의

『변신이야기』 제7권 제277-84행 “야만족의 여인은 . . . 섞었다 / . . . 거품을 튀겨내어 / 뜨거운 방울들이 떨어지는 곳에서는 어디서나 / 땅은 초록색이 되며 / 꽃과 부드러운 풀이 돋아났다”(Ovid, 『변신이야기』 324-25; *Metamorphoses* 162)에 확실히 근거를 두고 있다. 인용시의 시행들에 대하여 메리의 「주석」에 의하면, 시인은 폐결핵으로 진단을 받았기 때문에 1815년 여름에 몇 개월을 보낸 윈저대공원Windsor Great Park의 장관의 경관을 묘사한 것이다(*CPS* 19).

시 「세상의 악마」(“The Daemon of the World,” 1816) 제2부 제319-25행에서 셸리는 제4장에서 고찰한 셰익스피어와 달리 시간이 신격화된 거신 크로노스를 거한으로 격하시켜서 돈호법으로 부르고 있다.

그대 백발의 거한 시간이여
그대의 반쯤 삼킨 아기들을 토해내시오,
그리고 스쳐 가는 만물이 깊이 속삭이는
강가에서 수많은 것들이 그 소리 들으며
누워 잠들어 있는 영원의 요람으로부터
그 어두운 장막을 찢으시오.―혼령이여, 보시오
그대의 영광스러운 운명을!

Thou hoary giant Time,
Render thou up thy half-devoured babes,―
And from the cradles of eternity,
Where millions lie lulled to their portioned sleep
By the deep murmuring stream of passing things,
Tear thou that gloomy shroud.―Spirit, behold
Thy glorious destiny! (*CPS* 26)

그리스 신화에서 "백발의 거한"(hoary giant) 아버지 시간 크로노스는 하늘 우라노스와 대지 가이아 또는 게Ge, Γῆ의 막내아들로서 12거신족 중의 하나이다. 그는 누이이자 아내 레아를 통하여 헤스티아, 데메테르, 헤라, 하데스, 포세이돈, 제우스의 아버지가 되었다. 크로노스는 그리스 신화의 황금기에 세상의 통치자 아버지 우라노스를 폐위시켰다. 자기 자신의 자식들에게 타도되지 않기 위하여 거신은 헤스티아, 데메테르, 헤라가 태어날 때 삼켰고, 하데스, 포세이돈, 제우스는 태어나자 레아가 돌을 강보에 싸서 아기라고 속여서 삼켰으니 그의 여섯 "아기들"(babes)을 "반쯤 삼킨"(half-devoured) 셈이다(*CD* 545-46). 그러나 역으로 크로노스가 자신의 아들 제우스 또는 유피테르에게 찬탈되고 타르타로스에 감금되었다. 크로노스Cronos는 소크라테스 이전 철학과 후대 문학에서 유사한 발음으로 인하여 시간이 의인화된 크로노스Chronus, Χρόνος와 동일시되었다. 로마인들에 의하여 크로노스는 사투르누스와 동일시되었으며, 추수용 금강석 대낫을 휘두르는 아버지 시간의 풍유로 그려지고 있다(*CD* 145; *BM* 897; *CM* 110).

한편, 셸리는 그의 유명한 드라마 『풀려난 프로메테우스: 4막극 서정 드라마』(*Prometheus Unbound: A Lyrical Drama in Four Acts*)에서 그리스 신화 프로메테우스를 원용하고 있다. 서문Preface에서 셸리는 그리스 신화와 위대한 그리스 비극 작가 아이스클로스의 『묶인 프로메테우스』(*Prometheus Bound*)와 『불을 가져오는 자 프로메테우스』(*Prometheus the Fire-Bringer*)와 더불어 비극 3부작을 이루는 『풀려난 프로메테우스』에 근거하여 자신의 시극을 창작하려는 작가 의도를 간결하게 요약하고 있다(*CPS* 225). 이 드라마를 정독하면, 자유와 사랑의 낭만적 관념들을 충실히 재현하기 위하여 셸리가 프로메테우스와 그의 아내이자 바다의 요정 아시아Asia, Ἀσία에 집중하여 웅장한 규모에 유려한 시어들로 이 드라마를 직조하고 있다는 것이 드러날 것이다. "불멸의 거신"(Immortal Titan), "하늘의 노예들의 투사"(Champion of Heaven's slaves), "사슬에 묶인 거신"(the chained Titan) 및 "위대한 거신"(mighty Titan) 프로메테우스는 제우스로부터 불을 훔쳐서 인간에게 준 행위로 전능한 신에 의하여 영원한 형벌로 인도 코카서스 산맥the Indian Caucasus 빙산 협곡 절벽에 묶여있는 것으로 등장한다(*CPS* 239, 242). 또한 프로메테우스는 유피테르의 환영Phantasm of Jupiter으로부터 "악마"(Fiend), "전능한"(omnipotent), "신이요 주재자"(the God and Lord) 및 "그대의 전능함이 극도의 고통"(thine Omnipotence a crown of pain)으로, 이오네Ione로부터 "착한 거신"(good Titan), 그리고 판테아Panthea로부터는 "신성한 거신"(sacred Titan)으로 묘사된다(*CPS* 235, 243, 250). 아시아는 남편 프로메테우스를 "보이지 않는 생명의 빛, / 아름다움의 그림자"(light of life, / Shadow of beauty unbeheld)라고 불렀다(*CPS* 269). 그리스 신화에서 그녀는 "오케아노스와 테티스의 딸로서 그녀의 이름을 아시아 대륙에 붙여주었고", 거신 이아페토스의 아내였으며, 아틀라스, 프로메테우스, 에피메테우스Epimetheus 및 메노에티우스Menoetius의 어머니였다(*CD* 85; *CM* 63). 드라마 『풀려난 프로메테우스』의 주요 등장인물들dramatis personae은 그리스 신화와 직・간접적으로 관련하여 주인공 프로메테우스, 데모고르곤, 적대자 유피테르 또는 요베, 유피테르의 환영, 오케아노스, 대지(가이아), 아폴론, 메르쿠리에스 그리고 아시아, 판테아, 이오네를 포함하는 오케아니데스, 헤라클레스, 에코들Echoes, 파우누스들, 퓨어리들 등으로 구성되어 있다.

스펜서와 밀턴에 관한 제2장과 제4장에서 잠시 언급한 데모고르곤은 "그리스 신화의 신들보다 선행하는 원시적 창조신으로서 흔히 설명되는 신비스러운 혼령 또는 신이다"("Demogorgon"). 그의 특성은 생명의 세계에 대하여 태초 여신 어머니 대지Mother Earth, Terra Mater와 프로메테우스의 대화에서 드러난다. 더욱이 제1막 제1장 제204-14행에서 유피테르와 하데스 및 티폰은 막강한 신들로 묘사되어 있다.

모든 신들도
그곳에 있도다, 이름 모를 세계의 모든 권능들도,
거대하고 왕홀을 가진 환영들도. 영웅들, 인간들, 짐승들도.
또 엄청난 어두움인 데모고르곤도.
또 지고의 폭군, 그는 불타는 황금 보좌에
앉아 있도다. 이들 중의 한 아들이
모두가 기억하는 저주를 내뱉을 것이다. 마음껏
그대 자신의 혼령이나 유피테르나 하데스나
티폰의 혼령 또는 어떤 더 강력한 신들을
온통 퍼져 있는 악에서 불러내시오. 그대의 몰락이
생겨났고, 엎어진 내 아들들을 짓밟았었기에.

all the gods
Are there, and all the powers of nameless worlds,
Vast, sceptred phantoms; heroes, men, and beasts;
And Demogorgon, a tremendous gloom;
And he, the supreme Tyrant, on his throne
Of burning gold. Son, one of these shall utter
The curse which all remember. Call at will
Thine own ghost, or the ghost of Jupiter,
Hades or Typhon, or what mightier Gods
From all-prolific Evil, since thy ruin
Have sprung, and trampled on my prostrate sons. (*CPS* 233)

시어 "데모고르곤"은 스타티우스의『테바이스』제4권 제516행 라틴 시구

"삼계의 지존"(triplicis mundi summum)에 관하여 주석자 락탄티우스 플라키두스Lactantius Placidus c. 350-c. 400가 플라톤Plato, Πλάτων, 기원전 427-347의『티마이오스』(*Timaeus*, 기원전 4세기)에 등장하는 "조화신造化神" 또는 "우주형성자"의 뜻인 "데미우르고스"(Demiurge, Demiurgos)를 원용하여 "지고의 신 데모고르곤"(deum Demogorgona summum)으로 해설하였고, 이 조어가 보카치오를 비롯하여 스펜서, 밀턴, 셸리에게 영향을 끼친 것이다(Statius 242-43, 243n; "Demogorgon"). 정인돈 교수는 그의 저서『셸리의『프로메테우스』 연구: 라깡적 접근』에서 데모고르곤에 대한 심도 있는 조명을 하면서 "무의식" 또는 "강력한 힘과 권위의 상징"으로 규정하고, 데모고르곤의 처소가 에트나 화산이라는 보카치오의 인식을 공유하고 있는 것은 주목할 만하다(162-72). 여기서 셸리는 로마 신화에서 하늘의 신, 천둥과 번개와 벼락의 신, 신들의 왕이자 "만물의 지존"(the supreme of living things)(제2막 제4장 제114행)인 유피테르의 전통적으로 긍정적인 이미지를 새로이 부정적인 "요베의 격렬한 전능"(the fierce of omnipotence of Jove)(제1막 제1장 제115행)을 지닌 "지고의 폭군"(supreme Tyrant)으로 전복시킨다. 하데스는 문자 그대로 "보이지 않는 자"인데, 그리스 신화에서 죽은 자들의 지하세계의 왕이자 신이다. 티폰은 밀턴에 관한 제4장에서 상술한 바와 같이 그리스 신화에서 가장 치명적인 괴물로서 가이아와 타르타로스의 막내아들이고, 스핑크스, 키메라, 기타 괴물들의 아버지이며, 불을 내뿜는 100개 머리가 달린 거한이다(*BM* 952; *CM* 167, 231, 446).

제1막 제1장 제325행과 제344-50행에서 셸리는 계속하여 퓨어리들과 로마 신화에서 "전령"(Herald) 또는 "세상을 다니는 요베의 전령"(Jove's world-wandering herald), 즉 유피테르의 사신이자 "전능자"(The Omnipotent) 유피테르와 "마이아의 아들"(the Son of Maia)－주요신 메르쿠리에스와의 대화에서 "게리온"(Geryon), 고르곤, 키메라 및 스핑크스와 같은 끔찍한 "지옥의 개들"(Hounds of Hell)을 돈호법으로 부르고 있다.

너희들의 철탑으로 돌아가서
먹이도 없는 너희들의 이빨로 물어뜯고,
불의 강가에서 울부짖으라. 게리온아, 일어나라! 고르곤아,
키메라야, 하늘의 독주(毒酒)를 테베에 부어버린
가장 교활한 악마인 너, 스핑크스야.
부자연스러운 사랑과 더욱 부자연스러운 증오,
이것들이 너희들의 일을 수행하리니.

Back to your towers of iron,
And gnash, beside the streams of fire and wail,
Your foodless teeth. Geryon, arise! and Gorgon,
Chimæra, and thou Sphinx, subtlest of fiends
Who ministered to Thebes Heaven's poisoned wine,
Unnatural love, and more unnatural hate:
These shall perform your task. (*CPS* 237)

메두사의 손자 게리온Geryone, Γηρυών, Geryones, Γηρυόνης은 전설적 요정들인 헤스페리데스Hesperides, Ἑσπερίδες의 에리테이아Erytheia섬에서 살고 있는 머리 셋과 몸뚱이 셋의 날개 달린 괴물로서 수많은 소떼를 소유하고 있었다. 그는 열 번째 과업에서 게리온의 소떼를 미케네Mycenae와 티린스Tiryns의 왕 에우리스테우스Eurystheus에게로 몰고 가려는 헤라클레스에 의하여 죽임을 당했다(*CD* 249; *BM* 908; *CM* 160). 또한 고르곤의 복수형 고르고네스Gorgones는 불멸의 스테노와 에우리알레, 필멸의 메두사의 세 여성 괴물을 가리키는데, 후자는 거대한 이빨, 단단한 발톱, 뱀의 머리카락을 한 끔찍한

모습이어서 보는 사람들을 돌로 만들어버렸다. 단수형 고르곤의 명칭은 반신이자 영웅 페르세우스Perseus, Περσεὺς에게 살해당한 가장 유명한 고르곤인 메두사에게 보편적으로 적용되었다(*CD* 253; *BM* 909; *CM* 164-65). 영화 <타이탄>(*Clash of the Titans*, 2010)은 특히 메두사를 죽이는 페르세우스의 위대한 영웅적 활동과 잘려 나간 메두사의 머리도 석화시키는 괴력이 있다는 것을 전율적으로 재현하고 있다. 시어 "메두사"와 "고르곤"은 셸리의 「플로렌스 화랑에서 레오나르도 다빈치의 메두사에 대하여」("On the Medusa of Leonardo da Vinci in the Florentine Gallery")의 시제와 기지가 번뜩이는 시행들인 제25-26행 "옆의 돌에서 독성의 영원蠑蚖 한 마리가 / 고르곤의 두 눈을 멍하니 들여다본다."(from a stone beside, a poisonous eft / Peeps idly into those Gorgonian eyes;)에서 반복적으로 등장한다(*CPS* 621). 키메라는 불을 뿜는 신적 혈통의 괴물로서 염소의 몸뚱이에 사자의 머리와 뱀의 뒷몸을 지니고 있었다고 전해진다. 리키아에 살던 키메라는 결국 미네르바가 준 황금 고삐로 천마 페가소스를 몰던 벨레로폰에게 죽임을 당했으며, 아이네이스가 이 괴물을 지옥에서 발견하였다(*CD* 143; *BM* 895; *CM* 95). 마지막으로 그리스의 스핑크스(화보 참조)는 이집트의 왕릉 피라미드를 수호하는 남성 스핑크스와 달리 여성의 얼굴과 가슴, 개의 몸뚱이, 뱀의 꼬리, 사자의 발, 맹금의 날개, 사람의 목소리를 지닌 괴물로서 "가장 교활한 악마"(subtlest of fiends)이다. 카드모스 가문의 파멸을 바랐던 헤라에 의해 스핑크스는 테베로 가는 길목에서 잠복하고 있다가 모든 통행인들에게 당황스러운 수수께끼를 내어 잘못 맞히면 죽음의 고통을 안겨주고 있었다. 그러다가 현명한 오이디푸스가 정답을 말했을 때 스핑크스는 격분하여 자살한 것으로 잘 알려져 있다(*CD* 577-78; *BM* 947; *CM* 407).

제2막 제1장 제136-41행의 판테아의 대사에서 그리스 신화의 히아킨토스Hyacinth와 아폴론이 그리스의 지형적 용어인 "스키티아의 광야"(Scythian wilderness)와 서로 직조되어 있다.

> 하얀 스키티아의 광야에서 재빨리 바람이 불어와
> 대지를 스쳐 가서 서리로 쫙 주름지게 할 때에
> 바라보니 모든 꽃들이 흩날려서 떨어졌네요.
> 허나 이파리마다 찍혀 있었네요, 마치 히아킨토스의
> 실잔대가 아폴로의 슬픔의 글자를 말하는 듯이,
> 아, **따라오라**, **따라오라**고요!

> When swift from the white Scythian wilderness
> A wind swept forth wrinkling the Earth with frost:
> I looked, and all the blossoms were blown down;
> But on each leaf was stamped, as the blue bells
> Of Hyacinth tell Apollo's written grief,
> O, FOLLOW, FOLLOW! (*CPS* 252)

태양신 아폴론과 스파르타의 청년 왕자이자 연인 히아킨토스Hyacinthus, Ὑάκινθος 사이의 비련의 이야기는 엘리엇에 관한 제10장에서 상세히 탐색되고 있다(Ahn 18-19). 셸리가 언급하는 보랏빛 종 모양의 야생화 "블루벨"(the blue bells, bluebell) 또는 실잔대는 실제 전설의 꽃 히아신스와 다른 *Hyacinthoides non-scripta* 또는 *Hyacinthus orientalis*를 지칭한다. 히아신스의 꽃잎에는 "아폴론의 슬픔의 글자"를 의미하는 애도의 그리스어 "아이, 아이"(*Ai, Ai*)가 새겨져 있는 반면에, "*non-scripta*라는 특정 형용사는 '글자 없는' 또는 '표시 없는'을 뜻하기" 때문이다(Ovid, *Metamorphoses* 239-41; Giesecke 49; "*Hyacinthoides non-scripta*"). 아폴론은 제2막 제5장 제10-11행 "아폴론은 / 기적으로 하늘에 갇혀 있다"(Apollo / Is held in heaven by wonder)에서와 같이 정령Spirit의 대사에서 반복된다. 또한 제3막 제5장 제14행에서 태양신은 아틀란티스섬Island Atlantis 연안 부근에서 자신과 오케아노스 사이의 대화 가운데 코카서스 산맥에서 독수리의 눈을 멀게 한 역설적인 시구 "눈부시지 않는 태양"(the undazzling sun)에서 인유된다.

제2막 제2장 제88-95행의 파우누스 2Second Faun의 대사에서 셸리는 그리스 로마 신화의 신God 유피테르, 카오스 및 사랑Love, 즉 에로스Eros, 거신 프로메테우스뿐만 아니라 반신 실레노스실레누스, Silenus, Σειληνός를 원용, 인유하고 있다.

> 그래요, 우리의 당연한 짐작보다 더 많이 있지요.
> 허나, 우리가 남아서 말한다면, 한낮이 오겠지요.
> 또 실레노스가 흩어진 염소들을 찾는 데 방해가 되어
> 마지못해 슬기롭고 사랑스러운 노래들을 부르겠지요.
> 운명과 우연과 신과 늙은 카오스와
> 사랑과 사슬에 묶인 티탄의 슬픈 운명과
> 어떻게 그가 풀려나고, 세상이 한 형제지간이
> 될 것인지에 대하여.

> Ay, many more which we may well divine.
> But, should we stay to speak, noontide would come,
> And thwart Silenus find his goats undrawn,
> And grudge to sing those wise and lovely songs
> Of Fate, and Chance, and God, and Chaos old,
> And Love, and the chained Titan's woful doom,
> And how he shall be loosed, and make the earth
> One brotherhood: (*CPS* 256)

실레노스는 판의 아들로서 포도주의 신 디오니소스를 양육한 늙은 사티로스였다. 일반적으로 그는 나귀를 타고, 화관을 쓰고, 항상 술 취해 있고, 뚱뚱하고 쾌활한 노인으로 표상된다. 반신은 특출하게 현명했으며, 베르길리우스의 제6 『목가』(*Eclogue*)에서는 목동들이 그에게 강요하여 노래 부르게 할 수 있었다(*CD* 568; *BM* 946; *CM* 401). 그의 "슬기롭고 사랑스러운 노래"(wise and lovely songs) 속에서 운명, 우연, 신, 카오스, 사랑 및 프로메테우스의 이야기가 계속 전개된다. 실레노스는 「아틀라스의 마녀」 제8연 제105-06행 "또 늙은 실레노스가 백합의 푸른 꽃대를 / 흔들면서"(And old Silenus, shaking a green stick / Of lilies.)에서 반복된다. 게다가 셸리는 이 시의 제32연 제297-99행 "3시간 만에 요람에서 처음 태어난 사랑이 뛰어나와서, / 자신의 황금빛 나래로 회갈색의 카오스를 가르며 나아갔을 때"(when but three hours old, / The first-born Love out of his cradle lept, / And clove dun Chaos with his wings of gold.)에서 보듯이 그리스 신화에서 사랑, 즉 문자 그대로 "욕망"을 뜻하는 에로스(큐피드)와 "공간"을 뜻하는 카오스를 차용하고 있다. 신화창조자로서 셸리는 여기서 한 신화로부터 "세계의 근원적 힘"인 에로스, 그리고 후대의 신화와 계보들로부터 헤르메스와 아프로디테, 또는 아레스Ares와 아프로디테, 또는 헤르메스와 아르테미스의 아들인 "날개 돋친 신"(a winged god)과 결합시킨다(*CM* 143). 그리스의 창조신화에서 카오스는 우주에 질서Order가 부과되기 전에 존재한 원시적 공간의 구현이었다. 카오스는 에레보스와 닉스를, 그리고는 낮이 의인화된 태초신 헤메라Hemera, Ἡμέρα와 공기Air가 의인화된 태초신 아이테르Aether, Αἰθήρ를 낳았다(*CM* 94). 그런데 『신통기』 제124-25행에 의하면, 에레보스와 닉스가 헤메라와 아이테르를 낳았음은 주목할 만하다(Hesiod, *Theogony* 13). 카오스는 밀턴에 관한 제4장에서 고찰했듯이 가장 오래된 태초신이고, 지옥에 거주하는 한 신으로 간주되었다(*CD* 141).

제2막 제3장 제5-9행에서 데모고르곤의 영역은 “화산의 불덩이를 토해내는 공간”(a volcano’s meteor-breathing chasm)과 유사하며, 거기서 “젊은 시절 방황하면서 / 진리, 미덕, 사랑, 천재, 또는 환희를 부르며, / 깊이 취할 때까지 미치게 하는 생명의 포도주를 찌끼까지 / 들이키는”(drink wandering in their youth, / And call truth, virtue, love, genius, or joy, / That maddening wine of life, whose dregs they drain / To deep intoxication) 고독한 사람들의 목소리는 “에보에, 에보에!라고 큰소리로 외치는 마이나데스”(Maenads who cry loud, Evoe! Evoe!)의 소리에 비유되고 있다(*CPS* 257). 그리스 신화에서 마이나데스Maenads, μαινάδες는 문자 그대로 “광란하는 자들”이며, 로마 신화에서 상응하는 바칸테스Bacchantes는 포도주의 신 디오니소스 또는 바쿠스의 여성 추종자들이었다. 흔히 마이나데스는 디오니소스에 자극받아서 술에 취하고 춤을 추면서 황홀한 광란의 상태에 빠지는 여인들로 묘사되었다(*CD* 340). 바칸테스에 대한 “주된 그리스 출처”는 “에우리피데스의 비극 『바쿠스 여신도들』(*The Bacchae*)인데, 이것은 그리스어 바크카이Βάκχαι에서 유래한 것이다(Chevalier and Gheerbrant 64). 바쿠스에서 나온 형용사형 “바쿠스 신의”(Bacchic)뿐만 아니라 단수형 마이나스Maenad, μαινάς와 디오니소스의 출생지 니사산Mount Nysa, Νῦσα의 장소 이름이 대지의 대사인 “마이나스가 출몰하는 산, 바쿠스 신의 니사 정상”(the peak of / Bacchic Nysa, Maenad-haunted mountain.)에서 나타난다(*CPS* 272). 또한 마이나스는 셸리의 시 「서풍에 부치는 송시」 제2부 제20-21행 “어느 맹렬한 마이나스의 / 머리에서 쭈뼛 선 금발처럼”(Like the bright hair uplifted from the head / Of some fierce Maenad)에서와 같이 “접근하는 폭풍우의 머리타래”의 직유로서 반복되어 등장한다(*CPS* 617).

더욱이 제2막 제4장 제32-46행에서 “하늘과 대지”(the Heaven and Earth), “빛과 사랑”(Light and Love), 그리고 유피테르의 통치를 무시하는

"사투르누스" 아버지 시간의 생성과, 사투르누스를 축출하기 위하여 프로메테우스가 유피테르에게 "지혜"를 주는 역할이 아시아와 데모고르곤의 대화에서 잘 그려져 있다.

*아시아*: 누가 통치하십니까? 처음엔 하늘과 대지가,
또 빛과 사랑이, 그리곤 사투르누스인데, 그의 보좌에서
시기하는 혼령 시간이 추락하고, 그의 지배하에
세상의 원초적 영혼들의 상태가 그러하여
바람이나 태양 또 죽은 듯 산 듯 벌레들로 인하여
시들기 전에 꽃들과 생생한 잎들이
차분한 기쁨을 누렸습니다. 그러나 그는 거부하였습니다.
이들 존재의 생득권, 원소들을 사용하는 지식과 능력과
기술, 그리고 이 어두운 우주를 빛과
자기 제국과 사랑의 황제 마냥 뚫고 가는 사상을.
이것들이 갈급하여 그들은 졸도하였습니다. 그때 프로메테우스는
유피테르에게 힘이 되는 지혜를 주었고,
"인간을 자유롭게 하여라."의 율법만으로
그를 넓은 하늘의 지배권으로 옷을 입혔습니다.

*Asia*. Who reigns? There was the Heaven and Earth at first,
And Light and Love; then Saturn, from whose throne
Time fell, an envious shadow: such the state
Of the earth's primal spirits beneath his sway,
As the calm joy of flowers and living leaves
Before the wind or sun has withered them
And semivital worms; but he refused
The birthright of their being, knowledge, power,

The skill which wields the elements, the thought
Which pierces this dim universe like light,
Self-empire, and the majesty of love;
For thirst of which they fainted. Then Prometheus
Gave wisdom, which is strength, to Jupiter,
And with this law alone, "Let man be free,"
Clothed him with the dominion of wide Heaven. (*CPS* 260)

로마 신화의 신 사투르누스는 키츠와 예이츠에 관한 제6장과 제8장, 특히 신화적 용어에서 파생된 천문학적 용어 "토성"(Saturn)을 구사하는 후자의 시 「토성 아래에서」("Under Saturn," 1919)에 자세히 천착되어 있다(Ahn 35; 31). 흥미롭게도 「아틀라스의 마녀」 제49-51행에서와 같이 "근친상간의 변신"(Incestuous Change)으로 잔인한 쌍둥이 실수Error와 진리Truth를 그녀의 아버지 시간 사투르누스에게 낳아주었다(*CPS* 444). 사투르누스에게서 파생된 형용사구 "사투르누스 대마법사"(Saturnian Archimage)는 이 시의 제185-86행에서 마녀의 동굴을 서술하고 있는데, 이것은 명백히 제2장에서 고찰한 스펜서가 창조한 사악한 대마술사 "아키마고"를 연상시킨다.

제2막 제5장 제20-30행에서 판테아와 아시아 사이의 대화 가운데 셸리는 바다의 요정들인 네레이데스Nereides를 인유하고 있다.

네레이데스가 말하네요,
그대가 솟아오르자 맑은 유리 같은 바다가
갈라졌고, 에게해 섬들 사이에서
수정 같은 바다의 고요한 바닥 위로
두둥실 떠오른 소라 속에서
또 그대 이름을 딴 바닷가에서 그대가

서 있었을 때, 사랑이 살아 있는 세상을
충만하게 하는 태양의 불의 대기 마냥
그대에서 솟아나서 비추었다지요, 천지와
깊은 대양과 햇빛 들지 않는 동굴들과
그 안에서 살아가는 모든 것들을요.

The Nereids tell
That on the day when the clear hyaline
Was cloven at thine uprise, and thou didst stand
Within a veinèd shell, which floated on
Over the calm floor of the crystal sea,
Among the Ægean isles, and by the shores
Which bear thy name; love, like the atmosphere
Of the sun's fire filling the living world,
Burst from thee, and illumined earth and heaven
And the deep ocean and the sunless caves
And all that dwells within them; (*CPS* 263-64)

네레이데스의 이야기나 노래를 통하여 셸리는 아프로디테의 출생과 똑같이 "수정 같은 바다"(the crystal sea)에서 "줄무늬 조개"(veinèd shell)에서 솟아오른 아시아를 그리고 있다. 사랑의 구현인 아시아는 아프로디테 또는 메리가 지적한 바와 같이 "비너스와 자연"(Venus and Nature)과 동일시된다(*CPS* 296). 여기서 네레이데스는 제9장에서 고찰할 파운드의 시구 "거대한 소라"(a great shell curved)에 비유되는 네레아Nerea의 동굴을 상기시킨다(Ahn 18). 그리스 신화에서 네레이데스는 바다 요정들인데, 오케아노스의 손녀딸들이며, 네레우스Nereus, Νηρεύς와 도리스Doris의 50명의 딸들이다. 랑프리에르는 50명 바다 요정들의 이름을 일일이 거명하고 있지만, 그들 중에서 테티스, 암피트리테Amphitrite 및 갈라테이아Galatea는 가장 유명한 네레이데스이다. 바다 요정들은 에게해 바닥에 살면서 부왕의 궁전에서 황금 보좌 위에 앉아 있었다. 그들은 아주 아름다웠으며, 물레를 돌리고, 직물을 짜고, 노래하면서 시간을 보냈다(*CD* 392; *BM* 930; *CM* 292). 시어 "네레이데스"는 제3막 제2장 제44-47행의 "초록 바다 밑의 네레이데스를 보시오, / 바람 같은 물결 위에 떠서 휘젓는 그들의 사지를, / 그들의 흘러내리는 머리칼 위로 솟구치는 하얀 팔들을 / 얼룩무늬 화관과 별 같은 바다 꽃의 왕관을 쓰고 있네요."(Behold the Nereids under the green sea, / Their wavering limbs borne on the wind-like stream, / Their white arms lifted o'er their streaming hair / With garlands pied and starry sea-flower crowns.)에서와 같이 오케아노스가 그들을 묘사하는 데에서 반복되어 나타난다(*CPS* 269).

한편, "세상의 폭군"(the tyrant of the world)(*CPS* 277) 제우스가 통치하는 동안에 제2막 제4장 제49-52행 "인류 위에 / 처음엔 기근, 그리곤 노동, 그리곤 질병, / 전례 없는 전쟁, 부상, 끔찍한 죽음이 / 엄습했다"(on the race of man / First famine, and then toil, and then disease, / Strife, wounds, and ghastly death unseen before, / Fell). 그러나 프로메테우스는 "인간에게 말을 주었고, 말은 사상을 만들었고, / 그것이 우주의 척도이다. / 또 과학은 지상과 천상의 보좌를 흔들었다"(gave man speech, and speech created thought, / Which is the measure of the universe; / And Science struck the thrones of earth and heaven). 프로메테우스가 인간에게 오케아노스, 즉 대양을 통제하도록 가르친 덕분에 "켈트족은 인도인들을 알았고, 그리곤 / 도시들이 건설되었다"(the Celt knew the Indian, Cities then / Were built). 그러나 인간 문명의 대의를 위한 프로메테우스는 유피테르에 의하여 "매달려 / 숙명적인 고통에 시들어가고 있다"(hangs / Withering in destined pain)(*CPS* 260-61). 제3막 제3장 제1-4절에서 코카서스 산맥을 배경으로 그리스의 전설적 영웅 헤라클레스가 결박된 프로메테우스를 풀어주는 구원자로 등장한다. 제목 "풀려난 프로메테우스"는 마치 프로메테우스와 헤라클레스 사이의 대화인 "그대의 친절한 말은 / 오래 갈망하고 또 오래 지연된 자유보다 / 훨씬 더 감미롭소."(Thy gentle words / Are sweeter even than freedom long desired / And long delayed.)에서와 같이 셸리가 그의 짧은 인생에서 열렬히 추구하고 있는 "자유"를 상징한다고 유추할 수도 있다(*CPS* 269). 따라서 제4막 제1장 제158행 시구 "우리의 일은 프로메테우스적이라 불릴 것이다"(our work shall be called the Promethean)에서와 같이 형용사 "프로메테우스적"은 "인내하는", "혁신적", 또는 유피테르가 표상하는 기성 권위에 "저항하는" 등의 의미를 함축한다(*CPS* 282).

한편, 제3막 제2장 제18-19행에서 셸리는 오케아노스와 아폴론과의 대화인 "지금부터 내 영역인 / 하늘이 비치는 바다의 들판들."(Henceforth the fields of heaven-reflecting sea / Which are my realm.)에서 바다의 통제자로서 그리스 신화의 오케아노스를 인유하고 있다(*CPS* 268). 태초신 카오스와 가이아의 결합으로 태어난 바다의 거신 오케아노스는 포도원과 과수원의 수호신 프리아포스Priapus, Πρίαπος와 더불어 「아틀라스의 마녀」 제10연 제122-25행 "또 오케아노스의 양 떼 같은 하얀 파도를 / 초록빛 바다 위로 몰고 가는 모든 여자 양치기, / 또 잿빛 머리털 위에 소금물을 덮어쓴 오케아노스, / 또 친구들과 함께 있는 기이한 프리아포스,"(And every shepherdess of Ocean's flocks, / Who drives her white waves over the green sea, / And Ocean with the brine on his gray locks, / And quaint Priapus with his company,)에서 보듯이 그림 같은 시행들에서 다시 나타난다(*CPS* 446). 그리스 신화에서 프리아포스는 디오니소스와 아프로디테의 아들로서 풍요의 신이었고, 그 상징은 거대한 남근 형상으로서 호색의 후원

신이었으나, 로마 신화에서 포도원과 정원 및 과수원의 수호신으로 변모하였다. 실레노스와 같이 프리아포스는 흔히 당나귀를 동반하는 모습으로 그려졌다(*CD* 504; *CM* 373). 제3막 제2장 제23-25행 "그들의 유리 같은 보좌에서 / 푸른 프로테우스와 그의 끈끈한 요정들은 보게 되리라 / 아름다운 배들의 그림자를,"(from their glassy thrones / Blue Proteus and his humid nymphs shall mark / The shadow of fair ships,)에서와 같이 오케아노스의 이어지는 대사에서 시인은 그리스 신화의 프로테우스를 원용하고 있다(*CPS* 268). 앞에서 언급했듯이 호메로스가 『오디세이아』에서 "바다 노인"이라고 부르고 있는 프로테우스는 바다의 신 포세이돈의 소유인 바다 생물 떼를 지키는 임무를 맡은 바다의 하위신이다(*CM* 377). 프로테우스는 제3막 제3장 제64-66행 "이오네여, / 늙은 프로테우스가 아시아의 결혼 선물로 / 안에서 숨 쉬면서 목소리를 얻도록 만들어준 / 그 소라를 그녀에게 주시오,"(Ione, / Give her that curvèd shell, which Proteus old / Made Asia's nuptial boon, breathing within it / A voice to be accomplished,)의 프로메테우스와 이오네 사이의 대화에서 반복되어 나타난다(*CPS* 270).

제3막 제1장 제25-26행 "이다의 가니메데스여, 하늘의 포도주를 쏟아서 다이달로스의 잔을 불같이 채우게 하시오."(Pour forth heaven's wine, Idæan Ganymede, / And let it fill the Dædal cups like fire.)에서 보듯이 천국의 보좌에 앉은 유피테르의 힘찬 대사에 셸리는 그리스 신화들인 가니메데스Ganymede, Γανυμήδης, Ganymedes와 다이달로스Daedalus, Δαίδαλος를 삽입하고 있다. 가니메데스는 트로이 지명의 어원이 되는 다르다니아Dardania의 트로스Tros의 아들이었다. 그는 "모든 인간 중에서 가장 아름다웠고", 그와 사랑에 빠진 제우스가 독수리로 변신하여 트로이 부근의 이다산Mount Ida에서 양치기를 하고 있던 그를 올림포스로 납치하여 술 따르는 자로 시중들게 함으로써 그는 "불멸의 신들 가운데 살게" 되었다(*CD* 247; *BM* 907;

*CM* 159). 이와 유사하게, 호메로스는『일리아스』제20권 제233-37행에서 가니메데스를 "필멸의 인간들 가운데 제일 미남이셨지. / 허나 미모 때문에 신들이 그분을 채어가 제우스의 술 따르는 / 시종이 되게 하시니 그분은 불사신들 사이에 살고 있다."로 묘사하고 있다(Homer,『일리아스』552; *Iliad* 511). 시구 "다이달로스의 잔"에서와 같이 형용사형 "Dædal"은 제4막 제1장 제114-16행 "과학이 그의 다이달로스의 날개를 이슬로 적시는 / 밀봉되지 않은 샘들의 / 속삭임에서"(From the murmurings / Of the unsealed springs, / Where Science bedews his Dædal wings.)와 같이 혼령들의 코러스Chorus of Spirits의 시구 "다이달로스의 날개"(Dædal wings)에서도 반복된다. 이와 유사하게 운율적 효과를 제고할 목적으로 키츠는 그의 시「잠과 시」("Sleep and Poetry," 1816)의 시구 "다이달로스의 날개"(Dedalian wings)에서 철자가 좀 다른 형용사형 "Dedalian"을 사용하고 있다(Ahn 28). 크레타섬에서 미노스Minos, Μίνως왕의 궁전을 건설하고, 자신과 아들 이카로스Icarus가 미궁을 탈출하기 위하여 새털, 노끈, 밀랍蜜蠟으로 날개를 만든 아테네의 건축사 다이달로스의 전설적 이야기는 키츠와 엘리엇에 관한 제6장과 제10장에 자세히 언급되어 있다(Ahn 28, 9). 형용사형 "Dædal"은 대지가 의인화된 가이아의 대사 가운데 제4막 제1장 제415-17행에서 그리스 신화의 오르페우스Orpheus, Ὀρφεύς에서 파생된 형용사형 "오르페우스의"(Orphic)와 더불어 시구 "다이달로스의 조화"(Dædal harmony)에서 같이 반복하여 나타난다.

언어는 영원한 오르페우스의 노래,
다이달로스의 조화로 다스리네,
언어가 없었다면 의미도 모양도 없었을 수많은 사상과 형식을.

(정인돈 101)

Language is a perpetual Orphic song,
Which rules with Dædal harmony a throng
Of thoughts and forms, which else senseless and shapeless were.
(*CPS* 289)

또한 고대 그리스 종교와 신화에서 전설적 악사, 시인, 예언가 오르페우스는 키츠에 관한 제5장에서 상술되어 있다(Ahn 33). 그리고 "다이달로스의 조화"는 당대 최고의 건축가 다이달로스가 설계, 건축한 웅장한 미궁의 "절묘한 조화"를 의미한다.

제3막 제1장 제33-36행에서 셸리는 계속하여 "또 내 곁으로 / 내려오시오, 나와 함께 하나로 / 만드는 욕망의 빛에 가려진 그대, / 테티스여, 영원의 빛나는 형상이여!"(And thou / Ascend beside me, veilèd in the light / Of the desire which makes thee one with me, / Thetis, bright image of eternity!)라는 유피테르의 대사를 통하여 테티스를 묘사하고 있다(*CPS* 266). 그리스 신화에서 바다의 신이자 네레이데스의 우두머리인 테티스는 미래 아킬레우스의 아버지가 되는 펠레우스Πηλεύς왕과 결혼하였다. 프로메테우스가 제우스와 테티스 사이의 불륜에서 태어난 아들이 하늘의 지배자가 될 것이라고 예언을 하자 하늘의 신은 바다의 요정과 펠레우스의 결혼을 주선한 것이다(*CD* 610; *BM* 949; *CM* 436). 판테아의 대사에서 그리스 신화의 아이올로스Aeolus, Aἴολος는 제4막 제1장 제186-88행 "이것은 너울대는 대기의 현絃 속에서 / 아이올로스의 변조를 촉발하며 / 회전하는 세계의 심오한 음악이다."('Tis the deep music of the rolling world / Kindling within the strings of the waved air / Æolian modulation.)의 형용사구 "아이올로스의 변조"(Æolian modulation)에서 나타난다(*CPS* 283). 바람의 신 아이올로스는 엘리엇에 관한 제10장에서 간략하게 다루어져 있다(Ahn 15).

더욱이 제4막 제1장 제467-75행에서 셸리는 달Moon과 대지의 대화에서 앞에서 언급한 마이나스뿐만 아니라 그리스 신화의 아가베Agave, Ἀγαύη를 인유하고 있다.

나는 아주 사랑을 받는 처녀,
연약한 뇌리는 그녀 애인의
즐거움으로 넘쳐흐르고,
그대 주위를 광신자 마냥 맴도네요,
만족 모르는 신부가 되어
그대의 형체를 사방에서 바라보며
신기한 카드모스 숲속에서
아가베가 받쳐 올린 잔 주위의
마이나스 마냥.

I, a most enamoured maiden
Whose weak brain is overladen
With the pleasure of her love,
Maniac-like around thee move
Gazing, an insatiate bride,
On thy form from every side
Like a Mænad, round the cup
Which Agave lifted up
In the weird Cadmæan forest. (*CPS* 290)

아가베는 문자 그대로 "빼어난"의 뜻이며, 그리스 테베의 건설자이자 시조 카드모스와 조화의 여신 하르모니아Hermione, Harmonia의 딸이었다. 그녀는 에키온왕King Echion과 결혼하고 나서 테베의 왕비가 되었다. "에키온이 죽었을 때 그들의 아들 펜테우스Pentheus가 왕위를 계승하자 아가베는 태후太后, Queen Mother가 되었다"(*CD* 22; "Agave"). 이후에 아가베는 키타이론산의 "신기한 카드모스 숲속에서" 주신 디오니소스의 열렬하고도 방종적인 추종자인 마이나스가 되었다(*CM* 27). 디오니소스 숭배를 거부한 자신의 아들 펜테우스왕을 죽인 아가베의 비극적 이야기는 파운드에 관한 제9장에서 자세히 조명되고 있다(Ahn 9-10). 여기서 『풀려난 프로메테우스』에 관한 메리의 「주석」에서 자명하게 된 이 드라마의 주제는 유피테르가 표상하는 "악의 원리"(Evil Principle)와 싸우는 프로메테우스가 상징하는 "1자의 이미지"(the image of One)라는 것은 주목할 만한 가치가 있다(*CPS* 295).

한편, 셸리의 신화창조의 사례로서 가장 훌륭한 장시이고, 신비스럽고 환상적인 시 「아틀라스의 마녀」의 제목은 자연스럽게 그리스 신화 아틀라스와 연상된다(Bloom, *Mythmaking* 165). 거신 아틀라스는 티타노마키아－테살리아에서 거신족과 올림포스 신들 사이의 10년 전쟁－에서 패배한 후에 제우스로부터 하늘을 그의 두 어깨로 영원히 떠받쳐야 하는 형벌을 받았다. 그는 거신 이아페토스와 바다의 요정 아시아 또는 클리메네의 아들이었고, 프로메테우스의 친형이었으며, 플레이아데스Pleiades, Πλειάδες와 칼립소의 아버지였다(*BM* 888; *CM* 68). 「아틀라스의 마녀」 제1연 제57행에서 셸리는 "시녀 마법사"(wizard maid), "숙녀 마법사"(wizard lady), "숙녀-마녀"(lady-witch), "처녀 마법사"(wizard maiden)의 어머니가 아틀란티데스Atlantides, Ἀτλαντίδων의 한 명이라는 것을 밝힌다(*CPS* 444, 449, 454, 458). 그리스 신화에서 아틀란티데스는 비를 불러오는 일곱 요정들인 히아데스Hyades, Ὑάδες와 더불어 일곱 플레이아데스의 또 다른 이름이었다. 아틀란티데스 또는 플레이아데스는 아틀라스와 플레이오네Pleione, Πληιόνη의 딸들로서 이들은 마이아Maia, 엘렉트라Electra, 타이게테Taygete 또는 타이게타Taygeta, 알키오네Alcyone, 켈라이노Celaeno, 아스테로페Asterope 및 메로페Merope이었다. 그들은 오리온이 5년간 추격을 하여서 결국 비둘기로 변신하고, 그 이후에 제우스에 의하여 하늘로 올라가서 일곱 별의 플레이아데스 성좌가 되었다. 다른 전설에 의하면, 그들의 변신은 아버지 아틀라스가 하늘을 떠받치는 형벌을 받았을 때 자식들이 애통해한 결과였다고 한다(*CD* 92; *CM* 358-59).

목가적인 광경을 묘사하기 위하여 셸리는 앞에서 언급한 실레노스뿐만 아니라 이 시의 제8연 제9-19행 "또 드리오페와 파우누스가 재빨리 쫓아와서 / 신에게 새로운 노래를 그들에게 불러 달라고 간청했다"(And Dryope and Faunus followed quick, / Teasing the God to sing them something new)에서 보듯이 로마 신화인 드리오페와 파우누스를 인유하고 있다(*CPS* 446). 베르길리우스의 서사시 『아이네이스』 제10권 제651-52행에서 드리오페는 숲의 신 파우누스의 사랑을 받는 숲의 요정이었다(Virgil, *Aeneid* 311). 파우누스는 자애로운 신이었고, 특히 목동과 양 떼의 수호신이었으며, 아르카디아의 목신 판과 동일시되었다(*CM* 132, 153). 제9연 제113행에서 셸리는 시구 "보편적인 판"(universal Pan)에서 목신의 편재성遍在性을 제시하고 있다. 그리스 신화의 판은 자연과 우주, 목동과 양 떼의 신이었으며, 로마인들은 파우누스라고 불렀다. 그는 갈대 피리를 불고, 정령들의 동반자인 반인반양의 모습으로 그려졌다(*BM* 934; *CM* 324-25).

이어서 「아틀라스의 마녀」 제11연 제133-36행에서 환상적인 분위기를 표출하기 위하여 셸리는 피그미, 폴리페모스, 켄타우로스 및 사티로스들과 같은 비정상적인 신화적 괴수들을 열거하고 있다.

> 피그미들과 폴리페모스들, 많은 이름으로 불리고,
> 　켄타우로스들과 사티로스들, 축축한 틈새를 출몰하는
> 그런 형태들—살지도 죽지도 않은 덩어리들,

개의 머리, 눈이 달린 가슴, 새발의 괴수들.

Pygmies and Polyphemes, by many a name,
　Centaurs, and Satyrs, and such shapes as haunt
Wet clefts,—and lumps neither alive nor dead,
Dog-headed, bosom-eyed, and bird-footed. (*CPS* 447)

시어 "피그미들"(Pygmies)의 단수형 피그미Pygmy는 문자 그대로 "13인치 정도의 큐빗이나 길이"의 뜻이고, 이집트 남부, 에티오피아 또는 인도에 거주하는 키가 1피트 정도의 난쟁이 종족으로서 달걀껍질로 집을 짓고 땅속에서 살았다. 매년 봄철 스키티아에서 날아온 두루미 떼가 습격하여 그들을 집어삼켰으며, 여기에 대항하여 피그미족은 도끼를 들고 옥수수 줄기들을 잘라버렸다(*CD* 519; *BM* 128, 940; *CM* 380). 우라노스와 가이아의 자식들로서 티타노마키아에서 제우스를 도와 거신들과 싸운 외눈박이 거인 3형제 키클로페스Cyclopes, Κύκλωπες와는 달리 『오디세이아』 제1권 제83-84행에 등장하는 포세이돈의 아들로서 불경스러운 외눈박이 거인 폴리페모스Polypheme, Polyphemus, Πολύφημος 신화는 키츠와 엘리엇에 관한 제6장과 제10장에서 탐색된다(Homer, *Odyssey* 79; Ahn 28; 15-16). 또한 켄타우로스Centaur, Κένταυρος와 사티로스의 신화들은 예이츠에 관한 제8장에서 추적된다(Ahn 34; 41). 시구 "개의 머리"(Dog-headed)로서 셸리는 암시적으로 키노케팔리Cynocephali, κῠνοκέφᾰλοι를 함의하고 있는데, 그들은 고대 그리스인들이 친숙한 개의 머리를 한 인도의 야만족으로서 "고대 이집트 신인 두아무테프Duamutef(태양신 호루스의 아들), 웨프와웨트Wepwawet(길을 여는 전쟁의 신) 및 아누비스Anubis(사자의 신)의 표상들이기 때문이다(*CD* 184; "Cynocephaly"). 시구 "눈이 달린 가슴"(bosom-eyed)으로 셸리는 문자 그대로의 뜻이 "머리 없는 토르소"인 카반다Kabandha, कबनध्를 거의 확실히 지적하고 있는데, 그는 힌두 신화Hindu mythology에서 "가슴에 한 개의 눈과 배에 한 개의 입"이 달려 있고, 머리나 목이 없는 "라크샤사Rakshasa 악마"이기 때문이다("Kabandha"). 또한 셸리는 시어 "새발의"(bird-footed)를 통하여 하르피이아들을 인유하고 있는데, 고전 신화에서 이것들은 독수리의 몸뚱이에 날카로운 발톱으로 무장하고, 전염적인 악취를 풍기며 접촉하는 모든 것을 더럽히는 날개 달린 반인반조半人半鳥 여성 괴물로 그려지고 있다(*CD* 258; *BM* 911; *CM* 170).

한편, 「아틀라스의 마녀」 제22연에서 셸리는 마녀와 그녀를 에워싸고 있는 다양한 요정들과의 관계를 그림같이 묘사하고 있다.

대양의 요정들과 하마드리아데스,
　오리아데스와 나이아데스가 긴 해초 머리칼을 한 채,
바다를 거쳐서, 땅 아래에서, 또 구멍 뚫린 바위 속에서
　또 나무의 엉겨 붙은 뿌리 저 아래에서
또 단단한 참나무의 울퉁불퉁한 심장부에서
　그녀의 분부를 수행하려고 했다.
그래서 그들은 그녀의 달콤한 현존－
각자가 별인데－의 빛 속에서 영원히 살기 위해서.

The Ocean-nymphs and Hamadryades,
　Oreads and Naiads, with long weedy locks,
Offered to do her bidding through the seas,
　Under the earth, and in the hollow rocks,
And far beneath the matted roots of trees,
　And in the gnarlèd heart of stubborn oaks;
So they might live for ever in the light
Of her sweet presence－each a satellite. (*CPS* 449)

시구 "대양의 요정들"(the Ocean-nymphs)은 고전 신화에서 거신 오케아노스와 여성 거신 테티스의 3,000명의 딸들인 오케아니데스, 즉 바다 요정들을 가리킨다(*CD* 404; "Oceanids). 복수형 "오리아데스"(Oreads)는 오레이아스Oread, Ὀρειάς 또는 오레아스—그리스 신화에서 "땅 아래에서, 또 구멍 뚫린 바위 속에서"(Under the earth, and in the hollow rocks) 살아가는 산이나 언덕의 요정에서 파생되었다(*CD* 415; *BM* 933). 셸리는 그의 시 「소피아에게」("To Sophia," 1819) 제1-2행 "그대는 아리따워요, 대지나 대양의 요정들 중 / 그대보다 아리따운 것은 없지요."(Thou art fair, and few are fairer / Of the Nymphs of earth or ocean;)에서 보듯이 자신의 친구 소피아 스테이시 양Miss Sophia Stacey, 1791-1874의 아름다움을 과장되게 예찬하기 위하여 오리아데스와 오케아니데스를 인유하고 있다(*CPS* 619). 또한 "단단한 참나무의 울퉁불퉁한 심장부에"(in the gnarlèd heart of stubborn oaks)에 살고 있는 참나무 요정들인 "하마드리아데스" 또는 드리아데스Dryades, Dryads와 깨끗한 물의 요정들인 "나이아데스"는 키츠에 관한 제6장에서 계속하여 고찰된다(Ahn 27; 38). 시어 "드리아데스"는 셸리의 사랑스러운 시 「나무꾼과 나이팅게일」("The Woodman and the Nightingale," 1818) 제68-70행 "세상은 사랑의 나긋한 드리아데스를 / 삶의 은신처에서 쫓아버리고, 모든 골짜기의 나이팅게일들을 짜증 나게 하는 / 나무꾼들로 가득 차 있다."(The world is full of Woodmen who expel / Love's gentle Dryads from the haunts of life, / And vex the nightingales in every dell.)에서 반복되어 나타난다(*CPS* 603). 또한 「아틀라스의 마녀」 제23연 제226-27행 "나이아데스가 그들의 빛나는 머리칼을 / 이슬로 적시는 샘들"(The fountains where the Naiades bedew / Their shining hair)에서 "Naiads"와 그리스어를 영어 철자 그대로 표기한 "Naiades"가 운율적 효과를 제고하기 위하여 사용되고 있다(*CPS* 449).

제31연에서 셸리는 제289행의 연결사인 마녀의 "배"(boat)를 통하여 불카누스, 비너스, 아폴로의 로마 신화들에 근거하여 그 자신의 "신화창조"(mythopoeia)—시인에 대한 블룸의 용어—를 일구어내고 있다.

그녀에겐 배가 있었다, 불카누스가 비너스에게
　그 여신의 별의 수레로 만들어주었다고 일부 말하는데.
그러나 그것은 너무 가벼워서 그 천체의
　모든 연정을 적재할 수 없었네.
그래서 그 여신은 그걸 팔았고, 아폴로가 사서
　그걸 이 딸에게 선사했다네.

She had a boat, which some say Vulcan wrought
　For Venus, as the chariot of her star;
But it was found too feeble to be fraught
　With all the ardours in that sphere which are,
And so she sold it, and Apollo bought
　And gave it to this daughter: (*CPS* 451)

에스빠냐의 바로크 시대 화가 디에고 벨라스께스Diego Velázquez, 1599-1660의 명화 『불카누스 대장간에서의 아폴로』(*Apolo en la Fragua de Vulcano*, *Apollo in the Forge of Vulcan*, 1630)에서 전지全知한 태양신 아폴로가 불의 신 불카누스에게 그의 아내 비너스가 전쟁의 신 마르스와 불륜 관계를 맺고 있음을 알려주는 신화를 화폭에 생동적으로 재현하고 있듯이, 그들의 간음은 예술가들에게 아주 잘 알려진 모티프였다. 사실 비너스의 백조가 끄는 수레는 고전 신화에서 불카누스의 발명품이 아니라 셸리의 상상적 산물인 것이다. 대장장이들의 지배자 불카누스는 제75연 제643-45행 "시뻘건

모루 주위에 그들(전사들)이 서 있는 것을 볼 것이다, / 마치 불카누스의 거무튀튀한 심연에서 그들의 칼을 두드려 / 쟁기로 만드는 키클로페스처럼" (Round the red anvils you might see them (the soldiers) stand / Like Cyclopses in Vulcan's sooty abysm, / Beating their swords to ploughshares.)에서 반복되어 나타난다. 제34연 제318행 "아니면 베스타의 홀 위에 빨리 타는 불길과 같이"(Or as on Vesta's sceptre a swift flame)에서 셸리는 마녀의 배에 타고 재빨리 움직이는 살아있는 영혼을 베스타의 신속한 불길에 비유한다(*CPS* 452). 로마 신화에서 사투르누스와 레아의 딸 베스타(그리스 신화의 상응 여신 헤스티아)는 "집안 아궁이의 불과 가정, 도시, 부족, 종족의 중앙 제단을 관장하는" 처녀 여신으로서 로마인들의 숭배를 받았다(*CD* 640; *BM* 954; *CM* 450). 베스타는 왼손으로 "기원후 253년경의 안토니누스 화폐 뒷면에 홀"을 들고 있는 모습으로 등장한다 ("Vesta").

「아틀라스의 마녀」 제35연에서 셸리는 과장적으로 아틀라스 마녀의 위상을 "살아 있는 형상"(a living Image)을 창조하는 점에서 경이로운 그리스 조각가 피그말리온Pygmalion, Πυγμαλίων보다 더 높은 곳에 두고 있다.

그리고 아름다운 자태가 그녀의 두 손에서 흘러내렸다-
  살아 있는 형상이 미에 있어서
피그말리온의 마음을 빼앗아버린
  살아 있는 석상의 그 빛나는 자태를 훨씬 능가했다.

And a fair Shape out of her hands did flow-
  A living Image, which did far surpass
In beauty that bright shape of vital stone
  Which drew the heart out of Pygmalion. (*CPS* 452)

피그말리온은 키프로스Cyprus의 왕이자 조각가로서 자신이 조각한 "살아 있는 석상"(vital stone), 즉 처녀 상아 조각상과 사랑에 빠졌다. 그의 간절한 기도에 응답하여 이 조각상은 아프로디테에 의하여 생명을 부여받았으며, 그는 그녀와 결혼하게 되었다(*CD* 519; *BM* 940; *CM* 380). 오비디우스의 『변신이야기』 제10권 제243-97행 「피그말리온의 이야기」("The Story of Pygmalion")는 피그말리온이 조각한 "상아 아가씨"(ivory girl)의 기적적인 변신 전설을 생생하게 들려준다(Ovid, *Metamorphoses* 241-43). 제43연과 제47연에서 셸리는 마녀의 말과 자신의 묘사인 "헤르마프로디테, 폭풍을 추월하는 그 날개들"(Its storm-outspeeding wings, the Hermaphrodite.)에서 "자웅동체雌雄同體"(hermaphrodite)의 어원이 되는 그리스 신화의 헤르마프로디테 또는 헤르마프로디토스Hermaphroditos, Ἑρμαφρόδιτος, Hermaphroditus를 원용하고 있다. 이 합성어가 암시하듯이 헤르마프로디토스는 헤르메스와 아프로디테의 아들로서 프리기아의 이다Ida산에서 물의 요정들에 의해 양육되었다. 오비디우스의 『변신이야기』 제4권 제284-388행 「살마키스의 이야기」("The Story of Salmacis")에 의하면, 그는 현저하게 잘생긴 미소년이었는데 물의 요정 살마키스는 서부 아나톨리아 지역 카리아Caria의 아름다운 호수에서 그에게 사랑에 빠져서 그와 영원히 한 몸이 되도록 기도하였다. 신들은 그녀의 기도에 응답하여 그들의 두 몸을 하나의 양성구유자兩性具有者, androgynous form－하나의 얼굴과 하나의 형태로 변신시켰다(Ovid, *Metamorphoses* 90-93; *CD* 270; *CM* 197). 제55연에서 셸리는 지속적으로 그리스 신화의 아리온Arion, Ἀρίων을 사용하여 "해변이 없는 대기를 가로질러 노래하면서"(singing through the shoreless air) 말을 타는 습관이 있는 마녀를 시행 "돌고래의 등을 탄 아리온처럼"(like Arion on the dolphin's back)에서와 같이 악사 아리온에 비유하고 있다(*CPS* 456). 아리온은 기원전 700년경 또는 이후에 활동한 그리스 동부 에게해에 있는 레스보스Lesbos

섬의 서정 시인이었다. 전설에 의하면, 그는 코린트Corinth에서 재물을 모아서 금의환향錦衣還鄕하는 선상에서 해적들에 의하여 바다에 던져지기 전에 간청하여 노래를 부르고 바다에 뛰어들었다. 많은 돌고래들이 그의 감미로운 노래에 매료되어 몰려 왔으며, 그중 한 마리가 그를 안전하게 육지로 데려다주었다(*CD* 75; *BM* 886).

「아틀라스의 마녀」 제67연에서 셸리는 이중적으로 사랑스럽지만 비탄적인 그리스 로마 신화들인 아우로라와 티토노스, 그리고 비너스와 프로세르피나와 아도니스를 마녀와 헬리아스Heliad, Ηλιάς와 함께 씨줄과 날줄로서 직조하고 있다.

> 슬프도다! 아우로라여, 티토노스가 늙게 되었을 때
> 　그 엄청난 매력에 무엇을 주었던가요?
> 아니면 비너스여, 그대의 은빛 하늘에서 얼마나 많은
> 　양보를 했던가요? 프로세르피나가
> 그대에게 그것을 가르쳤을 어느 마녀에게
> 　사랑스러운 아도니스가 지불해야 할 운명인
> 반쯤 (오! 왜 전부는 아닐까요?) 빚을 탕감하기 전에.
> 헬리아스는 아직도 그 가치를 모르고 있는데요.

> Alas! Aurora, what wouldst thou have given
> 　For such a charm when Tithon became gray?
> Or how much, Venus, of thy silver heaven
> 　Wouldst thou have yielded, ere Proserpina
> Had half (oh! why not all?) the debt forgiven
> 　Which dear Adonis had been doomed to pay,
> To any witch who would have taught you it?
> The Heliad doth not know its value yet. (*CPS* 459)

로마 신화에서 새벽의 여신 아우로라는 트로이의 왕 라오메돈Laomedon과 물의 요정 스트리모Strymo의 아들, 다시 말해 프리아모스왕의 친형인 티토노스의 사랑에 영감을 받았다. 트로이의 왕자가 빼어나게 미남이었기에 아우로라는 그를 유괴하여 유피테르에게 불멸을 허락해달라고 간청했지만, 그를 위해 영원한 젊음을 얻는 것을 잊어버렸다. 그 결과 아우로라가 변하지 않고 그대로인 반면에, 티토노스는 늙어가고 그의 머리카락은 "잿빛으로 변했으며, 아기처럼 바구니에 들어가야 할 정도로 줄어들었다. 마침내 아우로라가 그를 매미 또는 메뚜기로 변신시켰다"(*CD* 620; *BM* 950; *CM* 137, 441). 또한 시리아 출신의 그리스 영웅 아도니스에 대해서는 헤시오도스가 언급을 하고, 오비디우스가 『변신이야기』 제10권 제519-739행에서 「아도니스의 이야기」("The Story of Adonis"), 「비너스가 아도니스에게 아탈란테의 이야기를 해주다」("Venus Tells Adonis the Story of Atalanta"), 「아도니스의 운명」("The Fate of Adonis") 제하에서 다시 기술되고 있다(Ovid, *Metamorphoses* 251-58). 사랑의 여신과 동시에 "은빛 하늘"(silver heaven)의 저녁별을 표상하는 비너스는 이 미소년의 아름다움에 현혹되어서 그를 가두기도 하고, 또는 그를 지하세계의 여신 프로세르피나에게 맡겨야만 했다. 그러나 프로세르피나 역시 그의 아름다움에 매료되어서 그를 돌려줄 것을 거절하였다. 이들의 다툼은 유피테르가 해결해주었는데, 아도니스는 각 여신과 함께 매년의 3분의 1을 보내고, 나머지 3분의 1, 즉 4개월은 그가 원하는 곳에서 지내도록 하였다. 결국 그는 항상 비너스와 3분의 2, 즉 8개월을 함께 보냈던 것이다(*CM* 13). 그리스 신화에서 헬리아스는 문자 그대로 "태양의 아이"라는 뜻인데, 태양 거신 헬리오스와 대양의 여신 클리메네슬하의 3명 또는 7명의 딸들인 헬리아데스Heliades, Ἡλιάδες의 한 명이지만 여기서는 마녀를 함의한다(*CD* 262; *SPP* 364n).

마지막으로, 이 시의 제68연 제567-69행 시구 "허나 거룩한 디안이 / 몸을 굽혀 엔디미온에게 키스하기 전에도 / 지금 이 숙녀(마녀)보다 더 순결할 수 없었지"(But holy Dian could not chaster be / Before she stooped to kiss Endymion, / Than now this lady.)에서 보듯이 셸리는 마녀의 순수한 사랑을 과장적으로 묘사하기 위하여 키츠의 『엔디미온』(*Endymion*)에서 상술되듯이 로마 신화에 등장하는 달의 여신 디아나와 그녀의 연인 엔디미온의 사랑을 원용하고 있다. 디아나와 엔디미온의 친숙한 신화는 「에피사이키디온」 제294-95행 "엔디미온 위로 차다가 기울어지는 / 달 마냥 내 안면安眠을 비추면서"(Illumining my slumbers, like the Moon / Waxing and waning o'er Endymion)에서 직유로 다시 등장한다(*CPS* 471).

## III

메리의 회고록에 의하면, 셸리는 주로 그의 『풀려난 프로메테우스』를 1819년 "꽃이 만개한 숲과 향기로운 꽃나무 관목이 피어 있는 카라칼라 욕장Baths of Caracalla의 산더미 같은 유적 위에서" 집필했다. 아울러 「아틀라스의 마녀」는 이듬해 셸리 부부가 이탈리아에서 머무는 동안 피사Pisa에서 4마일 떨어진 산펠레그리노산Monte San Pellegrino(606m) 정상으로 여러 번 산행한 뒤에 3일 만에 완성한 것이다(*CPS* 226, 462). 시인이 로마와 피사－로마 신화의 발상지 인근－의 아름다운 경치에 깊이 영감을 받은 것은 놀랄 만한 것이 아니다. 게다가 짧은 30년의 삶속에서 그리스에 대한 대단한 애정을 처음 촉발시킨 것은 셸리의 인간 자유에의 열정과 자유권 추구였다. 부시가 주장하듯이, 셸리의 신화적 인유들은 지금까지 집중적으로 천착한 『풀려난 프로메테우스』와 「아틀라스의 마녀」에 아주 풍성하게 예시되어 있다(Bush, *Romantic Tradition* 132, 135).

특히 셸리는 『풀려난 프로메테우스』 속에서 그리스 로마 신화들을 그저 인유하는 것이 아니라 그것들을 자기 자신의 미토스mythos, 즉 신화로 재구축한다는 점에서 신화창조자인 셈이다. 예컨대, 그는 신화적 오케아니스인 아시아를 위하여 두 자매 판테아와 이오네를 창조했으며(Wasserman 133-34), 인간을 위한 프로메테우스의 선물인 물리적 "불"을 정신적 "말"로 바꾸었다는 것이다. 아울러 스펜서와 밀턴이 잠깐 언급한 것과는 달리 고전 신화가 아닌 데모고르곤을 주요 등장인물로 활용한 것은 기존 틀을 깨뜨리고 자유를 추구하는 신화창조자 셸리의 진면목을 가감 없이 제시하고 있는 것으로 진단된다. 지면 부족으로 제5장은 셸리의 「아도네이스: 존 키츠의 죽음에 대한 비가」("Adonais: An Elegy on the Death of John Keats," 1821)와 「삶의 승리」와 같은 후기 시들에 나타난 고전 신화들은 조명하지 못하고 있다. 전자에 나타난 우라니아, 에코, 포이보스, 히아킨토스 및 나르키소스, 후자에 나오는 야누스Janus, 프로테우스, 네펜데스Nepenthe, νηπενΘές 및 레테 등 그리스 로마 신화들의 함의와 상징성 연구는 차후의 과제로 남겨 둔다.

결론적으로, 셸리의 초기 작품에 나타나 있는 수많은 그리스 로마 신화들을 운용하는 기교는 그의 시적 상징성을 심화시키고, 그의 낭만주의적 조망을 확장시키면서, 시적 상상력, 자유, 아름다움, 사랑에 대한 그의 관념들을 확연히 제시하고 있다. 이 연구는 셸리의 후기 시뿐만 아니라 다른 낭만주의 거장인 키츠의 시에 나타난 그리스 로마 신화를 탐색하는 또 다른 시도로 연결될 것이다.

# 6

# 존 키츠의 시와 그리스 로마 신화

## I

제6장은 19세기 영국 낭만주의에서 감각미의 시인 존 키츠John Keats, 1795-1821 시에 나타난 그리스 로마 신화의 다양한 함의와 상징성을 천착한다. 특히 키츠는 랑프리에르의 『고전 사전』을 탐독하고 암기함으로써 그리스 신화에 대한 각별한 애착을 심화시켰다(Hebron 11). 따라서 고전 신화에 관한 철저한 지식이 없으면 키츠 시를 완벽하게 감상하는 것이 거의 불가능할 것이다. 도로시 반 겐트Dorothy Van Ghent의 『키츠: 영웅의 신화』(*Keats: The Myth of the Hero*, 1983)와 마틴 애스크Martin Aske의 『키츠와 헬레니즘』(*Keats and Hellenism*, 2005)은 키츠의 장시들인 『엔디미온』(*Endymion*, 1817), 『히페리온』(*Hyperion*, 1819), 『히페리온의 몰락』(*The Fall of Hyperion*, 1819) 및 『라미아』(*Lamia*, 1819)에 나타난 고전 신화를 치열하게 탐색하고 있다. 이 장은 『히페리온의 몰락』과 『라미아』를 제외하고 소네트를 포함한 키츠의 시에 등장하는 중요한 모든 그리스 로마 신화

들을 광범위하게 천착할 것이다. 이 연구를 위하여 필자는 호메로스의 정전화된 서사시 『오디세이아』와 오비디우스의 신화적 서사 『변신이야기』 및 랑프리에르의 『고전 사전』뿐만 아니라 다른 전설적 출처에 나타난 그리스 로마 신화를 추적하고자 한다. 신화적 용어들의 기저 의미를 추가적으로 탐색하기 위하여 필자는 미리엄 앨콧Miriam Allcott이 편찬하고 주석을 붙인 방대한 책 『키츠: 시 전집』(*Keats: The Complete Poems*, 1986)을 참고할 것이다.

## II

우선 키츠는 그의 최초의 시 「스펜서의 모방」("Imitation of Spenser," 1814) 제36행 "플로라의 왕관을 쓴 모든 꽃봉오리를 능가하고"(Outvying all the buds in Flora's diadem)에서와 같이 스펜서에 관한 제2장에서 이미 고찰한 로마 신화의 플로라를 원용하고 있다(*KCP* 5). 플로라는 제피로스와 결혼한 후에 꽃을 주관하고 영원한 젊음을 누리는 특권을 부여받은 꽃과 정원 및 봄-자연과 꽃, 특히 5월의 꽃을 상징하는 여신이다. 그녀는 머리에 화관을 쓰고, 손으로 풍요의 뿔을 들고 있는 모습으로 표상된다(*CD* 240; *BM* 905). 시어 "플로라"는 「엠마 매슈에게」("To Emma Mathew," 1815) 제1-2행 "장미가 활짝 피고 / 플로라의 재물들이 풍성하게 흩뿌려져 있으니."(The rose is full blown / And the riches of Flora are lavishly strewn.)와 「잠과 시」 제101-02행 "먼저 플로라와 늙은 판의 / 영역을 지나가리."(First the realm I'll pass / Of Flora and old Pan:)와 「리 헌트님에게」("To Leigh Hunt, Esq.," 1817) 제6-8행 "5월 초 플로라의 신전을 / 장식하러 옥수수 이삭, 장미와 패랭이꽃과 제비꽃들을 / 짠 바구니에 담아서 오네.”(In woven baskets bringing ears of corn, / Roses and pinks and violets, to adorn / The shrine of Flora in her early May.) 및 「나이팅게일에 부치는 송시」(“Ode to a Nightingale,” 1819) 제2부 제13행 “플로라의 맛나는”(Tasting of Flora) 등에서 반복된다(*KCP* 22, 73, 102, 526). 후자의 시에서 포도주를 표현하기 위하여 키츠는 플로라와 그리스 신화의 히포크레네 Hippocrene, Ἵππου κρήνη를 원용하고 있다. 제2부 제11행 시구 “포도주 한 모금”(a draught of vintage)과 “플로라의 맛이 나는”의 표현은 봄꽃의 맛이 나는 포도주 한 잔으로 해석할 수 있다. 반면에, 히포크레네는 문자 그대로 “말의 샘”(Horse’s Spring)의 뜻인데, 파르나소스산과 같은 산맥에 위치한 헬리콘산Mount Helicon에 있는 영천으로서 아폴론과 뮤즈들에게 신성한 것이고, 천마 “페가소스가 발굽으로 발길질하여 형성”되었다. 이 영천은 마시게 되면 시적 영감을 가져다준다고 믿어졌다(“Hippocrene”; *CM* 202). 따라서 이 시의 제2부 제15-16행 “진짜 불그스레한 영천으로 가득 찬 / . . . 한 잔”(a beaker. . . / Full of the true, the blushful Hippocrene)은 화자에게 시적 영감을 일깨우는 포도와 신성한 물로 만든 진짜 적포도주를 가득 채운 술잔을 의미한다.

한편, 키츠는 시 「한 잔 넘치게 채워주시오」(“Fill for me a brimming bowl,” 1814) 제19-20행 “또한 뮤즈들의 학문인 고전을 / 기꺼이 탐색할 수 없다네.”(Nor with delight can I explore / the classic page, the Muses’ lore.)에서 그리스 신화의 뮤즈들을 사용하고 있다(*KCP* 7). 뮤즈들의 숫자는 「아폴론에게 바치는 송시」(“Ode to Apollo,” 1815) 제42행에서 “아홉” the Nine)으로 확연히 드러난다(*KCP* 17). 제우스와 기억Memory이 의인화된 여성 거신 므네모시네의 아홉 딸인 뮤즈들은 과학과 예술의 영감을 주는 여신들이다. 그들은 셰익스피어에 관한 제3장에서 고찰했지만 부연하면, 칼리오페(서사시), 클리오(역사), 에라토(연애시), 에우테르페(서정시), 멜포메네(비극), 폴리힘니아(종교시), 테르피시코레(합창무도), 탈리아(희극) 및 우라니아(천문학)이다. 아폴론은 이들의 수호신이요 지도자여서 뮤즈들의 지도자의 뜻인 "무사게테스"(Musagetes)라는 칭호를 받아 "아폴론 무사게테스"(Apollo Musagetes)로 불렸다(*CD* 381-82; *BM* 928-29). 키츠는 시 「조지 펠턴 매슈에게」("To George Felton Mathew," 1815) 제73행 "내가 그 구두쇠 뮤즈를 놀리는 것이 얼마나 허망한가?"(How vain for me the niggard Muse to tease)에서 보듯이 계속하여 "시인"을 함의하는 시어 "뮤즈"를 인유하고 있다(*KCP* 27). 매슈는 키츠가 그의 동생 조지George를 통하여 친분을 맺은 아주 감상적인 3류 시인이었기 때문이다(Hebron 18). 키츠는 또한 시 「메리 프로글리에게」("To Mary Frogley," 1815) 제35-38행에서 엘리자베스조의 기상Elizabethan conceit처럼 시어 "뮤즈들"(Muses)을 사용하고 있다.

> 아, 그대가 그때 숨 쉬었더라면,
> 지금 뮤즈들은 열 명이 되었을 텐데.
> 그대가 쌍둥이 자매 탈리아보다
> 더 높은 혈통을 바랄 수 있나요?
>
> Oh, if thou hadst breathèd then,
> Now the Muses had been ten.
> Couldst thou wish for lineage higher
> Than twin sister of Thalia? (*KCP* 30)

키츠는 2인칭 메리를 폭넓은 범주의 철학을 내포하는 형이상기상과는 다른 엘리자베스조 기상, 즉 페트라르카풍 기상Petrarchan conceit으로 아홉 뮤즈들에 비견함으로써 그녀를 경외하고 있음을 시사하고 있다. 탈리아는 아홉 뮤즈들 중에서 8번째로 태어나서 축제와 목가적·희극적 시를 주관했으며, 향연의 수호신으로서 기둥에 기대며, 오른손에 가면을 들고 있는 모습으로 표상되었다(*CD* 600). 게다가 키츠는 그의 시 「찰스 카우든 클라크에게」("To Charles Cowden Clarke," 1816) 제68행 "그대도 클리오의 아름다움을 피하여 면사포를 썼군요,"(You too upheld the veil from Clio's beauty,)에서 역사의 뮤즈 클리오를 원용하고 있다. 그리스 신화에서 클리오는 아프로디테의 아도니스에 대한 열정적인 사랑을 비난한 후에 미의 여신으로부터 마케도니아의 왕 피에로스Pierus, Πίερος와 사랑에 빠지게 되는 형벌을 받았다. 그들의 결합에서 히아킨토스가 태어났는데, 그는 후일에 자신의 연인인 "아름다운 아폴론"(the fair Apollo) 또는 "제피로스의 / 잔인한 바람"(the cruel breath / Of Zephyr)에 의하여 우연히 죽임을 당하는 특출하게 아름다운 청년이었다(Goetz 389; *KCP* 134, 355). 『엔디미온』 제4권 제1행 "내 고국의 뮤즈여! 가장 숭고한 뮤즈여!"(Muse of my native land! loftiest Muse!)와 같이 키츠는 뮤즈에게 말을 걸고 있다. 더욱이 1818년 8월 2일 "영국의 최고봉"(Hebron 67) 네비스산Ben Nevis(1,345m) 정상에서 작시한 소네트 제1-2행 "교훈을 읽어 주시오, 뮤즈여, 또 큰소리로 말하시오, / 안개로 볼 수 없는 네비스 산정에서!"(Read me a lesson, Muse, and speak it loud / Upon the top of Nevis, blind in mist!)에서와 같이 키츠는 뮤즈를 돈호법으로 부르고 있는데(*KCP* 376), 이것은 마치 호메로스가 『일리아스』와 『오디세이아』 제1행에서 자신이 각 서사시를 끝까지 "부르도록" 도와달라고 "여신" 또는 "뮤즈"를 소환하는 것과 같다. 그래서 오늘날도 여전히 뮤즈들은 시적 영감과 예술적 창조의 상징인 것이다.

앞에서 언급한 「아폴론에게 바치는 송시」에서 키츠는 그리스 로마 신화의 음악, 시, 예술, 궁술, 역병, 치료, 태양, 광명, 지식의 신 아폴론(로마 신화의 상응신 아폴로)을 극찬하고 있다. 이 시에서 "음유시인들의 위대한 신"(the great God of Bards) 아폴론은 호메로스, 마로Maro, 즉 베르길리우스, 셰익스피어, 스펜서, 밀턴 및 타소Tasso의 스승으로 그려지고 있다. 흥미롭게도 6명의 그리스, 로마, 영국, 이탈리아 시인들은 제7-8행 "저기서 호메로스는 긴장된 두 팔로 / 전쟁의 하프를 켜서 울리고 있네,"(There Homer with his nervous arms / Strikes the twanging harp of war,), 제14행 "마로 수금의 감미롭고도 장엄한 음조"(The sweet majestic tone of Maro's lyre), 제22행 "밀턴의 선율적인 천둥소리"(Milton's tuneful thunders), 제24-26행 "그대가 명령하여 셰익스피어가 손을 흔들자, / 격정들－무서운 악단이 / 재빨리 앞으로 휙 나가네"(Thou biddest Shakespeare wave his hand, / And quickly forward spring / The Passions－a terrific band), 제36행 "타소의 열정적인 악곡樂曲"(Tasso's ardent numbers)에서 모두 악사들로 묘사되고 있다(*KCP* 15-17). 또한 음악의 신 아폴론은 키츠가 1816년 8월 마게이트Margate에서 편지로 보낸 시 「내 동생 조지에게」("To my Brother George," 1817) 제9행 "아폴론의 노래를 다시는 듣지 못하네,"(That I should never hear Apollo's song,)에서 동경의 대상으로 그려지고 있다. 이후 키츠는 소네트 「다시 한번 『리어왕』을 읽으려고 앉아서」("On Sitting Down to Read *King Lear* Once Again, 1818) 제13-14행 "허나, 내가 불 속에 삼켜졌을 때, / 마음껏 날 수 있는 새로운 피닉스의 날개를 내게 주시오."(But, when I am consumèd in the fire, / Give me new Phoenix wings to fly at my desire.)에서 "최고 시인"(Chief Poet) 셰익스피어에게 그리스 신화의 피닉스와 같이 하늘로 솟아오르는 힘을 달라고 간청하고 있다(Keats, 『키츠 시선』 55). 셰익스피어에 관한 제3장에서 이미 고찰한 피닉스는 전설적 불사조로서 나중에 예이츠에 관한 제8장에서도 언급된다(Ahn 32).

키츠는 그의 최초로 위대한 소네트 「채프먼의 호메로스를 처음 읽고서」("On First Looking into Chapman's Homer," 1816)에서 계속하여 그리스 신화에서 시인들의 경배의 대상인 시의 신 아폴론(화보 참조)을 인유하고 있다.

황금의 영토를 많이 여행했고
　많은 훌륭한 나라와 왕국을 보아왔다.
　시인들이 아폴론에게 충성을 바치는
많은 서쪽 섬들도 둘러보았다.
이마 훤칠한 호메로스가 자신의 영토로 통치하는
　넓은 땅에 대한 이야기를 종종 들어왔다.
　그러나 나는 채프먼이 우렁차고 당차게 말하는 것을 듣고서야
그 깨끗한 공기를 들이마실 수 있었다. (Keats, 『키츠 시선』 45)[17]

Much have I travelled in the realms of gold,
　And many goodly states and kingdoms seen;
　Round many western islands have I been
Which bards in fealty to Apollo hold.
Oft of one wide expanse had I been told
　That deep-browed Homer ruled as his demesne;
　Yet did I never breathe its pure serene
Till I heard Chapman speak out loud and bold. (*KCP* 61)

제1-6행에서 화자-시인 자신은 시인들이 지성을 상징하는 아폴론 신에게 충심으로 예찬하는 "황금의 영토"(the realms of gold), "많은 훌륭한 나라와 왕국"(many goodly states and kingdoms), "많은 서쪽 섬들"(many western islands)로 그려지는 고대 그리스의 지형에 대해 아주 해박하다는

18) 키츠 시의 한글 번역은 윤명옥의 번역시를 인용했으나 일부 수정하였다.

것을 고백하고 있다. 그러나 제7-8행은 전기비평적 접근으로 고찰하면, 키츠가 그의 가장 가까운 친구이자 충고자인 클라크Clarke와 함께 밤새도록 조지 채프먼George Chapman, c. 1559-1634의 "이마 훤칠한 호메로스"(deep-browed Homer), 즉 현명한 호메로스의 『오디세이아』 번역서를 읽고 깊이 영향을 받았다는 사실을 암시적으로 드러내고 있는 것이다(Hebron 20). 사실 영국의 극작가, 시인, 번역가 채프먼은 파운드가 제1칸토에서 언급한 안드레아스 디부스Andreas Divus의 라틴어 번역판 『오디세이아』(1538)의 영향을 부분적으로 받았다(Ahn 4). 더욱이 키츠는 시 「잠과 시」 제58-61행 "호사스러운 죽음을 하고 / 내 젊은 영혼이 정결한 재물 마냥 / 아침 햇살을 따라서 위대한 아폴론에게 / 가도록"(that I may die a death / Of luxury and my young spirit follow / The morning sunbeams to the great Apollo / Like a fresh sacrifice)에서 아폴론을 명시함으로써 의학보다는 "시"(Poesy)에 몸을 바치겠다는 결의를 다지고 있다. 같은 시의 제178-79행 "에이, 그 당시엔 뮤즈들이 명예에 질릴 뻔했다오,"(Aye, in those days the Muses were nigh cloyed / With honours,)와 제181-83행 "그래요, / 겉치레와 야만으로 양육된 갈등 때문에 / 위대한 아폴론이 당신의 이 나라를 보고 얼굴 붉혔네요."(Yes, a schism / Nurtured by foppery and barbarism / Made great Apollo blush for this his land.)에서 키츠는 뮤즈들과 아폴론을 인유함으로써 문학적으로 과거의 "높은 상상력"(high Imagination)과 현재의 낮은 상상력을 예리하게 대조하고 있다(*KCP* 76-77). 더욱이 그의 시 「동산 위에 발끝으로 서서」("I stood tip-toe upon a little hill," 1816)에서 키츠는 "건강한 남자들"(men of health)을 "보도步道 위의 젊은 아폴론"(young Apollo on the pedestrian)에, "사랑스러운 여인들"(lovely women)을 미와 사랑의 로마 여신 비너스에 비유하고 있다(*KCP* 96).

시 「아폴론에게」("To Apollo," 1817)에서 키츠는 자신을 "멍청한 머저리"(blank idiot) 또는 "벌레"(worm)로 비하함으로써 "황금의 활과 / 황금의 수금과 / 황금의 머리칼과 / 황금의 불을 든 신"(God of the golden bow, / And of the golden lyre, / And of the golden hair, / And of the golden fire) 아폴론을 지속적으로 예찬하고 있다. 이 시에서 태양신 아폴론은 "끈기 있는 한 해의 / 전차를 모는 자."(Charioteer / Of the patient year.)로 묘사되고 있다. 작열하는 태양신은 시 「음울한 밤의 12월」("In drear-nighted December," 1817) 제11-12행 "너(개울)의 졸졸거림으로는 아폴론의 여름철 모습을 결코 기억하지 못한다."(Thy bubblings ne'er remember / Apollo's summer look.)에서 반복된다(*KCP* 287). 예언의 신 아폴론은 「아폴론에게」 제2-3연에서 돈호법으로 세 번 부른 후렴구 "오 델피의 아폴론이여!"(O Delphic Apollo!)에서 등장한다(*KCP* 111-12). 델피의 후원 신 아폴론은 델피의 신탁을 간구하는 자들에게 여사제 피티아를 통하여 결코 피할 수 없는 응답을 주는 예언의 신이다. 델피의 아폴론은 제8장 예이츠 시 「플로티노스에 대한 델피의 신탁」("The Delphic Oracle upon Plotinus," 1932)에서 추가로 언급된다(Ahn 39-40).

시 「조지 펠턴 매슈에게」에서 키츠는 포이보스와 아우로라 및 나이아스 Naiad, Ναϊάς 고전 신화들을 그림같이 묘사하고 있다. 시어 "포이보스"는 「동산 위에 발끝으로 서서」 제212행 "포이보스가 잠시 그의 강력한 바퀴를 지연시켰다"(Phoebus awhile delayed his mighty wheels)와, 「스펜서여! 그대의 영광을 질투하는 자」("Spenser! A jealous honourer of thine," 1818) 제7행 "황금 깃털을 든 포이보스 마냥 솟아오르다"(To rise like Phoebus with a golden quill)와, 「오, 얼굴로 겨울의 바람을 느낀 그대여」("O thou whose face hath felt the winter's wind," 1818)의 제7행 "포이보스가 멀리 가버린 밤마다"(Night after night when Phoebus was away)에서 반복된다(*KCP* 96, 309, 311). 그리스 신화에서 포이보스는 문자 그대로 "찬란한 신"의 뜻인데, 태양과의 연관 또는 여성 거신 포이베의 후손이기 때문에 아폴론의 형용사이다(*CM* 351). 그래서 「조지 펠턴 매슈에게」의 시구 “아침의 포이보스”(Phoebus in the morning)는 「찰스 카우든 클라크에게」에서 “아폴론의 영광들”(Apollo’s glories)의 묘사와 연결된다(*KCP* 25, 56). 게다가 포이보스는 시 「J. H. 레이놀즈님에게」(“To J. H. Reynolds, Esq.,” 1818) 제30행 “오, 포이보스여, 내게 당신의 신성한 말이 있다면”(O Phoebus, that I had thy sacred word)에서 포이보스는 시의 신 아폴론의 대체 시어이다(*KCP* 322). 또한 아우로라는 로마 신화와 라틴 시에서 새벽의 여신이다. 나이아스가 그리스 신화에서 물의 요정인 반면에, 치품천사שרף, σεραφείμ는 히브리 종교와 유다주의 및 기독교에서 천상의 존재, 즉 천사의 한 유형이다. 음악적 효과를 제고하기 위하여 키츠는 『히페리온』 제1권 제13행의 시구 “갈대숲 사이의 나이아스”(the naid ’mid her reeds)에서 “naiad” 대신에 “naid”를 사용하고 있다(*KCP* 397).

한편, 키츠는 시 「어떤 숙녀들에게」(“To Some Ladies,” 1815) 제4행 “열광자의 친구, 킨티아의 얼굴”(Cynthia’s face, the enthusiast’s friend.)에서 로마 신화에서 달의 여신 디아나의 별칭인 킨티아를 사용하고 있다(*KCP* 18; *CD* 184). 킨티아는 앞에서 고찰한 동일 제목의 다른 시 「내 동생 조지에게」 제10행 “킨티아가 자신의 비단 커튼으로부터 엿보며”(Cynthia is from her silken curtains peeping)에서 반복된다(*KCP* 48). 또한 키츠는 「찰스 카우든 클라크에게」에서 킨티아를 그림같이 인유하고 있다.

> 킨티아가 어느 여름밤에 미소 지으며
> 검고 하얀 조각구름 사이로 내다볼 때,
> 마치 여신이 산뜻하게 빛나는 하늘에서
> 완두콩 꽃 침대에 몸을 기대는 것처럼.

When Cynthia smiles upon a summer's night
And peers among the cloudlets jet and white,
As though she were reclining in a bed
Of bean blossoms, in heaven freshly shed. (*KCP* 57)

킨티아는 그리스 신화에서 달, 특히 초승달의 여신 아르테미스를 가리키고, 그믐달의 여성 거신은 헤카테를 지칭한다. 또한 그리스 신화에서 달, 특히 보름달의 여성 거신 셀레네Selene와 로마 신화에서 달의 여신 디아나는 때때로 킨티아로 불렸다. 낭만주의 시인 키츠는 분명히 자신의 시적 상상력의 강력한 자극제로서 흠모할 만하고 신비한 달의 여신 킨티아에게 매료된 것이다. 킨티아는 시 「동산 위에 발끝으로 서서」 제203-04행 "그래서 엔디미온은 고양된 분노로 황금의 소리를 다소 얻었고, / 유순한 킨티아에게 여신의 자기를 맡겼다."(So in fine wrath some golden sounds he won, / And gave meek Cynthia her Endymion.)와, 제239-40행 "킨티아여! 그대를 따르는 축복과 그대의 사랑스러운 목동의 키스보다 더 큰 축복은 알 수 없다오."(Cynthia! I cannot tell the greater blisses / That followed thine and thy dear shepherd's kisses:)에서 반복되어 나타난다(*KCP* 95-96). 또한 이 여신은 소네트 「푸르도다! 이건 하늘의 본질이다」("Blue! 'Tis the life of heaven," 1818) 제1-2행 "푸르도다! 이건 하늘, 태양의 넓은 궁전, / 킨티아 영역의 본질이다"(Blue! 'Tis the life of heaven, the domain / Of Cynthia, the wide palace of the sun.)에서 다시 나타난다(*KCP* 310). 게다가 디아나는 「잠과 시」 제372-73행 "보라, 다른 그림 속에서, 요정들이 / 디아나의 수줍은 사지를 정성껏 닦고 있는 것을."(See, in another picture, nymphs are wiping / Cherishingly Diana's timorous limbs;)에서 반복된다(*KCP* 84). 음악적 효과를 제고하기 위하여 키츠는 「동산 위에 발끝으로 서서」의 시구

"디안 신전의 찬가"(A hymn from Dian's temple)에서와 같이 "디아나" 대신에 운율적인 시어 "디안"을 반복적으로 사용하고 있다(*KCP* 95).

다른 한편, 키츠는 의인화된 "높은 상상력"의 무한한 범주에 대한 예찬을 목적으로 시 「잠과 시」 제169-70행 "요베의 커다란 눈썹의 의미에서 4월 초원의 옅은 녹음까지?"(From the meaning / Of Jove's large eye-brow to the tender greening / Of April meadows?)와 같이 그리스 신화에서 제우스의 로마 신화 상응신 요베, 즉 유피테르를 원용하고 있다(*KCP* 76). 요베는 사투르누스와 레아의 아들로서 시구 "요베의 벼락"(Jovian thunderbolt)이 시사하듯이 하늘과 천둥의 지고의 신이고, 고대 로마의 종교와 신화에서 신과 인간들의 아버지이다(*KCP* 262; *BM* 918). 요베는 「동산 위에 발끝으로 서서」 제149-50행 "둘(프시케와 큐피드)은 하늘로 날아가서 / 요베 보좌 앞에서 감사 표시로 머리를 조아렸다"(both (Psyche and Cupid) to heaven upflown / To bow for gratitude before Jove's throne)에서 반복된다. 게다가 미개한 사람들을 비난하기 위하여 키츠는 「잠과 시」 제185-87행 "칭얼대는 아기의 힘으로 / 그들은 요동치는 말 위에서 이리저리 흔들렸으며 / 그 말이 페가소스라고 생각했다."(with a puling infant's force / They swayed about upon a rocking horse / And thought it Pegasus.)에서 역설적으로 전설적 천마 페가소스를 언급하고 있다(*KCP* 77). 그리스 신화에서 페가소스는 요동치는 말이 아니라 시적 영감의 원천이 되는 날아가는 신성한 백마인 것이다. 키츠는 같은 시 제234-35행 "거대한 바다를 흔들어대는 / 폴리페모스 시인들."(the poets Polyphemes / Disturbing the grand sea.)에서 미숙한 시인들을 외눈박이 폴리페모스들에 비유함으로써 이들을 극도로 비판 내지 혐오하고 있다. 그리스 신화에서 폴리페모스는 포세이돈과 시칠리아 바다의 요정 토오사Thoosa, Θόωσα의 거한 아들이고, 『오디세이아』 제1권 제81-87행에서 묘사되는 키클롭스 중의 하나이다(Homer, *Odyssey*

79-80).

키츠는 계속하여 「잠과 시」 제302-03행 "뜨거운 태양으로 / 내 다이달로스의 날개를 녹여서 나를 거꾸로 요절복통腰折腹痛한 채 / 아래로 끌고 가시오!"(Let the hot sun / Melt my Dedalian wings and drive me down / Convulsed and headlong!)에서 그리스 신화 다이달로스를 원용함으로써 자신의 시적 영감을 "다이달로스의 날개"(Dedalian wings)로, 또한 자신을 이카로스와 동일시하고 있다. 오비디우스의 『변신이야기』 제8권 제184-235행의 「다이달로스와 이카로스의 이야기」("The Story of Daedalus and Icarus")에서 크레타섬에 위치한 미궁의 전설적 건축가 다이달로스는 새털, 노끈, 밀랍으로 날개를 만들어서 그의 아들과 함께 날아 탈출하여 "미노스의 지배"(Minos' dominion)를 벗어나려고 했다(Ovid, *Metamorphoses* 187-89). 아폴론의 사제로서 키츠가 다이달로스의 날개를 달고 "많은 날들"(many days)에 "엄청난 고생"(much toil)과 "처절한 혼란"(desperate turmoil)을 겪은 후에 시라는 고요한 대양의 "광활한 곳들"(widenesses)의 탐험을 열망하는 것은 확실하다(*KCP* 82). 게다가 자신이 도취된 영감을 표출하기 위하여 시인은 이 시의 제334-35행 "바쿠스의 눈을 보고 아리아드네의 뺨이 / 붉어지는 듯했을 때 그는 수레에서 / 급히 뛰어내려서."(the swift bound / Of Bacchus from his chariot, when his eye / Made Ariadne's cheek look blushingly.)에서 로마 신화의 주신 바쿠스(그리스 신화의 상응신 디오니소스)와 그의 아내 아리아드네—과거에는 "테세우스의 아내"(Theseus' spouse)를 원용하고 있다(*KCP* 83, 332). 바쿠스는 『엔디미온』 제4권의 "진홍빛 포도주"(crimson wine)가 좋아서 숲과 참나무를 떠난 "즐거운 사티로스들"(jolly Satyrs)을 묘사하는 시구 "바쿠스와 그의 신하들이었다네!"('Twas Bacchus and his crew!) 또는 "바쿠스와 그의 친척들이었다네!"('Twas Bacchus and his kin!), 또는 시행들 "포도주를 위해 우리는 대지의 어느 곳이든 바쿠스를 따라간다오− / 단숨에 술잔을 들이켜고 쾌활한 환희에 젖는 위대한 신을!"(For wine we follow Bacchus through the earth− / Great God of breathless cups and chirping mirth!)에서 다시 등장한다(Keats, 『엔디미온』 226; *KCP* 255-56). 키츠는 소네트 「나이팅게일에 부치는 송시」 제4부 제31-33행 "내가 그대에게 날아갈 것이기에, / 바쿠스와 그의 표범들이 끄는 전차가 아니라, / 보이지 않는 시의 날개를 타고서,"(For I will fly to thee, / Not charioted by Bacchus and his pards, / But on the viewless wings of Poesy,)에서 다시 바쿠스의 신화를 인유하고 있다(*KCP* 527). 바쿠스는 보통 사자, 호랑이 또는 표범과 같은 이국적 짐승들이 이끄는 전차를 타고 있으며, 특히 후자의 가죽을 걸치고 원정을 나가기 때문에 표범은 주신의 신성한 동물이다(*CD* 100). 따라서 시구 "바쿠스와 그의 표범들이 끄는 전차가 아니라"는 것은 화자가 주신과 그의 표범들이 이끄는 전차의 상징인 포도주의 영향, 즉 술기운이 아니라 보이지 않는 시적 영감에 이끌리게 될 것임을 함의한다.

한편, 키츠는 시 「엠마 매슈에게」 제13-14행 "아주 다정하게 숨을 쉬고, 아주 부드럽게 한숨 쉴 거예요, / 그대는 어느 요염한 제피로스가 가까이 있다고 생각하겠지요."(So fondly I'll breathe, and so softly I'll sigh, / Thou wilt think that some amorous Zephyr is nigh;)에서 그리스 신화의 제피로스를 원용하고 있다. 초서에 관한 제1장에서 언급한 서풍의 신 제피로스는 4계절 바람의 신들인 아네모이Anemoi, Ἄνεμοι[18] 중의 하나인데, 숲의 모든 신들 중에서 가장 부드럽다고 간주된다(*BM* 956). 시어 "제피로스"는 「찰스 카우든 클라크에게」의 절묘한 제6행 "날개를 활짝 펼치고 나이아스

18) 고대 그리스와 로마인들은 "북풍(보레아스 또는 아퀼론Aquilon), 남풍(노토스Notos) 또는 아우스테르Auster, 동풍이나 아침바람(에우로스Eureus), 서풍이나 저녁바람(제피로스)을 구별하였다(Chevalier and Gheerbrant 1112).

가 제피로스를 구애하네,"(With outspread wings the naiad Zephyr courts,) 와, 『엔디미온』 제4권 제369행 "슬픈 제피로스가 구름을 우는 버드나무처럼 드리우네－"(Sad Zephyr droops the clouds like weeping willow－)에서 반복되어 나타난다(*KCP* 54, 261). 복수형 "제피로스들"(Zephyrs)은 『히페리온』 제1권의 시구 "심각한 제피로스들에 의해 날려가고"(Blown by the serious Zephyrs)에서 나타나고, "Zephyrs"에서 파생된 보통명사 "zephyrs"는 「프시케에게 바치는 송시」("Ode to Psyche," 1819) 제56행에 나타나는데 이 두 가지는 나중에 고찰할 것이다(*KCP* 408, 520).

시 「캘리도어」("Calidore," c. 1816)에서 키츠는 로마 신화의 메르쿠리우스와 그리스 신화의 필로멜라Philomel, Φιλομήλη, Philomela를 원용하고 있다. 곤디버트경Sir Gondibert이 자신의 깃털을 흔드는 것은 시구 "헤르메스의 깃"(Hermes' feather)과 유사한 "메르쿠리우스의 날개 달린 모자"(the wingèd cap of Mercury)의 묘사에 비유된다(*KCP* 41, 387). 메르쿠리우스(그리스 신화의 상응신 헤르메스)는 유피테르와 마이아의 아들이고, 신들 특히 전자의 전언, 과학, 상업의 신이며, 여행자, 목동, 도적들의 후원 신이다. 메르쿠리우스는 "날개 달린 모자"(페타소스)를 쓰고, "날개 달린 신발"(탈라리아, *talaria*)을 신고, "아폴론의 선물인 두 마리 뱀이 꽈리 튼" 모양의 전령사의 지팡이, 즉 카두케우스 또는 케뤼케이온을 들고 다닌다(*CD* 364; *BM* 926; *CM* 271; "Mercury"). 나이팅게일로 변신한 필로멜라의 노래는 제154행 "청아했다 필로멜라의 먼 정자에서 들려오는 노래가"(Clear was the song from Philomel's far bower.)에서 표출되고 있다. 필로멜라는 소네트 「오래도록 도시에 갇혔던 사람에게」("To one who has been long in city pent," 1816) 제10행 시구 "필로멜라의 음조를 듣고"(Catching the notes of Philomel)에서 반복된다(*KCP* 45). 나이팅게일로의 필로멜라 변신은 엘리엇에 관한 제10장에서 상세히 조명되고 있다(Ahn 21).

시 「동산 위에 발끝으로 서서」 제192행 "그대, 아주 멋진 엔디미온을 찾으러"(To search for thee, divine Endymion.)에서 키츠는 돈호법으로 그리스 신화의 엔디미온을 원용하고 있다. 엔디미온Endymion, Ἐνδυμίων은 카리아의 라트모스산Mount Latmos, Λάτμος, Latmus(1,353m)에 거주하는 잘생긴 목동, 사냥꾼 또는 에올리안족the Aeolians의 왕이었다. 아름다운 달의 여성 거신 킨티아 또는 셀레네 또는 달의 여신 디아나는 제우스에게 영원한 잠을 요청하고 라트모스산에서 벌거벗고 자고 있던 엔디미온의 미모에 현혹되어 하늘에서 밤마다 찾아와 바라보면서 은밀히 즐겼다. 또는 다른 전설에 의하면, 킨티아는 엔디미온에게 격정적인 사랑에 빠져서 그를 유혹하였고, 여성 거신의 요청에 따라 제우스는 엔디미온에게 불멸의 청년으로 살아남도록 영원한 잠을 선물로 주었다(*CD* 220; *CM* 136, 397). 키츠는 나중에 엔디미온의 신화를 유명한 시행인 "아름다운 것은 영원한 기쁨."(A thing of beauty is a joy for ever:)으로 시작하는 장편 주제 시 로맨스 『엔디미온』으로 확장시킨 것이다(*KCP* 120). "시적 로맨스"(a Poetic Romance)의 부제가 붙은 『엔디미온』은 4권, 즉 기승전결 구조로 구성되어 있다. 흥미롭게도 키츠는 『엔디미온』 제1권 제232-306행의 "판 찬가"(Hymn to Pan)를 낭송한 것에 대하여 워즈워스가 언급한 "*아주* 괜찮은 이교주의 작품"(a very pretty piece of Paganism)이라는 촌평에 실망하였다(*KCP* 130n; Hebron 49). 영국 낭만주의의 두 위대한 시인들의 조우는 영국의 자연에 깊이 뿌리박은 워즈워스의 범신론汎神論, pantheism과 그리스 로마 신화와 밀접한 관련이 있는 키츠의 이교주의異教主義의 충돌을 의미하는 것이다. 정말로 키츠는 엔디미온으로부터 라다만티스Rhadamanthus, Rhadamanthys, Ῥαδάμανθυς에 이르기까지 수많은 고전 신화들[19]로 『엔디미온』을 정교하게 장식하고 있다. 나

19) 이들에는 엔디미온, 판, 아폴론, 레다, 트리톤, 시링크스, 드리오페, 히아킨토스, 제피로스, 포이보스, 니오베Niobe, 아르고호 원정대, 모르페우스, 넵투누스, 메르쿠리우스, 피오나Peona,

아가서 이 시에는 또한 라트모스, 리카이온산Mount Lycean, Lykaion, 테살리아, 엘리시움, 델로스, 트로이, 델피, 헬리콘, 올림포스, 에레보스 등의 신화적 지형이나 실재 유명한 지리적 공간이 언급되어 있다.

이러한 여러 신화들 가운데 키츠가 아주 소중히 여긴 미와 사랑의 주제들과 관련된 일부 중요한 것들을 조명하고자 한다. 시인은 『엔디미온』 제1권 제197행 "라트모스의 사람들이여! 양치기들이여,"(Men of Latmos! Shepherd bands,)라고 외치는 목신 판 신전 사제의 언급에서 이들의 왕 엔디미온이 이후 죽음 같은 고통을 경험할 것을 복선으로 묘사하고 있는 제327-29행 "제피로스의 잔인한 숨결이 / 히아킨토스를 살해했을 때 그의 슬픈 죽음을 . . . / —제피로스는 참회했지만"(. . . the sad death / Of Hyacinthus, when the cruel breath / Of Zephyr slew him—Zephyr penitent)에서 보듯이 히아킨토스의 신화를 원용하고 있다(*KCP* 128, 129, 134). 키츠는 히아킨토스가 아폴론과 원반던지기 놀이하는 사이에 질투한 서풍의 신 제피로스에 의해 우연히 살해당했으나, 그가 태양신에 의해 새로운 꽃 히아신스로 변신된 신화를 인유, 강조하고 있다(*CD* 281; *KCP* 134; Ahn 19).

이와 유사하게 『엔디미온』 제2권 제8-14행에서 키츠는 제1행 시구 "군주 같은 사랑의 힘"(the sovereign power of love), 특히 트로일로스와 크레시다의 비극적 사랑을 그리기 위하여 트로이 전쟁의 신화를 "가장행렬의

---

비너스, 오레이아스, 헤스페로스, 오르페우스, 큐피드 또는 큐피드들Cupids, 프로세르피나, 에코, 율리시스, 키클롭스, 킨티아, 데우칼리온Deucalion, 오리온, 불카누스, 디안, 헤스페리데스, 유피테르 또는 요베, 아도니스, 키테레아, 마르스, 테티스, 키벨레, 아틀라스, 아우로라, 뮤즈 또는 뮤즈들, 미네르바, 팔라스, 헤르메스, 아레투사Arethusa, 사투르누스, 알페이오스Alpheus, 케레스, 베스페르, 플루토 또는 디스, 녹스, 헤라클레스, 키르케, 암피온, 스킬라, 암피트리테, 카론Charon, 피톤, 보레아스, 아이올로스, 네레이데스, 세이렌들, 포이베, 유노, 바쿠스, 실레노스, 사티로스들, 헤베Hebe, 네메시스, 세멜레, 플로라, 폴룩스, 켄타우로스, 다나에, 다프네, 베스타, 델포스, 티탄, 라다만티스 등이 내포되어 있다.

역사"(pageant history)로 치부하고 있다.

> 트로이의 슬픔, 그 불길 너머 연기로 질식하는 탑들,
> 뻣뻣하게 잡힌 방패들, 멀리까지 꿰뚫는 창들, 예리한 칼날들,
> 접전, 피, 비명소리들—모든 것이 두뇌 뒤쪽의
> 어느 구석으로 희미하게 사라져가네.
> 허나 바로 우리의 영혼 속으로는 사랑스러운
> 트로일로스와 크레시다의 종말을 힘껏 느낀다네.
> 그래서 가장행렬의 역사여! 그래서 금빛 속임수여!
> (Keats, 『엔디미온』 63-64)

> The woes of Troy, towers smothering o'er their blaze,
> Stiff-holden shields, far-piercing spears, keen blades,
> Struggling, and blood, and shrieks—all dimly fades
> Into some backward corner of the brain;
> Yet, in our very souls, we feel amain
> The close of Troilus and Cressid sweet.
> Hence, pageant history! Hence, gilded cheat! (*KCP* 164)

트로일로스와 크레시다의 이야기는 그리스 신화가 아니라, 중세 프랑스 시인 브놔의 40,000행 장시 『트로이의 로맨스』에 등장한다는 것에 주목할 만한 가치가 있다. 트로이의 포위 기간에 "트로일로스와 크레시다"(Troilus and Cressid)의 낭만적이지만 짧은 사랑은 또한 초서의 서사시 『트로일로스와 크리세이드』 그리고 셰익스피어의 비극 『트로일로스와 크레시다』의 주제가 되었다. 중세와 르네상스 작품에서 트로이의 왕 프리아모스의 막내아들로서 트로이 전쟁에서 아킬레우스에게 죽임을 당하는 신화적 인물 트로일로스는 그리스 진영을 도운 트로이의 예언자 칼카스의 딸로서 허구적

이고 부정한 인물 크레시다와 사랑에 빠지게 되는 것이다(*CD* 628; *CM* 443-44).

『엔디미온』 제3권 제93-102행에서 키츠는 여성 거신 킨티아의 엔디미온에 대한 사랑스러운 추적을 레안드로스Leander, Λέανδρος, 오르페우스 및 플루톤의 고전 신화들과 병치시킨다.

　　　　　　　　미(美)가 만(灣) 또는 공중에,
산 또는 깊은 계곡에, 빛 속에, 음침한 곳에,
별 또는 타오르는 태양 속에, 그 어디에 살든지 간에,
그대는 길을 안내하며 곧장 그리로 가도록 한다네.
그의 노고 가운데로 그대는 레안드로스의 숨결을 준다네.
그대는 죽음의 빛을 통해 오르페우스를 이끈다네.
그대는 플루톤이 공기가 희박한 곳에서도 견뎌내도록 한다네.
그리고 이제, 오, 날개 달린 지도자, 그대는
엔디미온을 찾기 위해 깊고, 깊은
물의 세계로 달빛을 보낸다네. (Keats, 『엔디미온』 145-46)

　　　　　　　　Wherever beauty dwells,
In gulf or eyrie, mountains or deep dells,
In light, in gloom, in star or blazing sun,
Thou pointest out the way, and straight 'tis won.
Amid his toil thou gav'st Leander breath;
Thou leddest Orpheus through the gleams of death;
Thou madest Pluto bear thin element;
And now, O wingèd chieftain, thou hast sent
A moonbeam to the deep, deep water-world,
To find Endymion. (*KCP* 210)

레안드로스와 오르페우스 및 플루톤은 사랑을 쟁취하기 위하여 각각 바다, 지하세계, 상층의 공중에서 용감하게 행동한 전설적 인물들이었다(*KCP* 210). 레안드로스는 아비도스Abydos 청년으로서 헬레스폰트Hellespont의 유럽쪽 세스토스Sestos 탑에 살았던 아프로디테의 여사제 헤로Hero, Ἡρώ와 사랑에 빠졌다. 매일 밤 그는 헤로를 만나기 위하여 그녀가 탑 위에 놓아둔 램프 불빛에 의지하여 바다를 가로질러 헤엄쳐 왔다. 폭풍우 몰아치는 어느 날 밤, 불 꺼진 램프 때문에 레안드로스는 해안을 찾을 수 없었다. 그다음 날 아침, 헤로는 연안의 바위 위에 떠밀려온 애인의 시신을 발견하였다.『엔디미온』 제2권 제30-31행 시구 "은빛 강물처럼 흘러내리는 / 헤로의 눈물" (The silver flow / Of Hero's tears)에서 보듯이 가슴이 찢어진 헤로는 레안드로스가 죽은 바로 그 바다에 투신한 것이다(*KCP* 165; *CD* 271-72; *BM* 913; *CM* 241; "Hero and Leander"). 오르페우스와 에우리디케 그리고 플루톤과 프로세르피네의 사랑 이야기들은 본 장의 뒷부분에서 조명될 것이다.

장시 로맨스『엔디미온』 전체에 걸쳐서 키츠는 수많은 그리스 로마 신화를 은유적으로 사용하고 있다. 예컨대, 제1권 제157-58행 시구 "레다의 사랑보다 더 하얀 골짜기의 백합"(valley-lilies whiter still / Than Leda's love) 비유법은 레다를 겁탈하려는 하얀 백조로 변장한 제우스를 인유하며, 동시에 예이츠의 시「레다와 백조」("Leda and the Swan," 1923)를 떠올리게 한다(Keats,『엔디미온』 12; *KCP* 126; Ahn 36-37). 제347-48행 "아르고호 원정대가 넵투누스의 불안한 해로에서 / 이리저리 흔들리며 어두운 미로를 항해하다가"(After the Argonauts, in blind amaze / Tossing about on Neptune's restless ways,)는 이아손을 따라서 로마 신화의 바다의 신 넵투누스의 사나운 바다 위로 아르고호를 타고 시구 "이아손의 양피"(Jason's fleece)가 지칭하는 황금양피를 찾기 위해 흉흉한 바다 항해를 하는 아르고호 원정대 신화를 적시하고 있다(*KCP* 135, 392). 제624-27행 시구 "아, 그녀의 선회하는 발을 보라. / 요람 같은 조가비 속에서 일어서는, 바다에서 태어난 / 비너스의 발보다도 더 푸른 혈관, 더 부드럽고 / 더 감미롭고 새뽀얀 발을."(Ah, see her hovering feet, / More bluely veined, more soft, more whitely sweet / Than those of sea-born Venus, when she rose / From out her cradle shell.)은 "가장 사랑스러운 달"(the loveliest moon) 킨티아의 아름다움이 로마 신화에서 미의 여신 비너스(그리스 신화의 상응 여신 아프로디테)의 미를 과장적으로 능가한다는 것을 인유하고 있다(Keats, 『엔디미온』 39; *KCP* 146-48). 제2권 제164-65행 "홀로? 아니, 아니라네. 오르페우스의 류트 곁에서 / 에우리디케가 정신 나간 듯 귀 기울일 때처럼,"(Alone? No, no; and by the Orphean lute, / When mad Eurydice is listening to't,) (Keats, 『엔디미온』 73-74)은 "안개 낀 산정"(misty peak)에서 "하늘의 / 가장 온순한 비둘기"(the meekest dove / Of heaven)로 은유되는 킨티아를 직접 대면하고, 천상의 음악에 에워싸인 화자의 상황을 묘사하기 위하여 그리스 신화의 전설적 수금 악사 오르페우스와 그의 아내 에우리디케Eurydice를 그리고 있다(*KCP* 170). 오르페우스에 관한 가장 유명한 신화는 그가 나무의 요정 또는 아폴론의 딸인 에우리디케를 데리러 지하세계로 하강하는 부분이다(*CM* 147). 제3권 제461-62행 "심지어 암피온의 하프조차도 나를 거친 파도 저 너머에 있는 / 스킬라에게로 돌아가게 하지 못했다오."(even though Amphion's harp had woo'd / Me back to Scylla o'er the billows rude.)는 엔디미온의 시점에서 "감각의 여왕"(queen of sense)(제459행) 신시아에게 "홀린 신하"(trancèd vassal)(제460행) 자신의 모습을 표출할 목적으로, 테베 성벽의 건축 도구로서 헤르메스가 선사한 황금 수금을 들고 있는 악사 암피온과 이탈리아 본토와 시칠리아섬 사이의 메시나 해협에 살았던 개의 머리가 6개나 달린 바다 괴물 스킬라의 그리스 신화를 병치시키고 있다(Keats, 『엔디미온』 169; *KCP* 225; *CM* 396). 제3권 제887-89행 "그들(엔디미온과 스킬라)은 트리톤이 뿔을 불 때까지. / 꿈을 꾸듯 서 있었다네. 궁전에 소리가 울리자, / 네레이데스가 춤을 추었고, 세이렌들이 은은하게 노래를 불렀고."(They stood in dreams / Till Triton blew his horn. The palace rang; / The Nereids danced; the Sirens faintly sang;)는 "깊은 녹옥빛"(emerald deep)(제863행) 바다와 연관된 신화들로서 "위대한 해왕海王"(great Sea-King) 신 "넵투누스의 궁전"(Neptune's hall)을 묘사하기 위하여 넵투누스 또는 포세이돈과 암피트리테의 아들이자 바다의 사자使者인 트리톤Triton, Τρίτων, 50명의 바다 요정들인 네레이데스, 여성의 얼굴에 독수리 몸을 가진 바다 괴물 세이렌들the Sirens, 환언하면 세이레네스Seirênes, Σειρῆνες를 원용하고 있다(Keats, 『엔디미온』 197-98; *KCP* 239; *CM* 403). 제4권 제410행 시구 "유노의 자긍심 높은 새들"(Juno's proud birds)은 로마 신화에서 요베의 아내 유노(그리스 신화의 상응 여신 헤라) 여신이 메르쿠리우스가 죽인 아르구스의 100개의 눈을 꼬리에 장식한 공작새들을 함의한다(*KCP* 262). 아름다운 유노는 시 「오페라의 발췌」("Extracts from an Opera," 1818) 제4부 제10행 시구 "상아 같은 유노의 목"(the ivory of a Juno's neck)에서 은유적으로 다시 나타난다(*KCP* 315). 『엔디미온』 제4권 제413행 시구 "팔라스의 방패"(Pallas' shield)는 페르세우스가 죽인 메두사의 머리로 장식된 팔라스 아테나Pallas Athena, Παλλὰς Ἀθηνᾶ의 무적의 방패 아이기스이지스, Aegis, αἰγίς를 인유하고 있다(*KCP* 262). 더욱이 제701-04행 "나는 베스타에게 무릎 꿇고 불의 불꽃을 달라고 기도하고, / 포이보스에게 황금 수금을 달라고 기도하고, / 디안 여제에게 사냥 작살을 달라고 기도하리, / 베스페르에게 은빛의 맑고 가는 양초 불빛을 달라고 기도하리."(I'll kneel to Vesta for a flame of fire; / And to god Phoebus for a golden lyre; / To Empress Dian for a hunting spear; / To Vesper for a taper silver-clear)에서 보듯이 화자 엔디미온이 상상력으로 여행한 인도 "갠지스 강의 백조"(swan of Ganges)(제405행)로 상징되고, 천상의 킨티아와 동일시되는 지상의 "아름다운 처녀"(fair maid)(제473행) 또는 "가장 사랑스러운 인도 처녀"(sweetest Indian)(제648행)를 밤새도록 보려는 간절한 열망을 표출하기 위하여 키츠는 로마 신화들인 베스타, 포이보스, 디안 및 베스페르를 원용하고 있다(Keats, 『엔디미온』 242, 255, 259; *KCP* 264, 272, 274). 이 신들과 여신들 중에서 베스타는 셸리에 관한 제5장에서 고찰했듯이 "가정의 아궁이속의 불을 관장하는 처녀 여신이다"(*CM* 450).

한편, 소네트 「조지아나 오거스타 와일리에게」("To Georgiana Augusta Wylie," 1817) 제1행 "아래로 지긋이 미소 짓고 곁눈질하는 님페."(Nymph of the downward smile and sidelong glance.)에서 키츠는 1818년 5월 동생 조지와 결혼하여 6월에 미국으로 이민 가게 되는 미래의 제수인 아름다운 조지아나Georgiana를 님페님프, Nymph, νύμφη에 비유하고 있다. 고전 신화에서 님페는 온 들판과 자연에 거주하는 여성 하위신 또는 정령이다(*CM* 297). 키츠는 계속하여 연속적인 제13-14행 "나는 어느 그레이스가 아폴론 앞에서 다른 미신美神들보다 / 더욱 깔끔하게 춤춘다고 말하고 싶어요."(I shall as soon pronounce which Grace more neatly / Trips it before Apollo than the rest.)에서 그리스 신화의 그레이스Grace 또는 카리스Charis, Χάρις 신화를 사용하여 조지와 결혼하기 전에 이미 자신의 연정을 일깨웠던 조지아나의 아름다움을 연모하고 있음을 표출하고 있다(*KCP* 98-99). 게다가 키츠는 시 「아폴론이 그레이스들에게」("Apollo to the Graces," 1818)에서 아폴론과 그레이스들 사이의 대화에서 레이놀즈Reynolds 자매들을 삼미신에 비유하고 있다. 고전 신화에서 매력이나 미의 하위여신들인 그레이스들 또는 카리테스 또는 그라티아이는 제우스와 헤라 또는 여성 거신 에우리노메Eurynome, Εὐρυνόμη, 또는 비너스와 유피테르 또는 바쿠스의 세 딸이고, 스펜서에 관한

제2장에서 고찰한 아글라에아(광휘), 에우프로시네(환희), 탈리아(풍요)인데, 미의 여신을 항상 따르며 친절과 박애를 주관하였다. 이들은 나체로 서로 손을 잡고 있는 세 자매로 표상되고, 삼미신에 대한 숭배는 아홉 뮤즈들에 대한 숭배와 같았으며, 동일한 신전에서 이루어졌다(*CD* 142; *CM* 94).

소네트 「바다에 대해」(“On the Sea,” 1817) 제3-4행 “마침내 헤카테의 마법이 / 희미한 옛 소리를 남긴다.”(till the spell / Of Hecate leaves them their old shadowy sound.)에서와 같이 “황량한 해변 주위로”(around desolate shores) 바다가 “영원히 속삭이는 소리”(eternal whisperings)와 더불어 달의 여신을 나타내기 위하여 키츠는 고전 신화의 헤카테를 원용하고 있다(Keats, 『키츠 시선』 52; *KCP* 112). 고전 신화에서 여신 헤카테는 셀레네, 아르테미스(디아나) 또는 프로세르피나와 동일시되며, “하늘에서 루나, 지상에서 디아나, 지옥에서 헤카테 또는 페르세르피나”, 즉 삼체여신 *tergemina, triceps*으로 불렸다. 모든 인간을 향하여 선의를 베푸는 헤카테는 두 개의 횃불 또는 한 개의 열쇠를 들고 있는 모습으로 그려지고 있다. 키츠의 시구 “헤카테의 마법”(the spell / Of Hecate)은 이 여신이 마술, 마법, 주술, 십자로, 입구의 길, 광명과 연관되는 것을 함의한다(*CD* 259-60; *BM* 911; *CM* 171).

다른 한편, 키츠는 서사시 『히페리온』에서 고전 신화들인 요베와 아폴론과 같은 “올림포스”(Olympus)의 “보다 젊은 신들”(younger Gods)뿐만 아니라 사투르누스, 히페리온, 오케아노스 등의 “거신들”(Giant Gods)—티탄들을 원용하고 있다(*KCP* 404, 421, 431). 시인은 『히페리온』 제2권 제183-190행에서 “대양신”(God of the Sea) 오케아노스의 진술을 통하여 사투르누스의 특성을 지적하고 있다(*KCP* 425).

위대한 사투르누스여, 그대는
원자-우주를 잘도 체질해 왔지요.
허나 이것으로 인하여 그대가 왕이지만,
완벽한 지존에서 눈이 멀 뿐이지요.
하나의 길은 그대의 두 눈에서 가려있었고,
그곳을 통해 나는 영원한 진리로 방황했다오.
그러니 먼저, 그대가 첫 번째 권능이 아니듯
그대는 마지막 권능도 아니오. 그렇게 될 수 없지요.
그대는 처음도 아니고 마지막도 아니오.

Great Saturn, thou
Hast sifted well the atom-universe;
But for this reason, that thou art the King,
And only blind from sheer supremacy,
One avenue was shaded from thine eyes,
Through which I wandered to eternal truth.
And first, as thou wast not the first of powers,
So art thou not the last; it cannot be.
Thou art not the beginning nor the end. (*KCP* 426-27)

고대 그리스 신화의 거신 크로노스Cronus, Κρόνος의 고대 로마 신화의 상응 거신 사투르누스가 유피테르에게 찬탈을 당한 후에 로마의 카피톨리움 Capitol, Capitolium 언덕의 왕이자 부, 농업, 해방, 시간의 신인데, 자신을 "나는 알파와 오메가요 처음과 마지막이라"(요한계시록 제21장 제6절)라고 선포한 기독교 신 여호와와 다르다는 것은 주목할 만하다. 사투르누스는 아폴로의 아버지인 요베의 아버지이다. 『히페리온』에서 키츠는 사투르누스를 "돌같이 조용한, 잿빛 머리털의 사투르누스"(grey-haired Saturn, quiet as a stone), “사투르누스의 굽은 목”(Saturn’s bended neck), “사투르누스의 발” (Saturn’s feet), “늙은 사투르누스”(old Saturn), “사투르누스는 왕이어야 한다.”(Saturn must be King.), “사투르누스의 얼굴”(Saturn’s face), “시간의 드넓은 날개들”(Time’s wide wings), “지고의 신”(the supreme God) 및 “사투르누스의 귀”(Saturn’s ear)로 다양하게 묘사하거나 의인화하고 있다 (*KCP* 396, 399, 401-02, 404, 415, 422, 425). 사투르누스는 『히페리온』 제2권 제293-94행 “빛나는 아침의 아폴로야! 어린 아폴로야!”(The morning-bright Apollo! Young Apollo!)에서 보듯이 로마 신화의 태양신 아폴로와 극명하게 대조되어 있다(*KCP* 430). 사투르누스의 아내 오프스 또는 오피스Opis－라틴어 문자 그대로 “풍요”를 의미하는 대지와 풍요의 여성 거신은 『히페리온』 제2권 제77행 “온통 사방이 구름으로 덮여 시야에서 사라진 오프스 여왕”(Ops the queen all clouded round from sight)에서 등장한다 (*KCP* 422). 또한 키츠는 히페리온을 “황금빛 히페리온”(gold Hyperion), “구체(球體)의 불로 불타는 히페리온”(Blazing Hyperion on his orbèd fire), “태고의 신”(a primeval God), “빛나는 거신”(bright Titan), “살랑거리는 대기 속으로 히페리온이 미끄러지듯 들어왔다,”(Hyperion slid into the rustled air), “히페리온, / 우리의 가장 빛나는 형님은, 여전히 명성 그대로이다－히페리온, 보라! 그의 광휘가 여기에 있도다!”(Hyperion, / Our brightest brother, still is undisgraced－ / Hyperion, lo! his radiance is here!), “히페리온이었다. 그의 빛나는 발이 / 닿은 화강암 산봉우리”(It was Hyperion: a granite peak / His bright feet touched), “낙담한 낮의 왕”(the dejected King of Day) 및 “태양 거한”(the Giant of the Sun) 등으로 묘사하고 있다(*KCP* 402, 405, 412-13, 415, 432, 434, 436). 그리스 신화에서 사투르누스의 친형 히페리온은 시구 “별빛 찬란한 우라노스”(starry Uranus)에서와 같이 아버지 하늘 우라노스와 어머니 대지 가이아 또는 게

의 12거신 자녀 중의 한 명이다(*KCP* 424). 그는 거신 여동생 테이아와 결혼하고, 헬리오스, 셀레네, 에오스의 아버지가 되었다. 태양신 아폴론 이전의 태양 거신 히페리온은 동생 사투르누스의 반란 휘하에 들어가서 우라노스를 타도하였으나, 이후에 제우스가 이끄는 올림포스 신들에 의하여 그들 자신도 축출되었다(*BM* 915; *CM* 209). 또한 이 시에서 키츠는 "대양신, / 아테네의 숲에서는 찾아보지 못한 교사요 현자"(God of the Sea, / Sophist and sage from no Athenian grove)로 묘사되는 오케아노스를 "바다의 어린 신, / 나의 강탈자!"(the young God of the Seas, / My dispossessor!)라고 오케아노스가 규정하는 넵투누스와 대조하고 있다.

다른 한편, 키츠는 시 「프시케에게 바치는 송시」 제1연에서 프시케 여신을 찬미하기 위하여 그리스 로마 신화들인 프시케Psyche, Ψυχή와 큐피드를 원용하고 있다.

> 분명 나는 오늘 꿈꾸었는가, 아니면
> 잠 깨어 눈을 뜬, 날개 돋친 프시케를 보았는가?
> 나는 무심코 숲속을 거닐고 있었는데,
> 거의 눈에 띄지 않는 시냇가에
> 이파리들과 흔들리는 꽃송이들이 속삭이는 지붕 아래
> 깊숙한 풀 더미 속에
> 나란히 누워 있는 아름다운 두 창조물을
> 문득 깜짝 놀라 기절할 뻔하며 보았네. (Keats, 『키츠 시선』 133)

> Surely I dreamt today, or did I see
> The wingèd Psyche with awakened eyes?
> I wandered in a forest thoughtlessly,
> And, on the sudden, fainting with surprise,

Saw two fair creatures, couchèd side by side
  In deepest grass, beneath the whispering roof
  Of leaves and trembled blossoms, where there ran
    A brooklet, scarce espied. (*KCP* 516)

키츠는 숲속에서 "풀 침대 위에서"(on the bedded grass)(제15행) "숨죽인, 뿌리 서늘한 꽃들"(hushed, cool-rooted flowers)(제13행) 사이에서 눈에 띈 프시케—"부드러운 소라껍질 모양의 귀"(soft-conchèd ear)(제4행)를 하고, "날개 돋친"(wingèd) 여신과 함께 그녀의 연인, 로마 신화의 사랑의 신 큐피드—"날개 돋친 소년"(wingèd boy)(제21행)을 한 폭의 아름다운 그림같이 그려내고 있다(*KCP* 516). 이들의 은밀한 사랑 행위는 제16-17행 "그들의 팔과 날개깃은 서로 껴안고서, / 그들의 입술은 닿지 않았지만, 작별을 고하지도 않았네."(Their arms embracèd, and their pinions too; / Their lips touched not, but had not bade adieu.)에서 보듯이 확실히 육체적인 것이 아니라, 사랑스러우며 심지어 숭고하기까지 하다. 이와 유사하지만 다르게, 키츠는 이미 시 「동산 위에 발끝으로 서서」 제141-44행 "프시케는 / 부드러운 바람 타고 경이의 세계로 갔다네, / 프시케와 사랑이 그들의 완전한 입술이 처음 닿았을 때에 느낀 것으로."(Psyche went / On the smooth wind to the realms of wonderment; / What Psyche felt, and Love, when their full lips / First touched;)에서와 같이 프시케와 사랑으로 표상되는 큐피드 신화를 원용, 인유했다(*KCP* 92). 신화에서 프시케는 큐피드가 결혼해서 지복의 장소로 데리고 간 요정이지만, 아들의 세계를 빼앗아간 프시케를 비너스가 죽이자, 유피테르가 사랑의 신의 요청에 의하여 불멸을 허락한다. 영혼이 의인화된 프시케는 나비가 상징이며, 나비의 날개로 표상된다(*CD* 510).

이어서 큐피드는 시 「그대는 사랑한다고 말하오」("You say you love," 1817) 제8행 "그대가 성자 큐피드의 수녀였기에"(As you were Saint Cupid's nun)에서 보듯이 가톨릭 용어인 "성자 큐피드"에서 반복되고 있는데, 이것은 로마 가톨릭사상과 신화 용어의 합성어임을 드러내고 있다(*KCP* 114). 또한 「프시케에게 바치는 송시」 제2연에서 키츠는 계속하여 고대 올림포스 신들의 계보에서 프시케의 기원과 아름다움을 기술하고 있다. 프시케는 "모든 올림포스의 퇴락한 족속"(all Olympus' faded hierarchy), 즉 "힘 잃은 올림포스 신들"(the faint Olympians) 가운데 "가장 늦게 출생"(latest born)했지만, 단연코 "가장 사랑스러운 환영幻影"(the lovelist vision)으로 드러난다(*KCP* 517, 519). 또한 "신전"(temple)도 "제단"(altar)도 "처녀 합창단"(virgin-choir)도 없는 여신 프시케는 제26-27행 "포이베의 청옥 빛나는 별보다 / 하늘의 사랑스러운 반딧불이 베스페르보다 더 아름답게"(Fairer than Phoebe's sapphire-regioned star, / Or Vesper, amorous glow-worm of the sky)에서 보듯이 과장되게 그려지고 있다(Keats, 『키츠 시선』 134; *KCP* 517). 고전 신화에서 여성 거신 포이베는 문자 그대로 "빛나는 자"의 의미인데, 우라노스와 가이아의 딸이었다. 이 여성 거신은 마이클 드레이턴Michael Drayton, 1563-1631의 성적인 목가시 『엔디미온과 포이베』(*Endimion and Phœbe*, 1595)에서와 같이 셀레네 또는 킨티아와 연상되며, 디아나의 별칭이기도 하다. 그녀에게는 두 딸이 있었는데, 아폴론과 아르테미스를 낳은 레토와 외동딸 헤카테를 낳은 별의 여신 아스테리아Asteria였다(*CD* 471; *CM* 351). 로마 신화의 베스페르 또는 그리스 신화의 헤스페로스는 황혼의 거신 아스트라이오스Astraeus, Ἀστραῖος와 새벽의 여성 거신 에오스 또는 아우로라의 아들로서 『엔디미온』 제4권 제485행 시구 "떠오른 별"(risen star)과 같이 저녁별 금성인데, 그리스 작가들은 포스포루스와 동일시했으며, 로마인들은 루치페르루시퍼, Lucifer라고 불렀다. 또는 헤스페로스는 에오스 또는 아우로라의 또 다른 아들인 아침별 포스포루스의 이복형으로 의인화된 것이고, 샛별 또는 계명성 루치페르로 일컬어진다(*KCP* 265; *CD* 274, 640; *BM* 913; *CM* 201, 353). 헤스페로스는 이미 소네트 「『리미니의 이야기』에 대해」("On *The Story of Rimini*," 1817) 제5-6행 시구 "하늘의 가장 밝은 / 별, 헤스페로스"(the brightest one / Of heaven, Hesperus)로 등장하였다(*KCP* 265). 「프시케에게 바치는 송시」 제4연 제50행에서 화자-시인은 정신적으로 프시케의 사제가 되려는 자신의 열렬한 소망을 드러낸다. 이어서 제54-57행에서 키츠는 자신의 마음속 신전의 목가적인 풍광들과 사제의 소망으로서 "절벽과 절벽의 거친 봉우리의 산들"(the wild-ridgèd mountains steep by steep) 속의 "매우 울창한 나무들"(dark-clustered trees) 그리고 그곳에서 "산들바람, 시냇물, 새, 벌들"(by zephyrs, streams, and birds, and bees)의 자연 소리로 "이끼 위에 누운 드리아데스를 잠재우도록 하겠습니다."(The moss- lain Dryads shall be lulled to sleep")라고 제시하고 있다(Keats, 『키츠 시선』 136; *KCP* 520). 나무의 요정이나 정령들인 드리아데스는 다음에 고찰하는 「나이팅게일에 부치는 송시」에서 반복된다.

매우 애잔한 자서전적 시 「나이팅게일에 부치는 송시」에서 키츠는 자신이 겪고 있던 폐결핵의 고통을 표현하기 위하여 그리스 신화인 망각의 강 레테와 숲이나 나무의 요정 드리아스Dryad, Δρυάς를 원용하고 있다.

> 마치 독미나리를 마신 듯, 아니면
> 　어떤 감각을 무디게 하는 아편을 송두리째 비워버린 후
> 일 분이 지나 레테 쪽으로 가라앉은 듯
> 　내 가슴은 쓰리고 내 감각은 졸리는 듯한 마비로 아프구나.
> 이는 그대의 행복한 운명을 부러워해서가 아니라,
> 　그대의 행복 속에서 너무나 행복하기에,
> 　　푸른 너도밤나무의 어느 선율적인 곳에서,

무수한 그늘 속에서,
가벼운 날개 돋친, 숲의 드리아스 그대가
마음 놓고 목청껏 여름을 노래하기에. (Keats, 『키츠 시선』 140)

My heart aches, and a drowsy numbness pains
My sense, as though of hemlock I had drunk,
Or emptied some dull opiate to the drains
One minute past, and Lethe-wards had sunk.
'Tis not through envy of thy happy lot,
But being too happy in thine happiness—
That thou, light-wingèd Dryad of the trees,
In some melodious plot
Of beechen green, and shadows numberless,
Singest of summer in full-throated ease. (*KCP* 525)

제4행의 부사형 시어 "레테 쪽으로"(Lethe-wards)의 지형학적 용어 "레테"는 스펜서에 관한 제2장과 밀턴에 관한 제4장에서 고찰하였듯이 문자 그대로 "기억의 상실", "망각", 또는 "은폐"를 뜻하고, 지옥의 다섯 강의 하나를 가리킨다. 따라서 시구 "레테 쪽으로 가라앉은 듯"(Lethe-wards had sunk)은 화자의 의식이 그의 가슴의 통증으로 인하여 엄습하는 졸음의 언저리에 와 있음을 함의한다. 하데스의 다른 네 강은 밀턴에 관한 제4장에서 언급된 스틱스(증오의 강), 아케론(슬픔의 강), 코퀴토스(비탄의 강) 및 플레게톤(불의 강)이다. "레테"는 키츠의 시 「한 잔 넘치게 채워주시오」 제8행 "늘 레테의 물결과 같이 / 내 좌절하는 가슴으로 마시고"(As e'er from Lethe's wave was quaffed / From my despairing breast)에서 처음 나타난다(*KCP* 7). 돈호법으로 소환된 드리아스는 시구 "날개 돋친, 숲의 드리아스"

(light-wingèd Dryad of the trees)에서 보듯이 그리스 신화에서 나무 또는 숲의 요정이다(*BM* 900; *CM* 169). 드리아데스 또는 하마드리아데스는 비록 그 용어가 일반적으로 "너도밤나무"(beechen) 요정들을 포괄하는 "모든 나무의 요정들에게 적용되었지만 특별히 참나무의 요정들"이다("Dryad"). 시「동산 위에 발끝으로 서서」 제152-54행 "나무 사이로 가장 살포시 바스락거리며 다가오는 / 파우누스들과 드리아데스를 힐끗 보기 위하여 / 우리가 넓은 숲속을 바라볼 수 있도록"(That we might look into a forest wide / To catch a glimpse of Fauns and Dryades / Coming with softest rustle through the trees)에서 나타난 드리아데스뿐만 아니라 파우누스 신화를 키츠는 이미 원용한 바 있다(*KCP* 92). 이 시의 제157-61행 "어떻게 아리따운 시링크스가 몸을 떨면서 / 엄청 무서운 공포심으로 아르카디아의 판을 피했는지. / 불쌍한 요정이여, 불쌍한 판이여—어떻게 그가 / 갈대 핀 강가에서 바람의 사랑스러운 한숨소리만 / 발견하고 눈물을 흘렸는지."(how fair trembling Syrinx fled / Arcadian Pan, with such a fearful dread. / Poor nymph, poor Pan—how he did weep to find / Naught but a lovely sighing of the wind / Along the reedy stream.)에서 보듯이 키츠는 시링크스Syrinx, Σύριγξ와 판의 신화를 한 폭의 그림같이 다시 들려주고 있다. 오비디우스의 『변신이야기』 제1권 제690-713행과 그리스 신화에서 시링크스는 아르카디아의 강신 라돈Ladon, Λάδωνας의 딸로서 순결의 절개로 잘 알려진 아리따운 요정이다. 호색적인 판의 구애를 피해서 그녀는 라돈강River Ladon으로 도망쳐서 강의 요정들에게 도움을 탄원하였다. 그 결과 요정은 강둑의 한 갈대 또는 갈대숲으로 변신하게 되었다. 판은 자신의 한숨으로 갈대들이 가느다란 탄식 소리를 내자, 길이가 다르게 잘라서 팬파이프syrinx라는 최초의 갈대 피리를 만들었다(Ovid, *Metamorphoses* 24-25; *CD* 587; *CM* 412; Giesecke 130).

게다가 키츠는 시 「동산 위에 발끝으로 서서」 제163-64행 "무엇이 옛날 시인에게 첫 영감을 주어서 / 깨끗한 샘물 위에서 연모하는 나르키소스 노래를 부르게 했던가?"(What first inspired a bard of old to sing / Narcissus pining o'er the untainted spring?)에서 나르키소스 신화를, 제179-80행 "젊은 나르키소스와 슬픈 에코의 불행한 / 이야기"(the tale / Of young Narcissus, and sad Echo's bale.)에서 나르키소스와 에코 신화를 도입하고 있다. 오비디우스의 『변신이야기』 제3권 제338-540행의 「에코와 나르키소스의 이야기」("The Story of Echo and Narcissus")와 그리스 신화에서 나르키소스는 보이오티아Boeotia에서 강신 케피소스Cephisus, Kephissos, Κηφισός와 물의 요정 리리오페Liriope, Λιριοπη의 아름다운 아들이었으나 너무 교만하여 자신을 사랑하는 사람들을 경멸하였다. 에코는 디아나의 요정이었으나, 그녀의 수다로 요정들 사이에 있던 유피테르가 화난 그의 아내 유노의 등장에도 놀라지 않았기 때문에 여신으로부터 처벌을 받았다. 결국 그녀는 상대방이 말할 때 결코 먼저 말하지 못하고 말끝만 반복하는 형벌을 받게 되었다. 그 후 나르키소스에 대한 에코의 짝사랑으로 그녀는 숲속에서 수척해져 갔고, 그녀의 슬픈 목소리만 남게 된 것이다. 복수의 여신 네메시스Nemesis는 나르키소스를 샘으로 유혹했는데, 그곳에서 그는 물속에 비친 자신의 잘생긴 모습을 보고 사랑에 빠지게 되었다. 그때부터 그는 자기 자신의 영상을 바라보고 연모하다가 죽게 되었다(Ovid, *Metamorphoses* 67-73; *CD* 386; *BM* 900, 929; *CM* 134, 286). 에코뿐만 아니라 망각의 강 레테의 형용사형은 키츠의 장시 「이사벨라, 혹은 바질 화분」("Isabella; or, The Pot of Basil," 1818) 제55연 제435-36행 "오, 미지의, 망각의, 어떤 음산한 섬에서 온 / 에코여, 에코여!, 우리에게 한숨을, 오 한숨을!"(O Echo, Echo, from some sombre isle, / Unknown, Lethean, sigh to us—O sigh!)과, 제61연 제483-34행 "아, 언젠가, 망각의 섬에서 온, / 에코여, 에코여, 우리에게 한숨을, 아, 한숨을!"(O Echo, Echo, on some other day, / From isles Lethean, sigh to us—O sigh!)에서 반복하여 등장한다(Keats, 『키츠 시선』 87, 90; *KCP* 348, 350).

시 「우수에 부치는 송시」("Ode on Melancholy," 1819)에서 키츠는 자신이 숙명적으로 노출되는 우수를 표출하기 위하여 그리스 신화들인 레테, 프시케, 프로세르피나를 반복적으로 원용하고 있다.

> 아니, 아니, 망각의 강으로는 가지 마라.
> 　독주를 얻으려고, 꽉 뿌리박힌 투구꽃을 비틀지도 마라.
> 그대의 창백한 이마를 프로세르피나의 주홍빛 포도인
> 　까마중에 키스 받아 아프게 하지 마라.
> 네 주목 열매의 염주를 만들지도 말고,
> 　딱정벌레나 유골 나방이
> 　　네 슬퍼하는 프시케가 되게 하지도 마라.
> 솜털 덮인 올빼미가 알 수 없는 네 슬픔의 동반자가 되게 하지도 마라.
> (Keats, 『키츠 시선』 150)

> No, no, go not to Lethe, neither twist
> 　Wolf's-bane, tight-rooted, for its poisonous wine;
> Nor suffer thy pale forehead to be kissed
> 　By nightshade, ruby grape of Proserpine;
> Make not your rosary of yew-berries,
> 　Nor let the beetle, nor the death-moth be
> 　　Your mournful Psyche, nor the downy owl
> A partner in your sorrow's mysteries; (*KCP* 539)

전기비평적 접근으로 고찰하면, 위 시의 시구들인 "그대의 창백한 이마"

(thy pale forehead), "네 슬퍼하는 프시케"(Your mournful Psyche), "알 수 없는 네 슬픔"(your sorrow's mysteries)에 등장하는 2인칭은 분명히 폐결핵으로 세상을 떠난 키츠의 어머니와 막내 동생 톰Tom과 똑같이 당시에는 불치의 전염병을 아주 심하게 앓고 있던 시인 자신을 가리키고 있는 것이다. 로마 신화에서 프로세르피나(그리스 신화의 페르세포네)는 유피테르와 풍작의 여신 케레스의 딸이었는데, 그녀가 중부 시칠리아 인근에 위치한 엔나Enna, Ἔννα 골짜기에서 꽃을 따다가 타르타로스의 왕이자 신 플루토에게 유괴되었다. 플루토가 강요한 석류 씨를 먹은 후에 속아 넘어간 프로세르피나는 과거를 잊어버리고 겨울철 내내 지하세계의 왕비가 되었다(*CD* 508; *BM* 52-57). 그러므로 시구 "프로세르피나의 주홍빛 포도인 까마중"(nightshade, ruby grape of Proserpine)은 그 효과가 완전한 기억상실이나 총체적 망각을 가져오는, 자주색 꽃이 피고 까만 열매가 열리는 독초 벨라돈나belladonna와 유사하고, "달콤한 독의 상징"(a symbol of sugared poison)인 석류를 떠올리게 한다(Chevalier and Gheerbrant 766-67).

## III

키츠가 연인 패니 브론Fanny Brawne에게 보낸 편지에서 그의 시적 미학으로 "나는 만물 속에 있는 미의 원리를 사랑해 왔다"(I have lov'd the principle of beauty in all things)(Hebron 104 재인용)라고 밝혔듯이, 감각미의 시인은 자신의 시에서 그리스 로마 신화를 원용, 인유함으로써 미를 열렬히 추구했다. 제프리 베이커Jeffrey Baker가 그의 『존 키츠와 상징주의』(*John Keats and Symbolism*, 1986)에서 강조하듯이, "키츠가 예찬하고 있는 것은" 미의 원리에서 조명한 고전 신화 속에서 "단순한 성애주의보다 더욱 완전한 인간의 정서인 *낭만적* 사랑"인 것이다(28). 키츠는 그의 시에서 트로일로스와 크레시다뿐만 아니라 아폴론과 히아킨토스, 프시케와 큐피드, 킨티아와 엔디미온, 레안드로스와 헤로, 시링크스와 판, 나르키소스와 에코, 오르페우스와 에우리디케, 플루토와 프로세르피나의 슬픈 사랑 이야기들을 집중적으로 원용함으로써 신화에 핍진성逼眞性을 제고하고 있다. 소네트 「호메로스에게」("To Homer," 1818) 제6-8행 "요베가 그대를 살리려고 하늘 커튼을 열었고, / 넵투누스가 그대에게 거품 장막을 만들어주었고, / 판이 야생 벌떼로 하여금 그대 위해 노래하도록 했기에"(For Jove uncurtained heaven to let thee live, / And Neptune made for thee a spumy tent, / And Pan made sing for thee his forest-hive;)와, 제14행 "대지와 하늘과 지옥의 여왕 디안에게"(To Dian, Queen of earth and heaven and hell.)(*KCP* 353)에서 보듯이 키츠는 요베, 넵투누스, 판 및 디아나로부터 받은 하늘과 바다와 대지의 3중의 강복을 기술함으로써 그리스의 장님 시인에게 최고의 경의를 표하고 있다. 마찬가지로, 시 「오페라의 발췌」 제1부 제1행에서 "올림포스 12신의 하나"(one of the Olympian twelve)(*KCP* 313)가 되고 싶다는 자신의 소망을 쏟아낸 키츠는 진실로 그의 짧은 25세 생애에서 6년간 시－소네트, 로맨스, 서사시, 송시 등을 치열하게 작시했지만, 뮤즈들과 판과 더불어 아폴론, 제우스, 포세이돈, 아르테미스를 포괄한 올림포스 신들의 축복을 받았다고 추정할 수 있을 것이다.

결론적으로, 키츠의 시에 나타나 있는 수많은 그리스 로마 신화들을 운용하는 기교는 그의 시적 상징성을 심화시키고, 그의 낭만주의적 조망을 확장시키면서, 영감, 아름다움, 사랑에 대한 그의 관념들을 확연히 제시하고 있다. 이 연구는 아직 조명하지 못한 키츠의 『히페리온의 몰락』과 『라미아』뿐만 아니라 빅토리아 시대의 대표적 시인 테니슨 경의 시에 나타난 그리스 로마 신화를 탐색하는 또 다른 시도로 연결될 것이다.

# 7

# 알프레드 테니슨 경의 신화시와 그리스 로마 신화

## I

제7장은 빅토리아 시대의 대표 시인이자 워즈워스를 계승하는 대영제국과 아일랜드의 계관시인Poet Laureate 알프레드 테니슨 경Alfred Lord Tennyson, 1809-1892의 시에 나타난 그리스 로마 신화의 다양한 함의와 상징성을 천착한다. 그의 방대한 시는 주로 신화시, 아서왕의 로맨스와 서사시, 서정시, 죽음의 시, 전쟁시로 구성되어 있다. 이를테면, 신화시는 「바다 이무기」("The Kraken," 1830), 「오이노네」("Œnone," 1832, 1842), 「오이노네의 죽음」("The Death of Œnone," 1892), 「세멜레」("Semele," 1832, 1913), 「헤스페리데스」("The Hesperides," 1832), 「바다의 요정들」("The Sea-Fairies," 1832), 「연밥 먹는 사람들」("The Lotos-Eaters," 1832), 「율리시스」("Ulysses," 1833), 「티토노스」("Tithonus," 1833, 1860), 「테이레시아스」("Tiresias," 1833, 1885), 「암피온」("Amphion," 1842), 「데메테르와 페르세포네」("Demeter and Persephone," 1887), 「헤로가 레안드로스에게」("Hero to Leander," 1887) 및 「파르나소스」("Parnassus," 1889) 등이다. 아서왕의 로맨스와 서사시는 「란슬롯 경과 귀네비어 왕비」("Sir Launcelot and Queen Guinevere," 1830), 「샬롯의 처녀」("The Lady of Shalott," 1832), 「갤러해드 경」("Sir Galahad," 1842) 및 장편 서사시 『왕의 목가』(*Idylls of the King*, 1872) 등이다. 서정시는 「부서져라, 부서져라, 부서져라」("Break, Break, Break," 1834), 「눈물이, 부질없는 눈물이」("Tears, Idle Tears," 1834), 「백일몽」("The Day-Dream," 1842) 및 「오, 제비여, 제비여」("O Swallow, Swallow," 1847) 등이다. 전쟁시는 「경기병대의 진군」("The Charge of the Light Brigade," 1854), 「중기병대의 발라클라바 진군」("The Charge of the Heavy Brigade at Balaclava," 1885) 및 「보나파르트」("Bonaparte," 1872) 등이다. 죽음의 시는 걸작 『아서 헨리 핼럼을 추모하며』(*In Memoriam A. H. H.*, 1850)와 「웰링턴 공작의 죽음에 바치는 송시」("Ode on the Death of the Duke of Wellington," 1852) 등이다. 아놀드 A. 마클리Arnold A. Markley의 『가장 장엄한 음정: 테니슨과 그리스 로마 문학』(*Stateliest Measures: Tennyson and the Literature of Greece and Rome*, 2004)과 자말 아마드Jamal Ahmad의 논문 「알프레드 테니슨 경의 문학 작품에 나타난 신화와 전설」("Myths and Legends in the Literary Works of Lord Alfred Tennyson," 2017)은 주로 그리스 로마 신화를 소재로 하는 테니슨의 신화시를 천착하고 있다. 이와 다소 다르게 본 연구는 스칸디나비아 민담에 등장하는 노르웨이의 신화적 괴수를 묘사하고 있는 「바다 이무기」와 호메로스의 『일리아스』 제18권 제202행 이하를 옮긴 「참호를 넘는 아킬레우스」("Achilles over the Trench," 1877) 등의 번역시들을 제외하고 고전 신화에 바탕을 두고 있는 그의 모든 신화시를 분석할 것이다. 이 연구를 위하여 필자는 호메로스의 정전화된 서사시 『일리아스』와 『오디세이아』, 베르길리우스의 서사시 『아이네이스』 및 오비디우스의 신화적 서사 『변신이

야기』뿐만 아니라 다른 전설적 출처에 나타난 그리스 로마 신화를 추적하고자 한다.

## II

우선 테니슨은 그의 극적독백dramatic monologue 시 「오이노네」에서 트로이의 목동이자 왕자인 파리스와 그의 첫 번째 아내로서 문자 그대로 "포도주 여인"(wine woman)을 뜻하는 오이노네Œnone, Οἰνώνη 사이의 전설적인 사랑 이야기의 비극적 결말을 생생하게 그리고 있다. 그리스 신화에서 오이노네는 파리스가 헬레네의 사랑을 위하여 버린 샘의 요정 또는 이다산의 요정, 즉 오레이아스이다(*CD* 408; *BM* 932; *CM* 309). 이 시에서 그녀는 의인화된 이다를 "오, 어머니 이다여, 많은 샘의 이다여. / 사랑하는 어머니 이다여, 내가 죽기 전에 들으시오,"(O mother Ida, many-fountain'd Ida. / Dear mother Ida, harken ere I die,) 또는 "오, 어머니 이다여, 내가 죽기 전에 들으시오,"(O mother Ida, harken ere I die,) 또는 "오, 어머니, 아직 내가 죽기 전에 들으시오."(O mother, hear me yet before I die.)와 같이 후렴에서 반복하여 돈호법으로 부름으로써 "파리스의 판정"(Judgment of Paris)을 시사하고 있다. 이다는 제우스의 출생지인 크레타의 이다산Mount Ida이 아니라, "프리기아의 이다"(Phrygian Ida)로 알려져 있는 이다산으로서 『일리아스』 제2권 제932행과 『아이네이스』 제2권 제867행과 제3권 제7행에 언급되어 있는 이 산의 최고봉은 가르가루스산Mount Gargarus(1,770m)이며, 현재 트로이 남동쪽 20마일 정도 떨어진 북서부 터키에 위치해 있다("Mount Ida"). 이다산은 잘 알려지지 않은 시 「일리온, 일리온」("Ilion, Ilion," 1830)에서 시어 "소나무 울창한 이다"(piny Ida)로 반복되어 등장하는데, 이 시는 아폴론의 수금 음악에 맞추어 트로이 성벽(화보 참조)의 축성과 최종적인 붕괴를 반복하여 운율적으로 노래하고 있다(Markley 51-52). 테니슨은 한때 이다산에서 파리스의 "노리개"(playmate)였으나 "파리스에게 / 버림받아"(forlorn / Of Paris) "트로아스와 일리온의 난공불락難攻不落의 성채 / 트로아스의 영토"(Troas and Ilion's columned citadel / The crown of Troas), 즉 트로이 지역으로 오게 된 "애도하는 오이노네"(Mournful Œnone)를 묘사하고 있다. 강신 케브레네Cebren, Cebrene, Κεβρήνη의 딸 오이노네가 이다에게 드리는 간청을 통하여 시인은 신화적·역사적 도시 트로이 멸망의 원인을 제시하고 있다. 시구 "경박한 발"(The light-foot)이 함의하는 불화의 여신 에리스Eris[20]가 "황금과일"(golden- fruit), -"헤스페리데스의 순수 황금과일"(a fruit of pure Hesperian gold)-"'가장 아름다운 신에게' / 라고 빛나는 껍질에 새겨진 / 과일"(fruit / whose gleaming rind ingraven / 'for the most fair')을 "신들의 면전"(the presence of the Gods)에서 "펠레우스 궁전"(the halls of Peleus)의 결혼식 연회장-"훌륭한 펠레우스의 연회장"(the fair Peleïan banquet-hall)에 던졌다. 결국 헤라 또는 헤레Herè, 이오니아식과 호메로스의 철자 Ἥρη, 팔라스 아테나, 아프로디테 사이에서 다툼이 일어났다. 지혜, 신중, 총명을 겸비한 "신들의 심판자 파리스"(Paris judge of Gods)에게 결혼, 여성, 가족의 여신이자 제우스의 아내 헤레는 "왕권"(royal power)을 제안했다. 지혜, 공예, 전쟁의 여신 아테나는 "군주의 힘"(sovereign power)보다는 "지혜"(wisdom)-"매우 빅토리아적"(very Victorian)인 "자존감, 자아인식, 자아통제"(Self-reverence, self-knowledge, self-control)에 근거한 합법적인 생활과 행위를 충고했다(Bush, *Romantic Tradition* 205). 사랑, 미, 성애의 여신-"거품같이 신선하고 파포

20) 테니슨은 「오이노네」 제81행에서 무지개의 여신이자 제피로스의 아내인 "이리스"(Iris)(*TP* 22)를 오용하고 있으므로 이리스는 "에리스"(Eris)로 바뀌어야 한다.

스의 샘에서 새로 목욕한 / 아름다운 이다의 아프로디테"(Idalian Aphrodite beautiful / Fresh as the foam, new bathed in Paphian wells)는 "그리스에서 가장 아름답고 가장 사랑스러운 아내"—스파르타의 왕 메넬라오스의 아내 헬레네를 약속했다. 아테나를 선택하라는 오이노네의 조언에도 불구하고, "하얀 뿔과 하얀 굽이 있는 새까만 염소"(a jet-black goat white-horn'd, white-hooved)와 흡사한 "아름다운 파리스, 사악한 마음의 파리스" (Beautiful Paris, evil-hearted Paris)는 아프로디테를 최고 미의 여신으로 판정하였으니, 이 사건이 10년 트로이 전쟁의 원인이 되었다(*CPWT* 25-28; *CD* 434; *CM* 309). 파리스의 판정은 "고대 문화 전체에 재앙을 가져올 미를 위한 미, 거의 예술을 위한 예술의 승리"의 전조가 되는 것이다(Buckley 54). 그럼에도 불구하고, 이 사건은 "수많은 고대, 중세, 현대 작가와 예술가들"의 주제가 되어 왔지만, 테니슨의 작품은 "거침없이 독창적"(freely original)이다(Bush, *Romantic Tradition* 203).

이 시의 마지막 연 제257-64행에서 오이노네는 죽기 전에 파리스와 헬레네를 인유하고 있는 그녀의 "옛사랑과 / 함께 그리스 여인을" 떠나고, 전쟁과 불로 인한 트로이의 파멸을 예언하는 그 도시의 공주이자 예언자 카산드라와 얘기하려고 결심을 한다.

> "오, 어머니여, 아직 내가 죽기 전에 들으시오.
> 들으시오, 오 대지여. 나는 홀로 죽지 않을 것이오,
> 죽음의 차갑고 별빛 없는 길을 따라 걸어가며
> 위로받지 않고, 내 옛사랑을
> 저 그리스 여인에게 두고 떠나며
> 저들의 시끄러운 행복에 겨운 웃음소리 안 들리도록.
> 나는 일어나서 트로이로 내려가겠어요. 그리고
> 별들이 나오기 전에 카산드라와 얘기하겠어요.

그녀는 눈앞에 불이 춤추고, 두 귀엔 군사들의
소리가 항상 울린다고 말하니까요.
이것이 무엇일지 몰라요, 허나 알고 있어요,
내가 밤낮으로 어디에 있을지라도,
땅과 하늘이 온통 타는 불만 있는 것 같은 것을."

"O mother, hear me yet before I die.
Hear me, O earth. I will not die alone,
Lest their shrill happy laughter come to me
Walking the cold and starless road of Death
Uncomforted, leaving my ancient love
With the Greek woman. I will rise and go
Down into Troy, and ere the stars come forth
Talk with the wild Cassandra, for she says
A fire dances before her, and a sound
Rings ever in her ears of armed men.
What this may be I know not, but I know
That, wheresoe'er I am by night and day,
All earth and air seem only burning fire." (*CPWT* 28)

시구 "타는 불"(burning fire)은 테니슨이 「오이노네」의 후속편이자 그의 유고시遺稿詩 「오이노네의 죽음」에서 그녀의 비참한 종말을 서술하고 있듯이 집어삼키는 장작불 속에서 생을 마감하는 오이노네 자신의 "영예로운 자살"(an honourable suicide)(Ricks 82)을 함의하고 있다.

시 「오이노네의 죽음」의 제1-2연들은 오이노네와 신같이 아름다운 파리스의 과거 시간을 제시하고 있다.

그녀의 과거가 현재가 되자, 그녀는 보았네,
황금과일을 들고 자신을 향해 올라오는 그를,
신들의 심판장으로 선발되어 기뻐하는 그를,
발랄한 젊음이 갓 피어난 그녀의 남편을,
신처럼 아름다운 파리스 자신을.

Her Past became her Present, and she saw
Him, climbing toward her with the golden fruit,
Him, happy to be chosen Judge of Gods,
Her husband in the flush of youth and dawn,
Paris, himself as beauteous as a God. (*TP* 491)

이 시의 제3-4연은 “전투에서 독화살에 맞아 / 절름거리고, 구부정하며, 비틀거리고, 파리하여 / 더 이상 신처럼 아름답지 않은”(no longer beauteous as a God, / Struck by a poison'd arrow in the fight, / Lame, crooked, reeling, livid,) 파리스의 현재 시간을 묘사하고 있다. 그리스 신화에서 파리스는 트로이의 프리아모스왕과 헤쿠바 또는 헤카베 왕비Queen Hecuba, Hecabe, Ἑκάβη의 둘째 아들인데, 궁수弓手로서 그리스의 불세출의 영웅 아킬레우스를 죽였다. 그러나 그 자신도 10년간 트로이 전쟁의 막바지에서 테살리아 멜리보이아Meliboea의 왕이자 헤라클레스가 임종 시에 활과 화살을 선사한 활의 명수 필록테테스Philoctetes, Φιλοκτήτης가 쏜 화살에 맞아서 사타구니에 심한 부상을 입게 되었다(*CD* 434-35; *CM* 329). 이 신화적 사건은 셰이머스 히니Seamus Heaney, 1939-2013가 소포클레스의 비극 『필록테테스』(*Philoctetes*)를 시로 번안한 『트로이의 치유』(*The Cure at Troy*, 1991)를 연상시킨다. 파리스는 과거의 사라진 행복한 시간을 회상하고, “어느 신이 가르쳐준”(taught by some God) “약초나 진통제”(herb or balm)로 자신의 목숨을 구하는 도움을 간청하면서, "오이노네, 나의 오이노네" (Œnone, my Œnone)라고 전처의 이름을 부른다. 그러나 오이노네는 "인간은 운명의 노예일 뿐이다"(Man is but the slave of Fate)라고 말하며, "간음한 자여, 그대의 간부姦婦에게 돌아가서 죽으라!"(Adulterer, / Go back to thine adulteress and die!)라고 그를 거부함으로써 그녀를 진정시키려는 파리스를 용서하지 않는다. 제5-6연은 "이다의 / 숲에서 벌거벗은 아기 파리스를 발견하였던"(had found / Paris, a naked babe, among the woods / Of Ida) 목자들이 그가 트로이 전쟁에서 "일리온 사람들의 절반을 죽인 범죄" (crime which had half unpeopled Ilion)를 잊고, 그들의 목동이자 왕자의 장례를 치르기 위해 베어낸 소나무들로 "화장용 장작더미"(a funeral pile)를 쌓은 모습을 기술하고 있다. 제7-8연은 죽은 파리스의 일그러진 몰골을 시구 "고르곤의 머리보다 훨씬 더 섬뜩한 얼굴"(By ghastlier than the Gorgon head, a face,)과 같이 과장되게 그리고 있다. 제9-10연은 오이노네의 꿈속에서 파리스의 유령 같은 속삭임인 "'내게 오시오, / 오이노네여! 그대에게 더 이상 나쁜 짓을 할 수 없다오, / 오이노네여, 나의 오이노네여!'"('Come to me, / Œnone! I can wrong thee now no more, / Œnone, my Œnone.')가 맴돌고 있다. 마침내 오이노네는 "남편이여!"(Husband)라고 외치면서, "불 속에서 자신과 *그*와 과거와 함께"(herself with *him* and past in fire) 섞이기 위하여 장작더미 위에 뛰어오른다(*TP* 491-93). 그런데 신화에서는 파리스가 화살에 맞아 부상당하여 오이노네에게 오기 전에 이미 죽었고, 오이노네는 남편의 시신을 끌어안고 통곡의 눈물로 씻긴 후에 단검으로 자신의 가슴을 찔러서 자결하였으니 테니슨이 신화적 사건을 생동감 있는 극적독백 형식의 신화시로 변환한 것임을 알 수 있다(*CD* 435).

1913년 테니슨의 아들 할람Hallam이 인쇄한 짧은 유고 독백시 「세멜레」에서 시인은 제우스 또는 유피테르에게 겁탈당한 여인으로서 디오니소스 또는 바쿠스의 어머니가 되는 고전 신화의 세멜레를 원용하고 있다. 제1-11행에서 세멜레가 자신에게 접근한 제우스를 묘사하는 데에서 "신격神格"(Godhead), "빛"(light), "삼지창"(triple forks), "별빛 찬란한 왕관"(the crown of starlight), "신찬의 신전들"(Ambrosial temples), "엘리시온의 자태"(Elysian airs) 및 "선율적인 천둥소리"(melodious thunder)로 인유하고 있다. 다만 시어 "삼지창"은 포세이돈을 상징하지만, 세멜레를 태워서 죽이는 제우스의 상징인 번개창, 즉 케라우노스keraunos, κεραυνός를 들고 다니는 번개의 여신 아스트라페Astrape, ἀστρἄπή와 천둥의 쌍둥이 여신 브론테Bronte, βροντή와 유사한 함의이므로 테니슨의 시적 파격으로 간주할 수 있을 것이다. 이와 대조적으로 테니슨은 제12-28행에서 인간의 여인이 자신의 아들 디오니소스 또는 바쿠스 신의 미래를 인유로서 생생한 현재로 포착, 예언하는 것을 일부 아주 짧은 시행들로 제시하고 있다.

> 허나 그대, 내 아들은 내가 재로 될 때
> 태어나서 세상을 기쁘게 할 거야—
> 곧 심블즈 부딪치는 소리에 박자 맞추어
> 승리 향해 진군하면서.
> 곧 음악에 운행하는 황금별 위에서,
> 관능적으로
> 표범에 이끌리어
> 미끄러지는 보좌 위에 앉아서,
> 진동하는 천둥 같은 징소리와
> 즐거이 부는 피리소리의 선율에 맞추어.
> 곧 떠들썩한 주정뱅이들 무리와 함께
> 즐거이, 즐거이,
> 빨리, 어지러이,

소란 피우며, 승리에 도취한
바쿠스 축제 참가자들이
박자 맞추어 돌진하고,
모두 질서정연하게,
포도밭 골짜기 아래로 뛰어들면서—

But, thou, my son, who shalt be born
When I am ashes, to delight the world—
Now with measured cymbal-clash
Moving on to Victory;
Now on music-rolling golden orbs,
A sliding throne, voluptuously
Panther-drawn,
To throbbings of the thundrous gong,
And melody o' the merrily-blowing flute;
Now with troops of clamorous revellers,
Merrily, merrily,
Rapidly, giddily,
Rioting, triumphing
Bacchanalians,
Rushing in cadence,
All in order,
Plunging down the viney valleys— (*WT* xxv)

시구 "내가 재로 될 때"(When I am ashes)는 세멜레와 제우스가 교합을 할 때에 하늘의 신을 표상하는 벼락을 맞고 즉사하는 세멜레의 종말을 시사한다(*CD* 99-100; *CM* 397). 더욱이 "그분이 오신다."(He comes.)와, "폭발하는 신격이 문을 파열하신다."(The blast of Godhead bursts the doors.) 및 "내 위로"(Over me)의 시구들은 무기력하게 능욕당하는 세멜레의 처녀막 파열과 제우스의 남성상위 성교 체위를 명백히 함의하는 것이다(Markley 45). 환유적 · 상징적 시어들인 "표범이 끌고"(Panther-drawn), "주정뱅이들"(revellers), "바쿠스 축제 참가자들"(Bacchanalians)－바쿠스 축제에 참가한 술 취한 여성 추종자들인 바칸테스나 마이나데스 및 "포도밭 골짜기"(viney valleys)는 포도주의 신 디오니소스 또는 바쿠스의 의미를 함축적으로 내포하고 있다. 특히 청각적 심상의 시구들인 "심벌즈 부딪치는 소리"(symbal-clash), "천둥 같은 징소리"(thundrous gong), "즐거이 부는 피리소리"(merrily-blowing flute)의 악기들은 바쿠스 원정 시에 심벌즈와 기타 악기들이 사용되었다는 랑프리에르의 신화 진술에 근거했을 것으로 추정된다(*CD* 100). 짧은 선율적 단어들인 "즐거이, 즐거이, / 빨리, 어지러이, / 소란 피우며, 승리에 도취한"(Merrily, merrily, / Rapidly, giddily, / Rioting, triumphing)은 확실히 크리스토퍼 릭스Christopher Ricks가 언급한 "테니슨은 영국의 위대한 어린이 시인이다"(Tennyson is the great English poet of the Nursery)라는 주장을 뒷받침하고 있다(1).

한편, 그리스 로마 신화의 헤스페리데스에 근거하여 테니슨은 그림 같은 시 「헤스페리데스」를 작시하였는데, 이 시의 제사는 밀턴의 『코무스』에서 인용한 두 시행인 "황금나무에 대하여 노래하는 / 헤스페로스와 그의 세 딸."(Hesperus and his daughters three, / That sing about the golden tree.)이다. 헤스페리데스는 거신 아틀라스의 세 딸－저녁별 헤스페로스의 요정들－아이글레Aegle, Aἴγλη("찬란한 빛"), 에리테이아Erytheia, Ἐρύθεια, Erythia("주홍빛") 및 헤스페레투사Hesperethusa, Hesperia("황혼의 빛")이다. 세 명의 헤스페리데스 또는 아틀란티데스는 현재 북서부 아프리카의 아틀라스 산맥Atlas Mountains(4,167m) 기슭의 대양 가장자리에서 가까운 극서 지방에 살았다. 그들은 라돈Ladon 용의 도움으로 황금사과들이 자라는 "신비한 과일나무"－제우스 또는 유피테르가 헤라 또는 유노에게 결혼식 날에 준 선물－를 지켰으며, 신찬이 솟아나는 샘들 부근에서 합창으로 노래하였다(*CD* 273-74; *BM* 913; *CM* 200-01). 테니슨은 특히 4연으로 구성된 그의 사랑스러운 시 「노래」("Song") 제2연 제30-39행에서 이 세 자매의 합창을 자세히 기술하고 있다.

> 아버지 헤스페로스여, 아버지 헤스페로스여, 보세요, 보세요, 늘 항상,
> 은빛 머리카락 아래를 은빛 눈으로 살피세요.
> 아버지, 당신의 한결같은 시선을 깜빡이지 마세요.
> 왕국도 쇠망하고, 기후도 변하고, 종족도 사멸하니까요.
> 명예는 신비스럽게 오지요.
> 축적된 지혜는 기쁨을 가져오지요.
> 세어보세요, 거듭 말하면서 세어보세요
> 신비한 과일나무에 몇 개가 달려 있는지요,
> 붉은 볏의 용이 졸다가
> 자줏빛 우리에서 온통 뒹굴지 않도록 하세요.

> Father Hesper, Father Hesper, watch, watch, ever and aye,
> Looking under silver hair with a silver eye.
> Father, twinkle not thy stedfast sight;
> Kingdoms lapse, and climates change, and races die;
> Honour comes with mystery;
> Hoarded wisdom brings delight.
> Number, tell them over and number
> How many the mystic fruit-tree holds,
> Lest the red-combed dragon slumber

Rolled together in purple folds. (*CPWT* 417)

헤라클레스는 11번째 과업으로서 졸고 있던 "붉은 볏의 용"(red-combed dragon)을 죽이고, 황금사과들을 에우리스테우스Eurystheus왕에게 가져갔다. "황금사과"(The golden apple) 또는 "신성한 과일"(The hallowed fruit)은 치유의 능력이 있으므로 행복, 사랑, 지혜의 상징이었다. 헤스페리데스는 사과들이 사라지자 절망에 빠져서 나무들—느릅나무, 포플러, 버드나무로 각각 변신하였다(*CM* 201; *TP* 35). 앞에서 언급한 「오이노네」와 「헤스페리데스」는 소재에서 영국 낭만주의 화가 J. M. W. 터너J. M. W. Turner, 1775-1851의 회화 『헤스페리데스의 정원에서 다툼의 사과를 고르는 불화의 여신』(*Goddess of Discord Choosing the Apple of Contention in the Garden of the Hesperides*, 1806)에 의하여 "영향을 받았을" 개연성이 있다(Jordan 38).

더욱이 테니슨은 「연밥 먹는 사람들」의 일종의 서시인 「바다의 요정들」의 제목으로 그리스 신화의 세이렌들을 인유하고 있다. "아름다운 얼굴, 가지런한 손, 대담한 가슴"(Sweet faces, rounded arms, and bosoms prest)을 소유한 고혹적 세이렌들은 바다 한가운데에서 율리시스와 "지친 선원들"(the weary mariners)에게 "작은 황금 하프"(little harps of gold)를 켜서 "애간장을 녹이는 음악"(shrill music)으로 유혹한다(*CPWT* 11). 세이렌들의 전율적 음악은 빅토리아 시대의 특징으로 관악대管樂隊의 빈번한 음악 공연과 밀접한 관련이 있을 것이다. 그들의 반복적인 유혹의 시구 "어디로 가세요?"(Whither away?)와 "더 이상 가지 마세요!"(Fly no more!)는 후렴으로서 음악적 효과를 강화하고 있다. 제30-36행에서 두운과 운율적 반복은 지속되고, 이들의 "달콤한"(sweet) 유혹은 치명적 요부보다는 "오페라의 합창"(an operatic chorus)에서 선율적으로 표출되는 것이다(Bush, *Romantic*

*Tradition* 207).

또 작은 만과 동굴의 색깔은 달콤하지요,
또 당신들의 환영도 달콤할 거예요.
오, 여기로, 여기로 오셔서 우리의 주인이 되어주세요,
우리들은 즐거운 신부가 될 테니까요.
우리들은 달콤한 키스를 하고, 달콤한 말을 할 거예요.
오, 들으세요, 들으세요, 당신들의 눈은 빛날 거예요.
쾌락과 사랑과 환희로.

And sweet is the color of cove and cave,
And sweet shall your welcome be:
O hither, come hither, and be our lords,
For merry brides are we:
We will kiss sweet kisses, and speak sweet words:
O listen, listen, your eyes shall glisten
With pleasure and love and jubilee: (*CPWT* 12)

라즈니 싱Rajni Singh의 「테니슨과 엘리엇의 신화와 전설 원용」("Treatment of Myths and Legends in Tennyson and T. S. Eliot")에 의하면, 테니슨은 "호메로스의 유혹하는 여성들인 세이렌들을 그들의 희롱하는 노래로 선원들에게" 치명적인 죽음 대신에 "걱정 없는 삶을 제안하는 바다의 요정들로 치환하고 있다"(27).

테니슨은 계속하여 『오디세이아』에 등장하는 그리스 신화에서 북부 아프리카 연안에 살고 있는 연밥 먹는 사람들Lotus-Eaters, 즉 로토파고이 또는 로토파기로토파고스족, Lotophagi, λωτοφάγοι에 근거하여 시 「연밥 먹는 사람들」

을 작시하고 있다(*CD* 327). 테니슨 시의 직접적 출처는 『오디세이아』 제9권 제97-100행 "연밥 먹는 사람들"(The Lotus-Eaters)의 짧은 삽화이다.

> 연밥이 그 이름. 감미로운 신주의 음료라오!
> (그래서 로토파기로 불렸는데). 달콤한 성찬을
> 맛보는 사람은 누구나 만족하지 못해 소란 피우고,
> 달리 고향이나 다른 일에 신경 쓰지 않고,
> 그의 집과 고국과 친구들도 떠나버리게 되었소.
>
> Lotus the name: divine, nectareous juice!
> (Thence call'd Lotophagi); which whoso tastes,
> Insatiate riots in the sweet repasts,
> Nor other home, nor other care intends,
> But quits his house, his country, and his friends.
>
> (*Odyssey of Homer*, 140)[21]

테니슨의 「연밥 먹는 사람들」에서 첫 번째 명령어인 "용기 내라"(Courage) —오디세우스가 자신의 지친 선원들에게 힘을 북돋우는 격려의 말—는 분명히 빅토리아 시대의 미덕과 연관이 있다. 선원들의 「합창」("Choric Song")의 첫 연들과 제6연에만 호메로스적 요소들, 즉 『오디세이아』에 나오는 "연밥 먹는 사람들"의 삽화가 내포되어 있다(*TP* 49). 이 시의 제6연은 10년 트로이 전쟁 이전과 이후에 오디세우스와 그의 선원들의 고향 "작은 섬"(the little isle) 이타카 왕국에서의 혼란스럽고 괴로운 과거 기억과 현재

---

21) 영문 번역시는 18세기 영국 신고전주의의 대표 시인 알렉산더 포프Alexander Pope, 1688-1744의 번역판 『호메로스의 오디세이아』(*The Odyssey of Homer*)에서 인용한 것임을 밝혀둔다. 각운이 전혀 맞지 않는 로버트 페이글즈Robert Fagles의 『오디세이아』(*The Odyssey*) 번역보다 각운이 완벽하기 때문이다.

의 추측을 제시하고 있다.

살림 살던 추억도 정에 겨웁고
아내들의 마지막 키스, 따순 눈물도
마음에 아련컨만, 모두 변했다.
집안의 화로는 차디찰 테고
아들들이 대를 잇고, 우리 꼴은 낯설어,
돌아가면 유령처럼 흥을 깨리라.
주제넘은 양반들이 우리 재산 먹어 치우고
시인들은 그 앞에서 10년 트로이 전쟁과
위대한 우리 업적, 옛 얘긴 양 읊으리라.
우리의 섬나라에 소란이 있나?
망가진 그대로 놓아두거라.
신들은 화해하기 매우 힘드니
질서 다시 잡기는 힘든 일이네.
죽음보다 더한 혼란 정녕 있도다.
곤경에 또 곤경, 고통에 또 고통,
늙은 목숨 이르도록 오랜 그 고역,
하 많은 전쟁에서 시달린 심정에,
별하늘 지켜보다 흐려진 눈에
뼈아픈 일거리가 쉴 새 없어라. (Tennyson, 『눈물이』 30, 32)[22)]

Dear is the memory of our wedded lives,
And dear the last embraces of our wives
And their warm tears: but all hath suffer'd change;
For surely now our household hearths are cold:

23) 테니슨 시의 한글 번역은 이상섭 교수와 윤명옥의 번역시를 인용, 참고했으나 일부 수정하였다.

Our sons inherit us: our looks are strange:
And we should come like ghosts to trouble joy.
Or else the island princes over-bold
Have eat our substance, and the minstrel sings
Before them of the ten years' war in Troy,
And our great deeds, as half-forgotten things.
Is there confusion in the little isle?
Let what is broken so remain.
The Gods are hard to reconcile:
'T is hard to settle order once again.
There is confusion worse than death,
Trouble on trouble, pain on pain,
Long labor unto aged breath,
Sore task to hearts worn out by many wars
And eyes grown dim with gazing on the pilot-stars. (*CPWT* 40)

"연밥 먹는 사람들"의 땅에서 "꽃과 열매 가득 달린 마술의 가지"(that enchanted stem, / Laden with flower and fruit)(제3연 제28-29행)를 들고 오는 "유순한 눈빛의 구슬픈 연밥 먹는 사람들"(mild-eyed melancholy Lotos-eaters)(제3연 제27행)이 제공하는 연밥을 맛보는 사람은 누구든지 자신의 조국, 아이, 아내 또는 노예를 잊어버리면서 "깊은 잠"(deep-asleep)(제3연 제35행)에 빠지는 것 같다. 「합창」 제4연 제98행의 시구 "긴 안식 또는 죽음, 암흑의 죽음, 또는 꿈 가득한 안락"(long rest or death, dark death, or dreamful ease)이 함의하듯이, 감미로운 연밥의 효과는 마취제나 아편과 같이 무의식 또는 "죽음의 절박한 형태의 삶"(Ricks 84), 즉 생중사生中死, death-in-life와 유사하게 나른한 복지부동伏地不動이다. 자연히 "매일매일 연밥을 먹는"(Eating the Lotos day by day)(「합창」 제5연 제105행) 선원들과 오디세우스는 「연밥 먹는 사람들」 제5연 제43-45행 "우리 돌아가지 맙시다,"(We will return no more)와 "우리의 고향 섬나라는 파도 너머 저 멀리 있으니, 이제 방랑은 그만둡시다."(Our island home / Is far beyond the wave; we will no longer roam.) 및 「합창」 제8연 제173행 "오, 쉬어라, 그대 뱃사람 형제들이여, 우리는 이제 더 이상 방랑하지 않으리니."(O rest ye, brother mariners, we will not wander more.")와 같이 선언한다 (Tennyson, 『시선』 30; *CPWT* 39, 41). 그런데 테니슨의 오디세우스는 호메로스의 오디세우스와 아주 다르다. 후자는 그의 선원들에게 즉시 돌아가서 승선하고 "연밥 먹는 사람들"의 땅을 떠나라고 명령하고 있다. 그러나 전자는 선원들과 모두 베르길리우스 목가시의 가장 현저한 시각적 심상인 "그늘에서 휴식"(*lentus in umbra*) 상태에 있으며, "그 자신의 빈번한 권태와 환멸의 개인적 경험"을 반영하고 있기 때문이다(Bush, *Romantic Tradition* 208).

한편, 테니슨은 그의 가장 가까운 친구이자 처남이 될 아서 할람Arthur Hallam이 22세 나이에 비엔나Vienna에서 사망한 이후, 극적독백 시 「율리시스」를 집필한다. 이 시는 호메로스의 『오디세이아』(제11권 제100-37행)와 단테의 『신곡』(*Divina Commedia, The Divine Comedy*), 특히 『지옥편』에 등장하는 오디세우스의 모험에 근거하고 있다. 그럼에도 불구하고, 이들 사이의 차이점은 고찰할 만한 가치가 있을 것이다. 사실, 이 시는 제17행 "바람 찬 트로이의 저 먼 소란한 들판에서"(Far on the ringing plains of windy Troy)가 분명히 지적하고 있듯이 지루한 10년의 트로이 전쟁과 제9-11행 "달리는 구름 사이로 / 비에 젖은 히아데스 성좌가 / 검푸른 바다를 노엽게 할 때."(when / Thro' scudding drifts the rainy Hyades / Vext the dim sea.)에와 같이 위험스러운 또 다른 10년의 이타카 귀환 항해 이후의 "할일 없는 왕"(idle king)(제1행) 율리시스에 방점을 두고 있다(*CPWT* 79). 시 「율리시스」에서 화자 율리시스의 배우자는 "늙은 아내"(an aged wife)(제3행)로 나오는 반면에, 『오디세이아』에 등장하는 그의 정숙한 페넬로페는 많은 구혼자들을 매료시킬 정도여서 늙은 아내는 아니었다. 테니슨은 그의 시 속에 『오디세이아』 제11권 "사자의 왕국"(The Kingdom of the Dead) 제100-38행에서 "유명한 테베의 예언자" 테이레시아스Tiresias, Τειρεσίας의 "유령"이 오디세우스에게 미리 들려주는 "그대의 궁전에서 구혼자들을 죽인 뒤에 / . . . / 다시 길을 떠나서 가야 할 거요"라는 항해의 예언을 짜서 넣고 있다(Homer, *Odyssey* 252-53; 『오뒷세이아』 243-44). 『지옥편』 제26곡 제55-63행에서 율리시스와 디오메데스는 그들의 사악한 조언 때문에 지옥의 수많은 화염 속에 휩싸인 것처럼 보인다. 율리시스는 트로이의 패망과 로마제국의 출현을 야기한 트로이 목마를 매복시켰고, 스키로스Scyros 궁전에서 여장으로 변장하여 숨어 있던 아킬레우스에게 트로이 전쟁의 참전을 설득함으로써 이 섬나라 왕 리코메데스King Lycomedes의 딸이자 연인 데이다메이아Deidamia, Δηϊδάμεια가 버림받아 자살하도록 유도했기 때문에 지옥에서 형벌을 받았다. 율리시스와 디오메데스는 트로이 성채에서 신성한 수호 모상模像인 트로이 팔라디움Trojan Palladium—팔라스 아테나 목각상木刻像—을 훔침으로써(*CD* 647) 트로이의 몰락에 일조를 했기 때문에 처벌을 받고 있는 것이다.[23] 단테의 율리시스는 화염 속에서 키르케로부터 벗어난 여정, "세

---

23) 로마 시인이요 안내자 베르길리우스는 지옥의 에워싸는 불꽃에 대하여 단테가 던진 질문에 다음과 같이 답변한다.

> 스승이 답변했다. "저 속에서 벌 받는 자는
> 율리시스와 디오메데스이다. 둘은 짜고
> 신의 노여움을 산 사이로, 신벌도 같이 받고 있다.
> 불꽃 속에서 트로이 목마의 계략을 뉘우치며 울고 있다.
> 그것이 원인으로 문이 열리어 거기서부터
> 로마의 고귀한 혈통이 나왔다.

상을 탐험하고, 삶의 방식과 / 인간의 악과 가치를 탐색하려는"(To explore the world, and search the ways of life, / Man's evil and virtue) 열정, 현재 지브롤터 해협Strait of Gibraltar에 있는 고대의 항해 금지 표지인 헤르쿨레스의 기둥Hercules' Pillars, Ἡράκλειαι Στῆλαι 너머로 5개월간 "가없는 깊은 대양으로"(into the deep illimitable main)의 항해 및 어슴푸레하고 가장 높은 산 – 연옥Purgatory 앞에서 회오리바람과 "물벼락"(booming billow)을 맞고 자신과 동행인들이 파선하여 죽은 이야기를 들려준다(*DC* 132-33). 이와 유사하게, 테니슨의 율리시스도 자신의 아들 텔레마코스Telemachus에게 이타카의 "왕홀王笏과 섬나라를 맡기고"(leave the sceptre and the isle)(제34행) 그의 선원들과 함께 "일몰 저 너머로 모든 서녘별의 자맥질을 지나"(beyond the sunset, and the baths / Of all the western stars)(제60-61행) 자신이 죽을 때까지 "행복의 섬"(the Happy Isles)(제63행), 즉 엘리시움에 당도하여 "위대한 아킬레우스"(the great Achilles)(제64행)와 재회하는 희망을 갖고 항해하려는 방랑벽이 있다(*CPWT* 80-81). 그러나 단테의 율리시스는 인간의 영역을 벗어나서 신의 섭리가 아닌 인간의 의지로 연옥에 도달하려고 애쓴 범죄 때문에 지옥에서 영벌을 받고 있는 것이다. 반면에 테니슨의 율리시스는 여전히 살아서 늙은 나이에도 불구하고 다른 세계를 영웅적으로 탐험하려고 고군분투하고 있는데 이것이 빅토리아니즘Victorianism을 시사한다. 여기서 시인은 "여행의 심상을 인생 자체와 일치하는 연속체, 즉 끊임없는 열망의 상징으로 환기"하고 있다(Buckley 60). 이것에 비추어 앞에서 언급한 시 「연밥 먹는 사람들」의 소극적 율리시스는 시 「율리시스」의 적극적 율리시스와 극명하게 대조적이다. "호메로스의 율리시스"는 정상적인

---

또한 사후에도 여전히 데이다메이아가 아킬레우스를 생각하여
상심하고 있는데, 그 술책에도 불 속의 후회와 눈물의 씨앗이다.
게다가 팔라디움상 때문에도 벌을 받고 있다." (Dante, 『지옥편』 167; *DC* 131)

그리스인과 같이 "집에 가서 자신의 난로 바닥에 안주하기를 열망하는" 소극적 율리시스의 전형이다(Bush, *Romantic Tradition* 209).

시 「티토노스」에서 테니슨은 계속하여 그리스 로마 신화에서 트로이의 비극적 왕자 티토노스를 원용하고 있다. 시인은 "잔인한 불멸"(cruel immortality)보다 우위에 있는 죽음의 주제를 드러내고 있는데, 그가 이 시를 1833년 10월 20일 뇌졸중으로 사망한 할람의 부음을 접한 직후에 "「율리시스」의 장식"(a pendant to the "Ulysses")으로 작시했기 때문이다(*TP* 71).

> 숲이 썩는다, 숲이 썩어 스러진다.
> 습기가 울어 물기를 땅에 뿌린다.
> 사람이 와서 밭을 일구다가 그 밑에 묻힌다.
> 백조도 여러 여름 뒤엔 죽는다.
> 나만 홀로 잔인한 불멸로 타들어간다.
> 여기 세상의 적막한 한 끝에서
> 그대 품 안에 안겨 천천히 시들어간다.
> . . . . . .
> 그러나 강력한 시간들이 분노하여
> 자기들 뜻대로 행하였으니,
> 나는 짓눌려 망가지고 황폐되었다.
> 나를 죽일 수는 없어도 불구로 남겨 놓아
> 영원한 청춘 앞에 살게 하였다.
> 영원한 청춘 앞에 영원한 노쇠.
> 옛날의 내 모습은 재가 되었다. (Tennyson, 『눈물이』 50, 52)

> The woods decay, the woods decay and fall,
> The vapors weep their burden to the ground,

Man comes and tills the field and lies beneath,
And after many a summer dies the swan.
Me only cruel immortality
Consumes: I wither slowly in thine arms,
. . . . . .
But thy strong Hours indignant work'd their wills,
And beat me down and marr'd and wasted me,
And tho' they could not end me, left me maim'd
To dwell in presence of immortal youth,
Immortal age beside immortal youth,
And all I was, in ashes. (*CPWT* 391-92)

트로이의 왕 라오메돈King Laomedon과 물의 요정 스트리모Strymo의 아들 티토노스와 아우로라의 슬픈 고전 신화는 셸리에 관한 제5장에 상술되어 있다(Ahn 258-59). 로마 신화에서 새벽의 여신 아우로라는 자신의 애인 티토노스에게 영생을 허락해달라고 간청했지만, "불멸의 젊음"(immortal youth)을 부탁하는 것을 잊어버렸다. 그러나 테니슨은 영생을 간청하는 주체를 아우로라로부터 새벽의 여신에게 제2연 제15행 "불멸을 달라."(Give me immortality.)고 요청하는 화자 티토노스에로 전환하고 있다. 위 시에서 "숲"(The woods), "습기"(The vapors), "인간"(Man), 상징적인 "백조"의 시어들로 표상되는 물뿐만 아니라 모든 식물계, 동물계, 인간계는 자연 법칙에 굴복하여 변하고, 썩고, 스러지고, 죽는다. 진실로 가시적 세계의 만물은 모래시계와 대낫을 들고 있는 크로노스 아버지 시간을 인유하고 있는 "분노하는 강력한 시간들"(strong Hours indignant)의 지배를 받아 끊임없이 변화하는 과정에 있다. 결국 제5연 제49행 "신들도 일단 준 선물은 취소 못 한다."(The Gods themselves cannot recall their gifts.)라는 신화의 금과옥조金科玉條 때문에 티토노스는 정신적으로 "율리시스의 정반대"(Buckley 62)로서 "불멸의 노인"(immortal age), 또는 어떤 전설에서는 변신한 매미나 메뚜기가 생중사를 미워하고, 제7연 제69-71행 "죽을 / 능력 있는 행복한 인간들의 집과 / 더욱 행복한 죽은 자들의 무성한 무덤"(the homes / Of happy men that have the power to die, / And grassy barrows of the happier dead)에서 보듯이 산 자나 죽은 자들을 부러워하면서 인간의 죽음을 희구하고 있다(*CPWT* 392). 티토노스의 신화는 테니슨의 습작시 「메뚜기」("The Grasshopper," 1830) 제1연 제5-7행 "아니 너는 시인들이 생각하듯이 티톤이 아니야 / (귀머거리와 소경인 그들에게 수치가 있을지어다), / 유연하나 힘센 곤충일 뿐이다,"(No Tithon thou as poets feign / (Shame fall 'em they are deaf and blind), / But an insect lithe and strong,)에서와 같이 반시적反詩的으로 전복되어 있다(*CPWT* 409-10). 그러나 "메뚜기로부터 그에게 부여된 신화적 정체성을 제거하는 것은" 시인 테니슨의 "독창적인 시도"인 것이다(*TP* 539).

한편, 극적독백 시 「테이레시아스」는 파운드와 엘리엇에 관한 제9-10장에서 다소 조명하게 되는 그리스 신화에서 테베의 장님 양성 예언자 테이레시아스에 근거를 두고 있다(Ahn 4, 22-24). 부제 "테이레시아스"가 붙은 이 시의 제2연은 테베의 젊은 왕자 메노이케우스Menoeceus, Μενοικεύς에게 화자 테이레시아스의 설득으로 시작한다. 메노이케우스는 아이스킬로스의 『테베공략 7장군』과 에우리피데스의 『페니키아의 여자』(*Phoenissae*, 기원전 c 410)에 서술되어 있는 테베공략 7장군의 전쟁에서 이 도시를 구하기 위하여 자신을 희생 제물로 바친다.

> 내 아들아, 신들은 인간의 기도에도 불구하고,
> 인간의 왕들보다 더욱 느리게 용서를 한다.

위대한 신 아레스는 아직도 분노로 이글거린다,
티레 출신, 우리 카드모스의 죄 없는 후손들에게.
너는 그분에게서 나왔고, 그분은
두려움에 부들부들 떠는 우리 조상들이
신의 친아들이라고 부른 용, 그 힘센 짐승을
온 습곡(褶曲)을 뒤져서, 디르케 샘가에서 발견하고
기습하여 숨을 끊어 놓으셨기 때문이란다.

My son, the Gods, despite of human prayer,
Are slower to forgive than human kings.
The great God Arês burns in anger still
Against the guiltless heirs of him from Tyre,
Our Cadmus, out of whom thou art, who found
Beside the springs of Dircê, smote, and still'd
Thro' all its folds the multitudinous beast,
The dragon, which our trembling fathers call'd
The God's own son. (*TP* 74-75)

테이레시아스는 메노이케우스를 "나의 아들"(My son)이라고 다정하게 부르고 있지만, 사실 그는 크레온의 아들이고, 처음에 "티레"(Tyre)의 아게노르 왕King Agenor과 텔레파사 왕비Queen Telephassa의 아들로서 페니키아 왕자였고, 고대 테베의 건설자요 시조인 카드모스의 후손이었다. 그리스 최초의 영웅 카드모스는 "디르케 샘"(the springs of Dircê)의 수호 수룡水龍을 죽이는데, 이 괴물이 그의 동료 몇 명을 살해했기 때문이다. 그는 그때 아테나의 지시를 받고 용의 이빨 절반을 땅에 심었는데, 거기서 용맹한 무장 용사들, 즉 용아병龍牙兵 또는 스파르토이Spartoi, Σπαρτοί, Sparti가 솟아 올라왔다. 서로 살육을 하다가 살아남은 다섯 용사들은 그를 도와서 테베의 성채 카드메이아Cadmeia를 건설하였다. 그러나 용은 "위대한 신 아레스"(the great God Arês, Ἄρης) 또는 로마 신화의 상응신 마르스의 신성한 동물이었으므로, 그리스의 전쟁신은 카드모스로 하여금 8년간 종으로서 속죄하도록 하였으나, 그의 후손 메노이케우스에 대하여 그 신은 분노를 간직하고 있었다(*CD* 363; *BM* 892; *CM* 79).

제6연에서 테니슨은 계속하여 양성의 기원을 서술하고 있는 『변신이야기』 제3권 제316-37행이 아닌 『오디세이아』 제11권 제90-151행에 근거하여 테이레시아스가 장님이 되고, 예언의 능력을 갖게 된 과정에 대하여 묘사하고 있다.

은밀한 올리브나무 숲속 빈터에서 보았다네,
팔라스 아테나가 목욕하다가 분노하면서
올라오는 것을. 허나 번쩍이는 한 발에
맑은 샘물이 흔들렸네. 눈같이 하얀 한쪽 무릎에
샘가의 꽃들은 눌려 있었네. 섬뜩한 빛이 여신의
금발, 풀밭 위의 황금투구, 모든 황금갑옷,
그리고 처녀 가슴에서 나왔고, 처녀 눈은
내 눈에 고정되었는데, 드디어 내 눈이 영원히
어둡게 되었고, 그때 한 목소리를 들었다네,
"앞으로 넌 너무 많은 것을 보았기에 소경이 되고,
아무도 믿지 않을 진리를 말하게 되리라."

There in a secret olive-glade I saw
Pallas Athene climbing from the bath
In anger; yet one glittering foot disturb'd
The lucid well; one snowy knee was prest
Against the margin flowers; a dreadful light

> Came from her golden hair, her golden helm
> And all her golden armor on the grass,
> And from her virgin breast, and virgin eyes
> Remaining fixt on mine, till mine grew dark
> For ever, and I heard a voice that said,
> "Henceforth be blind, for thou hast seen too much,
> And speak the truth that no man may believe." (*TP* 75)

테이레시아스는 제7연 제59-60행 "기근, 역병, / 신전을 파괴하는 지진, 화재, 홍수, 벼락"(famine, plague, / Shrine-shattering earthquake, fire, flood, thunderbolt)에 대하여 자신의 "예언하는 능력"(power of prophesying)으로 사람들의 신뢰를 확보할 수 없다고 한탄한다. 테이레시아스는 메노이케우스에게 제11연 제89-90행 시구들 "물밀 듯 밀려오는 적의 습격이 / 우리의 일곱 높은 성문으로 접근하고"(what full tides of onset sap / Our seven high gates)와, 제93-96행 "아레스가 던지는 / 귀를 멍하게 하는 소나기처럼 빗발치는 돌들이 / 시끄러운 성벽을 따라서 부서진다. / 노래로 건설된 망루와 성문들 / 위에서, 아래에서, 충격이고 또 충격이네"(Stony showers / Of that ear-stunning hail of Arês crash / Along the sounding walls. Above, below, / Shock after shock, the song-built towers and gates)에서 보듯이 그리스 신화에서 전쟁의 신 아레스의 공격과 암피온의 하프 음악에 맞추어 건설된 테베 성벽과 망루들의 파괴로서 끔찍한 테베공략 7장군의 전쟁을 예언하고 있다.

제15연에서 테이레시아스는 명시적 · 암시적으로 그리스 신화의 오이디푸스와 스핑크스를 언급하고 있는데, 후자는 셸리에 관한 제5장에서 조명한 바 있다(Ahn 244-45).

용의 동굴은
지금은 우거진 포도넝쿨에 반쯤 감추어졌다고들 하는데－
그곳에 그 괴수가 한때 살았으며 거기서 한밤중에
똬리를 틀었다네－너도 알다시피, 또 그 앞에
제단 모양의 저 미끈한 암석에서 최근에
여인의 가슴을 한 스핑크스가 두 날개를 뒤로 제치고,
사자 발을 웅크리며 테베 쪽으로 바라보았다네.
그곳에는 그 괴물이 살해한 사람들의 유골들과 이것들과
자신의 것이 하얗게 섞여 있었다네. 그 사나운 짐승은
자신보다 더 현명한 사람을 발견하고, 격분하더니 돌진해서
죽었다네. 허지만 너는 젊지만 너의 현자를 사랑하고,
팔라스 저주의 예봉을 무디게 하고, . . .
견뎌낼 만큼 현명하다네.

The Dragon's cave
Half hid, they tell me, now in flowing vines－
Where once he dwelt and whence he roll'd himself
At dead of night－thou knowest, and that smooth rock
Before it, altar-fashion'd, where of late
The woman-breasted Sphinx, with wings drawn back,
Folded her lion paws, and look'd to Thebes.
There blanch the bones of whom she slew, and these
Mixt with her own, because the fierce beast found
A wiser than herself, and dash'd herself
Dead in her rage; but thou art wise enough,
Tho' young, to love thy wiser, blunt the curse
Of Pallas, bear, . . . (*TP* 77-78)

테베로 가는 길목의 "저 미끈한 암석"(that smooth rock), 즉 그리스 지역에서 많이 출토되는 대리석 위에 앉은 괴물 스핑크스가 내는 수수께끼를 푸는 오이디푸스의 지혜는 다른 통행인들을 잔인한 살해에서 구해주었다. 마찬가지로, 아레스의 분노와 "팔라스의 / 저주"(the curse / Of Pallas)로부터 특히 테베의 "처녀들, 아내들"(maidens, wives), "어머니들"(mothers) 및 "가장 나이 많은 노인들"(oldest age)을 구하기 위하여 테이레시아스는 메노이케우스에게 "저기로, 내 아들아, 저기서 / 애인의 포옹을 결코 몰랐던 네가 / 너의 순결한 생명을 바쳐라."(Thither, my son, and there / Thou, that hast never known the embrace of love, / Offer thy maiden life.)와 같이 자신을 희생하라고 진지하게 충고한다(*TP* 76, 78). 여기서 메노이케우스가 조국의 승리를 위해 마르스의 용이 기거했던 동굴 가까이서 희생 제물로 자살하는 신화를 테니슨이 신화시로 변환한 것임을 알 수 있다(*CD* 363). 시인은 "자기희생", 즉 "죽음을 대속하는" 숫총각 메노이케우스의 자발적인 순국에서 "힘과 위안을 추구한다"(Ricks 125).

다른 한편, 시 「암피온」 제2-3연에서 테니슨은 암피온의 황금시절에 생존했더라면 하는 자신의 진지한 소망을 표백하고 있다.

오, 노래가 위대했던 옛날 암피온의
　시절에 내가 살았더라면,
또 깡깡이를 성문으로 들고 가서,
　자손이나 후손도 신경 쓰지 않았더라면!
또 노래가 위대하고, 나무의 둥치가
　유연했을 때 살았더라면,
또 깡깡이를 성문으로 들고 가서,
　수목 속에서 연주했더라면!
그의 혀는 선율적이라고들 하네,

아주 기분 좋은 억양이라네.
그가 앉아서 노래하는 곳마다
그는 작은 농장을 남겨두었다네.
한적한 숲은 어디에서나
그는 처량한 피리를 남겨두었다네.
통풍 걸린 참나무가 움직이기 시작하더니
몸부림쳐서는 혼파이프가 되었다네.

O had I lived when song was great
In days of old Amphion,
And ta'en my fiddle to the gate,
Nor cared for seed or scion!
And had I lived when song was great,
And legs of trees were limber,
And ta'en my fiddle to the gate,
And fiddled in the timber!
'T is said he had a tuneful tongue,
Such happy intonation,
Wherever he sat down and sung
He left a small plantation;
Wherever in a lonely grove
He set up his forlorn pipes,
The gouty oak began to move,
And flounder into hornpipes. (*CPWT* 98)

그리스 신화에서 암피온은 제우스와 테베의 섭정왕 니크테우스Nycteus의 딸이자 아마존족의 한 명인 안티오페Antiope, Ἀντιόπη 사이에 태어난 아들이며,

제토스Zethus, Ζῆθος의 쌍둥이 형이다. 두 형제는 테베 주위로 성벽을 건설했는데, 제토스는 돌들을 운반하고, 암피온은 헤르메스에게서 선사 받은 수금과 배운 음악을 연주하여 이 돌들을 홀리게 하여 제 위치에 서게 하였다(*CD* 40; *CM* 39, 47). 연속적인 3연에서 암피온의 마술적 음악에 맞추어서 산 위의 "물푸레나무"(ashes), "너도밤나무"(beeches), "포도나무"(briony-vine), "담쟁이나무"(ivy-wreath), "보리수"(linden), "인동덩굴"(woodbine), "포플러"(poplars), "사이프러스"(cypress), "버드나무"(willows), "오리나무"(alder), "주목"(yews), "자두나무"(sloe-tree), "느릅나무"(elms), "소나무"(pine)와 같은 다양한 "각종 나무"(tree by tree)가 일제히 활발하게 움직이고 선율적으로 춤을 추는 것은 "테니슨적 풍경화"(Tennysonian landscape-painting)를 상기시켜준다(Bush, *Romantic Tradition* 198). 제8-9연에서 테니슨은 테베의 전설적 하프 연주자나 "혼파이프"(hornpipes)의 피리 연주자를 근대의 시인 자신과 비교하고 있다. 암피온의 기적 같은 음악에 맞추어서 "움직인"(moved) "자연"(Nature)을 기억하면서, 테니슨은 그의 "깡깡이"(fiddle)－"황동시대"(brassy age)의 시로서는 "엉겅퀴 하나도 움직이게"(move a thistle) 할 수 없는 자신의 무능을 한탄하고 있다. 그 대신 시인은 "근대의 뮤즈들"(the modern Muses)이 신화적이 아닌 원예학적 자료들－"식물학 논문들"(Botanic Treatises)과 "원예에 관한 작품들"(Works on Gardening) 및 "나무 이식 방법들"(Methods of Transplanting Trees)을 읽는 것을 듣고 있다.

시 「데메테르와 페르세포네」에서 테니슨은 현존하는 자신의 가장 이른 초기 번역시 「클라우디아누스의 프로세르피나 번역」("Translation from Claudian's 'Proserpine,'" 1820)[24]을 상기시켜 주는 그리스 신화의 데메테

24) 클라우디아누스의 신화 서사시의 원제는 「프로세르피나의 겁탈」("De Raptu Proserpine")이다. 클라우디아누스는 로마 황제 호노리우스Honorius 궁전에서 4세기 후반에 전성기를 누린

르와 엔나 계곡에서의 페르세포네를 묘사하고 있다. 데메테르는 12올림포스 신들 중의 하나로서 대지의 어머니 여신이고, "농업의 신"−"곡물의 여신"(the Corn Goddess)이다. 페르세포네는 제우스와 데메테르의 딸인데 시칠리아의 엔나 계곡에서 꽃을 따다가 하데스에게 납치되어 지하세계의 왕비와 여신이 되었다(*CD* 508; *CM* 122-23, 341). 이 시의 첫 3연에서 화자 데메테르는 페르세포네의 과거와 현재의 이야기들을 말한다. 다시 말해, 첫째는 "혼령과 꿈의 신"(the God of ghosts and dreams) 헤르메스에 의하여 위로 인도되어 데메테르가 숭배되는 아테네 인근의 마을인 "엘레우시스"(Eleusis)에 두게 된 그녀의 딸, 둘째는 가련하고 공포에 질린 페르세포네가 "어두운 아이도네우스", 즉 하데스(또는 플루토 또는 디스)의 "전차"(the car / Of dark Aïdoneus)에 의하여 "하데스 아래로 깊이"(downward into Hades) 불의 강인 "화염의 플레게톤"(fiery Phlegethon) 위쪽으로 납치, 셋째는 데메테르의 "모성애"(motherhood)−9일 밤낮 동안 "지옥, 대지, 하늘을 온통 울리는"(rang thro' Hades, Earth, and Heaven) 딸을 잃은 어머니의 강력한 절규, 넷째는 온갖 빛나는 꽃들로 붉게 타는 "엔나 들판"(the field of Enna)에서 그들의 재회이다. 제4연에서 테니슨은 "수많은 궁전과 움막집을 뒤지고"(Thro' many a palace, many a cot), "모든 바다의 모든 벼랑 위에서"(on all the cliffs of all the seas), "모든 숲"(all woods)과 "무덤과 동굴을 뒤지는"(thro' tomb and cave) 등 사방에서 사라진 아이를 찾고 있는 슬픔에 빠진 데메테르를 그림같이 묘사하고 있다. 그러나 데메테르가 만난 "세 명의 잿빛 머리"(three gray heads) 시구로 상징되는 세 운명의 여신들Fates도 그녀가 어디에 있는지 모른다.

제5연에서 "꿈의 신"(the God of dreams) 헤르메스가 그녀의 울음소리를 듣고서 페르세포네의 유령을 드러내고 있다.

---

라틴 시인이다.

너의 유령이
내 앞을 지나가면서 울부짖는구나. "지고의 천국에서
빛나는 분은 지저(地底)의 지옥에서 어두운 분의 형이시고,
두 분이 맹세를 했다네요, 당신,
위대한 대지-어머니인 당신의
매장된 생명을 죽음에서 부활로 바꾸는 권능의
어린아이인 내가 영원히 또 영원히
흑암의 신부가 되어야 한다고 맹세했다오."

thy shadow past
Before me, crying, "The Bright one in the highest
Is brother of the Dark one in the lowest,
And Bright and Dark have sworn that I, the child
Of thee, the great Earth-Mother, thee, the Power
That lifts her buried life from gloom to bloom,
Should be for ever and for evermore
The Bride of Darkness." (*TP* 479)

테니슨은 페르세포네의 절규인 "지고의 천국에서 빛나는 분"(The Bright one in the highest)으로 제우스를, 시구 "지저의 지옥에서 어두운 분"(brother of the Dark one in the lowest)으로 하데스를 각각 인유하고 있다. 게다가 "흑암의 신부"(Bride of Darkness) 또는 "사자의 여왕"(Queen of the dead) 또는 "죽음의 왕비"(Queen of Death) 페르세포네는 "위대한 대지-어머니"(the great Earth-Mother)와 더불어 "매장된 생명을 죽음에서 부활로 바꾸는 권능"(the Power / That lifts her buried life from gloom to bloom)에서 식물 신화의 전형인 영원한 재생을 상징하고 있다. 식물 신화의 연차적 순환은 페르세포네는 "해마다 아홉 번 하얀 달이 뜨는 동안"(For nine white moons of each whole year) 데메테르와 함께, 또한 흑암의 왕 하데스와 "함께 어둠 속에서 캄캄한 석 달을"(Three dark ones in the shadow with) 머물러야 한다는 제우스의 명령으로 확정되었다. 제9연에서 데메테르는 자신의 딸과 자신이 "땅속의 곡물에서 돋아나는 새순으로"(from buried grain thro' springing blade) 생명을 보내고, 가을을 축복하여 "대지의 풍년가 들으며"(in the harvest hymns of Earth) 추수하고, 더 이상 영원한 고통을 상징하는 시시포스의 "바위"(The Stone)나 익시온의 "수레바퀴"(the Wheel)를 보지 않으며, "인간의"(of mortals) "죽은 자나 불에 타 버린"(where the dead, the burnt-out) 혼령들이 거주하는 "아스포델의 고요한 들판을 따라서 / 유령의 전사가 미끄러지듯 달리지도"(the shadowy warrior glide / Along the silent field of Asphodel) 않게 되리라고 예언하고 있다(*TP* 480; Homer, *Odyssey* 468-69).

시「헤로가 레안드로스에게」에서 테니슨은 그리스 신화에서 아프로디테의 여사제 헤로와 헬레스폰트 서쪽 해안에 있는 그녀의 애인 레안드로스 사이의 애틋하지만 비통한 사랑 이야기를 묘사하고 있다. 이 시는 제1연에서 그들의 열렬한 사랑을, 제2연에서 그녀의 격렬한 비탄을 묘사하고 있는 2연으로 구성되어 있다. 화자 헤로는 사랑하던 레안드로스의 뜻밖의 싸늘한 주검 앞에서 아래와 같이 절규하고 있다.

> 오, 키스해주세요, 키스해주세요, 다시 한번,
> 　그대의 키스가 마지막이 되지 않도록!
> 오, 우리가 헤어지기 전에 키스해주세요.
> 제 가슴에 더 가까이 다가오세요!
> 제 가슴은 바다의 가슴보다 분명히 더 따뜻하네요.
> 오, 기쁨이여! 오, 복 중의 복이로다!
> 　내 마음속의 마음이 그대이네요.

. . . . . .

그리고 레안드로스여, 그대가 죽을 때에
  제 영혼은 정녕 그대를 따라가야 하네요!
오, 아직 가지 마세요, 내 님이여!
  그대의 목소리는 달콤하고 나지막하니까요.
깊은 바다의 짠 파도가 위로 부서지네요,
  아래엔 대리석 계단이 있는데요.
바다로 통하는 탑의 계단은
  물에 젖어 있는데요.
레안드로스여! 아직 가지 마세요.

O, kiss me, kiss me, once again,
  Lest thy kiss should be the last!
O kiss me ere we part;
Grow closer to my heart!
My heart is warmer surely than the bosom of the main.
O joy! O bliss of blisses!
  My heart of hearts art thou.

. . . . . .

And when thou art dead, Leander,
  My soul must follow thee!
O go not yet, my love!
  Thy voice is sweet and low;
The deep salt wave breaks in above
  Those marble steps below.
The turret-stairs are wet
  That lead into the sea.
Leander! go not yet. (*CPWT* 408-09)

이 시가 노호하는 바다에서 애인을 잃어버린 헤로의 비참한 가슴에서 주체할 수 없이 쏟아내는 일종의 만가輓歌라는 것은 말할 필요도 없다. 헤로와 레안드로스의 비극적인 그리스 신화는 키츠에 관한 제6장에서 『엔디미온』을 분석하면서 상세히 조명한 바 있다(Ahn 32). 테니슨의 시 「헤로가 레안드로스에게」와 크리스토퍼 말로Christopher Marlowe의 유고 미완성시이고 채프먼이 완성한 「헤로와 레안드로스」("Hero and Leander," 1598) 및 리 헌트Leigh Hunt의 시 「헤로와 레안드로스」("Hero and Leander," 1819)를 비교한다면 아주 흥미로울 것이다. 테니슨의 시는 빅토리아조 극적독백 기교로 직조되어 있는 반면에, 말로/채프먼과 헌트의 시들은 르네상스와 낭만주의의 전통을 따르기 때문이다.

시 「파르나소스」에서 테니슨은 키츠에 관한 제6장에서 고찰한 뮤즈들에게 신성한 샘인 히포크레네와, 셰익스피어에 관한 제3장과 밀턴에 관한 제4장에서 살펴본 파르나소스산—델피 위로 우뚝 솟아 있는 석회암산을 인유하고 있다. 나아가서 시인은 그리스 신화의 "강력한 뮤즈들"(the mighty Muses)을 원용하여 "천문학과 지질학, 무서운 뮤즈들"(Astronomy and Geology, terrible Muses)의 비약적 진보—빅토리아 시대의 한 특징인 과학의 신속한 발전—에 대하여 심각한 놀라움과 깊은 우려를 표명하고 있다.

> 신성한 샘 위로 높이 솟은 저 두 형상은 무엇일까?
> 모든 뮤즈들보다 더 훤칠하고, 모든 산들보다 더 웅장한데.
> 저 알려진 두 봉우리 위에서 그들은 늘 서서 옆으로 높이 퍼져나가네.
> 시인이여, 저 상록의 월계수가 번개보다 더한 것에 하얗게 빛바랬도다!
> 보라, 그들의 깊은 이중의 그림자 속에 계관시인들이 모두 사라지네!
> 새처럼 노래하고 행복하여라, 죽음 없는 소문은 기대하지 말라!
> "영원히 또 영원히 소리 낸다고?" 넘어가라! 시야가 어지럽다—
> 이것들은 천문학과 지질학, 무서운 뮤즈들이다!

What be those two shapes high over the sacred fountain,
Taller than all the Muses, and huger than all the mountain?
On those two known peaks they stand ever spreading and heightening;
Poet, that evergreen laurel is blasted by more than lightning!
Look, in their deep double shadow the crown'd ones all disappearing!
Sing like a bird and be happy, nor hope for a deathless hearing!
"Sounding for ever and ever?" pass on! the sight confuses—
These are Astronomy and Geology, terrible Muses! (*TP* 481)

헬리콘산에 살았던 아홉 뮤즈들은 셰익스피어에 관한 제3장과 키츠에 관한 제6장에 상술되어 있다(Ahn 23). 테니슨은 천문학적 활동의 특성이 있는 뮤즈 우라니아만 인유하고 있으며, 지질학의 뮤즈는 직접 창조했을 것이다. 기타 여덟 명의 뮤즈들은 칼리오페(서사시), 클리오(역사), 에라토(연애시), 에우테르페(플루트와 서정시), 멜포메네(비극), 폴리힘니아(찬가), 테르프시코레(합창무도), 탈리아(희극) 및 우라니아(천문학, 기독교시)이기 때문이다 (*CD* 381-82; *BM* 928-29; *CM* 282). 사실, 만년에 테니슨은 천문학과 지질학, 즉 자신의 빅토리아 시대 정신에 새롭게 강요되는 무한한 우주와 측정불가한 시간에 대한 진보적 개념들과 씨름하고 있었다(*TP* 481). 시 「파르나소스」 제3부에서 천문학과 지질학에도 불구하고, 노래하는 자, 즉 시인은 뮤즈들의 저명한 고향인 테살리아 피에리아Pieria에 있는 "순수한 피에리아 제단에서 먼"(off a pure Pierian altar) 곳의 불로서, 또는 "황금빛 일리아스는 사라지게 하라, 이곳의 호메로스는 저곳의 호메로스이다."(Let the golden Iliad vanish, Homer here is Homer there.)라고 덧붙이면서 시인 내면의 영감으로서 "다른 노래들"(Other songs)은 "다른 세계들"(for other worlds)이 필요하다는 결론을 내리고서 안도한다. 이 시의 3부는 "세 부분의 헤겔의 변증법적 형식Hegelian dialectic"—정반합正反合으로 각각 구성되어 있다(Buckley 239-40). 전기비평적 관점에서 고찰하면, 테니슨의 천문학과 지질학의 개념은 그가 1837년에 읽었던 찰스 라이엘Charles Lyell의 『지질학의 원리』(*Principles of Geology*, 1830-1833)에 노출됨으로써 형성된 것이다. 극단적으로 혁신적인 저서 속에서 이 위대한 지질학자는 격변설Catastrophism을 반대하고 동일과정설Uniformitarianism을 견지, 즉 급격한 지질학적 변화를 반대하고 더욱 점진적이고 엄청난 과정들을 지지하는 주장을 하고 있다(Jordan 21-22). 이것과 관련하여 테니슨은 천문학과 우주론에서 우주의 무한한 팽창을 추정하는 대폭발우주론Big Bang Theory에서 발전된 21세기의 시공확장이론Expanding Spacetime Theory, EST을 놀랍게 환영했을 것이다.

## III

테니슨의 고전 문학과 신화에 관한 공공연한 관심은 어린 나이 때부터 그리스 로마 자료를 읽는 데 도움을 준 그의 아버지 테니슨 박사로부터 지대한 영향을 받았다. 시인의 "과거 전설을 단순히 *반복*하는 것은 소용없는 것이다."(it is no use giving a mere *réchauffé* of old legends.)(Bush, *Romantic Tradition* 206 재인용)라는 지론에 따라서 고전 신화를 바탕으로 지금까지 조명한 신화시의 작가 테니슨은 초서와 스펜서 및 셸리와 마찬가지로 신화창조자－형식이 주로 "빅토리아조 극적독백"(Victorian dramatic monologue)(Markley 45)인 신화시를 창작함으로써 자기 자신의 신화를 창조하는 신화제작자인 것이다. 고찰한 시들 중에서 주변 화자들인 오이노네와 세멜레는 열렬한 애인이었으나 배신한 파리스와 강간한 제우스의 번개창 때문에 자신들의 비참한 운명 속에서 자살 또는 소사燒死하는 여성 피해자들이다. 주변 화자 헤로 또한 동일한 운명으로 고통받으며 죽은 애인 레안드로스의 시신을 놓고 비통해한다. 반면에 중심 화자들인 율리시스와 테이레시아스는 정치적 또는 종교적 남성 지도자로서 죽을 때까지 이타카를 넘어선 탐험을 격려하거나, 대의명분大義名分, 즉 테베의 구원을 위하여 자기 희생을 촉구하고 있다. 게다가 주변 화자 티토노스는 영생보다는 자연에 순종하는 죽음을 명상하고 있다. 전기비평적 접근으로 고찰하면, 모든 신화적 화자들은 테니슨의 마음의 친구-시인이자 그의 여동생 에밀리Emily의 약혼자 아서의 때 이른 죽음의 소식에 비통한 마음과 불굴의 정신을 넌지시 시사하고 있다. 더욱이 「바다의 요정들」과 「연밥 먹는 사람들」에서 세이렌들과 연밥의 상징을 통하여 테니슨은 빅토리아 시대의 과도한 성적 쾌락뿐만 아니라 지나친 식민지 확장을 경고하고 있는 것이다(Markley 58).

아주 초기의 논문 「테니슨과 호메로스」("Tennyson and Homer," 1900)에서 주장된 호메로스의 인유들과 상관없이, 계관시인은 그의 다른 시들도 고전 신화들로서 직조하고 있다. 예컨대, 그는 「아리따운 여인들의 꿈」("A Dream of Fair Women," 1832)에서 트로이의 헬레네와 이피게니아Iphigenia를 인유하고 있으며, 『아서 헨리 핼럼을 추모하여』에서 판, 사티로스, 우라니아, 멜포메네, 잠Sleep(히프노스의 의인화), 죽음Death(타나토스의 의인화), 뮤즈들, 파우누스 및 헤스페로스를 원용하고 있는데 추가적인 연구가 필요하다.

결론적으로, 테니슨의 신화시에 나타나 있는 수많은 그리스 로마 신화들을 운용하는 기교는 그의 시적 상징성을 심화시키고, 그의 빅토리아풍의 조망을 확장시키면서, 의무, 훈육, 용기, 사랑 및 죽음에 대한 그의 관념들을 확연히 제시하고 있다. 이 연구는 아일랜드 문예부흥의 가장 위대한 시인 예이츠의 시에 나타난 그리스 로마 신화를 탐색하는 또 다른 시도로 연결될 것이다.

# 8

# W. B. 예이츠의 시와 그리스 로마 신화

## I

제8장은 아일랜드 문예부흥Irish Literary Renaissance 또는 켈트 복고주의 Celtic Revival 또는 켈트의 여명Celtic Twilight의 주도자요 마지막 낭만주의자이자 모더니즘의 선구자인 W. B. 예이츠W. B. Yeats, 1865-1939 시에 나타난 모든 그리스 로마 신화의 다양한 함의와 상징성을 천착한다. 예이츠는 연모하던 여인 모드 곤Maud Gonne을 향한 거듭된 구혼이 좌절된 이후에, 『무이르셈네의 쿠출라인』(*Cuchulain of Muirthemne*, 1902)과 『신들과 전사들』(*Gods and Fighting Men*, 1904)이 수록된 『아일랜드 신화 전집』(*Complete Irish Mythology*)의 저자인 오거스타 그레고리 여사Lady Augusta Gregory, 1852-1932 소유의 천국 같은 쿨 장원Coole Park에 체류하면서 그녀와 함께 아일랜드 신화의 수집과 편찬에 깊이 몰두했지만, 그의 시에서 그리스 로마 신화를 능수능란하게 원용하거나 인유하고 있다. 그레고리 여사의 위 저서에 쓴 예이츠의 서문Preface과 『신들과 전사들』에 붙인 그의 또 다른 서문

및 아일랜드의 가장 위대한 전설적 시인이자 전사 오쉰Oisin을 기술하고 있는 그의 초기 장시 『오쉰의 방랑기』(*The Wanderings of Oisin*, 1889)는 분명히 그가 그레고리 여사와 더불어 아일랜드 신화의 대가임을 방증하고 있는 것이다. 예이츠의 고전 신화들은 브라이언 아킨스Brian Arkins의 『내 영혼의 건축가들: 예이츠와 그리스 로마 주제들』(*Builders of My Soul: Greek and Roman Themes in Yeats*, 1990)과 파완 쿠마르Pawan Kumar의 논문 「"무너진 성벽, 불타는 지붕과 탑": 역사-정치학적 맥락에서 W. B. 예이츠의 레다 신화의 수정」("'The broken wall, the burning roof and tower': W. B. Yeats's Revision of the Leda Myth in Historico-Political Contexts," 2017)에서 주제적 및 역사-정치학적 관점들에서 조명되고 있다. 이러한 연구들과 대조적으로, 본 장은 예이츠의 모든 시들을 집중적으로 분석하는데, 그의 시들은 수많은 그리스 로마 신화들로 광범위하게 직조되어 있기 때문이다. 이 연구를 위하여 필자는 호메로스의 정전화된 서사시 『일리아스』와 『오디세이아』, 헤시오도스의 서사시 『신통기』, 베르길리우스의 서사시 『아이네이스』뿐만 아니라 다른 전설적 출처에 나타난 그리스 로마 신화를 추적하고자 한다. 예이츠의 시에 대하여 지금까지 출판된 다양한 시집 중에서 필자는 고 다니엘 올브라이트Daniel Albright, 1945-2015 교수[25]가 편찬한 『W. B. 예이츠: 시』(*W. B. Yeats: The Poems*, 1992)를 참고할 것이다.

25) 하버드대학교 교수로서 『재현과 상상력: 베케트, 카프카, 나보코프, 쇤베르크』(*Representation and the Imagination: Beckett, Kafka, Nabokov and Schoenberg*, 1981), 『양자 시학』(*Quantum Poetics*, 1997) 및 『통합 모더니즘: 1872-1927년의 문학, 음악, 회화』(*Putting Modernism Together: Literature, Music, and Painting, 1872-1927*, 2015)의 저자일 뿐만 아니라 『모더니즘과 음악: 출처의 사화집』(*Modernism and Music: An Anthology of Sources*, 2004)의 편찬자이다.

## II

우선 예이츠는 그의 최초의 시집 『십자로』(*Crossways*, 1889)에 수록된 최초의 시 「행복한 목동의 노래」("The Song of the Happy Shepherd," 1885)에서 그리스 신화의 아르카디아Arcady, Αρκαδία와 크로노스Chronos를 원용하고 있는 것은 전율적이다.

> 아르카디아의 숲은 죽고,
> 그들의 예스러운 즐거움은 끝났다.
> 예로부터 세상은 꿈을 먹고 살았다.
> 지금은 회색 진리가 그의 색칠한 장난감.
> 하지만 세상은 쉬지 않고 계속 머리를 굴린다.
> 그렇지만 오, 세상의 병든 아이들이여,
> 크로노스가 노래하는 깨어진 가락에 맞추어
> 음울하게 휠휠 춤추며 지나가는
> 변화하는 온갖 많은 것들 중에서
> 언어만이 확실히 유용한 것이니라. (Yeats I-19)[26]

> The woods of Arcady are dead,
> And over is their antique joy;
> Of old the world on dreaming fed;
> Grey Truth is now her painted toy;
> Yet still she turns her restless head:
> But O, sick children of the world,
> Of all the many changing things
> In dreary dancing past us whirled,

27) 예이츠 시의 한글 번역은 고 김상무 교수의 번역시를 인용했으나 일부 수정하였다.

To the cracked tune that Chronos sings,
Words alone are certain good. (*WBYP* 33)

시어 "아르카디아"는 그리스 신화에서 하늘, 번개, 천둥, 법, 질서, 정의의 신 제우스와 칼리스토-사냥, 야생동물, 황야, 출산, 처녀성의 여신 아르테미스를 시종 들었지만 곰자리 성좌로 변신된 요정-의 아들 아르카스에서 파생되었다. 그곳은 그리스의 "판 목신의 고향"이었으며, 현재 "펠로폰네소스 반도의 중동부 지역에 위치"해 있다. 시구 "아르카디아의 숲"은 과거의 수많은 참나무 숲을 함의하고, 지역 주민들은 대다수 도토리를 먹고 살았던 목동들이다(*CD* 66). 유럽의 르네상스 예술에서 아르카디아는 "목가적 낙원"(a pastoral paradise)으로 예찬되었다("Arcadia"; Jeffares 3). 그러나 예이츠는 제1-2행 "아르카디아의 숲은 죽고, / 그들의 예스러운 즐거움은 끝났다."(The woods of Arcady are dead, / And over is their antique joy.)에서와 같이 고대 그리스 신화의 이상적이고 상상적인 환상이 사라졌음을 애통해하고 있다. 고대 그리스 신화시대의 "아르카디아"는 우라노스와 가이아 또는 게의 아들이고 거신족의 일원으로서, 인간의 시간이 흘러갈 때 필연적인 파괴를 상징하는 "깨어진 가락"(the cracked tune)을 노래하는 아버지 시간 "크로노스"(Chronus)와 대조적이다. 예이츠는 제10행 "언어만이 확실히 유용한 것이니라."(Words alone are certain good)에서 시만이 과거의 이상적 세계가 사멸되는 결과를 가져오는 크로노스가 휘두르는 금강석 대낫에 대항하는 영원한 무기라는 것을 강조하고 있다. 예이츠는 심지어 그의 시 『오쉰의 방랑기』 제1권 제274행 "그러면 죽음과 시간을 눈길로 조롱하라"(Then mock at Death and Time with glances)에서와 같이 연대순의 시간 개념에 사로잡힌 것은 분명하다. 게다가 예이츠는 시 「늙은이의 하소연」("The Lamentation of the Old Pensioner," 1890) 제6행 "시간이 나를 바꾸어 놓기 전에"(Ere Time transfigured me)와, 제11-12행 "내가 곰곰이 생각하는 건 / 날 바꾸어 놓은 시간에 관한 것"(My contemplations are of Time / That has transfigured me) 및 제17-18행 "나는 날 바꾸어 놓은 / 시간의 얼굴에다 침을 뱉는다."(I spit into the face of Time / That has transfigured me)에서 아버지 시간 크로노스를 인유하고 있다. 또한 크로노스는 시 「연인이 옛 친구들을 생각하라고 친구에게 호소하다」("The Lover pleads with his Friend for Old Friends," 1897) 제6-8행 "시간의 비통한 홍수가 날 것이고, / 이들의 눈 말고는 모든 사람의 눈에 / 당신의 미모도 소멸되고 사라지는 법."(Time's bitter flood will rise, / Your beauty perish and be lost / For all eyes but these eyes.)에서 보듯이 무자비하게 연인의 미모를 파괴하겠지만, 그것은 그녀의 옛 친구들에게 영원히 기억될 것이다 (Yeats II-317; *WBYP* 88). 예이츠는 계속하여 시 「미래의 아일랜드에게」 ("To Ireland in the Coming Times," 1892) 제10행 "시간이 울부짖기 시작했을 때"(When Time began to rant and rage)와, 제13행 "시간이 그의 모든 촛불 너울거리게 하여"(And Time bade all his candles flare) 및 제38행 "측정자 시간이 높은 데서 밝혀 놓은 것들"(What measurer Time has lit above)에서와 같이 아버지 시간 크로노스가 국가와 덧없는 인간에게 끼치는 영향을 언급하고 있다. 그리고 예이츠는 시 「자신과 연인에게 닥친 변화를 슬퍼하고 세상의 종말을 갈망하다」("He mourns for the Change that has come upon him and his Beloved, and longs for the End of the World," 1897) 제9행 "그런데 시간과 탄생과 변화는 바삐 지나갑니다."(And Time and Birth and Change are hurrying by.)에서 변화무쌍한 속성의 크로노스를 묘사하고 있다. 예이츠는 계속하여 시 「상념의 결실들」("The Results of Thought," 1932) 제15행 "혹은 시간의 더러운 짐을 치워버리고"(Or shift Time's filthy load)에서 자신의 연대순 시간 개념을 기술하고 있다. 게다가

예이츠는 시 「크루어컨에서의 톰」("Tom at Cruachan," 1931) 제4-6행 "영원이라는 수말이 / 시간의 암말 위에 올라타서 / 이 세상의 망아지를 낳았구나.'라고"('The stallion Eternity / Mounted the mare of Time / 'Gat the foal of the world.')에서 보듯이 신의 시간을 의미하며 영원과 동일시되는 카이로스를 상징하는 수말, 그리고 시간과 죽음과 동일시되는 크로노스를 상징하는 암말을 뚜렷이 연결하는 성적인 은유들로서 영원히 흥망성쇠興亡盛衰하는 자신의 인간 역사관을 제시하고 있다(Yeats II-209; *WBYP* 320). 덧붙여 예이츠는 그의 시 「평화」("Peace," 1910)에서 크로노스와 호메로스를 인유, 인용함으로써 자신의 연인 곤의 변한 "모습"(form)을 트로이의 헬레네에 암시적으로 비유하고 있다(Jeffares 89).

> 호메로스 시대 같으면 영웅의 보상이 될 것을
> 보여줄 수 있었던 어떤 형상에다
> 아, 시간이 손댈 수 있다니.
> . . . . . .
> 아, 그러나 평화가 마침내 찾아왔지만
> 이미 시간이 그녀 모습에 손을 대어버린 때였다. (Yeats II-375)

> Ah, that Time could touch a form
> That could show what Homer's age
> Bred to be a hero's wage.
> . . . . . .
> Ah, but peace that comes at length,
> Came when Time had touched her form. (*WBYP* 141-42)

한편, 시 「힘든 일의 매혹」("The Fascination of What's Difficult," 1910)

에서 그리스 신들이 거처하는 산 "올림포스"를 언급한 예이츠의 관심은 그의 두 번째 시집인 『장미』(*The Rose*, 1893)에 수록된 시 「요람의 노래」("A Cradle Song," 1890) 제2연 제7행 "항해하는 일곱 별님들"(The Sailing Seven)로서 A. 노먼 제퍼스A. Norman Jeffares가 『W. B. 예이츠 시의 새로운 해설』(*A New Commentary on the Poems of W. B. Yeats*)에서 제안한 "행성"(the planets)이라기보다는 그리스 신화에서 파생된 플레이아데스 성좌로 지향한다(31).

> 네가 그렇게 착한 걸 보시고
> 천국에서 하느님은 웃고 계셔요.
> 항해하는 일곱 별님들도
> 하느님 기분처럼 즐겁대요. (Yeats II-13)

> God's laughing in Heaven
> To see you so good;
> The Sailing Seven
> Are gay with His mood. (*WBYP* 60)

제5-6행 "네가 그렇게 착한 걸 보시고 / 천국에서 하느님은 웃고 계셔요." (God's laughing in Heaven / To see you so good)는 로버트 브라우닝Robert Browning의 짧은 시 「피파의 노래」("Pippa's Song," 1841) 제7-8행 "하느님 하늘에 계시니―세상만사 태평하여라!"(God's in His heaven― / All's right with the world!)에서 묘사된 빅토리아 시대의 낙관주의를 상기시킨다. 이 유쾌한 시에서 예이츠는 시구 "항해하는 일곱 별님들"로서 "어린이에 대한 신과 우주의 사랑을 표현하고 있는 칠성七星", 즉 타우루스Taurus 성좌의 7자매별로도 알려진 "플레이아데스를 지적하고 있다." 이 "플레이아데스는 요정들－거신 아틀라스와 바다의 요정 플레이오네"－펠로폰네소스 반도의 "킬레네산Mount Cyllene, Κυλλήνη, Kyllini(2,376m)에서 태어난" 대양의 요정의 일곱 딸이었으며, 일곱 히아데스와 더불어 아틀란티데스로 불린다. 이 "성단은 고대에 항해 계절인 5월 중순부터 11월 초까지 밤에 지중해에서 볼 수 있으므로 '항해하는 일곱 별님들'로 알려지게 되었다"("What or who are 'The Sailing Seven?'"; *CD* 484-85; "Pleiades").

게다가 예이츠는 그의 세 번째 시집 『갈대 숲속의 바람』(*The Wind Among the Reeds*, 1899)에 수록된 「시인이 대자연의 신들에게 탄원하다」("The Poet pleads with the Elemental Powers," 1892) 제1-6행에서 역설적으로 "불멸의 장미"(the Immortal Rose)로 상징된 그의 연인 곤의 덧없음과 북극의 의인화된 별들의 무관심을 대조하기 위하여 "일곱 빛"(the Seven Lights)으로 플레이아데스보다는 큰곰자리Ursa Major, Great Bear를, 그리스 신화의 "북극 용"(Polar Dragon)－용의 성좌를 인유하고 있다(Jeffares 72).

> 살아 있는 것들은 아무도 그 이름과 형체를 알지 못하는 신들이
> 불멸의 장미를 잡아갔습니다.
> 그리고 일곱 빛이 고개 숙여 춤추고 울었지만,
> 북극 용은 잠을 잤고,
> 그의 묵직한 똬리가 번들거리는 심연에서 심연으로 풀려갔습니다.
> 언제 그가 잠에서 깨어날까요? (Yeats II-289)

> The Powers whose name and shape no living creature knows
> Have pulled the Immortal Rose;
> And though the Seven Lights bowed in their dance and wept,
> The Polar Dragon slept,
> His heavy rings uncoiled from glimmering deep to deep:

When will he wake from sleep? (*WBYP* 88)

예이츠는 계속하여 그의 시 「별자리의 일부였던 자신의 과거의 위대함을 생각함」("He thinks of his Past Greatness when a Part of the Constellations of Heaven," 1898) 제1-5행에서 그리스 신화와 천문학에서 차용하여 "항해 안내 별"(Pilot Star)로서 작은곰자리에서 가장 밝은 북극성을, "굽은 쟁기 별들"(Crooked Plough)로서 큰곰자리의 꼬리 부분에 있는 굽은 쟁기 또는 국자 모양의 북두칠성北斗七星, the Plough, Big Dipper을 신비적으로 인유하고 있다.

> 나는 청춘의 나라에서 가지고 온 술을 마셨다.
> 이제 모든 걸 알고 나니 눈물이 난다.
> 나는 개암나무였고, 그들은 알 수 없는 아득한 시절에
> 항해 안내 별과 굽은 쟁기별들을
> 내 잎사귀 사이에다 걸어놓았다. (Yeats I-147)

> I have drunk ale from the Country of the Young
> And weep because I know all things now:
> I have been a hazel-tree, and they hung
> The Pilot Star and the Crooked Plough
> Among my leaves in times out of mind: (*WBYP* 90-91)

이와 유사하지만 다르게, 예이츠는 시 「첫 고백」("A First Confession," 1929) 제13-14행 "내가 황도대黃道帶로부터 / 끌어오는 환한 빛이여" (Brightness that I pull back / From the Zodiac)와, 시 「선택받아」("Chosen," 1929) 제1-3행 "사랑은 선택의 운명. / 나는 휠휠 도는 황도대의

궤적에서 / 한 영상을 찾느라 버둥거리면서, 그 정도는 알았어요."(Yeats II-105)(The lot of love is chosen. I learnt that much / Struggling for an image on the track / Of the whirling Zodiac.)와, 제18행 "황도대가 천구天球로 바뀌어 가는 것이래요."(The Zodiac is changed into a sphere.)에서와 같이 세 번 "황도대"(Zodiac)를 기술하고 있다. 역사적으로 용어 "황도대는 칼데아 시대(기원전 c. 1,000-600)의 바빌론 천문학의 영향을 받은 그리스 천문학이 전수한 개념에 근거하여 로마 시대에 사용되었다." 어원학적으로 황도대라는 단어는 "순환"을 뜻하고, 문자 그대로 "동물의 순환"을 의미하는 고대 그리스어 "조디아코스 퀴클로스"(ζῳδιακὸς κύκλος)에서 조성된 라틴어 "조디아쿠스"(zōdiacus)에서 파생되었다("Zodiac"). 라틴어로 황도12궁黃道十二宮 별자리는 백양궁Aries, 금우궁Taurus, 쌍자궁Gemini, 거해궁Cancer, 사자궁Leo, 처녀궁Virgo, 천칭궁Libra, 천갈궁Scorpio, 인마궁Sagittarius, 마갈궁Capricorn, 보병궁Aquarius 및 쌍어궁Pisces으로서 오늘날 주로 천궁도天宮圖의 점성술과 연관이 있다.

다른 한편, 예이츠의 관심은 그의 시 「이 세상의 장미」("The Rose of the World," 1892) 제1-5행에서 헬레네와 비교되는 절세미인絶世美人 곤을 묘사하는 데서 지상을 향해 멸망한 트로이트로이아, Troia, Τροία 또는 트루바Truva 또는 일리온Ἴλιον, 일리오스, Ἴλιος를 지향하고 있다.

> 아름다움은 꿈처럼 사라진다고 누가 그렇게 생각했던가?
> 새로운 기적이 밀려오지 않을까 슬퍼하는,
> 그 슬픈 자부심을 가진 이 붉은 입술을 위하여
> 트로이는 높이 치솟은 한 가닥 화장의 불길 속에 사라졌고,
> 우슈내의 자식들도 죽었다. (Yeats II-285)

Who dreamed that beauty passes like a dream?
For these red lips, with all their mournful pride,
Mournful that no new wonder may betide,
Troy passed away in one high funeral gleam,
And Usna's children died. (*WBYP* 57)

제4행 "트로이는 높이 치솟은 한 가닥 화장의 불길 속에 사라졌고"(Troy passed away in one high funeral gleam)는 12일간 헥토르의 장례에 이은 12일간 아킬레우스의 장례 기간에 지장智將 오디세우스가 고안하고 3일 만에 만든 위장 전술인 거대한 "목마"木馬, wooden horse, mammoth horse를 이용하여 난공불락의 성벽을 잠입한 공격으로 불에 타서 파괴된 트로이를 광의적으로 함의하고 있다(Homer, *Odyssey* 207; Virgil, *Aeneid* 75). 그리스 신화와 호메로스의 『일리아스』 제24권 제924-27행에 의하면, 시구 "높이 치솟은 한 가닥 화장의 불길"(one high funeral gleam)은 헥토르－트로이의 왕 프리아모스의 장자이자 토로이군의 총사령관－는 그리스의 무적 영웅 아킬레우스와의 결전에서 패배하여 트로이인들이 애도하는 가운데 그의 시신이 장작더미 위에서 화장을 당한다는 것을 협의적으로 함축하고 있다(Homer, *Iliad* 614). 그러나 이후에 트로이인들의 숭배를 받는 태양과 음악의 신 아폴론 또는 헥토르의 동생－이다산의 양치기로서 양 떼를 야생 짐승들로부터 지켜서 "보호자"의 뜻인 알렉산드로스Alexander로도 알려진 파리스가 아폴론 신전에서 이 신의 안내로 쏜 화살에 치명적인 약점인 건腱에 맞아 죽게 될 운명인 아킬레우스는, 특히 영화 <트로이>(*Troy*, 2004)에서 현장감 있게 재현되듯이 그리스 연합군 진영 안에서 또 다른 "높이 치솟은 한 가닥 화장의 불길"이 되었다(*CD* 434; *BM* 227-28; *CM* 9). 시구 "높이 치솟은 한 가닥 화장의 불길"은 뒤에 시 『가이어들』("The Gyres," 1938) 제7행 "헥토르는 죽고 트로이에는 등불이 하나 켜져 있다."(Hector is dead and there's a light in Troy)와 역설적으로 연결됨으로써 신화에서 파괴적 불길이 역사에서 구원의 등불로 변화되는 것을 시사하고 있다. 이후에 예이츠는 그의 마지막 시집 『마지막 시들』(*Last Poems*, 1939)에 수록된 시 「같은 가락에 맞춘 세 가지 노래」("Three Songs to the Same Tune," 1934) 제3부 제5행과 그가 수정한 시 「세 행진곡」("Three Marching Songs," 1939) 제2부 제4행으로 동일하게 등장하는 시행 "트로이는 헬레네를 걸었다. 트로이는 망하고 찬양받았다."(Troy backed its Helen; Troy died and adored;)에서 정치, 신화, 예술에서 카이사르Caesar, 헬레네, 미켈란젤로Michelangelo로 표상되는 3명의 위대하나 고독한 사람들을 묘사할 목적으로 다시 트로이와 헬레네의 신화들을 원용하고 있다(Unterecker 282-83). 예이츠는 아일랜드 신화 속의 "우슈내의 자식들"(Usna's children)의 운명과 그리스 신화에 등장하는 트로이의 운명을 병치시키고 있다. 우슈내의 자식들은 니셔Naoise, 안레Ainle 및 아르단Ardan 형제들이었다. 니셔와 콘코바르왕King Conchubar 이야기꾼의 딸 데어드라Deidre가 스코틀랜드로 사랑의 줄행랑을 쳤을 때 안레와 아르단은 이들과 동행했다가 아일랜드로 돌아오자 콘코바르는 3형제 모두를 참수시켰다(Jeffares 27). 이 시에서 예이츠가 그의 연인 곤을 헬레네와 데어드라에 비유하고 있는 것이 암시적으로 시사되고 있다.

게다가 예이츠는 자신의 『비전』(*A Vision*, 1925)에서 그의 신비철학으로 해석되고 발전된 시 「달의 제상諸相」("The Phases of the Moon," 1918) 제44-47행에서 달의 28상에 관한 밀교密敎적 이론을 진술하는 데에서 화자 로바티즈Robartes를 통하여 트로이 전쟁의 영웅 아킬레우스의 등장과 헥토르의 죽음을 초래한 영웅의 활약과, 초인超人, *Übermensch*, Overman 사상을 주창한 19세기 독일 철학자 니체(1844-1900)의 출생을 병치시키고 있다.

열하나 지나가고, 그다음엔
여신 아테나가 아킬레우스의 머리카락을 잡고,
헥토르는 흙 속에 끌려가고, 니체가 태어나네,
영웅의 초승달은 열두 번째니까. (Yeats III-159)

Eleven pass, and then
Athena takes Achilles by the hair,
Hector is in the dust, Nietzsche is born,
Because the hero's crescent is the twelfth. (*WBYP* 214)

제45행 "여신 아테나가 아킬레우스의 머리카락을 잡고,"(Athena takes Achilles by the hair,)는 호메로스의『일리아스』제1권「아킬레우스의 분노」("The Rage of Achilles") 제226-34행에서 전술의 여신 아테나가 트로이 미인 브리세이스Briseis를 놓고 아킬레우스와 아가멤논이 벌인 언쟁에서 격분한 전자가 칼을 빼어 탐욕의 후자를 치려는 찰나에 영웅의 금발을 잡고서 싸움을 중지시킴으로써 영웅의 출현을 함의하고 있다(Homer, *Iliad* 84). 흥미롭게도 이것은 1921년에 출판된 시집『마이클 로바티즈와 무희』(*Michael Robartes and the Dancer*)에 수록된 동일 제목의 시에 등장하는 남녀의 대화 가운데 여자의 대학 진학 질문에 남자가 답변하는 제19행의 부정적 명령어인 "가서 아테나 여신의 머리채나 잡아채요."(Go pluck Athena by the hair;)로 희화적이지만, 로마 신화에서 상응하는 미네르바는 전술뿐만 아니라 지혜의 여신이므로 대학이 학문을 통한 진리 추구의 전당이라는 역설적 함의가 되기도 하다(Yeat III-457; *WBYP* 223). 시구 "헥토르는 흙 속에 끌려가고"(Hector is in the dust)는 시「젊었을 때와 늙었을 때의 남자」("A Man Young and Old," 1926) 제6부 "그의 추억들"(His Memories) 제5행의 압축된 시구 "땅에 묻힌 헥토르"(buried Hector)로 다시 등장한다(*WBYP* 270). 제목 "그의 추억들"은 전기비평적 접근으로 고찰하면, 1908년 12월 파리에서 "육체적 연인들"(bodily lovers)로서 여전히 "파리스의 애인"(Paris' love) 헬레네에 비유되는 곤과 동침을 한 예이츠의 과거 회상을 함의하고 있다(*WBYP* 273, 679; Brown 175). 특히 제11-18행은 이제 늙은 예이츠와 트로이 멸망의 원인이 된 미인 헬레네를 연상시키는 곤과의 적나라한 성행위를 노골적으로 묘사하고 있다.

> 내 팔은 뒤틀린 산사나무 같지만
> 그래도 거기에 미인이 누웠다.
> 그 종족 중 빼어난 여인이 거기 누워
> 그런 즐거움을 누렸지—
> 위대한 헥토르를 쓰러지게 했고
> 트로이 전부를 파멸시킨 그녀—
> "내가 비명을 지르거든 날 족쳐요."하고
> 이 귀에다 울부짖던 그녀. (Yeats II-61, 63)

> My arms are like the twisted thorn
> And yet there beauty lay;
> The first of all the tribe lay there
> And did such pleasure take—
> She who had brought great Hector down
> And put all Troy to wreck—
> That she cried into this ear,
> "Strike me if I shriek." (*WBYP* 270)

시어 "미인"(beauty)과 시구 "그 종족 중 빼어난 여인"(The first of all the tribe) 및 시행들인 "위대한 헥토르를 쓰러지게 했고 / 트로이 전부를 파멸시킨 그녀"(She who had brought great Hector down / And put all Troy to wreck)는 예이츠가 마침내 연인과 오랫동안 지속된 애정의 정점에서 성 관계를 갖게 되는 곤에 대한 모든 은유들이다. 독자는 제18행 "내가 비명을 지르거든 날 족쳐요."(Strike me if I shriek.)로서 곤이 "오르가슴의 비명소리"를 낼 때 호텔 객실 주위의 아무도 듣지 못하는 은밀한 사랑을 나누기 위하여 예이츠에게 귓속말로 적극적으로 요구하는 여성 주도의 사랑 행위 장면을 상상할 수 있다(*WBYP* 679).

앞에서 언급한 달 이외에도, 예이츠는 시 「토성 아래에서」의 시제와 제1-5행에서 로마 신화의 부, 농업, 해방, 시간의 신 사투르누스로부터 파생된 천문학적 용어로서 태양계의 여섯 번째 행성인 "토성"을 차용, 원용하고 있다.

> 내 오늘 침울해졌다 해서, 이런 상상은 하지 마세요,
> 이제 다시 젊어지지 못해 생각에서 떨쳐버릴 수 없는
> 잃어버린 사랑이 나를 애태우게 할 수 있다는 그런 상상을.
> 내 어찌 당신이 갖다준 지혜와
> 당신이 마련해 준 편안함을 잊을 수 있겠어요? (Yeats II-533)

> Do not because this day I have grown saturnine
> Imagine that lost love, inseparable from my thought
> Because I have no other youth, can make me pine;
> For how should I forget the wisdom that you brought,
> The comfort that you made? (*WBYP* 227)

전기비평적 접근으로 고찰하면, 토성의 영향을 받아서 냉정하고 "침울해진"(saturnine) 화자-시인이 "지혜"(wisdom)와 "편안함"(comfort)을 선사한 부인 조지Georgie에게 자신의 과거 연인 곤으로 향한 미련에 대한 사과의 심

정과 질투를 거두어달라는 속내를 에둘러 표출한다고 볼 수 있다(Yeats II-533n; *WBYP* 608). 신화에서 사투르누스는 시 「에드먼드 둘락의 검은 켄타우로스 그림에 대하여」("On a Picture of a Black Centaur by Edmund Dulac," 1922) 제13행 "그대의 사지를 죽 뻗고 기나긴 황금시대의 잠을 청하라."(Stretch out your limbs and sleep a long Saturnian sleep;)에서와 같이 유피테르의 아내 유노의 아버지이며, 그의 통치는 풍요와 평화의 황금시대로 그려졌다(Yeats III-307, 307n; *WBYP* 261). 이런 의미에서 로마 신화의 사투르누스는 시간의 관점에서 그리스 신화의 크로노스와는 상이하다. 한편, 유노의 상징적 동물 공작은 시 「내 탁자」("My Table," 1922) 제31-32행 "유노의 공작새가 비명을 지르는 / 듯했다"(it seemed / Juno's peacock screamed.)에서 역설적으로 언급되어 있다(Yeats III-325; *WBYP* 249). 그리스 신화와 『이솝의 우화』(*Aesop's Fables, The Aesopica*)에 의하면, 헤라(로마 신화의 상응 여신 유노)의 공작새는 불멸의 상징으로서 여신에게 신성한 동물이었지만, 그 새의 울음이 문명의 종말을 상징한다는 출처는 전혀 발견되지 않았다(Jeffares 226-27).

한편, 시 「마이클 로바티즈의 이중적 비전」("The Double Vision of Michael Robartes," 1918) 제2부 제1-4행에서 예이츠는 계속하여 이집트의 남성 스핑크스와는 다른 그리스 신화의 여성 스핑크스－사람의 머리를 한 괴물 스핑크스androsphinx와 불교의 붓다Buddha, बुद्ध 또는 부처佛陀를 병치시키고 있다.

> 나는 캐셜의 회색 바위산 위에 갑자기
> 여자의 젖가슴과 사자 발톱을 가진 스핑크스와,
> 한 손은 무릎 위에 얹고 한 손은 쳐들어
> 축복하는 붓다를 보았다. (Yeats III-467)

On the grey rock of Cashel I suddenly saw
A Sphinx with woman breast and lion paw,
A Buddha, hand at rest,
Hand lifted up that blest; (*WBYP* 220)

시인은 화자 로바티즈의 육안을 통하여 제1행 시구 "캐셜의 회색 바위산" (the grey rock of Cashel)은 아일랜드의 티퍼레리 카운티County Tipperary에 위치하고, 웅장한 코르막교회Cormac's Chapel가 세워져 있는 사적지 캐셜의 바위산Rock of Cashel, *Carraig Phádraig*을 적시하고 있다. 시어 "갑자기" (suddenly)는 현현顯現, Epiphany의 순간을 함의하며, 화자의 심안을 통하여 캐셜의 바위산 위에 그리스 테베로 가는 길목에서 자신의 수수께끼에 답변하지 못하는 모든 통행인들을 잡아먹는 무자비한 스핑크스와, 인도에서 인간 구원을 상징하는 두 손의 의미심장한 자세를 취하는 자비로운 붓다의 "이중적 비전"을 보게 되는데, 이 둘의 병치는 시공을 초월하여 상반되게 대조적이다. 예이츠가 5세기 아일랜드 수호성인 성 파트리치오성 패트릭, St. Patrick가 동굴에서 사탄을 퇴치한 결과 바위가 캐셜에 떨어졌다는 아일랜드 전설과, 이 성자에 의하여 철기시대 무운Mumhan, Munster 왕국 왕의 개종으로 유명한 아일랜드 역사를 더욱 보편적인 그리스 신화와 동양 종교로 치환한 것으로 여겨진다("Rock of Cashel").

이와 유사하지만 다르게, 예이츠는 시 「연인이 변덕스러운 마음을 용서해 달라고 청하다」("The Lover asks Forgiveness because of his Many Moods," 1895) 제11-18행에서 아일랜드 신화의 니어브Niamh를 그리스 신화의 피닉스 위에 겹치게 한다.

햴쑥한 손으로 왕비들이 수놓아 만든 진군 깃발들,
그 포개진 자줏빛 주름들에 실려 오는 바람들,
젊은 니어브가 사랑에 병든 얼굴로
떠돌아다니는 조수 위에 떠도는 것을 보고,
그리고 마지막 피닉스가 죽은
미답의 황량한 곳에 머뭇거리며,
그의 성스러운 머리 위에 불꽃을 휘감고
지금도 여전히 중얼대며 동경하는 바람들. (Yeats II-23, 25)

From battle-banners, fold upon purple fold,
Queens wrought with glimmering hands;
That saw young Niamh hover with love-lorn face
Above the wandering tide;
And lingered in the hidden desolate place
Where the last Phoenix died,
And wrapped the flames above his holy head;
And still murmur and long: (*WBYP* 83)

문자 그대로 "광휘"의 뜻인 니어브는 오쉰에게 영감을 주어서 "청춘의 나라"(Land of the Young)로 가도록 한 다누Danu 여신들 중에서 아름다운 불멸의 존재인데, 예이츠의 『오쉰의 방랑기』의 출처이다(Jeffares 62). 피닉스는 아라비아 사막에서 오륙백 년을 살았다는 신비로운 새이다. 이 불사조는 화장 장작더미 위에서 스스로 불에 타서 죽었지만, 또 다른 윤회의 삶을 위하여 소생한 어린 새로 출현했다(Jeffares 62). 이후에도 예이츠는 계속하여 그의 일곱 번째 시집 『쿨호의 야생 백조』(*The Wild Swans at Coole*, 1919)에 수록된 시 「민중」("The People," 1915) 제22행 시구 "나의 피닉스"(my phoenix)와 주제 시 「그의 피닉스」("His Phoenix," 1915) 제16행 시구 "젊었을 때 한 피닉스를 알게 되어"(I knew a phoenix in my youth)에서와 같이 "피닉스"(phoenix)의 심상을 사용하고 있다. 피닉스로 상징되는 "사중생死中生"(life-in-death)의 주제는 예이츠의 후기 시 「탑」("The Tower," 1925) 제3부 제34-36행 "우리는 죽으니까 부활하고, 꿈을 꾸고, 그래서 지상낙원을 / 창조한다는 신념을."(That, being dead, we rise, / Dream and so create / Translunar Paradise.)에서 명쾌히 밝혀지게 된다(Yeats III-73; *WBYP* 244).

동시에 예이츠는 자신의 짝사랑 연인 곤을 그의 시 「사랑의 슬픔」("The Sorrow of Love," 1891) 제2연 제5-8행에서 "한 처녀"(A girl), 즉 헬레네와 경멸적으로 비교한다.

> 한 처녀가 일어났다. 슬픔을 머금은 붉은 입술,
> 눈물 젖은 위대한 세계 같은 여인,
> 오디세우스와 파도에 시달리는 배들의 운명 같은,
> 신하들과 함께 살해된 프리아모스같이 당당했던 여인. (Yeats II-269)
>
> A girl arose that had red mournful lips
> And seemed the greatness of the world in tears,
> Doomed like Odysseus and the labouring ships
> And proud as Priam murdered with his peers; (*WBYP* 61)

이 시의 제1연과 제3연의 "유백색 하늘"(milky sky) / "텅 빈 하늘"(empty sky) 그리고 "나뭇잎의 온갖 멋진 화음"(all that famous harmony of leaves) / "나뭇잎들의 온갖 슬픈 가락"(all that lamentation of the leaves)의 시구들에서 자연의 평화롭고도 애잔한 미를 극명하게 대조하고 있다. 마찬가지로 곤을 은밀하게 상징하는 "한 처녀"는 모순어법적 시구 "슬픔을 머금은 붉은 입술"(red mournful lips)에서 소름 끼치는 미의 소유자 과부 헬레네에 비유되고 있다. 또한 그녀의 숙명은 명재경각命在頃刻에 처한 "오디세우스와 파도에 시달리는 배들의 운명"(Doomed like Odysseus and the labouring ships) 마냥 풍전등화風前燈火 그 자체이지만, 그녀의 자부심은 마치 트로이의 마지막 왕으로서 의연하게 "신하들과 함께 살해된 프리아모스"(Priam murdered with his peers)에 비유되고 있다.

게다가 시 「호메로스가 노래한 여인」("A Woman Homer Sung," 1910)에서 자신을 그리스의 장님 시인으로 감정이입하고 여인, 즉 헬레네를 곤으로 치환한 예이츠는 자신의 청혼을 다섯 번이나 거절했으나 결국 존 맥브라이드 소령Major John MacBride과 결혼한 연인—그가 그토록 흠모하고 예찬한 곤을 그의 다섯 번째 시집 『녹색의 투구와 기타 시들』(*The Green Helmet and Other Poems*, 1910)에 수록된 시 「제2의 트로이는 없다」("No Second Troy," 1908)에서 트로이 멸망의 원인이 된 헬레네에 비유하고 있다(Jeffares 86; *CPY* 504).

> 그녀가 나날이 나를 비참하게 했다고 해서,
> 혹은 무지한 사람들이 욕망에 필적한 용기만 있으면,
> 최근에는 그들에게 가장 폭력적인 것들을 가르쳐 주었거나,
> 뒷골목들을 큰길에 내던졌으리라고 해서
> 내가 왜 그녀를 책망해야 한단 말인가?
> 고매함이 불처럼 단순하게 만든,
> 팽팽한 활 같은 아름다움을 지닌,
> 훤칠하고 고고하고 더없이 준엄하여
> 오늘 같은 시절에는 맞지 않는 그녀 마음을
> 무엇이 평화롭게 할 수 있었겠는가?
> 아니, 그런 인품이니 무얼 할 수 있었겠는가?

그녀가 불태울 또 하나의 트로이가 있었단 말인가?

(Yeats II-365, 367)

Why should I blame her that she filled my days
With misery, or that she would of late
Have taught to ignorant men most violent ways,
Or hurled the little streets upon the great,
Had they but courage equal to desire?
What could have made her peaceful with a mind
That nobleness made simple as a fire,
With beauty like a tightened bow, a kind
That is not natural in an age like this,
Being high and solitary and most stern?
Why, what could she have done, being what she is?
Was there another Troy for her to burn? (*CPY* 140)

위 시의 제6-8행은 헬레네에 비유한 곤을 미의 여신으로까지 격상시키고 있으며, 제8행 "팽팽한 활 같은"(like a tightened bow) 시구의 직유는 고대 그리스 최고의 미인 헬레네가 트로이 전쟁의 원인이 된 신화, 그리고 절세 미인 곤이 아일랜드의 독립투사였던 역사에서 허구적 · 실제적 미와 전쟁의 혼합된 심상에서 서로 동일시가 가능하다. 나아가서 예이츠는 그의 시 「헬레네가 살았던 그 시절에」("When Helen Lived," 1913) 제7-9행 "하지만 헬레네가 그녀의 사내와 함께 거닐었던 / 저 높다란 망루들 속에서 / 우리가 거닐었다 하더라도"(Yet we, had we walked within / Those topless towers / Where Helen walked with her boy.)에서 보듯이 가정법을 사용함으로써 "헬레네-모드 곤 상징성"(Helen-Maud Gonne symbolism)의 측면에서 트로이의 헬레네에 비유되는 그의 영원한 뮤즈인 곤에 대하여 노래하고 있다. 예이츠의 시구 "저 높다란 망루들"은 말로의 『파우스투스 박사』(*Dr. Faustus*, c. 1589) 제5막 제1장 제95행 시구 "일리움의 높다란 망루들"(the topless towers of Ilium)에서 차용했을 것이다(Jeffares 114 재인용). 예이츠는 끊임없이 영국의 지배에서 독립을 위한 아일랜드의 투사 곤의 미와 지성을 그리스 신화의 지혜와 현명한 전쟁의 처녀 여신 팔라스 아테나에 비유하여 찬양하고 있다. 동시에 예이츠는 그의 시 「프로페르티우스에게서 빌린 생각」("A Thought from Propertius," 1917)에서 자신을 로마의 연애 시인 섹스투스 프로페르티우스Sextus Propertius, 기원전 c 50-16로 간주함으로써 그리스 신화에서 "욕정"을 상징하고 맥브라이드 소령을 함의하는 반인반마半人半馬의 괴물 "켄타우로스의 적절한 먹이"(fit for spoil for a centaur)가 된 것으로 비하하여 그의 연인 곤의 행동을 비난하고 있다(Chevalier and Gheerbrant 173).

머리로부터 엄청나게 잘생긴,
무릎에 이르기까지의 길고 미끈한 선이
저렇게나 고상한 그녀가,
팔라스 아테나 옆에 서 있는
거룩한 조각상 사이를 통해서
제단으로 걸어갔을지도 모르리라,
혹은 전내기 포도주에 취한 한 켄타우로스에게
적절한 먹이가 되었을지도 모르지. (Yeats II-425)

She might, so noble from head
To great shapely knees
The long flowing line,

Have walked to the altar
Through the holy images
At Pallas Athena's side,
Or been fit spoil for a centaur
Drunk with the unmixed wine. (*WBYP* 202).

시어 "켄타우로스"는 앞에서 언급한 예이츠의 시 「에드먼드 뒬락의 검은 켄타우로스 그림에 대하여」를 떠올리게 한다. 팔라스 아테나에 비유되는 곤에게 보내는 예이츠의 지고한 찬사는 그의 열두 번째 시집 『새로운 시』(*New Poems*, 1938)에 수록된 시 「아름답고 숭고한 분들」("Beautiful Lofty Things," 1938) 제9-11행 "호스역에서 기차를 기다리는 모드 곤, / 꼿꼿한 허리에다 늠름하게 머리 쳐든 아테나 여신상, / 모두 올림포스산의 신들, 결코 다시 체험하지는 못할 일이네."(Maud Gonne at Howth station waiting a train, / Pallas Athena in that straight back and arrogant head: / All the Olympians; a thing never known again.)에서 보듯이 다시 생생하게 그려지고 있다(Yeats I-263; *WBYP* 350). 예이츠가 1889년 처음 곤을 만났을 때 그의 『자서전들』(*Autobiographies*, 1927)에서 고백했듯이, 그녀는 "그녀만을 위한 베르길리우스의 예찬인 '여신같이 걷는 그녀의 걸음걸이', 즉 봄의 고전적 인격체로 보였으며, 그녀의 안색은 빛이 투사되는 사과꽃같이 광채가 났다"(*A* 123). 그러나 결국, 예이츠는 시 「노인들은 왜 발광하면 안 되는가?」("Why should not Old Men be Mad?," 1939) 제7-8행 "사회복지의 꿈을 가진 헬레네 같은 사람이 / 유람마차를 타고 아우성치는 것을."(A Helen of social welfare dream, / Climb on a wagonette to scream.)에서 보듯이 제20행 시어 "한 노인"(an old man)의 자격으로 헬레네에 비유되는 곤의 정치적 행위를 은근히 비난하게 된다(Yeats III-231; *WBYP* 804).

게다가 예이츠는 더블린의 성엔다학교St. Enda's School 교장 패트릭 피어스Pádraic Pearse, 1879-1916를 묘사하는 데서 시어 "날개 돋친 천마"(wingèd horse)를 사용함으로써 그리스 신화의 페가소스를 인유하고 있다. 예이츠의 여덟 번째 시집 『마이클 로바티즈와 무희』(*Michael Robartes and the Dancer*, 1921)에 수록된 시 「1916년 부활절」("Easter 1916," 1916) 제24-25행 "이 사람은 학교를 경영했고 / 우리의 날개 돋친 천마를 탔다." (This man had kept a school / And rode our wingèd horse;)에서 피어스 교장은 시, 희곡, 소설의 다산작가로서 왕성한 문학 활동을 한 것으로 시사되고 있다.

한편, 예이츠는 그의 시 「딸을 위한 기도」("A Prayer for my Daughter," 1918) 제27행 "한편 물보라에서 태어난 저 위대한 여왕은 / 아비가 없어" (While that great Queen, that rose out of the spray, / Being fatherless)에서 아프로디테를, 제29행 시구 "다리 굽은 대장장이"(a bandy-leggèd smith)로 헤파이스토스를, 제32행 "그 바람에 풍요의 뿔은 기능을 하지 못한다." (Whereby the Horn of Plenty is undone.)에서 풍요의 염소 뿔, 환언하면 코르누코피아에 담은 염소젖으로 양육된 제우스를 각각 인유하고 있다. 예이츠가 딸의 미래를 위하여 한 시간 산책하고 기도하면서 그리스 신화를 원용하여 작시한 아름다운 이 시의 제25-32행을 살펴보자.

> 헬레네는 선택되자 인생이 지루하고 따분함을 알았고,
> 나중엔 한 바보에게서 엄청난 재난을 당했다.
> 한편 물보라에서 솟아오른 저 위대한 여왕은
> 아비가 없어 제 마음대로 할 수 있었지만,
> 다리 굽은 대장장이를 남편으로 선택했다.
> 잘생긴 여자들이 고기와 함께
> 무분별하게 샐러드를 먹는 것은 틀림없다.

그 바람에 풍요의 뿔은 기능을 하지 못한다. (Yeats I-429, 431)

Helen being chosen found life flat and dull
And later had much trouble from a fool,
While that great Queen, that rose out of the spray,
Being fatherless could have her way
Yet chose a bandy-leggèd smith for man.
It's certain that fine women eat
A crazy salad with their meat
Whereby the Horn of Plenty is undone. (*WBYP* 236)

위의 시에서 예이츠는 또다시 스파르타의 왕이자 남편 메넬라오스와의 "지루하고 따분한"(flat and dull) 삶을 살던 전설적 미인 헬레네를 "물보라에서"(out of the spray) 태어난 그리스의 사랑, 미, 성적 황홀경의 여신 아프로디테에 비유함으로써 그의 연인 곤을 비판한다. 헤시오도스의 『신통기』에 의하면, 아프로디테는 크로노스가 그의 대낫으로 자신의 아버지 우라노스의 생식기를 잘라서 바다에 던졌을 때 태어났고, 아프로디테 이름의 어원이 되는 아프로스aphros, Αφρος, 즉 바다 거품에서 솟아올랐다(Hesiod, *Theogony* 19). 그럼에도 불구하고, 아프로디테는 자신의 남편으로 대장장이와 화산의 절름발이 신 헤파이스토스를 잘못 선택한 것을 곤이 맥브라이드 소령과 결혼한 것에 빗대고 있는 것이다. 시구 "풍요의 뿔"은 아기 제우스에게 젖을 먹인 염소 아말테아Amalthea가 그 신에게 선사한 뿔을 함의하는데, 이 뿔에서 신주와 신찬이 흘러나왔다(*CD* 35; Jeffares 206). 유사하게 예이츠는 제59-60행 시구 "풍요의 뿔의 입에서 태어난 / 가장 아름다웠던 여인"(the loveliest woman born / Out of the mouth of Plenty's horn), 즉 곤이 "그 뿔과 모든 이득"(that horn and every good)을 "낡은 풀무"(old bellows)와 교환하는 어리석음—시인 자신을 버리고 맥브라이드 소령을 그릇 선택한 결혼을 목격했다고 덧붙이고 있다(Yeats I-433, 435; *WBYP* 237).

신화시 소네트 「레다와 백조」에서 예이츠는 헤브라이즘과 헬레니즘의 거대한 두 기둥으로 누가복음 제1장 제26-38절에 등장하는 가브리엘 대천사가 동정녀 마리아Blessed Virgin Mary에게 성령으로 잉태하게 될 것이라고 알리는 수태고지受胎告知, Annunciation가 2,000년 기독교와 문명의 기원이었고, 반면에 레다Leda, Λήδα와 백조로 변신한 제우스와의 교합이 또 다른 2,000년 그리스 신화와 문명의 시원이 되었다는 자신의 역사관을 제시하고 있다.

> 급습했다. 백조는 비틀거리는 여인 위에서 여전히
> 큼직한 날개를 퍼덕이며, 시커먼 물갈퀴로
> 그녀의 허벅지를 애무하고, 부리로 목덜미를 잡아,
> 꼼짝 못 하는 그녀 젖가슴을 끌어안는다.
>
> 겁에 질린 엉거주춤한 손가락들이 슬그머니 벌어지는
> 허벅지로부터 깃털의 영광을 어찌 밀어낼 수 있으랴?
> 또한 저 흰 것의 습격으로 그 야릇한 심장의 박동을
> 눕혀진 육신이 감지하지 않을 수 있으랴?
>
> 허리의 전율이 거기서
> 무너지는 성벽, 불타는 지붕과 망루를 낳고,
> 아가멤논을 죽게 한다.
> 　　　　　　　　　　　　하늘의 잔인한 피에
> 그렇게 사로잡혀, 그렇게 정복당했으니,
> 그녀는 무관심해진 부리가 그녀를 놔주기 전에

그의 정력과 함께 그의 지식을 얻었던가? (Yeats III-199, 201)

A sudden blow: the great wings beating still
Above the staggering girl, her thighs caressed
By the dark webs, her nape caught in his bill,
He holds her helpless breast upon his breast.
How can those terrified vague fingers push
The feathered glory from her loosening thighs,
And how can body, laid in that white rush,
But feel the strange heart beating where it lies?
A shudder in the loins engenders there
The broken wall, the burning roof and tower
And Agamemnon dead.
Being so caught up,
So mastered by the brute blood of the air,
Did she put on his knowledge with his power
Before the indifferent beak could let her drop? (*WBYP* 260)

레다는 고대 스파르타(화보 참조)의 왕 틴다레오스Tyndareus, Τυνδάρεος의 아내로서 스파르타의 타이게토스산Mount Taygetus, Taygetos(2,404m) 기슭에 위치한 에우로타스Evrotas, Eurotas, Εὐρώτας강(화보 참조)에서 임신한 몸으로 목욕을 하다가 이 산에서 "거대한 백조", 또는 시 「자장가」("Lullaby," 1931) 제15행 시구 "거룩한 새"(the holy bird)로 변신한 모습으로 접근한 제우스에게 갑자기 "풀이 우거진 에우로타스 강둑에서"(upon Eurotas' grassy bank) 애무를 받고 겁탈을 당했다(Unterecker 188; Jeffares 317). 제우스가 레다의 미모에 현혹되어서 비너스에게 독수리로 변신하라고 부탁을 하고, 자신은 쫓기는 백조로 변신하여 나신 여왕의 품속으로 날아가서 사랑을 성취하게 되었다는 고전 신화는 수많은 화가들의 작품 소재가 되었으며, 예이츠도 절묘하게 원용하여 적나라한 시로 표출하고 있다(*CD* 316). 「레다와 백조」 제9행 시구 "허리의 전율"(A shudder in the loins)과 「자장가」 제16-17행 "그의 예정된 의지를 수행하고 / 레다의 사지에서 빠져나왔을"(Accomplished his predestined will / From the limbs of Leda sank)이 함의하듯이 신과 인간의 극적인 교합으로 9개월 후에 두 알이 태어나게 된다. 다양한 그리스 신화들 중에서 가장 보편적 전설에 의하면, 폴룩스와 헬레네 및 카스토르와 클리템네스트라Clytemnestra, Κλυταιμνήστρα의 남녀 쌍둥이들이 탄생하였는데, 전자가 제우스의 자녀들이고 후자가 틴다레오스의 자녀들이다(*WBYP* 315; *CD* 316; Graves 206). 미의 여신 아프로디테가 가장 아름다운 여성으로 점지한 유부녀 헬레네는 스파르타의 왕 메넬라오스의 아내였기 때문에 그리스 연합군과 트로이 사이에 10년간 지속된 전쟁을 촉발시켰던 것이다. 이 비극적 전쟁의 신화적 배경은 테니슨에 관한 제7장에서 고찰했듯이 트로이의 프리아모스왕과 헤카베 왕비의 둘째 아들로서 왕자가 조국을 멸망시킬 것이라고 예언되었기 때문에 이다산에서 양치기로 살아야 했던 "파리스의 판정"이다. 그래서 파리스는 그가 운명적인 미의 판정을 할 때까지 목자들의 양육을 받았으며, 장성하여 숲의 요정 오이노네와 함께 살았던 것이다. 장차 트로이의 왕자는 혼돈, 싸움, 불화의 여신 에리스가 아킬레우스의 부모가 될 펠레우스왕과 테티스의 결혼식 연회장에 던진 황금사과를 차지할 만한 가장 아름다운 여신으로 다른 두 경쟁적 여신들인 헤라와 아테나의 약속과는 달리 가장 아름다운 여인을 주겠다고 약속한 아프로디테를 선정하는 판정을 한 것은 앞에서 언급하였다(*BM* 211; *CM* 142-43). 그 결과 파리스와 헬레네의 달콤한 사랑 행각은 시 「자장가」 제4-6행 "그 첫 새벽, 황금 침대 위, / 헬레네의 팔 안에서 잠든 파리스를 발견했을 때 / 힘센 그에게"(To mighty Paris when he found / Sleep upon a golden bed

/ That first dawn in Helen's arms)에서와 같이 생동적으로 그려지고 있다 (Yeats II-183; *WBYP* 315). 더욱이 예이츠의 시 「그녀의 용기」("Her Courage," 1917) 제9-10행 "그럼, 그리고 아킬레우스, 티무르, 바부르, 바흐람, 즐겁게 살다 웃으며 / 사신死神의 얼굴 속에 들어간 모든 분들을 만나 보게 하라."(Aye, and Achilles, Timor, Babar, Barhaim, all / Who have lived in joy and laughed into the face of Death.)에서 화자는 그리스 영웅 아킬레우스를 비롯하여 네 명의 유쾌하고도 담대한 전사들을 언급하고 있다 (Yeats III-525; *WBYP* 209). 티무르Timor는 투르크-몽골 정복자이자 티무르제국Timurid Empire 시조 탬벌레인 대제Tamburlaine the Great, 1336-1405, 바부르Babar－자히르 알딘 무함마드 바부르Zahir-ud-din Muhammad Babar, 1483-1530는 인도의 무굴제국Mughal Empire의 시조, 바흐람Barhaim, Bahram은 사산제국Sasanian Empire의 왕중왕 바흐람 1세이며, 에드워드 피츠제럴드Edward FitzGerald의 훌륭한 번역시 『오마르 하이얌의 루바이야트』(*Rubáiyát of Omar Khayyam*, 1859)에 등장하는 위대한 사냥꾼이다(Jeffares 165). 그리스 신화와 호메로스의 서사시 『일리아스』는 아가멤논, 메넬라오스, 아킬레우스, 오디세우스, 아약스Ajax, 프리아모스, 헥토르 및 아이네이아스를 포함하는 그리스의 왕들과 영웅들을 기술하고 있다. 위에서 언급한 소네트 제10행 "무너지는 성벽, 불타는 지붕과 망루"(The broken wall, the burning roof and tower)[27]에서 보듯이 헬레네가 그리스 연합군의 집요한 공격을 견뎌낸 견고한 트로이 성채가 불로 파괴되는 씨앗이라는 것을 넌지시 시사하고 있다. 한편, 제11행 "아가멤논을 죽게 한다."(Agamemnon dead.)의 짧은 시구는 그리스 신화에서 손도끼로 무장한 클리템네스트라가 그녀의 정부情夫 아

27) 그리스 신화와 호메로스의 서사시가 다루고 있는 멸망한 전설적 트로이는 1870년 독일의 고고학자 하인리히 슐리만Heinrich Schliemann, 1822-1890이 비록 조악한 발굴로 현대 고고학자들에게 격렬한 비판을 받았지만 역사적 트로이 유적지로 발굴, 복구하였다.

이기스토스Aegisthus, Αἴγισθος, Aigisthos와 합세하여 계획적으로 미케네(화보 참조) 왕이자 트로이 전쟁에서 그리스 연합군의 총사령관이었던 남편 아가멤논을 비참하게 살해하는 것을 함의한다. 아가멤논은 쉽사리 제압되어 죽임을 당했는데, 그는 10년 트로이 전쟁에서 승리자로 1월에 귀환하고 나서 무장해제하고 은제 솥에서 목욕을 하고 나오는데 그를 포옹하는 척하던 아내가 건네주는 두 소매가 바느질로 연결된 튜닉을 입다가 속수무책束手無策의 무방비 상태에 처해 있었기 때문이다(*CD* 21). 예이츠는 계속하여 그의 시 「학동들 사이에서」("Among School Children," 1926) 제2부 제1행 "나는 레다의 몸에서 나온 한 여인을 꿈꾼다."(I dream of a Ledaean body,)에서와 같이 노인이 되어서도 레다와 그녀의 딸 헬레네의 육체적 매력에 비유되는 연인 곤의 육체미를 여전히 동경하고 있다(Yeats III-479; *WBYP* 261). 그러나 자신은 제4부 제5행 시구 "결코 레다의 종족이 아니어서" (never of Ledaean kind)라고 체념하면서, 그리스 신화에서 원용한 제6부 제7행 시구 "무심한 뮤즈들"(careless Muses)을 덧붙이고 있다(*WBYP* 262-63).

게다가 예이츠는 화자로서 상징시 「탑」("The Tower") 제1부 제11-12행 "나는 이제 뮤즈에게 짐을 싸라 고하고, / 플라톤과 플로티노스를 친구로 택해야 할 것 같다."(It seems that I must bid the Muse go pack, / Choose Plato and Plotinus for a friend)에서 보듯이 그 자신이 예술적 탐닉보다는 철학적 지성을 취사선택하는 것을 의미한다(Yeats III-51; *WBYP* 240). 이것은 만년에 예이츠가 이데아Idea를 주창한 그리스 철인 플라톤과 신플라톤주의Neoplatonism가 적용되는 플로티노스Plotinus, Πλωτῖνος, 205-270의 이상주의를 같은 시 제2부 제80행 시구 "장난치는 뮤즈들"(mocking Muses)—제우스와 기억이 의인화된 므네모시네 여성 거신의 아홉 딸인 시와 예술의 그리스 여신들—과 뮤즈로 원래 상징되는 더러운 성애보다 선호하고 있다는 것을 제시하고 있다. 시인에 비유되는 뮤즈들은 예이츠의 시 「크롬웰의 저주」(“The Curse of Cromwell,” 1937) 제12행 “그러니 우리들과 뮤즈들 모두는 시답잖은 것들이 되죠.”(And we and all the Muses are things of no account.)에서 다시 등장한다. 뮤즈들은 시 「그런 이미지들」(“Those Images,” 1938)에서 모스크바나 로마에 가려는 “그런 고역을 버리고, 뮤즈들을 집으로 불러들여라”(Renounce that drudgery, / Call the Muses home, 제7-8행), 그리고 사자, 동정녀, 창녀, 어린아이, 독수리를 적시하는 제15-16행 “뮤즈들이 노래하게 하는 / 그 다섯 가지를 터득하라”(Recognise the five / That make the Muses sing)에 또다시 등장하여 예이츠가 러시아 공산주의Russian communism와 이탈리아 파시즘Italian fascism 또는 가톨릭사상Catholicism과 같은 정치를 거부하려는 생각을 드러내고 있다(*WBYP* 798). 또한 뮤즈는 시 「계관시인의 한 모델」(“A Model for the Laureate,” 1938) 제17-18행 “뮤즈는 침묵한다, / 공인들이 현대의 왕좌를 찬양할 때”(The Muse is mute when public men / Applaud a modern throne)에서 예이츠가 1936년 에드워드 8세King Edward VIII가 즉위한 지 9개월 만에 연인을 위하여 왕좌에서 퇴위한 것을 소재로 하여 당시 군왕들에 대한 경멸을 표현하기 위해서 원용되고 있다(*WBYP* 795; Jeffares 395). 예이츠는 계속하여 「탑」 제35-37행 “그런 비극은 / 맹인인 호메로스로부터 시작된 것이고, / 헬레네는 살아 있는 모든 사람의 심정을 배반했지.”(the tragedy began / With Homer that was a blind man, / And Helen has all living hearts betrayed.)에서 자신을 고대 그리스의 장님 천재 시인이지만, 시 「안개와 눈처럼 미쳐버린」(“Mad as the Mist and Snow”) 제17행 시구 “변덕스러운 호메로스”(many-minded Homer)와, 곤을 부정한 미인의 원형인 헬레네에 비유하고 있다(Yeats III-57, II-191; *WBYP* 241-42, 316).

그러나 예이츠는 시 「플로티노스에게 내려진 델피의 신탁」(“The Delphic

Oracle upon Plotinus," 1932)에서 초기 기독교의 영향을 크게 받은 철학자 플로티노스의 위상을 더욱 초월적 철학을 견지한 플라톤과 피타고라스 Pythagoras, Πυθαγόρας보다 아래에 두며, 두 고전 철학자들과 더불어 크레타의 제1대 왕 미노스와 그의 동생 라다만티스 모두 엘리시움의 숲에 있는 것으로 묘사하고 있다(Ellmann 281).

> 보라, 저 위대한 플로티노스가
> 저런 파도에 시달리며 헤엄치는 것을.
> 상냥한 라다만티스가 손짓한다.
> 하지만 황금의 종족은 희미하게 보이고,
> 소금에 절여진 피가 그의 시야를 가로막는다.
> 평평한 풀밭에 흩어져 있거나
> 혹은 숲속을 굽이굽이 나다닌다.
> 플라톤이 저기 있고, 미노스가 지나가고,
> 저기엔 위엄 부리는 피타고라스와
> 사랑의 합창단 모두가 있다. (Yeats II-213, 215)

> Behold that great Plotinus swim
> Buffeted by such seas;
> Bland Rhadamanthus beckons him,
> But the Golden Race looks dim,
> Salt blood blocks his eyes.
> Scattered on the level grass
> Or winding through the grove
> Plato there and Minos pass,
> There stately Pythagoras
> And all the choir of Love. (*WBYP* 320)

"델피의 신탁"은 중부 그리스의 델피에 위치한 파르나소스산 아래에 있는 고대 신전-성역 안에서 태양신 아폴론이 인간 여사제 피티아를 매개로 예언을 하고, 철학자 피타고라스, 역사가 헤로도토스Herodotus, 철학자 및 작가 플루타르코스Plutarch, 스파르타의 전설적 입법자 리쿠르고스Lycurgus, 아테네의 정치가 솔론Solon, 오이디푸스 왕 및 심지어 알렉산드로스 대제를 포괄하여 그의 도움을 구하는 모든 사람들에게 영감적인 신탁을 제공했다는 것을 함의한다. 그리스 신화에서 미노스와 라다만티스는 크레타에서 제우스와 에우로파의 두 아들이었는데, 특히 라다만티스는 생전에 크레타 법전을 제정하고 키클라데스 군도를 공평무사하게 통치하였으며, 사후에 미노스와 함께 지하세계에서 정의로운 재판관이 되었다(*CD* 529; *BM* 941; *CM* 387).

시 「델피의 신탁 소식」("News for the Delphic Oracle," 1939) 제3부에서 예이츠는 계속하여 펠레우스와 테티스 및 판의 그리스 신화들을 원용하여 펠리온산Mount Pelion, Πήλιον(1,624m)에서 인간 영웅 펠레우스와 불멸의 바다 요정 테티스 사이의 결혼과 육체적 사랑을 생동적으로 묘사하고 있다.

알몸이 된 날씬한 사춘기의 요정,
펠레우스는 테티스를 응시한다.
그녀의 팔다리는 눈꺼풀처럼 나긋해서,
사랑이 눈물로 앞을 가렸다.
하지만 테티스의 배는 듣는다.
판의 동굴이 있는 데서부터
절벽 같은 산 아래쪽으로
감당 못 할 음악이 흘러내린다.
흉측한 염소 머리, 야만적인 팔이 나타나고,
배, 어깨, 궁둥이,

물고기처럼 번쩍인다. 님페들과 사티로스들이
거품 속에서 교미한다. (Yeats II-263, 265)

Slim adolescence that a nymph has stripped,
Peleus on Thetis stares,
Her limbs are delicate as an eyelid,
Love has blinded him with tears;
But Thetis' belly listens.
Down the mountain walls
From where Pan's cavern is
Intolerable music falls.
Foul goat-head, brutal arm appear,
Belly, shoulder, bum,
Flash fishlike; nymphs and satyrs
Copulate in the foam. (*WBYP* 386)

그리스의 영웅이자 테살리아 미르미돈족the Myrmidons, 또는 미르미도네스 Myrmidones, Μυρμιδόνες의 왕이며, 헤라클레스의 친구였던 펠레우스는 아마존족에 대항한 헤라클레스의 원정과, 이아손을 도와서 아르고호를 타고 황금양피를 찾아오는 모험에 가담했다. 테티스는 에게해에 살았던 바다의 신 네레우스와 도리스의 딸로서 네레이스Nereid, Νηρηΐς, 즉 바다의 요정이다 (*CD* 442; *BM* 173-74, 936; *CM* 292, 334). 예이츠가 한 폭의 그림같이 묘사하고 있는 펠레우스와 테티스의 사랑 행위의 결과 "테티스의 배는 듣는다."(Thetis' belly listens.) 시구는 그들의 잉태한 아들 아킬레우스를 명백히 함의한다. 판(화보 참조)은 파우누스나 사티로스와 똑같이, "사람의 머리에 작은 뿔들에다 염소의 다리, 허벅지, 발 및 꼬리가 전통적 표상인 풍요의 신”이다. 판 신은 “피리를 개발했고”, 흔히 자궁과 성애가 연상되는 “동굴에서 즐겁게 지냈다”(Jeffares 418). 시행들 “님페들과 사티로스들이 / 거품 속에서 교미한다.”(nymphs and satyrs / Copulate in the foam.)는 그리스 신화에서 생식적 사랑을 상징하는 “아프로디테의 거품”(foam of Aphrodite) 속에서 “님페들과 사티로스들”로 대변되는 미녀와 야수의 성적 결합을 희화적으로 제시하고 있다(Bloom, *Yeats* 448). 위에서 언급한 제3부의 출처는 예이츠가 더블린의 국립미술관National Gallery에서 보았던 프랑스 화가 니콜라 푸생Nicholas Poussin, 1594-1665의 『펠레우스와 테티스의 결혼』(*The Marriage of Peleus and Thetis*, 1610)에서 영감을 받은 것이다(Ellmann 284-85).

더욱이 예이츠는 그의 아홉 번째 시집 『탑』(*The Tower*, 1928)에 수록된 「한 희곡 작품에서 발췌한 두 편의 노래」(“Two Songs from a Play,” 1926) 제1부에서 그리스 신화들인 디오니소스, 뮤즈들 및 아르고호를 원용하고 있다.

나는 보았다. 거룩한 디오니소스가 죽은 자리에,
놀라 쳐다보는 한 처녀가 서서
그의 옆구리에서 심장을 꺼내어,
손에 받쳐 들고
박동하는 그것을 가져가는걸.
그러자 봄이 되면 뮤즈들이 모두
위대한 해의 노래를 불렀다,
신의 죽음이 한 편의 연극인 것처럼.

또 하나의 트로이가 기필코 떴다 지고,
또 하나의 혈통이 까마귀를 양육하고,

또 하나의 아르고호의 채색한 뱃머리가
그보다 더 번드레한 곳으로 달려간다.
로마제국이 깜짝 놀라 멈춰 섰다.
로마제국은 평화와 전쟁의 고삐를 놔버렸다,
저 강직한 동정녀와 그녀의 별이
전설 같은 암흑에서 소리쳤을 때. (Yeats III-203, 205)

I saw a staring virgin stand
Where holy Dionysus died,
And tear the heart out of his side,
And lay the heart upon her hand
And bear that beating heart away;
And then did all the Muses sing
Of Magnus Annus at the spring,
As though God's death were but a play.

Another Troy must rise and set,
Another lineage feed the crow,
Another Argo's painted prow
Drive to a flashier bauble yet.
The Roman Empire stood appalled:
It dropped the reins of peace and war
When that fierce virgin and her Star
Out of the fabulous darkness called. (*WBYP* 258-59)

제1연은 그리스 신화의 주신 디오니소스의 신비적 죽음과 재생을 기독교의 구세주 예수 그리스도의 죽음과 부활과 나란히 두고 있다. 여기서 예이츠는 디오니소스의 죽음과 재생에 대하여 일반적인 신화보다는 제임스 프레이저 경Sir James Frazer의 『황금가지』(*The Golden Bough*, 1890)의 영향을 받았음을 시사하고 있다. 뱀으로 변장한 제우스와 페르세포네 사이에 태어난 자그레우스Zagreus, Ζαγρεύς, 즉 뿔 달린 영아 서자 디오니소스는 질투하던 헤라의 사주를 받은 거신들에 의하여 사지가 갈기갈기 찢겨졌다. 시구 "놀라 쳐다보는 한 처녀"(staring virgin)가 인유하는 아테나 여신은 죽어가는 디오니소스의 "몸에서 심장을 끄집어내어 그것을 제우스에게 손으로 갖다 바쳤다." 또는 "거신들을 제압한 제우스는 그 심장을 먹고 다시 디오니소스를 또 다른 여인 세멜레의 몸에 잉태하게 함"으로써 주신은 두 번 태어나게 되었다(450-51; *CD* 100; *CM* 128-29). 위의 인용 시에서 모든 뮤즈들은 "대주년大周年"(Magnus Annus)을 노래하고 있는데, "그들은 신의 제의적祭儀的 죽음과 재생을 반복하는 사건", 즉 1,000년 주기의 대년大年, Great Year이자 플라톤년Platonic Year으로서 "순환적 역사의 일부로 간주하기 때문이다" (Jeffares 241-42). 디오니소스와 그리스도는 둘 다 "태양이 백양궁과 쌍어궁the Fish 사이에 있고, 스피카Spica 별을 손에 들고 가는 처녀궁이 달 옆으로 오는 3월에 죽고 재생했다"(Ellmann 260; Unterecker 186). 한편, "또 하나의 트로이"(Another Troy)와 "또 하나의 아르고호"(Another Argo)를 언급하는 제2연은 로마 시인 베르길리우스의 목가시를 원용한 것이며, 윌리엄 모리스William Morris의 『이아손의 생애와 죽음』(*The Life and Death of Jason*, 1867) 제4권을 인유하고 있다(Jeffares 242-43 재인용). 위에서 언급한 제1부는 그리스 로마 신화에서 문자 그대로 별처녀의 뜻인 정의의 여신 "아스트라이아Astraea와 스피카, 아테나와 디오니소스", 기독교에서 바다의 별Stella Maris인 "마리아와 그리스도의 세 쌍 가운데 유사성과 심지어 동일성을 주장하고 있다"(Ellmann 261).

예이츠가 아테네 비극작가 소포클레스의 『콜로누스의 오이디푸스』

(*Oedipus at Colonus*, *Οἰδίπους ἐπὶ Κολωνῷ*) 중에서 코러스의 합창을 번역한 시 「콜로누스 찬가」("Colonus' Praise," 1928)에서 그리스의 신화적·역사적 장소들인 콜로누스Colonus와 리케이온Lyceum, Λύκειον 및 디오니소스, 아테나, 데메테르, 포세이돈의 그리스 신화들이 아래의 전문에서 보듯이 한 폭의 그림처럼 직조되어 있다.

*코러스* 콜로누스의 말을 찬양하러 오라, 와서 찬양하라.
아기자기한 숲의 거뭇한 포도주 빛을 찬양하라.
한낮 햇빛이 찾아든다 하더라도
나이팅게일이 대낮 햇빛을 귀먹게 하는 곳.
거기엔 태풍이나 해가 찾아오지 못하고,
불사의 여인들이 조화로운 소리에 취하여
세멜레의 아들을 즐거운 상대로 하여
대지 위에서 춤을 추는 곳.

그리고 저기 체육인들의 정원에는
아테네의 지성을 관장하는,
스스로 씨 뿌려, 스스로 태어난 형상이 성장하고,
잿빛 올리브 나무도 시퍼렇게 살아 있는 바위에
기적적으로 뿌리내렸다.
어쩌다 찾아온 평화나 전쟁의 발발도
그 오랜 경이로운 것을 시들게 하진 못하리라.
잿빛 눈의 위대한 아테나 여신이 위에서 지켜보니까.

누가 이 나라에 찾아왔는가.
황금빛 크로커스와 수선화가 피는 곳,
위대한 어머니가 죽은 딸을 애도하고,

잿빛 잎사귀의 올리브 나무 사이에 번쩍이는 물가에서
아름다움에 도취되어 꽃 한 송이 꺾어들고,
그녀의 죽음을 노래했던 곳에 누가 왔는가.
풍요로운 케피소스강을 발견하는 자는
세상에 존재하는 가장 아름다운 풍광을 발견한 것이다.

이 나라는 경건한 마음을 간직하고 있다.
그래서 모든 인간이 길을 걸어갔거나
해변에서 물을 튀기기만 했어도 그럴 때
포세이돈이 재갈과 노를 주었던 일을 기억하기 때문에,
콜로누스 젊은이나 처녀는 누구나
그 노와 그 재갈에 대해 이야기한다.
여름과 겨울, 낮과 밤에,
말과 바다의 말, 백마에 관한 이야기를. (Yeats III-489, 491, 493)

*Chorus*. Come praise Colonus' horses, and come praise
The wine-dark of the wood's intricacies,
The nightingale that deafens daylight there,
If daylight ever visit where,
Unvisited by tempest or by sun,
Immortal ladies tread the ground
Dizzy with harmonious sound,
Semele's lad a gay companion.
And yonder in the gymnasts' garden thrives
The self-sown, self-begotten shape that gives
Athenian intellect its mastery,
Even the grey-leaved olive-tree
Miracle-bred out of the living stone;

Nor accident of peace nor war
Shall wither that old marvel, for
The great grey-eyed Athena stares thereon.
Who comes into this country, and has come
Where golden crocus and narcissus bloom,
Where the Great Mother, mourning for her daughter
And beauty-drunken by the water
Glittering among grey-leaved olive-trees,
Has plucked a flower and sung her loss;
Who finds abounding Cephisus
Has found the loveliest spectacle there is.
Because this country has a pious mind
And so remembers that when all mankind
But trod the road, or splashed about the shore,
Poseidon gave it bit and oar,
Every Colonus lad or lass discourses
Of that oar and of that bit;
Summer and winter, day and night,
Of horses and horses of the sea, white horses. (*CPY* 263-64)

위 시에서 첫 번째 그리스 신화의 공간은 소포클레스의 출신지로서 아테네 교외 북쪽 1.6km 떨어진 언덕 "콜로누스"(Kolonos, Κολωνός)인데, 바다의 신이자 말의 조련사로서 인간에게 선물한 포세이돈의 말로 유명한 곳으로 콜로누스 히피우스Colonus Hippius, Kolonos Hippeios, Κολωνός Ἵππειος 또는 히피우스 콜로누스Hippius Colonus, Hippeios Kolonos, Ἵππειος Κολωνός로 명명되어 왔다("Colonus"). 두 번째 그리스 신화는 테니슨에 관한 제7장에서 고찰한 제우스와 세멜레의 아들인 디오니소스를 지칭하는 "세멜레의 아들"(Semele's lad)이다. 세 번째 그리스의 역사적 공간은 "풍요로운 케피소스강"(abounding Cephisus, Cephissus, Κήφισσος) 둑 위로 신성한 숲-"체육인들의 정원"(the gymnasts' garden)으로서 "아테네의 지성을 관장하는"(Athenian intellect its mastery) 리케이온, 즉 아리스토텔레스Aristotle, Ἀριστοτέλης의 교육현장을 지칭한다. 네 번째 그리스 신화는 아티카Attica, 즉 그리스 땅의 소유권을 놓고 포세이돈과 경쟁에서 "올리브 나무"(olive-tree)를 기적적으로 생성시킴으로써 시합에서 이긴 아테네의 수호 여신 "잿빛 눈의 위대한 아테나"(That great grey-eyed Athena)이다. 다섯 번째 그리스 신화는 "위대한 어머니가 죽은 딸을 애도하고"(Great Mother, mourning for her daughter)의 시구에 죽음의 신 하데스(로마 신화의 상응신 플루토)에게 지하세계로 끌려간 페르세포네를 애도하는 데메테르(케레스) 곡물의 여신Corn Goddess-식물 신화의 기원이 함의되어 있다. 마지막 그리스 신화로 시구 "포세이돈이 재갈과 노를 주었던"(Poseidon gave it bit and oar) 것은 바다의 신이 인간에게 말뿐만 아니라 배를 다루는 방법을 가르쳤다는 것을 의미한다(Jeffares 255-56). 또한 예이츠는 육체적 미보다 예술을 예찬하고 있는 시 「비잔티움」("Byzantium," 1930) 제11행 시구 "명부의 실패"(Hades' bobbin)-영혼과, 불멸을 알리는 제20행 시구 "명부의 수탉들"(the cocks of Hades)에서와 같이 플라톤의 『공화국』(*The Republic, Πολιτεία*, 기원전 c. 380)에 나와 있는 에르Er, Ἤρ 신화에서 아마 채택했을 "하데스"를 원용하고 있다(Jeffares 296 재인용).

게다가 예이츠의 또 다른 소포클레스 번역시 「『안티고네』에서」("From the *Antigone*," 1929) 제6-7행 "파르나소스산 위의 신들을 물리쳐요. / 천상 지고천至高天을 물리쳐요"(Overcome Gods upon Parnassus; / Overcome the Empyrean)와, 제14-15행 "하지만 나는 우노라-오이디푸스의 자식이 / 사랑이 없는 땅속으로 내려가누나."(And yet I weep-Oedipus' child /

Descends into the loveless dust.)에서 보듯이 몇몇 그리스 신화들이 혼재하여 시적 효과를 제고하고 있다(Yeats II-129; *WBYP* 328). 안티고네Antigone, Ἀντιγόνη에게 파르나소스산 위의 뮤즈들과 "불 속의 또는 불타는"의 의미인 고대 그리스어 "엠피로스"(ἔμπυρος)를 차용한 중세 라틴어 엠피레우스 empyreus에서 파생된 고대 우주론의 오천五天의 "지고천" 엠피리언Empyrean 또는 엠피레오Empyreo, 또는 단테의 『신곡』에 등장하는 불의 요소가 지배하는 칠천七天의 최고 하늘인 지고천Empyrean Heaven을 거부하라고 역설적으로 충고함으로써, 이 시는 오이디푸스와 그의 어머니 이오카스테 사이의 불륜으로 태어난 딸 안티고네의 장례식을 추도하는 비가이다. 안티고네는 제10행 시구의 다투는 "형제와 형제"(Brother and brother)에서와 같이 그의 오빠 에테오클레스를 죽이고, 그에 의해 죽임을 당하는 다른 쌍둥이 오빠 폴리네이케스를 매장하지 않고 그대로 두라는 크레온왕의 명령을 복종하지 않아서 생매장되는 형벌에 처하게 되자 자살하게 된다(*CD* 52; Jeffares 331; *CPY* 749).

한편, 예이츠는 그의 시 「질책받은 미친 제인」("Crazy Jane Reproved," 1930) 제5-6행 "위대한 에우로페는 자기 연인을 / 황소로 바꾸어버린 바보짓을 한 거죠."(Great Europa played the fool / That changed a lover for a bull.)에서 보듯이 에우로페를 원용함으로써 연인들을 잘못 선택하여 질책받은 것으로 시사되는 "미친 제인"(Crazy Jane)에 곤을 경멸적으로 비유하고 있다(Yeats II-137; *WBYP* 307). 에우로페는 포세이돈과 리비아 사이에서 태어난 아들이자 티레, 즉 페니키아 왕 아게노르의 딸이었는데, 그녀와 사랑에 빠진 제우스는 하얀 황소로 변신하여 그녀를 크레타섬까지 태우고 갔다. 그곳에서 그녀는 미노스, 사르페돈Sarpedon 및 라다만티스의 어머니가 되었으며, 그리스 신화에서 "에우로페"라는 이름은 "유럽"Europe 대륙의 어원이 되었다(Jeffares 308). 예이츠는 계속하여 화자 안드로메다의 시점에서 당대의 자유연애를 희화한 그의 시 「그녀의 승리」(“Her Triumph,” 1929) 제10행 “성 조지이신지 아니면 이교인 페르세우스 같은 분이신지.”(Saint George or else a pagan Perseus;)에서 페르세우스를 원용하고 있다(Yeats II-97; *WBYP* 322). 그리스 신화에서 최초의 영웅 페르세우스는 청동 방에 갇혀 있던 다나에Danae, Danaë, Δανάη와 그녀에게 황금 소나기로 찾아간 제우스신 사이의 아들이었고, 미케네와 아르고스 다나안족the Danaans의 페르세우스 왕조의 전설적 시조였는데, 고르곤 메두사의 머리를 베고, 안드로메다 공주를 바다 괴물 케토스Cetus, κῆτος로부터 그녀의 “사슬”(the chain)을 끊고 “발목을 풀어”(ankles free)(제9행)줌으로써 구출해주었다(*CD* 452-53). 스펜서에 관한 제2장에서 언급했듯이 로마의 군인이었으나 이후에 기독교 순교자로 숭배를 받게 된 “성 조지”와 “이교인 페르세우스”는 둘 다 용을 살해한 용사들로서 공통점이 있다(*CPY* 745).

그의 시 「동요動搖」(“Vacillation,” 1932)에서 예이츠는 계속하여 제2부 제6행 시어 “아티스”(Attis, Ἄττις)와 제3부 제9행 시구 “레테의 숲”(Lethean foliage)과 같은 그리스 신화들을 원용하여 “절반은 온통 번쩍이는 불꽃, 절반은 온통 초록”(half all glittering flame and half all green)인 “나무 한 그루”(a tree)의 상징으로서 인간의 삶과 죽음 사이의 갈등을 함의하고 있다. 시구 “아티스 모상을 거는 자”(he that Attis’ image hangs)는 사제가 신의 모상을 신성한 소나무 위에 걸어 두곤 했던 아티스 축제를 암시하고 있다(Yeats III-533; *WBYP* 300). 예이츠는 시인과 사제, 즉 거세된 자신과 원래 아나톨리아의 대지의 어머니Earth Mother 여성 거신 키벨레가 그를 광분하게 만들자 스스로 거세한 식물신 아티스와 동일시하고 있다. 이것은 예이츠가 아도니스, 아티스 및 오시리스Osiris 신화들을 다루고 있는 프레이저 경의 『황금가지』의 영향을 받았음을 시사하고 있다(Jeffares 301). 또한 스펜서와 밀턴 및 키츠의 시에서 이미 고찰한 그리스 신화에서 지하세계의 다섯 강의 하나인 완전한 망각의 강 레테에서 파생된 신화적 단어들인 "레테의 숲"은 인간의 완전한 죽음을 상징한다.

한편, 시 「초자연의 노래들」("Supernatural Songs," 1934) 제2부 「리브가 패트릭을 비난하다」("Ribh denounces Patrick")에서 예이츠는 "대 스머랙딘 명판"(the Great Smaragdine Tablet)의 저자인 헤르메스 트리스메기스투스Hermes Trismegistus, Ἑρμῆς ὁ Τρισμέγιστος를 인유함으로써 그리스 신화에서 신들의 사신 헤르메스와 이집트 신화에서 죽음의 신 토트Thoth, Θώθ, ḏḥwty와의 혼합주의를 표방하고 있다.

> 자연과 초자연은 아주 똑같은 고리로 결합되느니라.
> 인간과 짐승과 하루살이가 후손을 보듯이, 신이 신을 낳는 법이거늘.
> 대 스머랙딘 명판이 말했듯이, 아래 것들은 모조품이니까.
>
> (Yeats III-101)

> Natural and supernatural with the self-same ring are wed.
> As man, as beast, as an ephemeral fly begets, Godhead begets Godhead,
> For things below are copies, the Great Smaragdine Tablet said.
>
> (*WBYP* 334)

대 스머랙딘 명판Tabula Smaragdina은 1541년 연금술에 관한 에메랄드 판 위에, 문자 그대로 "세 번 위대한 헤르메스"의 뜻으로서 연금술, 점성술, 백마술白魔術에 통달한 이집트의 전설적 신 또는 반신적 존재인 헤르메스 트리스메기스투스가 "지상의 것들과 천상의 것들은 일치한다."라고 쓴 내용이 새겨진 중세의 라틴 작품이다(Jeffares 353; *WBYP* 760). 헬레니즘 왕국의 이집트에서 "프톨레마이오스 왕국의 그리스인들은 그들의 신 헤르메스와 이집트 신 토트의 등가성을 인정하였다. 그 결과 이 두 신들은" 중부 이집트에 위치한 "헤르모폴리스"(Hermopolis) 또는 이집트 명칭으로 "켐누Khemnu의 토트 신전Temple of Thoth에서 하나로 숭배되었다"("Hermes Trismegistus").

다른 한편, 예이츠는 같은 시 제10부 「결합」("Conjunctions")에서 자신의 두 자녀들의 대립적인 성격을 묘사하기 위하여 로마 신화의 신들인 유피테르, 사투르누스, 마르스 및 비너스를 점성술의 도해 천궁도의 목성, 토성, 화성 및 금성으로 치환, 병용하는 동시에 십자가에서 처형된 예수 그리스도와 병치시키고 있다.

> 만약 목성과 토성이 만난다면,
> 미라의 밀알 수확은 얼마나 될까?
>
> 칼은 십자가, 그분이 십자가 위에서 죽고,
> 여신이 마르스의 가슴 위에서 한숨 쉬었네. (Yeats III-131)
>
> If Jupiter and Saturn meet,
> What a crop of mummy wheat!
>
> The sword's a cross; thereon He died:
> On breast of Mars the goddess sighed. (*WBYP* 338)

1934년 8월 25일자 예이츠의 서신에 의하면, 시인은 올리비아 셰익스피어Olivia Shakespear 부인에게 그의 아들 마이클Michael이 토성과 결합한 목성이 될 것이지만, 그의 딸 앤Anne은 마르스와 결합한 비너스–마르스와의 불륜으로 남편 불카누스에게 부정을 저질렀던 미와 사랑의 여신–가 될 것이라고 썼다. 고전 신화에서 하늘의 주도권을 놓고 치열하게 싸웠던 상극적인 유피테르와 사투르누스, 즉 목성-토성Jupiter-Saturn 유형은 전통에서 자유롭게 태어난 삶에 대하여 생각하는 반면에, 화성-금성Mars-Venus 유형, 즉 기독교인은 죽음과 민주주의를 생각한다는 것이다(Jeffares 357 재인용).

예이츠는 그의 시 「도로시 웰즐리에게」(“To Dorothy Wellesley,” 1938) 제16행 “각기 횃불 쳐들고 올라오는 어엿한 퓨어리들이지요.”(The Proud Furies each with her torch on high.)에서 보듯이 그리스 로마 신화에서 횃불을 든 복수의 여신인 퓨어리들을 자신의 시적 주제의 뮤즈로 사용하고 있다. 퓨어리들은 밀턴에 관한 제4장에서 언급했듯이 알렉토(끊임없는 분노), 메가에라(질투하는 격노), 티시포네(살인의 복수자)의 세 자매이다. 이들은 “머리카락이 뱀으로 헝클어져 있고”, 채찍, 횃불, 또는 “특히 악행자惡行者들에게 고통을 주기 위해 독배”를 들고 가는 “날개 돋친 정령들”로 묘사되고 있다(*CM* 142; Parks 414). 올브라이트의 주석에 의하면, “아이스킬로스의 『오레스테이아』(*Oresteia*, *Ὀρέστεια*)는 에리니에스, 즉 퓨어리들－태초에 복수의 정령들이 합법적 정의의 수호신들인 에우메니데스로 변신하는 과정을 묘사하고 있다”(*WBYP* 786). 이 시의 소재가 된 도로시 웰즐리Dorothy Wellesley, 1889-1956는 아일랜드 출신의 영국 총리를 지낸 제1대 웰링턴 공작 아서 웰즐리Arthur Wellesley, 1st Duke of Wellington의 부인으로서 예이츠가 만년에 4년 동안 친밀한 우정을 나눈 여류 시인이었다.

마지막으로, 예이츠는 자신에 관한 마지막 애가인 「불벤산 아래」(“Under Ben Bulben,” 1939) 제1부 제1연에서 그리스 신화의 아틀라스를 원용하고 있다.

> 맹세하고 말하라, 마레오티스 호숫가에서
> 성현들이 말씀하신 것들을 두고,
> 아틀라스의 마녀가 알고, 말했고,
> 수탉을 울게 했다는 사실을. (Yeats III-579, 581)

Swear by what the sages spoke
Round the Mareotic Lake
That the Witch of Atlas knew,
Spoke and set the cocks a-crow. (*WBYP* 373)

시구 "아틀라스의 마녀"(the Witch of Atlas)는 셸리에 관한 제5장에서 언급했듯이 그가 자신의 두 번째 아내인 메리 셸리에게 헌정한 제목시「아틀라스의 마녀」를 상기시킨다. 마녀는 밀턴에 관한 제4장과 테니슨에 관한 제7장에서 언급한 아틀라스와 플레이오네의 일곱 딸인 플레이아데스의 딸이다. 올브라이트는 셸리의 시에서 "아름다운 마녀가 현재 북부 이집트에 위치한 마레오티스호Mareotic Lake, Lake Mareotis, Mariout의 물 위에 비치는 '결코 지워지지 않지만−항상 흔들리는'(never are erased−but tremble ever) (제59연 제515행) 그림자 속에서 모든 인간의 생명을 관조하고 있다. 그녀는 지상의 존재를 상징하는 물속에 반사되거나 (물을 통과하여 굴절되는) 사물의 '형태들'인 궁극적 실재를 바라본 것이다."라는 주석을 달고 있다 (*WBYP* 809).

## III

예이츠의『자서전들』에 의하면, 시인이 8-9세 때 부친이 그를 감동시킨 최초의 시『고대 로마의 시』(*Lays of Ancient Rome*)를 읽어주었으며, 셸리의 "『풀려난 프로메테우스』의 첫 대사들을 소리 내어 읽어" 주었기 때문에 어린 시절부터 그리스 로마 신화에 자연히 노출되었다고 추정할 수 있다(*A* 46, 65). 예이츠가 그의 시「시민들이 그림을 원한다는 사실이 입증되면 더블린시립미술관에 또다시 헌금할 것을 약속한 어느 부유한 분에게」("To a

Wealthy Man who promised a Second Subscription to the Dublin Municipal Gallery if it were proved the People wanted Pictures," 1913) 제25행 이하에서 "어지러운 이탈리아가 / 그리스의 젖꼭지를 빨아, . . . / 평화가 목적인 예술에서 즐거움을 도출하게 한 거지요."(turbulent Italy should draw / Delight in Art whose end is peace . . . / By sucking at the dugs of Greece.)라는 진술과 꼭 마찬가지로 로마 신화는 그리스 신화에 전략적으로 바탕을 두고 각색한 것이다. 아킨스가 예이츠의 고백에 근거하여 자신의 저서 『내 영혼의 건축가들: 예이츠와 그리스 로마 주제들』의 주요 제목을 선택한 것과 같이 고대 그리스 로마 작가들은 진실로 예이츠의 정신계를 형성한 건축기사들이었다. 그러므로 엘리엇이 그의 평론 「『율리시스』, 질서와 신화」("*Ulysses*, Order and Myth," 1923)에서 예이츠가 "신화적 기법"(mythical method)—"동시대 역사로서 엄청난 전경이 된 허무와 무정부에 대하여 천궁도가 상스러운 기법"을 사용할 필요성을 의식한 최초의 작가였다고 주장하는 것은 놀랄 일이 아니다(Eliot 177-78).

결론적으로, 예이츠의 시에 나타나 있는 고대 아일랜드 신화뿐만 아니라 고대 그리스 로마 신화들을 운용하는 기교는 그의 복잡한 작가 의도들을 확연히 제시하고, 그의 시적 상징성을 심화시키며, 시간, 사랑, 역사, 철학, 정치, 예술 및 영원에 관한 그의 상징주의 조망을 확장하고 있다. 이 연구는 예이츠를 비서로서 도와준 모더니즘의 거장 파운드의 시에 나타난 그리스 로마 신화를 탐색하는 또 다른 시도로 연결될 것이다.

# 9

# 에즈라 파운드의 초기 『칸토스』와 그리스 로마 신화

## I

제9장은 이미지즘Imagism을 포함한 20세기 문학 모더니즘 사조에서 "시인들의 시인"(poet of poets)으로 평가되는 에즈라 파운드Ezra Pound, 1885-1972의 시, 주로 그의 평생 시 전집 『칸토스』(*The Cantos*)에 집중하여 그리스 로마 신화의 다양한 함의와 상징성을 천착한다. 따라서 본 장에서는 그의 초기 시집들인 『불 꺼진 양초를 들고』(*A Lume Spento*, 1908), 『페르소나』(*Personae*, 1909), 『반론』(*Ripostes*, 1912), 『빛』(*Lustra*, 1916) 및 『휴 셀윈 모벌리』(*Hugh Selwyn Mauberley*, 1920)는 제외하기로 한다. 마시모 바치갈루포Massimo Bacigalupo의 논문 「최근의 신화소神話素: 제106칸토」("A Late Mythologem: Canto 106," 1980)는 한 칸토에서만 파운드의 "신화적・입법적 명상"(mythological and legislative meditation)을 집중적으로 탐색하고 있다(425). 휴 케너Hugh Kenner의 「파운드와 호메로스」("Pound and Homer")와 조지 본스타인George Bornstein, 1941- 교수[28])가 편찬한 『시인들에 에워싸

28) 본스타인은 미시건대학교 명예교수이고, 『예이츠와 셸리』(*Yeats and Shelley*, 1970), 『예이

인 에즈라 파운드』(*Ezra Pound Among the Poets*, 1985)에 수록된 릴리언 페더Lillian Feder의 「파운드와 오비디우스」("Pound and Ovid")는 파운드가 호메로스와 오비디우스의 영향을 크게 받았음을 주장하고 있다(1-34). 이 연구를 위하여 필자는 호메로스의 정전화된 서사시 『오디세이아』, 베르길리우스의 서사시 『아이네이스』 및 오비디우스의 신화적 서사 『변신이야기』 뿐만 아니라 다른 전설적 출처에 나타난 그리스 로마 신화를 추적하고자 한다. 신화적 용어의 내재된 의미를 추가로 추적하는 데 필자는 캐럴 F. 테렐Carroll F. Terrell의 방대한 저서 『에즈라 파운드의 『칸토스』 동반자』(*A Companion to The Cantos of Ezra Pound*, 1993)를 참고할 것이다.

## II

우선 파운드는 「30편의 칸토스 초고」("A Draft of XXX Cantos," 1930)의 제1칸토에서 오디세우스, 키르케, 테이레시아스, 플루토, 프로세르피나, 넵투누스, 세이렌들 및 아프로디테 등 다수의 그리스 로마 신화들과 오디세우스의 부하들인 페리메데스Perimedes, 에우리로쿠스Eurylochus, 엘페노르Elpenor 같은 주변 인물들을 광범위하게 원용하고 있다. 또한 고대 그리스와 로마의 지형으로 영원한 흑암의 키메리아 땅Kimmerian lands, 이타카, 에레보스 및 아베르누스 같은 공간들이 언급되고 있다. 시인은 10년 트로이 전쟁에서 고향으로 귀환하는 화자 오디세우스의 바다 모험을 서술하고 있다. 포세이돈의 분노로 인하여 오디세우스가 자신의 섬나라 왕국 이타카와 정숙한 아내 페넬로페에게 돌아가는 것이 10년 더 지연된다. 그리하여 그는 키르케의 궁전을 포함한 수많은 장애에 직면하게 된 것이다.

---

츠, 엘리엇, 스티븐스와 낭만주의의 변형』(*Transformations of Romanticism in Yeats, Eliot, and Stevens*, 1976) 및 『물질적 모더니즘』(*Material Modernism*, 2001)의 저자이다.

바다가 거꾸로 흘러가니 우리는 키르케가 앞서 말한
곳에 이르렀노라.
이곳에서 그들, 페리메데스와 에우리로쿠스가 제식(祭式)을 행하였고,
나는 허리에서 칼을 빼내어
한 자가량의 작은 웅덩이를 팠었느니.
우리는 죽은 이들 각자에게 헌주(獻酒)를 하였는데,
처음엔 벌꿀술, 다음엔 달콤한 포도주, 또 흰 밀가루가 섞인 물이었노라.
그리고 나는 빛바랜 해골들에게 많은 기도를 하였느니,
이타카에 도착하는 대로, 가장 좋은 거세한 황소를
제물로 바치고 불타는 장작더미에 물건들을 잔뜩 쌓아놓고,
테이레시아스에게는 별도로 양을, 검은 숫양을 바치리. (Pound 12)[29]

The ocean flowing backward, came we then to the place
Aforesaid by Circe.
Here did they rites, Perimedes and Eurylochus,
And drawing sword from my hip
I dug the ell-square pitkin;
Poured we libations unto each the dead,
First mead and then sweet wine, water mixed with white flour.
Then prayed I many a prayer to the sickly death's-heads;
As set in Ithaca, sterile bulls of the best
For sacrifice, heaping the pyre with goods,
A sheep to Tiresias only, black and a bell-sheep. (*C* 3)

위의 장면은 시구 "키르케의 집"(the house of Circe) 또는 "키르케의 화롯가에서 잠을 잤었어요."(I slept in Circe's ingle)에서처럼 키르케의 저택,

29) 『칸토스』의 한글 번역은 이일환 교수의 번역시를 인용했으나 일부 수정하였다.

또는 궁전이다(*C* 4). 그리스 신화에서 헬리오스와 헤카테의 딸 키르케는 이탈리아 신화의 섬 아이아이에Aeaea의 여신, 마녀, 무녀로서 "『오디세이아』 제10권 제135-574행에서 오디세우스를 1년간 지체시킨 후 그가 출발할 때 배에 순풍을 불게 해 준다"(*CD* 149; Brooker 238). 위 시의 지배적인 분위기는 오디세우스를 에워싸고 있는 죽음을 시사하고 있다. 파운드는 『칸토스』를 작시함으로써 스스로 역사를 관류하는 여정을 반영하고 있다. 제12-13행들인 "키메리아 땅이 그곳이라, 사람 사는 도시들도 / 촘촘하게 짜인 안개로 뒤덮여"(To the Kimmerian lands, and peopled cities / Covered with close-webbed mist)에서 지칭하고 있는 "키메리아 땅"은 그리스인들이 하데스 입구 가까이 살고 있는 안개와 구름에 영원히 덮인 전설적 장소이다. 시구 "영혼들이 에레보스에서 나왔는데"(Souls out of Erebus)에서의 에레보스는 영혼이 하데스로 가는 길에서 반드시 통과해야 하는 어두운 공간이다(Cookson 4; Terrell 1-2). 시구 "영혼은 아베르누스를 찾게 되었지요"(the soul sought Avernus)에서와 같이 문자 그대로 "새도 날지 않는"의 뜻인 아베르누스는 스펜서에 관한 제2장에서 고찰하였듯이, 이탈리아의 나폴리 서쪽과 쿠마에 동쪽 바로 앞에 있는 분화구 호수인데, 여기에 "인접한 '거대한 동굴'을 통하여 『아이네이스』(제6권 제237행, 제276행)에서 아이네이아스가 지옥으로 내려갔다"(Brooker 239). 이러한 장소들은 테니슨의 「율리시스」에서 언급되었듯이 죽은 "위대한 아킬레우스"가 있는 "행복의 섬"과 일맥상통한다. 죽음의 주제적 관점에서 파운드는 제1칸토의 구조를 단테의 『지옥편』에 근거하여 설계하고 있다. 또한 "이타카"는 이오니아해Ionian Sea의 고대 그리스 서쪽 지역 연안 가까이 있는 험한 산들의 섬나라 왕국인데(*CD* 298), 키메리아 땅과 에레보스가 함의하는 내재적 죽음을 초월하는 생명을 상징한다. 파운드는 여기서 순교자 토마스 아 베켓Thomas à Becket의 성지가 위치한 캔터베리 대성당Canterbury Cathedral으로 런던에서 순례하는 동안 동행하는 온갖 유형의 순례자들이 들려주는 24편의 이야기가 수록된 초서의 『캔터베리 이야기』의 기법과 유사한 여행 모티프를 원용하고 있다.

게다가 파운드는 "햇빛을 보지 못하는 사자들"(the sunless dead)과 "이 기쁨 없는 지역"(this joyless region)의 영원한 처소인 지옥에서 오디세우스가 예언자 "테베인 테이레시아스"(Tiresias Theban)와 자신의 부재 시에 죽은 어머니 안티클레아Anticlea를 만나는 상황을 생생하게 묘사하고 있다(*C* 4; Terrell 2). 테이레시아스의 예언에 따라서 오디세우스는 "악의에 찬 넵투누스를 거쳐서"(through spiteful Neptune), 치명적인 죽음과 연관된 요부들femmes fatales을 상징하는 세이렌들 옆을 지나서 키르케로 간다. 『칸토스』에서 격랑의 여정을 예고하는 오디세우스와 달리 사랑과 미와 풍요의 여신 아프로디테의 이중적 여정은 평온한 자신감이 표출되어 있다(Terrell 3).

> 내가 뒤로 물러나자,
> 그는 피를 마시고 힘이 나서는 말을 하기를, "오디세우스는
> 어두운 바다를 지나치고 악의에 찬 넵투누스를 거쳐서 귀향하리라,
> 동료들을 다 잃어버리고." 그리고는 안티클레아가 다가왔나니.
> 디부스여 편안히 누우시라. 내가 말하는 것은 안드레아스 디부스,
> 1538년 베셀제본소에서 나온 호메로스 번역판의 역자인.
> 그리고 그는 세이렌들을 지나 저 바깥 멀리로 나아갔다,
> 그리고 키르케에게로.
> 크레타섬 사람의 문구를 빌자면,
> 너무나 공경할 만한 이, 황금빛 왕관을 쓴, 아프로디테여,
> 키프로스의 성은 그대의 고유 영역이나니, 즐겁고, 구릿빛, 황금빛,
> 허리띠와 가슴띠를 한, 헤르메스의 황금가지를 지닌,
> 검은 눈까풀의 그대여. 그리하여. (Pound 14-15)

And I stepped back,
And he strong with the blood, said then: "Odysseus
Shalt return through spiteful Neptune, over dark seas,
Lose all companions." And then Anticlea came.
Lie quiet Divus. I mean, that is Andreas Divus,
In officina Wecheli, 1538, out of Homer.
And he sailed, by Sirens and thence outward and away
And unto Circe.
Venerandam,
In the Cretan's phrase, with the golden crown, Aphrodite,
Cypri munimenta sortita est, mirthful, orichalchi, with golden
Girdles and breast bands, thou with dark eyelids
Bearing the golden bough of Argicida. So that: (*C* 4-5)

여기서 첫 번째 화자 오디세우스의 과거시제 진술이 갑자기 삽입된 두 번째 화자의 현재시제 서술인 2행 "내가 말하는 것은 안드레아스 디부스, / 1538년 베셀제본소에서 나온 호메로스 번역판의 역자인."(I mean, that is Andreas Divus, / In officina Wecheli, 1538, out of Homer.)으로 바뀜으로써 독자를 매우 당황하게 하는 파운드의 놀라운 기교를 엿볼 수 있다. 과거의 화자 오디세우스의 모험 신화와 현재의 화자-시인 이야기의 병치는 오디세우스와 파운드를 동일시하고, 『칸토스』가 파리의 출판업자 앙드레 베셀André Wechel, Andreas Wechelus 제본소에서 시인이 발견한 디부스의 르네상스 시대 번역본 『오디세이아』(*Odyssey*, 1538)를 바탕으로 구성될 것임을 시사하고 있다(Terrell 3). 위 시에서 그리스 신화의 "황금빛 왕관을 쓰고"(with the golden crown), "황금빛 허리띠와 가슴띠를 하고"(golden girdles and breast bands) "헤르메스의 황금가지를 지닌"(bearing the golden bough of Argicida) 사랑과 미의 여신 아프로디테는 또한 "죽음의 여신"으로 해석되고 있다. 라틴어 시어 "아르기키다"(Argicida)는 문자 그대로 "아르고스 살해자"(Argeiphontes) 또는 "그리스인들 살육자"를 뜻하고(Cookson 5), 전자는 헤르메스의 별명이기 때문이다. 따라서 이것은 트로이인들의 숭배의 대상 아프로디테와, 특히 오디세우스뿐만 아니라 그리스인들에게 대항하는 여신의 아들 아이네이아스를 가리킨다. 그럼에도 불구하고, 파운드는 문자 그대로 "경배할 만한"의 뜻인 중세 라틴어 시어 "Venerandam과 문자 그대로 "키프로스의 성은 그대의 고유 영역이나니"로 번역되는 라틴어 시구 "Cypri munimenta sortita est"에서와 같이 아프로디테의 숭배 중심지 키프로스Cyprus섬의 이름을 딴 키프리스Kypris로 불리는 키프로스의 여신Cyprian goddess 아프로디테에게 경배를 권유하고 있다(Terrell 3-4). 그러므로 제1칸토에서 파운드가 고대의 고전 신화를 현대의 자전적 상황과 병치하고 있는 것은 자명하다. 오디세우스와 키르케는 뒤에서 조명할 제20칸토와 제39칸토에서 반복되어 나타난다.

제2칸토에서 파운드는 엘레아노르Eleanor로서 트로이의 헬레네, 테이레시아스, 카드모스, 다프네Dafne, Δάφνη, 프로테우스를 포함하는 그리스 로마 신화, 스키오스Scios와 낙소스Naxos 같은 그리스의 지형 및 오디세우스의 선원들인 리캅스Lycabs와 메돈Medon 같은 주변 인물들을 인유하거나 원용하고 있다. 또한 제2칸토의 배경은 아일랜드 신화에서 늙은 바다의 신 리르Lir와 오케아노스가 표상하는 바다이다(Terrell 5).

파도가 해변의 도랑으로 흐른다.
"엘레아노르, 엘레나우스와 엘렙톨리스!"
장님인, 박쥐처럼 장님인, 불쌍한 늙은 호메로스,
바다 파도 소리를 듣는 귀, 늙은이들의 중얼거리는 목소리,

"그녀를 배로 돌려보내라,
그리스의 얼굴들 사이로 돌려보내라, 안 그러면 나쁜 일이 우리에게
    생기리니,
나쁜 일 또 나쁜 일, 그리고 우리 자손들에게 씌워지는 저주,
다닌다, 그래 그녀가 마치 여신처럼 다닌다,
얼굴은 신의 얼굴이요,
    목소리는 스코이네우스의 딸들의 목소리이니,
운명이 그녀의 걸음과 더불어 다닌다,
그녀를 배로 돌려보내라.
    그리스의 목소리들 사이로 돌려보내라." (Pound 16-17)

And the wave runs in the beach-groove:
"Eleanor, ἑλέναυς and ἑλέπτολις!"
    And poor old Homer blind, blind, as a bat,
Ear, ear for the sea-surge, murmur of old men's voices:
"Let her go back to the ships,
Back among Grecian faces, lest evil come on our own,
Evil and further evil, and a curse cursed on our children,
Moves, yes she moves like a goddess
And has the face of a god
    and the voice of Schoeney's daughters,
And doom goes with her in walking,
Let her go back to the ships,
    back among Grecian voices." (*C* 6)

위 시에는 청각적 심상들이 뚜렷하며, 음악적 효과를 제고하기 위하여 파운드는 아이스킬로스의 『아가멤논』(*Agamemnon*) 제1막 제689행에서 헬레네

의 이름에 대한 그리스어 말조롱을 인용하고 있다. 그리스 시어들인 “엘레나우스”(ἑλέναυς)와 “엘렙톨리스!”(ἑλέπτολις!)는 축자적으로 “배를 파괴하는”과 “도시를 파괴하는”으로 해석되는데, 경국지색傾國之色으로서 그리스 전함의 파괴와 트로이의 파멸을 가져올 헬레네Ἑλένη의 운명적 특성들인 것이다(Terrell 5). 시행 “엘레아노르, 엘레나우스와 엘렙톨리스!”(Eleanor, ἑλέναυς and ἑλέπτολις!)는 말로의 『파우스투스 박사』 제5막 제1장 제94-95행 “이것이 1,000척의 배를 진수시키고, / 일리움의 높다란 망루들을 불태웠던 그 얼굴인가?”(Was this the face that launched a thousand ships / And burnt the topless towers of Ilium?)를 상기시킨다. 구체적으로 랑프리에르가 『고전 사전』에서 호메로스가 트로이 전쟁에 참전한 그리스 연합군의 전함 수를 총 1,186척, 그리스의 역사가 투키디데스Thucydides, 기원전 c 460-c 400가 총 1,200척으로 언급한 것을 인용하고 있는 것은 특이할 만하다(*CD* 627). 흥미롭게도 동일한 시행과 연이은 2행은 제7칸토에 첫 5행으로 다시 등장하여 의미를 강화시키고 있다. 게다가 중세사에서 “엘레아노르”라는 이름은 “프랑스의 루이 7세Louis VII와 이후에 영국의 헨리 2세Henry II의 아내인 아키텐의 엘레아노르Eleanor of Aquitaine, 1122-1204 또는 프랑스어로 알리에노르 다키텐Aliénor d'Aquitaine을 지칭한다. 양국의 왕비로서 그녀는 루이 7세와 그의 사촌들인 헨리 2세와 기욤Guillem 그리고 그녀의 아들인 리처드 1세Richard I와 존왕King John과의 “싸움의 근원이 되었고”, 종국에는 “백년 전쟁”(the Hundred Years' War)의 원인”으로 간주되었다(Brooker 242). 여기서 파운드가 신화와 역사에서 “엘레아노르”의 이름으로서 이중적 의미를 암시하고 있다는 것이 분명하다. 시구 “스코이네우스의 딸들”(Schoeney's daughters)에는 오비디우스의 『변신이야기』(제10권 제557-709행)와 초서에 관한 제1장에서 보듯이 헬레네와 같이 많은 사람들의 죽음의 원인을 제공한 그리스 보이오티아의 왕 스코이네우스Schoeneus의 딸 아탈란테가 포함되어 있다(Terrell 6).

한편, 파운드는 계속하여 제2칸토 제1연과 제4연에서 그리스 신화의 바다의 신 포세이돈과 티로Tyro, Τυρώ를 원용, 인유함으로써 신과 인간의 사랑 행위를 이미지즘의 기교로 간결하고도 적확하게 그려내고 있다.

> 해변 수로 옆 티로,
>         바다 신의 꼬인 팔,
> 물의 유연한 힘줄이 그녀를 꽉 껴안고,
> 청회색 유리 같은 파도가 그들을 뒤덮는다,
> 물의 반짝이는 하늘빛, 차가운 소용돌이, 폭 씌운 덮개. (Pound 17)
> . . . . . .
> 물의 유연한 회전,
>         포세이돈의 힘줄,
> 검푸르고 투명한,
>         티로를 덮치는, 유리 같은 파도,
> 폭 덮임, 고요치 않음,
>         파도 탯줄의 밝은 소용돌이, (Pound 22)

> And by the beach-run, Tyro,
>         Twisted arms of the sea-god,
> Lithe sinews of water, gripping her, cross-hold,
> And the blue-gray glass of the wave tents them,
> Glare azure of water, cold-welter, close cover. (*C* 6)
> . . . . . .
> Lithe turning of water,
>         sinews of Poseidon,
> Black azure and hyaline,

glass wave over Tyro,
Close cover, unstillness,
bright welter of wave-cords, (*C* 9-10)

그리스 신화와『오디세이아』제11권 제235-59행에서 티로는 펠로폰네소스 반도의 엘리스Elis의 왕 살모네우스Salmoneus의 딸이고, 아이올로스의 아들 크레테우스Cretheus와 결혼했지만, 강신 에니페우스Enipeus를 열애하게 되었다(Homer, *Odyssey* 257). 위의 시행들이 우아하고도 강렬하게 시사하고 있듯이, 티로에 대한 욕정으로 충만한 포세이돈은 "강의 입구에서 에니페우스의 모습을 하고, 그녀에겐 잠이 들게 하고, 산더미 같은 검은 파도가 일어나서 자신을 가리는 동안 그녀를 겁탈하였다." 그들의 교합에서 마지막 시어 "파도 탯줄"(wave-cords)의 복수형 탯줄umbilical cords은 태어나는 쌍둥이 아들인 펠리아스Pelias와 넬레우스Neleus를 함의한다(*CD* 631; Terrell 6). 특히 제4연은 6행 속에서 정형동사가 전혀 없으므로 이미지즘의 시구가 확실하다(Childs 46).

제2칸토 제2연에서 파운드는 스키오스섬과 낙소스섬 사이의 바다에서 화자 아코이테스Acœtes, Acoetes, Ἀκοίτης의 시점으로 그리스 신화의 디오니소스와 펜테우스왕King Penteus, Πενθεύς을 원용, 서술하고 있다.

배가 스키오스섬에 다다랐어요.
샘물을 청하는 사람들,
조수 웅덩이 가에 포도주에 취해 행동이 굼뜬 어린 소년,
"낙소스로? 그래, 너를 낙소스로 데려다주지,
. . . . . .
그러자 신의 솜씨, 정말이지 신의 솜씨,
배가 소용돌이에 오도 가도 못하고,

노에는 담쟁이가 엉키고, 펜테우스 왕이여,
　　포도엔 씨앗 대신 바다 거품,
배수구엔 담쟁이,
그래, 나, 아코이테스가 그곳에 서 있었고,
　　그 신도 내 옆에 서 있었습니다.
물이 용골 밑으로 갈려 나가고,
부서지는 파도가 배 뒤쪽에서 앞쪽으로 밀려오고,
　　배가 가르는 물결은 앞쪽에서 흘러내려 가고,
뱃전이 있던 곳엔 지금 포도나무 줄기가,
밧줄이 있던 곳엔 덩굴손이,
　　노걸이엔 포도잎들,
노자루엔 무수한 포도덩굴들,
그리곤 어디선지 모르는 숨결,
　　내 발목에 느껴지는 뜨거운 숨결,
유리 속 그림자 같은 동물들,
　　공허를 치는 부드러운 털로 뒤덮인 꼬리.
. . . . . .
뤼아이오스 말씀하시길, "이제부터, 아코이테스, 내 제단을
아무런 속박도 두려워하지 말고,
　　숲의 그 어떤 고양잇과 동물도 두려워하지 말고,
살쾡이들과 더불어 안심하며,
　　내 표범들에게 포도를 먹일 것이라,
유향(乳香)은 내 향이며,
　　포도나무들은 나에 대한 경의의 표시이니라." (Pound 18-20)

The ship landed in Scios,
　　men wanting spring-water,
And by the rock-pool a young boy loggy with vine-must,

"To Naxos? Yes, we'll take you to Naxos,

. . . . . .

God-sleight then, god-sleight:

Ship stock fast in sea-swirl,

Ivy upon the oars, King Pentheus,

grapes with no seed but sea-foam,

Ivy in scupper-hole.

Aye, I, Acœtes, stood there,

and the god stood by me,

Water cutting under the keel,

Sea-break from stern forrards,

wake running off from the bow,

And where was gunwale, there now was vine-trunk,

And tenthril where cordage had been,

grape-leaves on the rowlocks,

Heavy vine on the oarshafts,

And, out of nothing, a breathing,

hot breath on my ankles,

Beasts like shadows in glass,

a furred tail upon nothingness.

. . . . . .

And Lyæus: "From now, Acœtes, my altars,

Fearing no bondage,

fearing no cat of the wood,

Safe with my lynxes,

feeding grapes to my leopards,

Olibanum is my incense,

the vines grow in my homage." (*C* 7-9)

제2연은 시구 "포도주에 취해 행동이 굼뜬 어린 소년"(a young boy loggy with vine-must)이 상징하는 그리스 신화의 포도주, 풍요, 환희의 신 디오니소스, 즉 소아시아 연안의 키오스Chios섬 "스키오스"에서 포도주와 디오니소스 숭배의 중심지로 유명하고 에게해에서 가장 크고 풍요로운 섬 "낙소스"까지 항해하는 도중 새 포도주에 취한 신, 또는 젊은 로마의 신 바쿠스를 집중적으로 제시하고 있다(Brooker 243; Cookson 7; Terrell 6). 게다가 "뤼아이오스"(Lyæus, Lyaios, Λυαῖος)라는 이름은 포도주가 정신에 걱정과 우울을 벗어나는 자유를 주기 때문에 문자 그대로 "구원자" 또는 "해방자"라는 뜻인데, 존 플레처John Fletcher, 1579-1625의 시 「항상 젊은 뤼아이오스 신」("God Lyæus, Ever Young")[30]에 등장하듯이 디오니소스 또는 바쿠스를 지칭한다. 또한 "신의 솜씨"(God-sleight), "포도"(grapes), "담쟁이"(ivy),

---

30) 항상 젊은 뤼아이오스 신이시여!
항상 경배와 찬양받을지어다,
수많은 정욕의 형상들로,
정욕의 포도의 피를 묻히고,
술잔 가장자리에서 춤을 추시오,
진홍빛 술에서 헤엄치시오.
그대의 풍성한 신의 손길에서
포도주와 함께 강물이 흐르게 하소서.
　청춘의 신이시여, 오늘 여기에
　근심도 두려움도 들어오지 말게 하소서!

God Lyæus, ever young,
Ever honored, ever sung,
Stained with blood of lusty grapes,
In a thousand lusty shapes,
Dance upon the mazer's brim,
In the crimson liquor swim;
From thy plenteous hand divine,
Let a river run with wine.
　God of youth, let this day here
　Enter neither care nor fear!

"그 신"(the god), "포도나무 줄기"(vine-trunk), "포도잎들"(grape-leaves), "무수한 포도덩굴들"(Heavy vine), "살쾡이들"(lynxes), "표범들"(leopards), "유향"(Olibanum) 및 "포도나무들"(vines)의 시어와 시구들은 포도주와 환희의 신 바쿠스가 연상되는데, 특히 "로마인들은 바쿠스가 제식에서 '유향', 즉 프랑킨센스 사용을 주관한다고 믿었다." 가난한 어부의 아들로 태어난 리디아인이고, 바쿠스의 충실한 신자이며, "항해에 숙련된 배의 선장" 아코이테스 화자는 바쿠스를 거역하지 말라고 경고를 한 테이레시아스를 업신여기는 테베의 왕 펜테우스와 극명하게 대조되고 있다(Terrell 6). 펜테우스라는 인물의 상당 부분은 에우리피데스의 비극 『바쿠스 여신도들』의 신화해석에서 나온 것이고, 또한 오비디우스의 『변신이야기』에서도 다루어지고 있다. 파운드가 제2칸토의 대부분을 『변신이야기』 제3권 제511-733행의 「펜테우스와 바쿠스의 이야기」("The Story of Pentheus and Bacchus")에 근거하여 재구성하고 있다는 것은 흥미롭다. 디오니소스와 테이레시아스가 지적하듯이 "펜테우스"라는 명칭은 "슬픔의 사람"(Man of Sorrows)을 의미한다. 보이오티아 테베의 시조 카드모스의 딸 아가베와 "뱀" 또는 "용의 이빨"의 뜻인 에키온Echion의 아들 펜테우스는 양성의 늙은 장님 예언자 테이레시아스에게서 바쿠스를 경배하라고 경고를 받지만, 왕은 그를 조롱하고 그의 예언을 경멸한다. 테베의 모든 사람들이 세멜레의 아들 바쿠스의 축제에 거의 광란적으로 참가하자, 분노한 펜테우스는 자신의 왕국이 멸망했다고 통탄하면서 자문위원들의 경고에도 불구하고 새로운 신을 체포하도록 지시한다. 그러나 그의 하인들은 바쿠스의 신성을 주장하고 자신의 배의 승무원 메돈이 젊은 신을 유괴하려는 시도를 한 후에 어떻게 달고기로 변신했는지를 들려주는 리디아 왕국의 마이오니아Maeonia 출신 아코이테스를 그 대신에 체포한다. 펜테우스는 아코이테스가 거짓말하고 있다고 확신하고서 그를 투옥한다. 그러나 노예들이 아코이테스를 처형하려고 고문을 준

비하는 동안에 족쇄들이 그의 팔에서 떨어져 나갔다. 완고한 펜테우스는 격분하여 스스로 바쿠스와 담판을 지으러 키타이론Kithairon 성산으로 달려갔다. 그가 돌진하여 숲을 지나니 곧장 한 바쿠스 축제와 조우하게 되었다. 펜테우스를 보는 순간에 황홀한 형태의 신성한 의식, 즉 오르기아Orgia의 광란적 숭배자들은 야생 멧돼지로 변신한 그를 공격하였다. 카드모스의 딸이자 그의 어머니 아가베는 그를 공격하기 위하여 마술 지팡이를 제일 먼저 던졌으며, 그의 여동생들인 아우토노에Autonoe, Αὐτονόη와 이노Ino, Ἰνώ－디오니소스의 유모－와 합세하여 그의 팔과 머리를 의식에 따라서 8조각으로 찢어버렸다. 이것은 마치 아우토노에의 아들 사냥꾼 악타이온이 사슴으로 변신하자 자신의 사냥개들에게 찢겨서 살해당한 것과 유사한 끔찍한 방식이다. 마침내 이제 모든 테베인들은 새로운 신 바쿠스의 제단으로 모여들고, 그에게 분향을 하게 되었다(Ovid, *Metamorphoses* 73-80; *CD* 448).

게다가 파운드는 계속하여 제2칸토 제3연에서 펜테우스뿐만 아니라 그리스의 변신 신화들인 리캅스, 메돈 및 다프네를 원용하고 있다.

> 역파도가 키 사슬에 이제 부드럽게 부딪히고,
> 리캅스가 있던 곳엔
> 　　돌고래의 검은 코가
> 노 젓던 이들에겐 비늘이.
> 　　그래 나는 숭배합니다.
> 내 두 눈으로 똑바로 보았으니,
> 　　그들이 그 소년을 데려왔을 때 나는 말했었죠.
> "그에겐 신성이 있어,
> 　　어떤 신인진 모르지만."
> 그들은 나를 차서 앞 밧줄에 걸리게 했지요.
> 내 두 눈으로 똑바로 보았으니,

메돈의 얼굴이 달고기의 얼굴로 되고,
팔은 지느러미로 졸아들고, 그리고 그대, 펜테우스여,
테이레시아스와 카드모스의 말을 듣는 것이 좋을 겁니다.
안 그러면 그대의 운은 다하리니.
사타구니 근육에 돋아나는 비늘,
바다 가운데 살쾡이의 그르렁 소리. . .
그리고 후년에,
포도주빛 해초의 엷은 빛으로,
바위에 기대어 있노라면,
파도 색깔 아래 산호의 얼굴,
움직이는 물결 아래 엷은 장밋빛,
일루시에리아, 해안의 아름다운 다프네,
나뭇가지로 변한 헤엄치던 이의 팔,
어느 해라고 누가 말하겠는가,
남자 인어들을 피해 달아나던,
보였다 반쯤 보였다 하는 매끄러운 눈썹,
이제는 상앗빛 고요함. (Pound 21-22)

The back-swell now smooth in the rudder-chains,
Black snout of a porpoise
where Lycabs had been,
Fish-scales on the oarsmen.
And I worship.
I have seen what I have seen.
When they brought the boy I said:
"He has a god in him,
though I do not know which god."
And they kicked me into the fore-stays.

I have seen what I have seen:
Medon's face like the face of a dory,
Arms shrunk into fins. And you, Pentheus,
Had as well listen to Tiresias, and to Cadmus,
or your luck will go out of you.
Fish-scales over groin muscles,
lynx-purr amid sea. . .
And of a later year,
pale in the wine-red algæ,
If you will lean over the rock,
the coral face under wave-tinge,
Rose-paleness under water-shift,
Ileuthyeria, fair Dafne of sea-bords,
The swimmer's arms turned to branches,
Who will say in what year,
fleeing what band of tritons,
The smooth brows, seen, and half seen,
now ivory stillness. (*C* 9)

파운드는 돌고래로 변한 리캅스와 달고기로 변한 메돈 및 산호로 변한 다프네의 변신 신화들과 테베의 예언자 테이레시아스와 테베의 시조 카드모스의 충고를 의도적으로 무시했던 완강한 펜테우스를 병치시키고 있다. 리캅스, 메돈 및 펜테우스는 디오니소스 숭배를 거부함으로써 주신의 저주로 자신들이 변신을 겪고 있는 점이 공통적이다. 그러나 문자 그대로 "월계수"의 뜻인 다프네는 그리스 신화와 『변신이야기』 제1권 제450-590행에서 구애를 하는 아폴론의 추격을 피하는 과정에서 월계수로 변신하도록 도움을 준 강신 페네우스의 딸이다(Ovid, *Metamorphoses* 16-21; Brooker 244). 신화창조자 파운드가 "오비디우스-다프네 주제는 월계수가 아닌 산호로 바뀌는 나의 신화가 되었다"(a theme of Ovid-Dafne, my own myth, not changed into a laurel but into coral)(Terrell 7 재인용)라고 언급했듯이, 그는 그리스 신화의 다프네를 아폴론에게 신성한 관목으로서 영생을 상징하는 "월계수"에서 세계의 축axis mundi으로서, 나무의 상징성과 세상의 기원으로서, 심해의 물의 상징성을 결합하는 "산호"(coral)로 살짝 변형한 것이다(Chevalier and Gheerbrant 235, 592-93). "자유"의 의인화인 고대 그리스어 "엘레우테리아"(Ἐλευθερία)에서 파생된 시어 "일레우테리아"(Ileuthyeria, Eleutheria)는 파운드가 다프네를 창조한 것과 마찬가지로 "산호로 변신한 바다의 요정"이다(Brooker 244).

제4칸토 제1연에서 파운드는 계속하여 도시화와 글쓰기 및 종교적 예배를 포괄하는 문명을 발전시키는 주요 요소들을 제시하기 위하여 그리스 신화에서 테베의 전설적 창건자이자 제1대 왕 카드모스를 원용하고 있다.

> 연기 자욱한 빛 속의 궁전,
> 트로이는 다만 한 무더기의 쌓인 그을은 경계석들뿐,
> **수금의 주인들이시여**! 아우룬쿨레이아여!
> 내 말 좀 들어주시오. 황금빛 뱃머리의 카드모스여!
> 은빛 거울은 빛나는 돌들과 불길의 현장을 붙잡고,
> 새벽은 우리를 깨우며 녹색의 차가운 빛으로 표류하고,
> 풀숲에서, 이슬안개는 움직이는 창백한 발목을 아물거리게 만든다.
> 사과나무 아래 부드러운 잔디에서
> 　　　쿵쿵, 쾅쾅, 웅웅, 텅텅,
> 요정들의 합창, 염소 발걸음, 창백한 발은 교차되고,
> 파아란 물의 초승달, 여울에선 황금빛 녹색,
> 검은 수탉이 바다 거품에서 울고 있다. (Pound 23-24)

Palace in smoky light,
Troy but a heap of smouldering boundary stones,
ANAXIFORMINGES! Aurunculeia!
Hear me. Cadmus of Golden Prows!
The silver mirrors catch the bright stones and flare,
Dawn, to our waking, drifts in the green cool light;
Dew-haze blurs, in the grass, pale ankles moving.
Beat, beat, whirr, thud, in the soft turf
under the apple trees,
Choros nympharum, goat-foot, with the pale foot alternate;
Crescent of blue-shot waters, green-gold in the shallows,
A black cock crows in the sea-foam; (*C* 13)

여기의 장면은 트로이 전쟁의 결과로 불에 타서 무너진 트로이의 약탈이고, 파운드 작시의 출처는 베르길리우스의 『아이네이스』인데, 드라이든의 번역본(1697) 제2권 제310-13행[31]일 것이다. 첫 대문자의 감탄사 "**아낙시포르민게스**!"(ANAXIFORMINGES!)는 고대 그리스 테베 출신의 서정시인 핀다로스Pindar, Πίνδαρος, 기원전 c. 518-438의 「올림피언 송시」("Olympian Odes") 제2편 서두[32]에 "수금의 주인들"(Lords of the Lyre)의 뜻인 그리스어 "아낙시포르미그게스"(ἀναξιφόρμιγγες)를 로마자화한 것이다. 두 번째 감탄사 "아우룬쿨레이아여!"(Aurunculeia!)는 고대 로마의 서정시인 카툴루스Catullus, 기원전 c. 84-c. 54의 『축혼가』(*Epithalamium*) 제61편에 등장하는 만리

31) 데이포보스의 궁전은 연기 자욱한
불길이 올라오고, 그의 친구들 집에도 불이 붙었습니다.
바로 옆 우칼레곤의 집에도 불탑니다. 바다는 고유의 빛이 아닌
빛나는 화염으로, *트로이의* 불빛으로 밝게 반사되고 있었습니다. (Virgil, 『아이네이스』 66)

32) 수금의 주인들이시여, 그대 찬가들이여, 어떤 신,
어떤 영웅, 어떤 사람을 우리가 예찬할까요? (Brooker 248 재인용)

우스 토르쿠아투스Manlius Torquatus의 순결한 신부 비니아 아우룬쿨레이아 Vinia Aurunculeia를 적시하고 있다. 세 번째 감탄사 "황금빛 뱃머리의 카드모스여!"(Cadmus of Golden Prows!)는 제27칸토 시구 "도금한 뱃머리의, 카드모스"(Cadmus, of the gilded prows)와 유사하고, 카드모스를 "티레에서 테베로 여행한 페니키아인"(a Phoenician who travelled from Tyre to Thebes)으로 묘사하며, "베르길리우스의 『아이네이스』 제1권 제363행에서 페니키아 배들이 황금을 가득 선적한 것으로 묘사되고 있다."는 것을 함의한다(*C* 132; Brooker 248). 돈호법으로 부르는 세 가지 감탄사들은 고대 그리스와 고대 로마까지 연결되는 고전 신화와 역사를 매개로 두 나라의 일상과 혼례의 실재를 드러내고 있다. 라틴어 시구 "코로스 님파룸"(Choros nympharum)은 "디오니소스 축제에 아마 모였던" 문자 그대로 "요정들의 합창"(Chorus of nymphs)을 의미한다(Brooker 248). 파운드는 제1연을 신화적 요소들뿐만 아니라 "황금빛 뱃머리", "은빛 거울"(silver mirrors), "빛나는 돌들"(bright stones), "녹색의 차가운 빛"(green cool light), "창백한 발"(pale foot), "파아란 물"(blue-shot waters), "여울에선 황금빛 녹색"(green-gold in the shallows) 및 "검은 수탉"(A black cock) 등의 시각적 심상들과, "쿵쿵, 쾅쾅, 웅웅, 텅텅"(Beat, beat, whirr, thud)과 같은 청각적 심상들로 직조하고 있는 것이다.

다른 한편, 파운드는 제4칸토 제2연에서 오비디우스의 『변신이야기』 제6권 제652행에 근거한 고대 그리스 신화의 이티스Itys 또는 이틴Ityn의 죽음과 중세 프랑스의 음유 시인 카베스탕Cabestan의 죽음을 병치시키고 있다.

> 침대 의자의 구부러지고 새겨진 발 곁에,
> 동물 발톱에 사자 머리인 한 늙은이가 앉아
> 낮은 소리로 단조롭게 얘기를 하는데. . . .

이틴!
그것도 세 번을 흐느끼며, 이틴, 이틴!
그녀는 창문으로 가 몸을 내던졌다네,
"그동안 내내, 내내, 제비가 울고"
이틴!
"접시에 담긴 건 카베스탕의 심장이오."
"접시에 담긴 것이 카베스탕의 심장이라구요?"
"그 어떤 다른 맛도 이를 변화시키지 않을 거예요." (Pound 24)

And by the curved, carved foot of the couch,
claw-foot and lion head, an old man seated
Speaking in the low drone. . . :
Ityn!
Et ter flebiliter, Ityn, Ityn!
And she went toward the window and cast her down,
"All the while, the while, swallows crying":
Ityn!
"It is Cabestan's heart in the dish."
"It is Cabestan's heart in the dish?"
"No other taste shall change this." (*C* 13)

그리스 신화에서 6살 된 이티스는 트라키아의 사악한 왕 테레우스와 프로크네Procne의 아들이었지만, 여동생 필로멜라가 왕에 의하여 겁탈을 당하고 그녀의 혀가 뽑혔기 때문에 그 복수로 프로크네와 필로멜라에 의하여 죽임을 당하고, 스튜로 끓여져서 아버지의 식탁에 올려지게 된 것이다. 끔찍한 정황을 알고 격분한 테레우스가 추격하자 프로크네와 필로멜라가 피신하기 위하여 새로 변신하는데, 오비디우스의 『변신이야기』 이후로 프로크네가 나이팅게일로, 필로멜레가 제비로, 테레우스가 후투티로 변신했다는 신화가 일반적으로 수용되었다. 그러나 이티스가 꿩으로, 프로크네가 제비로, 테레우스가 올빼미로 변신한 신화, 또는 프로크네가 제비로, 필로멜라가 나이팅게일로, 테레우스가 후투티로 변신했다는 신화들을 종합하면 위의 시구 "제비가 울고"(swallows crying)는 성폭행 당한 필로멜라보다 자식을 잃은 모성애로 통곡하는 프로크네의 변신을 함의한다고 추론하는 것이 합리적일 것이다(*CD* 299; Graves 166). 테레우스의 성폭행의 비극적 결과로서 그들의 변신에 관한 더욱 상세한 것은 엘리엇에 관한 제10장에 나와 있다(Ahn 21). 파운드는 그리스 신화에서 이티스의 끔찍한 살해와 고대 켈트족의 전설과 보카치오의 『데카메론』(*Decameron*, 1353) 제4일 제9담譚에 등장하는 프로방스의 음유시인 기엠 드 카베스탕Guilhem de Cabestan, 1162-1212의 것과 병치시키고 있다. 카베스탕은 그가 섬기는 로시용Rossillon성의 영주 레이몽Raymond 또는 라몽Ramon의 아내 세레몬다 부인Lady Seremonda의 애인이 되었다. 그녀의 부정으로 인하여 "레이몽이 카베스탕을 죽이고 그의 심장을 요리하여 세레몬다에게 주었는데, 비극적 상황을 인지하게 된 그녀는 비통해하면서 자살하였다"(Brooker 248; Terrell 12). 이티스와 카베스탕의 비참한 죽음은 강간과 복수, 간음과 복수, 식인食人, cannibalism이 시공을 초월하여 신화와 역사에서 동일하게 작동하는 하나의 실재라는 것을 알 수 있다.

파운드는 계속하여 제4칸토 제2-3연에서 그리스 신화의 악타이온Actæon, Ἀκταίων과 중세의 프로방스 음유시인 페르 비달Peire Vidal, 12세기 중엽 출생을 병치시키고 있다.

악타이온. . .

. . . . . .

요정들의 몸을 씻는, 요정들의, 그리고 디아나,
그녀 주위에 하얗게 몰려든 요정들, 그리고 흔들리는,
공기, 공기, 그 여신과 함께 불타오르는 공기,
        어둠 속에서 그들의 머리칼을 부채질하고,
들어 올려, 들어 올려, 물결치게 하고,
은빛에 담기는 상앗빛,
        그림자 진 너무나 그림자 진,
은빛에 담겨지는 상앗빛,
한 점의, 길 잃은 한 조각의 빛도 없나니.
그리곤 악타이온. 비달,
비달. 숲에서 비틀거리던
        비달이 말씀드리나니,
햇빛이라곤 한 조각도, 희미한 한 줄기도 없는데,
        그 여신의 창백한 머리칼.

개들이 악타이온에게 달려든다.
        "이리, 이리, 악타이온,"
숲속의 얼룩얼룩한 수사슴.
밀을 베어낸 자리처럼 무성한,
        황금빛의, 황금빛의, 한 다발의 머리칼,
확 타오르는, 확 타오르는, 태양,
        개들은 악타이온에게 달려들고,
비틀거리며, 숲에서 비틀거리며,
중얼대며, 오비디우스를 중얼대며,
        "페르구사. . . 연못. . . 연못. . . 가르가피아,
연못. . . 살마키스 연못."
새끼 백조가 움직이자 텅 빈 갑옷이 흔들거린다. (Pound 25-26)

Actæon. . .

. . . . . .

Bathing the body of nymphs, of nymphs, and Diana,
Nymphs, white-gathered about her, and the air, air,
Shaking, air alight with the goddess,
        fanning their hair in the dark,
Lifting, lifting and waffing:
Ivory dipping in silver,
        Shadow'd, o'ershadow'd
Ivory dipping in silver,
Not a splotch, not a lost shatter of sunlight.
Then Actæon: Vidal,
Vidal. It is old Vidal speaking,
        stumbling along in the wood,
Not a patch, not a lost shimmer of sunlight,
        the pale hair of the goddess.

The dogs leap on Actæon,
        "Hither, hither, Actæon,"
Spotted stag of the wood;
Gold, gold, a sheaf of hair,
        Thick like a wheat swath,
Blaze, blaze in the sun,
        The dogs leap on Actæon.
Stumbling, stumbling along in the wood,
Muttering, muttering Ovid:
        "Pergusa. . . pool. . . pool. . . Gargaphia,
Pool. . . pool of Salmacis."

The empty armour shakes as the cygnet moves. (*C* 14-15)

그리스 로마 신화에서 사냥꾼 악타이온이 사냥하다가 보이오티아의 가르가피아Gargaphia 연못 또는 엘리엇의 『황무지』(*The Waste Land*, 1922) 제3부 「불의 설법」("The Fire Sermon")에서와 같이 "샘에서"(in the spring) 자신의 "요정들"과 함께 목욕하는 벌거벗은 디아나(그리스 신화의 상응 여신 아르테미스)(화보 참조)—사냥, 달, 자연의 여신을 우연히 만나게 되었다. 결국 디아나의 분노로 그는 수사슴으로 변신하게 되었고, 그는 자신의 사나운 사냥개들의 추격을 받고서 몸이 갈기갈기 찢기게 되었다(*CD* 8; *BM* 34-36; Terrell 12; Ahn 22). 앞에서 언급한 시구는 변신하게 된 악타이온의 비극적 종말을 반복적으로 또 선율적으로 제시하고 있다. 고대 신화의 악타이온과 유사하게 중세의 프로방스 음유시인 비달은 그의 연인이자 로마 교황청으로부터 이단으로 규정된 알비파Albigensian 귀부인 로바Loba에게 늑대 털가죽 차림으로 구애하다가 자기 자신의 사냥개들의 먹이가 된다. "연못"(pool) 심상으로서 가르가피아와 같이 "페르구사"(Pergusa, Pergus)는 『변신 이야기』 제5권 제383-408행에 등장하는 페르세포네가 후에 명칭이 플루톤에게 흡수되는 디스Dis에게 겁탈당하고 끌려가게 되는 시칠리아의 엔나 인근의 호수이다. 또한 "살마키스의 연못"은 셸리에 관한 제5장에서 상술했듯이 "할리카르나소스Halikarnassos 부근 물의 요정 살마키스 소유의 샘인데, 요정이 미소년 헤르마프로디토스를 겁탈하려다 실패한" 결과 그들은 변신하여 자웅동체의 존재가 되었다(Cookson 10; Childs 51; Terrell 12). 경관의 분위기를 띄우면서 파운드는 성적 욕망과 결과적 변신들을 생생하게 묘사하기 위하여 페르구사와 가르가피아 및 살마키스의 세 연못의 신화적 공간을 원용하고 있는 것이다.

한편, 파운드는 제8칸토에서 중세 로마 제국의 주요 항구도시이자 이탈리아 북부에 위치한 리미니Rimini의 군주, 시인, 예술 후원자 시지스몬도 판돌포 말라테스타Sigismondo Pandolfo Malatesta, 1417-1468를 묘사하기 위하여 그리스 신화의 바다, 지진, 폭풍, 말의 신 포세이돈을 살짝 언급하고 있다.

그리스의 황제는 플로렌스에 있었는데
　　(페라라엔 역병이 돌았다)
게미스투스 플레톤과 더불어
델포스 신전에 관한 전쟁 얘기,
구체적 보편성인 **포세이돈** 얘기,
그리고 플라톤이 시라쿠사의 디오니시우스에게 갔던 것은
폭군들이 그들이 손대는 일엔 늘 가장 유능하다는 것을
보아왔기 때문이었는데,
그러나 디오니시우스가 조금이라도 개선되게끔
설득치는 못했다는 얘기 등을 했다. (Pound 44)

And the Greek emperor was in Florence
　　(Ferrara having the pest)
And with him Gemisthus Plethon
Talking of the war about the temple at Delphos,
And of POSEIDON, *concret Allgemeine*,
And telling of how Plato went to Dionysius of Syracuse
Because he had observed that tyrants
Were most efficient in all that they set their hands to,
But he was unable to persuade Dionysius
To any amelioration. (*C* 31)

시구 "그리스의 황제"(the Greek emperor)는 오스만 제국Ottoman Empire으로

부터 그리스를 구하는 데 생명을 바친 비잔틴 제국Byzantine Empire 또는 동로마 제국Eastern Roman Empire의 황제 요한네스 8세 팔라이오로고스John VIII Palaiologos, Ἰωάννης Η' Παλαιολόγος, 1392-1448를 지칭한다. 그러나 마지막에서 두 번째 로마 황제는 수도 콘스탄티노플Constantinople(현재 터키의 이스탄불)을 방어하다가 전사하였다. 그 후에 1453년 모든 유럽 열강들의 연합 지원이 없자 도시가 함락되어 1,000년 기간 로마의 통치가 종지부를 찍게 된다. 시에서 황제와 함께 비잔틴 제국의 신플라톤학파Neoplatonist 철학자 게미스투스 플레톤Gemisthus, Gemistus Plethon, Γεμιστός Πλήθων, 1355?-1450?은 "델포스 신전에 관한 전쟁"(the war about the temple at Delphos), "**포세이돈**"(POSEIDON), "플라톤"(Plato) 및 "시라쿠사의 디오니시우스"(Dionysius of Syracuse)에 대하여 얘기했다. 이것은 "동방교회Eastern Church의 사절로서 페라라Ferrara와 피렌체Firenze, Florence 회의에 참석했던" 플레톤은 83세의 고령에도 그리스 신화에 깊이 몰두하였다는 사실을 방증하고 있다. 그의 대화에서 델포스Delphos, Δέλφος, 또는 델푸스Delphus는 아폴론의 아들로서 델피를 건설하고 아버지에게 봉헌함으로써 도시 명칭의 어원이 되었으므로 "델포스 신전"은 델피의 태양신전을 함의한다(*CD* 196; *CM* 122). 파운드는 말라테스타의 미완성 말라테스타 성당Tempio Malatestiano, Malatesta Temple의 특성인 돌의 모티프와, 물의 신 포세이돈에 관한 플레톤의 가르침에서 물의 모티프를 결합시키고 있다(Terrell 39-40).

제15칸토에서 화자 파운드는 전쟁 수혜자들과 고리대금업자들의 지옥에서 도피하여 그리스 철학자 플로티노스의 도움으로 엘리시움에 가는 것을 묘사하는데 그리스 신화의 메두사를 원용하고 있다(Alexander 130).

자 가자!
　　발이 빠지고,

진흙 구덩이 사람을 잡는데, 난간이라곤 없고,
수렁의 빨아들임은 마치 소용돌이 같구나,
그가 말했다,
　　　내 발의 땀구멍을 막아라!
. . . . . .
다시 플로티노스 왈,
　　　문으로,
눈은 거울에서 떼지 말고.
우리는 그 메두사에게 빌었다,
　　　방패로 땅을 딱딱하게 하고자, (Pound 60)

Andiamo!
　　　One's feet sunk,
the welsh of mud gripped one, no hand-rail,
the bog-suck like a whirl-pool,
and he said:
　　　Close the pores of your feet!
. . . . . .
and again Plotinus:
　　　To the door,
Keep your eyes on the mirror.
Prayed we to the Medusa,
　　　petrifying the soil by the shield, (*C* 66)

위의 장면은 가장 중요한 신플라톤학파 빛의 철학자 플로티노스의 인도를 받는 화자 파운드가 지옥에서 연옥으로 베르길리우스에게 안내를 받는 단테와 유사한 정신적인 지옥의 상태에 있다는 것을 의미한다. 비록 상황이

악몽 같은 꿈속이지만, 그들이 "방패로 땅을 딱딱하게 하고자"(petrifying the soil by the shield)하는 희망으로 "그 메두사"(the Medusa)에게 기도하는 것이 아주 역설적이다. 밀턴과 셸리에 관한 제4-5장에서 언급했지만 부연하면, 메두사는 필멸의 고르곤으로 매력과 아름다운 머리타래에 반한 넵투누스와 미네르바 신전에서 사랑을 나누었기 때문에 여신은 신성모독으로 그녀의 머리타래를 뱀으로 만들어버렸다. 다른 전설에 의하면, 메두사는 다른 불멸의 고르곤들과 같이 태어날 때부터 머리에 뱀과 몸에는 비늘이 있었으며, 바라보는 생물체를 죽이거나 돌로 만들어버리는 능력이 있었다. 미케네의 전설적 시조인 영웅 페르세우스에게 메두사의 목이 잘리고 흘러내린 피에서 아프리카의 수많은 뱀들이 나왔다(*CD* 356). 페르세우스는 메두사의 자른 머리를 아테나(로마 신화의 상응 여신 미네르바)에게 주었는데, 여신은 자신의 방패 중앙에 부착함으로써 무적의 아이기스 무기로 만들었다. 결국 플로티노스가 사라지고, 깨어난 화자가 그리스어 시구 "엘리온 뜨 엘리온"(Ἠέλιον τ' Ἠέλιον)(태양, 태양)에서와 같이 햇빛에 에워싸여 있는 이후에도, 그는 여전히 심각한 정신적 불안정을 함의하는 "무의식의 어두움"(darkness unconscious)에 빠져 있다(Pound 61; *C* 67).

다른 한편, 제17칸토에서 파운드는 낙원을 그리기 위하여 시어 "자그레우스"를 매개로서 디오니소스를 인유하고 있다.

> 그리하여 포도덩굴이 내 손가락으로부터 터져 나오고
> 분가루로 무거워진 벌들이
> 포도덩굴 줄기 사이에서 무겁게 오고 간다,
> 　　찍찍—찍찍—찌르르—그르렁 소리,
> 그리고 가지에서 졸고 있는 새들.
> 　　**자그레우스시여! 환영 자그레우스시여!**
> 하늘은 태초의 깨끗한 연푸른색

언덕에 자리 잡고 있는 도시들,
아름다운 무릎의 여신이
그곳에서 다니는데, 그녀 뒤에는 참나무숲,
녹색의 비탈, 그녀 주위에서 뛰노는
        하얀 사냥개들.
. . . . . .
자신의 표범들을 먹이고 있는 자그레우스,
        빛 아래 언덕 위같이 깨끗한 잔디밭.
편도나무 아래에는, 신들,
        그들과 더불어, 요정들의 합창. 신들,
헤르메스와 아테나,
        나침반의 축이,
그들 사이에서, 흔들거리는데—
왼편엔 목신들의 자리,
        요정들의 숲. (Pound 61-63)

So that the vines burst from my fingers
And the bees weighted with pollen
Move heavily in the vine-shoots:
        chirr—chirr—chir-rikk—a purring sound,
And the birds sleepily in the branches.
        ZAGREUS! IO ZAGREUS!
With the first pale-clear of the heaven
And the cities set in their hills,
And the goddess of the fair knees
Moving there, with the oak-woods behind her,
The green slope, with white hounds
        leaping about her;

. . . . . .

Zagreus, feeding his panthers,
    the turf clear as on hills under light.
And under the almond-trees, gods,
    with them, *choros nympharum*. Gods,
Hermes and Athene,
    As shaft of compass,
Between them, trembled－
To the left is the place of fauns,
    *sylva nympharum*; (*C* 76-77)

첫 번째 연결사 "그리하여"(So that)가 제1칸토의 마지막 연결사 "그리하여"를 상기시켜주기 때문에 『칸토스』의 구조는 직선적이 아닌 순환적이고 수미일관首尾一貫적이라고 추론할 수 있을 것이다. 또한 "포도덩굴"(vines)과 "포도덩굴 줄기"(vine-shoots) 및 "표범들"(panthers)의 시어들은 제2칸토에서 언급한 주신 디오니소스 또는 바쿠스가 연상된다. 대문자로 표기된 환영의 그리스어 감탄사 "**자그레우스시여! 환영 자그레우스시여**!"(ZAGREUS! IO ZAGREUS!)에서 보듯이 자그레우스는 디오니소스의 별칭이고, 후대의 전통에서 포도주의 신이지만, 파운드에서는 오르기아, 즉 주신제酒神祭 숭배의 대상 또는 종교적 환희의 신이다. 자그레우스와 더불어 아르테미스(디아나)를 의미하는 "아름다운 무릎의 여신"(the goddess of the fair knees), "요정들의 합창"(*choros nympharum*), "신들, / 헤르메스와 아테나"(Gods, / Hermes and Athene), "목신들의 자리"(the place of fauns) 및 "요정들의 숲"(*sylva nympharum*)의 시어들은 한 폭의 그림같이 풍성한 전원과 도시 및 천상의 배경을 제시하고 있다. 제우스의 사신, "상인과 도둑들의 후원신, 행운과 부의 신" 헤르메스가 여기서는 시구 "헤르메스의 찬란함"(the splendour of Hermes)(*C* 79)에서와 같이 빛나는 의상을 하고, 『아이네이스』 제6권 제734-39행에서 "아이네이아스가 사용한 황금 홀" 또는 엘리시움, 즉 "천국에 들어가기 위하여" 이 영웅이 꺾은 "황금가지"를 "들고 있는 신"이기 때문이다. 시어 "아테나"(Athene), 즉 팔라스 아테나, "지혜의 여신, 평화와 전쟁 기술의 후원 신, 도시 아테네의 처녀 수호신은 여기서 지상낙원paradiso terrestre의 환상적 도시의 수호신이다"(Terrell 73). 게다가 "거대한 소라"(a great shell curved)와 흡사한 제24행 시구 "네레아의 동굴"(Cave of Nerea) 속의 네레우스의 딸인 바다 요정 네레아(네레이스)는 이탈리아 르네상스 화가 산드로 보티첼리Sandro Botticelli, 1445-1510의 회화 『비너스의 탄생』(*La Nascita di Venere, The Birth of Venus*, c. 1486)에서 무척이나 아름답게 그려진, 거품 이는 바다의 커다란 조가비에서 비너스 여신의 신비스러운 탄생을 연상시키고 있다(*C* 76; Cookson 24).

한편, 제1칸토의 화자 오디세우스와 "키르케의 화롯가"의 장소는 제39칸토에서 반복하여 환언되며, 더욱 상세하게 묘사되고 있다.

내가 키르케의 화롯가에 누워 있을 때
그런 노래를 들은 적이 있었다.
        살찐 표범이 내 옆에 누워 있었고
계집들은 성교 애기를 하고, 야수들은 먹는 애기,
모두들 잠으로 축 늘어져 있으니, 성교하고 난 계집들과 살찐 표범들,
키르케의 탕약을 마시고 축 늘어진 사자들,
키르케의 탕약을 마시고 추파를 보내는 계집들
        카카 파르마크 에도켄 (Pound 93)

When I lay in the ingle of Circe
I heard a song of that kind.

Fat panther lay by me
Girls talked there of fucking, beasts talked there of eating,
All heavy with sleep, fucked girls and fat leopards,
Lions loggy with Circe's tisane,
Girls leery with Circe's tisane
κακὰ φάρμακ' ἔδωκεν (*C* 193)

제10장에서 추후 탐색하게 될 엘리엇의 시 「키르케의 궁전」("Circe's Palace," 1908)을 상기시키는 위 시행들은 "성교"(fucking) 얘기를 하는 계집들과 "성교하고 난 계집들"(fucked girls) 및 "키르케의 탕약을 마시고 추파를 보내는 계집들"(Girls leery with Circe's tisane)이 탐닉하는 성애와 "살찐 표범들"(fat leopards)과 "키르케의 탕약을 마시고 축 늘어진 사자들"(Lions loggy with Circe's tisane)과 같은 "야수들"(beasts)의 식인을 생생하게 드러내고 있다(Ahn 2; Oderman 99). 여기서 그리스어 "카카 파르마크 에도켄"(κακὰ φάρμακ' ἔδωκεν)으로 표기되어 있는 "키르케의 탕약"은 『오디세이아』 제10권 제213행에서 사용된 사악한 마약을 지칭하고, 어떤 의미에서 현대의 최음제催淫劑, Aphrodisiac와 유사하다(Cookson 44). 따라서 식인성의 성애는 제39칸토 시행들인 "바다를 향한 여신의 눈 / 치르체오 가까이, 테라치나 가까이, 바다를 향한 / 백색의 돌 눈"(with the Goddess' eyes to seaward / By Circeo, by Terracina, with the stone eyes / white toward the sea)과, 제74칸토이자 『피사 칸토스』(*Pisan Cantos*)의 첫 편의 시행인 "마치 테라치나 근처 바다에서 그녀 뒤로 서풍이 일어나듯"(as by Terracina rose from the sea Zephyr behind her)에서 그려지고 있는 요부 아프로디테와 그 탄생을 동시에 인유함으로써 지형학적으로 키르케의 이름을 딴 치르체오산Mount Circeo 또는 치르체오만Cape Circeo[33])과 이탈리아의 테라치나Terracina와 연상된다(Pound 97, 183; *C* 195, 435). 그러므로 테라

치나는 파운드가 자신의 『문화 안내』(*Guide to Kulchur*, 1938)의 「푸딩의 증거」("The Proof of the Pudding")에서 이 장소에 대하여 "나는 테라치나 위에 다시 아프로디테의 신상을 세우고 싶다."(I wd. set up the statue of Aphrodite again over Terracina.)라고 쓰고 있듯이, 그의 영매靈媒의 성애를 낭음朗吟하는 신전들 중의 하나이다(Oderman 100; *GK* 191).

## III

파운드는 『다이얼』(*The Dial*)지에 투고한 「율리시스」("Ulysses," 1922)라는 제목의 파리 서신에서 마치 엘리엇이 자신의 평론 「『율리시스』, 질서와 신화」에서 제임스 조이스James Joyce의 신화기법을 예찬하듯이 조이스의 소설 『율리시스』(*Ulysses*, 1922)를 극찬하고 있다(*LE* 403). 파운드가 자신의 초기 『칸토스』를 『율리시스』와 아주 흡사하게 오디세우스와 그리스 로마 신화들에 근거하여 한 편의 긴 자전적 서사시로 구성한 것은 분명하다. 예컨대, "오디세우스의 지옥으로의 여행, 트로이 전쟁의 원인으로서 헬레네의 미, 디오니소스의 변신들, 오비디우스의 변신과 프랑스 음유시인과 이탈리아의 병행들" 등이다(Alexander 129). 파운드는 마치 트로이에서 연밥 먹는 사람들의 섬, 키클로페스섬, 아이아이아−키르케의 궁전, 지옥, 세이렌들의 땅, 칼립소의 집인 오귀기아섬 등을 거쳐서 고향 이타카로 항해하는 영웅과 마찬가지로 미국에서 영국을 거쳐서 프랑스, 이탈리아, 문학적으로는 중국 및 레오 프로베니우스Leo Frobenius의 아프리카까지 직·간접적으로 여행을 한 점에서 오디세우스에 필적한다. 파운드의 중국 칸토스, 아담스 칸토스, 피사 칸토스를 포괄하는 기타 및 후기 『칸토스』는 신화보다는 역사

33) "이 산의 반도 안 깊은 곳에서 과학자들은 그녀의 동굴−요부 키르케의 타락의 동굴−을 들쭉날쭉한 해안선을 따라서 발견했을지도 모른다"("Ancient Origins").

와 경제 및 정치의 관점에서 조명되어야 한다. 파운드의 스승들은 고전 신화의 영향을 받은 호메로스와 베르길리우스 및 오비디우스뿐만 아니라 단테, 공자孔子, Confucius, 이백李白, Li Po, 제퍼슨Jefferson 및 심지어 무솔리니Mussolini이기 때문이다.

결론적으로, 파운드의 시에 나타나 있는 그리스 로마 신화들을 운용하는 기교는 그의 복잡한 작가 의도들을 확연히 제시하고, 그의 시적 상징성을 심화시키며, 역사, 철학, 정치, 사랑, 성애에 관한 그의 모더니즘적 조망을 확장시키고 있다. 이 연구는 가장 위대한 모더니즘 시인 엘리엇의 시에 나타난 그리스 로마 신화를 탐색하는 또 다른 시도로 연결될 것이다.

# 10

# T. S. 엘리엇의 시와 그리스 로마 신화

## I

제10장은 1998년 6월 8일자 『타임』(*Time*)지에서 20세기 가장 위대한 시인이라는 영예로운 부문에 선정된 T. S. 엘리엇T. S. Eliot, 1888-1965의 시에 나타난 모든 그리스 로마 신화의 다양한 함의와 상징성을 천착한다(Vendler 61-62). 엘리엇의 시는 습작시, 최초의 시집 『프루프록과 기타 관찰들』(*Prufrock and Other Observations*, 1917)에 수록된 최초의 모더니즘 시 「J. 알프레드 프루프록의 연가」("The Love Song of J. Alfred Prufrock," 1915), 『1920년 시』(*Poems 1920*, 1920), 모더니즘의 걸작 『황무지』, 「텅 빈 사람들」("The Hollow Men," 1925), 종교시 『재의 수요일』(*Ash-Wednesday*, 1930), 경시 전집 『늙은 주머니쥐의 영악한 고양이에 관한 시집』(*Old Possum's Book of Practical Cats*, 1939), 철학적 · 종교적 명상시 『네 사중주』 등으로 구성되어 있다. 고전 신화에 관련하여 본 장에서는 릭스1933- 교수[34]와 짐 맥큐Jim McCue 공편의 『T. S. 엘리엇의 시 1』

34) 영국의 문학비평가이자 미국 보스턴대학교Boston University 교수인 릭스는 존 캐리John Carey

(*The Poems of T. S. Eliot* I, 2015)에 수록된 「키르케의 궁전」과 「어둠 속에서」("Inside the gloom," 1910) 및 「바쿠스와 아리아드네: 육체와 영혼의 두 번째 논쟁」("Bacchus and Ariadne: 2nd Debate between the Body and the Soul," 1911)과 같은 엘리엇의 습작시를 탐색한다. 아울러 『프루프록과 기타 관찰들』에 수록된 엘리엇의 「여인의 초상」("Portrait of a Lady," 1917)과 「아폴리낙스 씨」("Mr Apollinax," 1917), 『1920년 시』에 게재된 「베데커를 든 버뱅크와 시가를 문 블라이슈타인」("Burbank with a Baedeker: Bleistein with a Cigar," 1919), 「발기한 스위니」("Sweeney Erect," 1919), 「나이팅게일에 에워싸인 스위니」("Sweeney Among the Nightingales," 1919), 『황무지』 및 『네 사중주』는 심도 있게 조명하거나 간단히 다룰 것이다. 이 연구를 위하여 필자는 호메로스의 정전화된 서사시 『일리아스』와 『오디세이아』, 베르길리우스의 서사시 『아이네이스』 및 오비디우스의 신화적 서사 『변신이야기』 및 기타 전설적 출처에 나타난 그리스 로마 신화를 추적하고자 한다. 특별한 용어들의 빈번한 용례에 대한 부가적 조명을 위하여 필자는 『T. S. 엘리엇의 시 1』의 상세한 「해설」("Commentary")과 J. L. 도슨J. L. Dawson 등이 편찬한 방대한 책 『T. S. 엘리엇의 시와 시극 전집 용어색인』(*A Concordance to the Complete Poems and Plays of T. S. Eliot*, 1995)을 참고할 것이다.

가 "살아 있는 가장 위대한 비평가"로 간주하고 있고, 『T. S. 엘리엇과 편견』(*T. S. Eliot and Prejudice*, 1988), 『T. S. 엘리엇의 결정과 수정』(*Decisions and Revisions in T. S. Eliot*, 2003)의 저자이며, 엘리엇의 미간행 시집 『3월 산토끼의 노래: 1909-1917년의 시』(*Inventions of the March Hare: Poems 1909-1917*, 1996)의 편찬자이다.

## II

우선 엘리엇은 그가 하버드대학교 학부 3학년이던 1908년 11월 25일 대학 문예지 『하버드 애드버케이트』(*Harvard Advocate*)에 게재한 시 「키르케의 궁전」의 제목으로 그리스 신화의 키르케를 원용하고 있는데, 제1연을 살펴보자.

> 고통스러운 남성들의 목소리가
> 흐르는 그녀의 샘 둘레에
> 어떤 남성도 모르는 꽃들이 있다.
> 그 꽃잎들은 독아(毒牙)가 돋았고,
> 섬뜩한 줄과 반점으로 발갛다.
> 그것들은 사자의 사지(四肢)에서 생겨났다.
> 우리는 여기에 다시 오지 않을 것이다. (안중은, 『상징주의』 280)

> Around her fountain which flows
> With the voice of men in pain,
> Are flowers that no man knows.
> Their petals are fanged and red
> With hideous streak and stain;
> They sprang from the limbs of the dead.—
> We shall not come here again. (*PTSE* 231-32)

시제 "키르케의 궁전"은 명백히 『오디세이아』 제10권 「아이아이아의 고혹적 여왕」("The Bewitching Queen of Aeaea") 제229-30행 "숲이 우거진 계곡 깊은 곳에서 그들은 / 훤하게 솟아오른 대지 위에 대리석으로 지은 '키르케의 궁전'(Circe's palace)에 도착했다."에서 차용한 것이다(Homer,

*Odyssey* 237). 셸리에 관한 제5장과 파운드에 관한 제9장에서 언급했듯이, 키르케는 아이아이아섬의 대저택에서 살았고, "마술과 독초에 관한 해박한 지식으로 명성이 자자한" 여신 또는 마녀였다. 오디세우스는 "트로이 전쟁에서 귀국하다가 그곳 주거지를 방문한" 것이다. 키르케는 그녀가 제공하는 묘약이 가득한 음식을 탐닉하던 오디세우스의 모든 동행 선원들을 더러운 돼지들로 변신시켰지만, 이 영웅은 헤르메스 또는 "메르쿠리우스가 주는 영초靈草, moly라는 약초 덕분에 변신하지 않게 되었다"(*CD* 149; *BM* 896). 시제인 "키르케의 궁전"은 키르케와 같은 요부에게 분명히 이끌리는 남성의 몰락이라는 르네상스의 주제를 은연중에 암시하고 있다.

게다가 엘리엇이 영향을 많이 받은 프랑스 시인 쥘 라포르그Jules Laforgue의 시 「상현달의 연도連禱」("Litanies des premiers quartiers de la lune," 1886),[35]를 모방하여 쓴 「어둠 속에서」가 냉소적 14연 2행연구로 하늘을

35) 엔디미온들Endymions과 디아나-아르테미스Diane-Artémis의 그리스 로마 신화들이 라포르그의 「상현달의 연도」에도 등장하는 것은 흥미롭다. 프랑스 상징주의 시의 6연 2행연구들은 다음과 같다.

불면증 사람들의
축복받은 달,

엔디미온들의
하얀 메달,

모두가 추방되는
화석의 별,

살람보의
시샘하는 무덤,

커다란 신비들의
교각,

성모 마리아와 처녀

명상하는 시인데, 여기에서 일부 별자리들과 연관된 그리스 로마 신화들을 원용하고, 의인화 기법을 통하여 엘리엇 특유의 난해성이 돋보이는 방식으로 제시하고 있다(*IMH* 251; *PTSE* 1117).

한 다락방의
어둠 속에서

별자리들이 그들의
위치를 잡았다

8월 하늘의
동물 별자리들

---

디아나-아르테미스,

Lune bénie
Des insomnies,

Blanc médallion
Des Endymions,

Astre fossile
Que tout exile,

Jaloux tombeau
De Salammbô,

Embarcadère
Des grands Mystères,

Madone et miss
Diane-Artémis, (Laforgue 137)

전갈자리가
호홀로

꼬리에 불이 붙은 채
전선 위에서 춤을 추었다

또 카시오페이아자리는
순수 관념을 설명했다

큰곰자리는
의자 균형을 맞추었다

추론의
방향을 보여주기 위해

또 천마 페가소스자리는
생명의 힘의 구도를 설명했다

또 고래자리도 풍자로서
생명과 물질의 관계를 설명했다

또 북극성은 토론이 무르익을 때
인생에서 장소의 효용을 설명했다

그때 목동자리가, 불안해서
분명히 짜증 나서

말했다 이 모든 문제들이

소화불량들로 생긴 것은 아닌가요?

그렇게 그들은 외치고 깔깔댔다
마치 그게 중요한 것처럼.

Inside the gloom
Of a garret room

The constellations
Took up their stations

Menagerie
Of the August sky

The Scorpion
All alone

With his tail on fire
Danced on a wire

And Cassiopea
Explained the Pure Idea

The Major Bear
Balanced a chair

To show the direction
Of intellection

And Pegasus the winged horse
Explained the scheme of Vital Force

And Cetus too, by way of a satire
Explained the relation of life to matter

And the Pole Star while the debate was rife
Explained the use of a Place in Life

Then Bootes, unsettled
And visibly nettled

Said Are not all these questions
Brought up by indigestions?

So they cried and chattered
As if it mattered. (*PTSE* 254-55)

물론 엘리엇이 원용하고 있는 "동물별자리"(Menagerie), "전갈자리"(Scorpion), "카시오페이아자리"(Cassiopea), "큰곰자리"(Major Bear), "페가소스자리"(Pegasus), "고래자리"(Cetus), "북극성"(Pole Star) 및 "목동자리"(Bootes)와 같은 성좌들은 하늘 전체의 헤아릴 수 없이 수많은 성좌들 중의 지극히 작은 부분이다. 밤하늘의 주요 성좌들은 고대 그리스 신화로까지 소급될 수 있지만, 그것들의 로마 명칭은 앞에서 고찰한 황도12궁 별자리뿐만 아니라 전설적 성좌들인 안드로메다자리Andromeda, 물병자리Aquarius, 양자리Aries, 게자리Cancer, 염소자리Capricornus, 카시오페이아자리Cassiopeia, 케페우스자리Cepheus, 고래자리, 북쪽왕관자리Corona Borealis, 백조자리Cygnus, 용자리Draco, 에리다누스자리Eridanus, 쌍둥이자리Gemini, 헤르쿨레스자리Hercules, 바다뱀자리Hydra, 사자자리Leo, 천칭자리Libra, 거문고자리Lyra, 오리온자리Orion, 페르세우스자리Perseus, 물고기자리Pisces, 궁수자리Sagittarius, 전갈자리Scorpius, 황소자리Taurus, 큰곰자리Ursa Major, 작은곰자리Ursa Minor 및 처녀자리Virgo 등이다.

그리스 성좌들의 신화적 의미에 관한 최초의 언급은 호메로스의 작품들에서 발견할 수 있을 것이다. 예컨대, 『일리아스』 제18권 「아킬레우스의 방패」("The Shield of Achilles") 제565-71행에서 호메로스는 대장장이 신 헤파이스토스가 제작해준 아킬레우스의 방패에 장식된 천체를 묘사하고 있다.

> 거기에 그는 대지와 하늘과 대양과
> 지칠 줄 모르는 태양과 만월(滿月)을 만들었다.
> 그리고 하늘을 장식하고 있는 온갖 별들을,
> 플레이아데스와 히아데스와 오리온의 힘과
> 사람들이 짐수레라고도 부르는 큰곰을 만들었다.
> 큰곰은 같은 자리를 돌며 오리온을 지켜보았는데
> 이 별만이 오케아노스의 목욕에 참가하지 않는다.
>
> (Homer, 『일리아스』 518)

> There he made the earth and there the sky and the sea
> and the inexhaustible blazing sun and the moon rounding full
> and there the constellations, all that crown the heavens,
> the Pleiades and the Hyades, Orion in all his power too
> and the Great Bear that mankind also calls the Wagon:
> she wheels on her axis always fixed, watching the Hunter,
> and she alone is denied a plunge in the Ocean's baths.[36)]
>
> (Homer, *Iliad* 483)

앞에서 엘리엇이 언급하고 있는 첫 번째 성좌 "동물별자리"는 고전 신화에 근거한 것이 아니라 17세기 네덜란드 천문학자들이 발견한 것이다. 시어 "동물별자리"는 다양한 동물 별들인 사냥개자리Canes Venatici, 살쾡이자리Lynx, 이리자리Lupus, 백조자리, 기린자리Camelopardalis, 벌자리Apis 등을 내포하고 있다. 개의 성좌는 나중에 상세히 언급될 것이다.

두 번째 성좌 "전갈자리"는 점성학의 용어로 "스코르피오스"(Scorpio, Σκορπιός)이고, 라틴어로 스코르피우스Scorpius이며, 유니코드는 ♏인데, 그리스 로마 신화에서 거한 사냥꾼 오리온의 죽음과 연관이 있다. 포세이돈 또는 가이아의 아들 오리온은 아르테미스 또는 디아나를 겁탈하려고 시도했는데, 여신은 그의 머리에 전갈을 놓아두자 그는 독충의 꼬리 독침에 찔려 죽게 되었다. 아르테미스는 오리온을 "그의 개 시리우스가 뒤따르는 가운데 오리온성좌로 보이는 별들 사이에 올려놓았다." 오늘날까지 전갈자리는 항상 오리온자리를 추격하는 것처럼 보인다. 전갈자리, 환언하면 "천갈궁天蠍宮"은 황도12궁에서 여덟 번째 점성술의 별자리이다(*BM* 933, 944; *CM* 314). 전설을 참고하여 릭스는 "불에 에워싸일 때 전갈은 스스로 꼬리로 찔러 죽는다."라는 해설을 하고 있다(*PTSE* 1118). 그래서 엘리엇은 제 4-5연 2행연구 "전갈자리가 / 호홀로 / 꼬리에 불이 붙은 채 / 전선 위에서

---

36) 각운이 없는 위의 페이글즈의 『일리아스』(*The Iliad*) 번역보다 각운이 완벽한 포프의 번역판 『호메로스의 일리아스』(*The Iliad of Homer*)에서 인용한 시행들은 다음과 같다.

> There earth, there heaven, there ocean, he designed;
> The unwearied sun, the moon completely round;
> The starry lights that heaven's high convex crowned;
> The Pleiads, Hyads, with the northern team;
> And great Orion's more refulgent beam;
> To which, around the axle of the sky,
> The Bear revolving points his golden eye;
> Still shines exalted on the ethereal plain,
> Nor bathes his blazing forehead in the main. (Homer 344-45)

춤을 추었다"(The Scorpion / All alone / With his tail on fire / Danced on a wire)에서 "불"로 상징되는 정욕의 불이 촉발하는 육체적 쾌락과 그 결과 스스로 파멸하는 임박한 죽음을 역설적으로 병치시키고 있다. 또는 시인은 신화적 전갈의 꼬리 독침은 종잡을 수 없지만 위험하다는 것을 풍자적으로 함의하고 있는 것이다. 흥미롭게도 불과 얼음에 의한 세상의 파괴를 서술하기 위하여 엘리엇은 『네 사중주』 제2악장 「이스트 코우커」("East Coker") 제2부 제11행 "천갈궁이 태양과 부딪쳐"(Scorpion fights against the Sun)에서 보듯이 다시 점성술의 천갈궁을 상징적으로 원용하고 있다(*PTSE* 187). 엘리엇이 언급하는 천갈궁을 포함하여 황도대의 고전적 12별자리는 『황무지』 제1부 「사자의 매장」("The Burial of the Dead") 제58행에서 소소스트리스 부인Madame Sosostris의 "천궁도"(horoscope)와 『네 사중주』 제3악장 「드라이 샐베이지즈」 제5부 제3행 시어 "천궁도"에서 상징적 유니코드로 등장한다(*PTSE* 56, 199).

세 번째 성좌 "카시오페아"(Cassiopea)는 포르투갈어이고, 영어로 카시오페이아Cassiopeia 또는 카시오피아Cassiopia는 그리스 천문학자이자 점성술사 프톨레마이오스Ptolemy, Πτολεμαῖος, Ptolemaeus, c. 100-c. 170의 천동설에 근거한 천문학서 『알마게스트』(*Almagest*)에서 확인된 48성좌 중의 하나였다. 그리스 신화에서 카시오페이아는 에티오피아의 왕 케페우스의 아내였고, 문자 그대로 "남자들의 지배자"를 뜻하는 안드로메다의 어머니였다. 왕비는 자신 또는 공주가 바다의 신 네레우스의 딸이자 요정들인 네레이데스 또는 헤라의 미를 능가한다고 자랑하였다. 따라서 바다와 지진의 신 포세이돈은 땅을 황폐화시키기 위하여 바다 괴물 케투스를 보냈다. 안드로메다 공주는 신의 진노를 진정시키기 위하여 괴물에게 바치는 희생 제물로써 바위의 사슬에 묶여 있었다. 그러나 제우스의 아들이자 메두사의 살해자로 유명한 영웅 페르세우스가 안드로메다를 구출해주자 공주는 결국 그의 아내가 되었다. 자신의 교만의 결과 그녀는 죽은 이후에 별들 사이로 올라가서 카시오페이아성좌가 된 것이다(*CD* 128; *BM* 119-20, 893-94; *CM* 87). 따라서 엘리엇의 제6연 2행연구 "그리고 카시오페이아자리는 / 순수 관념을 설명했다"(And Cassiopea / Explained the Pure Idea)는 교만한 왕비 카시오페이아가 역설적으로 육체미와 연관된 아주 불순하고 위험한 착상들을 꾸며내거나 자랑스럽게 거론했음을 함의한다. 시구 "순수 관념"(Pure Idea)은 엘리엇의 시 「육체와 영혼의 첫 번째 논쟁」("First Debate between the Body and Soul," 1910) 제8행 "그래도 순수 관념에 골몰하여"(And yet devoted to the pure idea)와 제15행 "순수 관념은 무기력으로 죽고"(The pure Idea dies of inanition)에서 반복적으로 등장한다(*PTSE* 240, 1118). 의인화된 카시오페이아성좌의 행위는 변신 이전의 생존 시에 여왕의 헛된 교만으로 초래된 종국적인 죽음을 암시적으로 함의하고 있다.

네 번째 성좌 "큰곰"(Major Bear)은 라틴어로 "우르사 마요르"(Ursa Major)이고, 프톨레마이오스가 기록한 또 다른 별자리이며, 그리스 로마 신화에서 아르카디아의 왕 리카온Lycaon의 딸 또는 요정인 칼리스토와 관련이 있다. 순결의 여신 아르테미스 또는 디아나의 시종으로서 칼리스토는 처녀성을 지킬 것을 맹세하였다. 아르테미스 또는 아폴론으로 변장을 한 호색의 제우스 또는 유피테르가 그녀를 강간하였다. 칼리스토의 임신은 샘에서 목욕을 하는 동안 아르테미스와 여신의 시종에게 발견되었고, 그에 따라서 격분한 여신은 그녀를 암곰으로 변신시킨 것이다(*CM* 82). 다른 전설에 의하면, 칼리스토는 그녀의 미를 질투한 헤라에 의해 암곰으로 변신한 아르카디아의 아름다운 요정이었다. 『변신이야기』 제2권 제495-509행에서 칼리스토의 아들이자 15세 소년 아르카스는 사냥에서 자신의 어머니인 줄 전혀 모르는 채 암곰을 그의 그물로 포획하고 창으로 찔러 죽일 뻔하였다. 그러나 제우스가 개입하여서 그를 수곰으로 변신시키고, 이 둘을 하늘 위로 선회시켜서 큰곰자리와 작은곰자리the Great and Little Bear로 알려진 이웃하는 성좌로 만들었다(Ovid, *Metamorphoses* 44; *CD* 120; *BM* 31-33, 892-93). 시구 "큰곰자리"(The Major Bear, Ursae Majoris)는 로마의 철학자 세네카Seneca의 라틴어 용어 "빙하의 북극곰"(*glacialis ursæ*)을 원용한 시 「게론티온」("Gerontion," 1920) 제68행 시구 추위에 "전율하는 큰곰자리"(the shuddering Bear)를 연상시킨다(*PTSE* 483). 따라서 엘리엇의 제7-8연 2행 연구 "큰곰자리는 / 의자 균형을 맞추었다 / 추론의 / 방향을 보여주기 위해"(The Major Bear / Balanced a chair / To show the direction / Of intellection)는 큰곰성좌가 북반구 바다 위의 선원들에게보다는 시어 "추론"(intellection)으로 상징되는 일종의 "신의 지식"(*intelligentia divina*)에 대한 항해사 역할을 한다. 밤하늘에 가장 밝게 빛나는 성좌와 "신 또는 천사와 같은 존재들의 속성인 직접 경험 또는 지성"의 불가시적 영역을 병치시키고 있는 것은 엘리엇의 기교이다(*PTSE* 1118).

다섯 번째 성좌 "페가소스"도 그리스 신화에서 보통 순백으로 그려지는 날개 돋친 천마로 추적할 수 있다. 페가소스라는 이름은 "샘"을 뜻하는 그리스어 "페게"(πηγή)에서 파생되었으며, 이 준마가 오케아노스의 샘에서 태어났다는 것을 의미한다. 어떤 전설에 의하면, 페가소스는 페르세우스가 죽인 메두사의 목에서, 또는 바다 거품과 그 피에서 포세이돈이 가장 좋아하는 말로 태어났다. 뮤즈들의 친구인 페가소스는 키츠에 관한 제6장에서 상술했고, 예이츠가 대중주의를 비판한 그의 정치 풍자시 「군중의 지도자들」("The Leaders of the Crowd," 1918) 제5-6행의 역설적인 시구 "마치 / 넘치는 시궁창이 헬리콘이었던 것처럼"(as though / The abounding gutter had been Helicon)에서와 같이 보이오티아의 헬리콘산의 샘－히포크레네 영천은 천마의 발굽으로 바위를 차서 샘물이 솟아나게 만들었다. 그리스 영웅 벨레로폰은 코린트Corinth의 피레네Pirene, Peirene, Πειρήνη 샘에서 물을 마시고 있는 페가소스를 붙잡았다. 애마 페가소스를 타고 벨레로폰은 사나운 괴물 키메라와 여전사 아마존족을 정복할 수 있었다. 특히 『일리아스』 제6권 「헥토르가 트로이로 귀환하다」("Hector Returns to Troy")에서 호메로스는 키메라를 사자의 머리, 염소의 몸뚱이, 뱀의 꼬리의 형상에 "숨 쉴 때마다 무섭고 치명적인 불을 내뿜는"(Homer, *Iliad* 201) 괴물로 묘사하고 있다. 그러나 제우스의 영역인 올림포스산에 오르려다가 오만한 벨레로폰은 페가소스의 등에서 떨어져 나갔으며, 천마는 홀로 하늘로 올라가서 성좌가 된 것이다(*CD* 441; *BM* 936; *CM* 73-74, 332-33). 그래서 엘리엇의 제9연 2행연구 "그리고 천마 페가소스자리는 / 생명의 힘의 구도를 설명했다"(And Pegasus the winged horse / Explained the scheme of Vital Force)는 앙리 베르그송Henri Bergson이 자신의 철학 저서 『창조적 진화』(*L'Evolution créatrice, Creative Evolution*, 1907)에서 주창한 용어 "생명의 약동"(*élan vital*)을 번역한 "생명의 힘"(Vital Force)에 대한 고대 그리스인들의 믿음이 물질주의Materialism 또는 헤겔의 변증법적 유물론Hegel's Dialectical Materialism과 상반되는 현대의 생기론Vitalism의 토대가 된다는 것을 풍자적으로 함의하고 있다(*IMH* 253).

여섯 번째 성좌 "고래자리"(Cetus, the Whale)도 프톨레마이오스의 48성좌 목록에 든 것으로서 북쪽 하늘에 위치해 있다. 그리스 신화에서 고래자리는 앞에서 언급한 바다 괴물 케토Κητώ, Ceto, Keto의 이름을 따서 명명한 것이다. 바다의 태초 여신 "케토는 오빠"이자 바다의 태초신 "포르키스Phorcys와 결혼하여" 괴물들인 포르키데스Phorcides, Φορκιδες, 즉 백발노파 세 자매 "그라이아이"(Graeae, Γραῖαι), 앞에서 언급한 고르곤의 세 자매들인 "고르고네스", "헤스페리데스의 사과를 지킨 용"(Drakon Hesperios) 및 "헤스페리데스 자신들을 낳았다"(*CD* 140; *CM* 93). 따라서 엘리엇의 제10연 2행연구 "그리고 고래자리도 풍자로서 / 생명과 물질의 관계를 설명했다"

(And Cetus too, by way of a satire / Explained the relation of life to matter)라는 것은 인생이 인간의 절반의 요소인 영혼이 아니라 다른 절반인 물질에 의하여 해석된다는 고래자리의 주장을 비판하고 있다. 어떤 의미에서, 엘리엇은 『창조적 진화』 제1장에서 "생명은 무엇보다 비활성의 물질에 근거하여 행동하는 경향이 있다"(la vie est, avant tout, une tendence à agir sur la matière brute)라고 주장한 베르그송을 풍자하고 있는 것이다(*PTSE* 1118-19 재인용).

일곱 번째 성좌 "북극성"(Pole Star, North Star) 또는 폴라리스는 작은곰자리에서 가장 밝은 별인데, 그리스 신화에서 문자 그대로 "개의 꼬리"의 뜻인 키노수라Cynosura, Κυνοσούρα, Cynosure에서 파생되었다. 레아의 부탁을 받은 요정 키노수라는 버드나무 요정 헬리케Helice와 함께 크레타의 이다산 정상의 동굴에서 아기 제우스를 양육했다. 그들이 제우스를 삼켰던 크로노스의 추격을 받았을 때 살아남은 제우스는 보답으로 그들을 큰곰자리와 작은곰자리의 두 성좌로 변신시켰다. 키노수라는 작은곰자리 꼬리의 마지막 별, 오늘날의 북극성이 되었다(*CD* 184; *BM* 898; *CM* 115). 폴라리스는 상인들이 먼 항구로 항해하기 위하여 이 별을 이용했기 때문에 "상인의 안내자"(Merchant's Guide)로 알려졌다. 따라서 엘리엇의 제11연 2행연구 "그리고 북극성은 토론이 무르익을 때 / 인생에서 장소의 효용을 설명했다" (And the Pole Star while the debate was rife / Explained the use of a Place in Life)는 우리가 세상의 어디에 있든지, 또는 심지어 인생이라는 바다에서 길을 잃더라도 북극성과 같은 방향타만 있으면 장소가 인생에서 그렇게 중요하지 않다는 것을 풍자적으로 함의한다.

여덟 번째 성좌 "목동자리"(Bootes, Βοώτης)도 프톨레마이오스의 48성좌 목록에 들어 있었으며, 문자 그대로 "황소 모는 자", 또는 "쟁기질하는 자"를 뜻하는 그리스어에서 파생되었다. 목동은 제우스 또는 유피테르와 칼리스토의 아들 아르카스로 불렸다. "그는 두 마리 황소에 멍에를 씌우는 쟁기를 발명하였으며, 죽어서 그의 쟁기와 황소들과 함께 하늘로 올라가서" 큰곰자리가 되었다(*CD* 108; *BM* 890-91). 오늘날 "큰 국자"(Big Dipper) 또는 "쟁기"(Plough)로 불리는 큰곰자리의 북두칠성 성군星群을 "고대 그리스인들은 소달구지로 간주했다"("Boötes"). 호메로스는 『오디세이아』 제5권 「오디세우스-요정과 난파」("Odysseus-Nymph and Shipwreck")에서 큰곰자리의 북두칠성을 소위 "마차"(Wagon)-"찰스의 달구지"(Charles' Wain)로 묘사하고 있다(Homer, *Odyssey* 160). 그러므로 엘리엇의 제12-13연 2행연구 "그때 목동자리가, 불안해서 / 분명히 짜증 나서 / 말했다 이 모든 문제들이 / 소화불량들로 생긴 것은 아닌가요?"(Then Bootes, unsettled / And visibly nettled / Said Are not all these questions / Brought up by indigestions?)는 카시오페이아자리, 큰곰자리, 페가소스자리, 고래자리 및 북극성을 포함하여 앞에서 언급한 성좌들의 논쟁이나 질문들은 모든 성좌들이 마지막 제14연 2행연구 "외치고 깔깔댔다 / 마치 그게 중요한 것처럼."(cried and chattered / As if it mattered.)에서와 같이 정말 의미심장하지 않다는 것을 냉소적·풍자적으로 시사하고 있다.

한편, 엘리엇은 그의 시 「바쿠스와 아리아드네: 육체와 영혼의 두 번째 논쟁」에서 로마 신화의 바쿠스와 아리아드네를 시의 주제로 삼고 있다. 초서에 관한 제1장과 스펜서에 관한 제2장 및 키츠에 관한 제6장에서 언급했듯이, 초기 그리스 신화에서 아테네의 영웅 테세우스는 크레타의 왕 미노스 2세의 딸 아리아드네의 실꾸리를 이용하는 재치 있는 도움으로 반인반우의 괴물 미노타우루스를 살해했다. 미노타우루스가 당대 최고의 건축가 다이달로스가 설계, 건축한 크노소스 미궁[37])에서 7년의 태양년인 대년Great Year

37) 전설적 미궁은 1905년 그리스의 크레타섬에서 크노소스 궁전Palace of Knossos을 발굴하고, 유럽 최초의 문명인 미노아 문명의 개념을 발전시킨 것으로 유명한 영국의 고고학자 아서

이 끝날 때마다 희생 제물로 바쳐진 아테네의 가장 용감한 7명의 청년들과 가장 아름다운 7명의 처녀들을 잡아먹었기 때문이다. 그 이후에 아테나와 디오니소스의 충고에 따라서 배신한 테세우스가 임신한 부인 아리아드네를 낙소스섬에 유기하자, 기회를 포착한 디오니소스가 고독한 아리아드네와 사랑에 빠지고 그녀를 아내로 맞이하게 된다(Spathari 134). 아폴론과 디오니소스의 결합이 비극의 탄생이라고 독일 철학자 니체가 주장했듯이, 로마 신화의 포도주 신 바쿠스와 현명한 크레타의 공주 아리아드네의 결혼은 엘리엇 시의 부제 "육체와 영혼의 논쟁"을 적절하게 표방하고 있다. 바쿠스가 육체적 쾌락을 상징하는 반면에, 아리아드네는 기지 있는 지성을 상징하기 때문이다. 테세우스와 아리아드네가 새겨진 가장 오래된 기원전 7세기의 오이노코에oinochoe, οἰνοχόη, 즉 포도주 항아리가 현재 크레타의 헤라클리온 고고학박물관에 보존되어 있다. 추가적으로 아리아드네에 대하여 일부 작가들에 따르면, "바쿠스는 테세우스가 아리아드네를 버린 후에 그녀를 사랑하였으며 그녀에게 칠성관七星冠을 주었는데, 이것이 그녀의 사후에 성좌가 되었다"(*CD* 74; *PTSE* 1123). 이 시와 관련하여 시보다 조금 늦은 1911년 여름 이탈리아 베네치아Venezia, Venice의 명소 두칼레 궁전Palazzo Ducale, Palace of Doges의 내부에 관한 엘리엇의 주석은 "내가 주목하는 유일한 그림은 틴토레토의 『바쿠스와 아리아드네』"라고 밝히고 있다(*PTSE* 1123). 엘리엇이 언급하고 있는 이탈리아 화가 틴토레토Tintoretto, 1518-1594의 『바쿠스와 아리아드네』(*Bacchus & Ariadne*)는 런던의 국립미술관National Gallery 안에 전시되어 있는 또 다른 이탈리아 화가로서 페라라의 공작 알폰소Alphonso을 위한 티치아노 베첼리오Tiziano Vecellio, Titian, 1490-1576의 동명의 그림과는 다르다. 엘리엇은 티치아노의 회화에 대하여 친숙한 것 같았는데,

---

에반스 경Sir Arthur Evans, 1851-1941에 의하여 역사적으로 발견되었다. 거대한 미궁은 3층 또는 4층의 궁전 안에 1,500여 개의 방으로 실제 구성되어 있었다(Tzorakis 2, 34-35).

그 화가를 자신의 시 「게론티온」 제26행 “티치아노 그림들 사이에서 머리 숙이는 하까가와에게”(By Hakagawa, bowing among the Titians)에서 언급하고 있기 때문이다(*PTSE* 32).

더욱이 엘리엇은 자신의 시 「여인의 초상」 제2부 제21행 “당신은 불사신이에요, 당신은 아킬레우스 발꿈치가 없어요.”(You are invulnerable, you have no Achilles' heel.)에서 시적 의미를 강화시키기 위하여 그리스 신화 아킬레우스를 사용하고 있다(*PTSE* 12). 그리스 신화에서 아킬레우스는 트로이 전쟁 당시 그리스 연합군의 영웅이고, 『일리아스』의 중심인물이며 가장 걸출한 전사이다. 트로이 전쟁에서 아킬레우스의 가장 두드러진 공적은 트로이 성문 밖에서 트로이의 영웅 헥토르를 죽인 것이다. 비록 아킬레우스의 죽음이 서사시 『일리아스』에는 제시되어 있지 않지만, 다른 신화적 출처에 근거한 두 영화 <트로이의 헬레네>(*Helen of Troy*, 1956)와 <트로이>는 그가 트로이 전쟁의 막바지에 그의 발꿈치를 독화살로 명중시킨 파리스 왕자에게 죽임을 당한다는 신화를 박진감 넘치게 재현하고 있다. 스타티우스의 미완성 서사시 『아킬레이스』(*Achilleis, Achilleid*)에 의하면, 아킬레우스가 태어났을 때 그의 어머니 테티스 바다 요정이 아들을 스틱스 강물에 담금으로써 불사의 존재로 만들려고 했다. 그러나 그녀가 손으로 영아를 잡았던 발꿈치에는 강물이 묻지 않아 취약하였으니 “아킬레우스는 발꿈치를 제외하고는 그의 모든 몸에 상처를 입힐 수 없는” 불사신不死身이 된 것이었다(Statius 322n, 323; *BM* 228; “Achilles”). 걸출한 영웅은 발꿈치의 작은 부상으로 죽었기 때문에 시구 “아킬레우스의 발꿈치”(Achilles' heel)는 더 정확하게 아킬레우스 발꿈치의 힘줄 또는 아킬레우스 건(Achilles tendon)을 지칭하며, 사람의 약점을 의미하게 되었다.

엘리엇의 시 「아폴리낙스 씨」의 제목은 그리스 로마 신화의 태양신 아폴론 또는 그리스의 유명한 기하학자 페르가의 아폴로니우스Apollonius of Perga

에서 조성된 인물 “아폴리낙스”(Apollinax) 또는 “아폴로낙스”(Apollonax)로서 알프레드 노스 화이트헤드Alfred North Whitehead, 1861-1947 지도교수와 공저인 『수학의 원리』(*Principia Mathematica*, 1910-1913)를 출판한 영국의 저명한 철학자일 뿐만 아니라, 수학자 버트런드 러셀Bertrand Russell, 1872-1970을 연상시킨다(*PTSE* 436-37). 제사에서 엘리엇은 아시리아의 그리스문학 풍자시인 루키아노스Lucian, Λουκιανός, Lucianus, c. 125-180의 『제우크시스 또는 안티오쿠스』(*Zeuxis or Antiochus*)의 시행들인 “오 헤라클레스, 참으로 신기하구나! 참으로 역설이구나! / 참으로 창의적인 사람이로구나!” (*PTSE* 437)를 그리스어 그대로 인용함으로써 러셀에 대한 인상을 간접적으로 표출하고 있는데, 그리스 신화의 역사力士 헤라클레스에 관한 조명은 이 시를 살펴본 이후에 다루기로 한다.

아폴리낙스 씨가 미국을 방문했을 때
그의 웃음소리는 찻잔 사이에서 울렸다.
나는 자작나무 사이에서 수줍어하는 인물 프라길리온과,
관목 숲속의 프리아포스가 입을 벌리고
그네 타는 부인에 정신 빠져 있는 모습을 생각했다.

(Eliot, 『전집』 32)[38]

When Mr. Apollinax visited the United States
His laughter tinkled among the teacups.
I thought of Fragilion, that shy figure among the birch-trees,
And of Priapus in the shrubbery
Gaping at the lady in the swing. (*PTSE* 25)

38) 엘리엇 시의 한글 번역은 고 이창배 교수의 번역시를 인용했으나 일부 수정하였다.

위 시에서 엘리엇은 1914년 러셀이 하버드대학교 객원교수이고 자신은 철학과 대학원생이었을 때의 첫 조우를 기억하면서, "공기로 호흡하는 땅의 달팽이의 일종"인 *Megalobullimus fragilion*에서 파생되고, 유약한 남성을 암시하는 "프라길리온"(Fragilion)과 러셀의 성적인 정력과 남성성을 함의하는 프리아포스의 신화를 병치시키고 있다(*PTSE* 439). 제3행 시구 "수줍어하는 인물"(shy figure)의 시어 "수줍어하는"(shy)은 러셀이 오톨린 모렐 부인Lady Ottoline Morrell, 1873-1938에게 1914년 3월 19일자로 보낸 서신에서 "500명이 참석했는데, 나는 수줍음에 사로잡혔지요."라고 고백했듯이, 로웰 연구소Lowell Institute에서 그가 행한 최초의 강연에서 느낀 수줍음을 상기시킨다(*PTSE* 439 재인용). 셸리에 관한 제5장에서 고찰했듯이, 그리스 신화에서 디오니소스와 아프로디테 또는 제우스와 아프로디테의 아들인 프리아포스는 거대한 "발기 음경을 가진 형상, 포도원과 정원 및 과수원의 수호신으로 표상된다."(*CM* 373). 전기비평적 접근으로 고찰하면, 타인의 아내를 마음대로 취하는 자유분방한 특성의 프리아포스가 엘리엇의 첫 번째 아내 비비엔Vivien과 불륜의 관계를 맺은 자유연애론자 러셀과 매우 어울리는 신화로서 객관 상관물objective correlative인 것이다(*CD* 504).

흥미롭게도 엘리엇은 4행시 「베데커를 든 버뱅크와 시가를 문 블라이슈타인」 제1-2연에서 고전 신화의 다신교 신들을 소문자로 표현하는 관행을 버리고, 초서와 같이 대문자 "신 헤르쿨레스"(God Hercules)를 사용함으로써 로마 신화의 헤르쿨레스(그리스 신화의 헤라클레스)(화보 참조)를 원용하고 있다.

버뱅크가 작은 다리를 건너
　한 작은 호텔로 내려갔다.
볼루피네 공주가 도착하여,

두 사람이 한 자리에 합쳤고, 남자는 쓰러졌다.

바다 밑에서 고별의 음악이
　바다 쪽으로 조종(弔鐘)소리와 더불어
사라져 갔다 서서히. 신 헤르쿨레스는
　그를 버렸다, 무척 사랑하던 그를. (Eliot, 『전집』 40)

Burbank crossed a little bridge
　Descending at a small hotel;
Princess Volupine arrived,
　They were together, and he fell.

Defunctive music under sea
　Passed seaward with the passing bell
Slowly: the God Hercules
　Had left him, that had loved him well. (*PTSE* 34).

시제의 "베데커"(Baedeker)는 엘리엇이 1910년 10월 14일 베데커판 여행 안내서인 『런던과 근교』(*London and Its Environs*, 1908)를 구입하고 읽은 것에서 착안하여 소재를 삼았을 것이다. 시제의 전반부 "베데커를 든 버뱅크"(Burbank with a Baedeker)의 등장인물은 이탈리아 베네치아의 저명한 미국인 식물학자 루서 버뱅크Luther Burbank, 1849-1926를 가리키는 미국인 여행자 버뱅크를 의미한다. 베네치아는 시의 제사에서 인용한 "곤돌라"(*the gondola*), 제19행에 나오는 베네치아의 풍경화가 "카나레토"(Canaletto, 1697-1768), 제21행에서 수세기 동안 베네치아 금융의 중심지 "리알토"(the Rialto)에서 제1행 시구 "작은 다리"(a little bridge)가 함의하는 리알토교Rialto Bridge로 유명하다. 바이런 경, 떼오필 고띠에Théophile Gautier, 존 러스킨John Ruskin 및 헨리 제임스Henry James가 상당한 시간을 보냈고, 엘리엇의 4행시 작시에 조언자였던 파운드가 첫 시집 『불 꺼진 양초를 들고』를 출판한 장소도 베네치아였다. 이 시는 "관능적인"(voluptuous)과 성적 매력의 뜻인 "여우 같은"(vulpine)을 암시하는 볼루피네Volupine와 작은 호텔에서 성교를 하는 버뱅크를 역설적으로 묘사하고 있다. 진혼곡을 의미하는 "고별의 음악"(Defunctive music) 시구는 셰익스피어의 형이상 4행시 「피닉스와 산비둘기」 제14행에서 인용한 것이다. 따라서 제5행의 "바다 밑에서 고별의 음악"(Defunctive music under sea)은 명백히 리비도적 자아libidinal ego의 죽음, 즉 버뱅크와 볼루피네의 격렬한 성교 이후에 성욕이 썰물처럼 빠져나가는 것을 상징하는 것이다. 제7-8행도 악티움 해전Battle of Actium, 기원전 31 바로 직전을 다루고 있는 셰익스피어의 비극 『안토니와 클레오파트라』(*Antony and Cleopatra*, 1623) 제4막 제3장을 가리키고 있다. 이집트의 마지막 여왕 클레오파트라의 일단의 병사들이 신비한 음악을 듣고, 그 소리를 옥타비아누스Octavius가 이끄는 로마군에 대항하는 안토니와 클레오파트라 진영의 패배의 징조로 해석하면서 "이것은 안토니가 사랑한 신 헤르쿨레스이고, / 이제 그분을 떠나가신다."('Tis the God Hercules, whom Antony lov'd, / Now leaves him)라고 신화처럼 외친다. 그러므로 "신 헤르쿨레스"(the God Hercules)는 성적 정력의 장사壯士-신 헤르쿨레스를 의미한다. 헤르쿨레스는 "제우스신과 인간 알크메네의 아들"로서 그리스의 영웅-신 헤라클레스의 로마 명칭이다. 고전 신화에서 문자 그대로 "헤라의 명성"의 의미인 헤라클레스 또는 헤르쿨레스가 광기로 자신의 아들들을 죽인 죗값을 치르기 위하여, 또한 제우스의 바람기에 질투한 헤라의 지시로 미케네와 티린스의 어리석은 왕 에우리스테우스Eurysteus 밑에서 "'헤라클레스의 과업'The Labours of Hercules[39]으로 알려진 12가지 난관을 극복함으로써 신이

---

39) 헤라클레스의 12과업Hercules' Twelve Labours은 다음과 같다. 1. 네메아의 사자를 죽일 것Slay

되는 불멸성을 획득하였다." 이후부터 "그는 체력의 장사 신으로 숭배를 받았다"("Hercules"; *CD* 267-69; *BM* 912-13; *CM* 149-50). 한편, 시제 후반부의 다른 등장인물인 "시가를 문 블라이슈타인"(Bleistein with a Cigar)은 저속하고 부유한 유태인을 상징하는데, "블라이슈타인"이 문자 그대로 "납돌"(Leadstone)을 의미하는 독일계 유태인 이름이고, "시가"는 돈을 표상하기 때문이다(Southam 80-88). 엘리엇이 갑부 탕자 자코모 지롤라모 카사노바Giacomo Girolamo Casanova, 1725-1798가 출생하고, 과도한 불륜으로 두칼레 궁전 지하감옥에 감금된 베네치아—유럽 환락의 수도에서 성적 일탈에 깊이 탐닉하는 버뱅크의 지성과 블라이슈타인의 물질주의를 동시에 희화적으로 풍자하고 있는 것은 명백하다.

한편, 엘리엇은 그의 4행시 「발기한 스위니」에서 에게해의 그리스 섬들인 키클라데스the Cyclades, Κυκλάδες뿐만 아니라 아이올로스, 아리아드네, 테세우스, 아이게우스, 나우시카Nausicaa, Ναυσικάα, Nausicaä 및 폴리페모스의 그리스 신화들을 원용하거나 인유하고 있다.

나에게 물결 소란한 키클라데스 군도 사이에 버려진
　동굴 많은 황폐한 해변을 그려 주고,
나에게 으르렁거리며 짖어대는 바다에 면한

---

the Nemean Lion, 2. 레르나의 아홉 머리 히드라를 죽일 것Slay the nine-headed Hydra of Lerna, 3. 아르테미스의 황금 암사슴을 생포할 것Capture the Golden Hind of Artemis, 4. 에리만토스의 멧돼지를 생포할 것Capture the Boar of Erymanthos, 5. 스팀팔로스호의 새를 퇴치할 것Slay the Birds of Lake Stymphalos, 6. 아우게이아스의 외양간을 하루 만에 청소할 것Clean the stables of Augeias in a single day, 7. 트라키아의 디오메데스의 야생마를 훔쳐올 것Steal the Mares of the Thracian Diomedes, 8. 미노스의 황소를 생포할 것Capture the Bull of Minos, 9. 아마존족 여왕 히폴리테의 허리띠를 가져올 것Obtain the girdle of Hippolyta, Queen of the Amazons, 10. 괴물 게리온의 황소 떼를 데려올 것Obtain the cattle of the monster Geryoneus, 11. 헤스페리데스의 사과를 따올 것Steal the apples of the Hesperides, 12. 하데스의 사냥개 케르베로스를 생포할 것 Capture Cerberus, the hound of Hades(Kerényi 140-82).

울퉁불퉁한 거친 바위들을 그려다오.

나에게 요란한 질풍을 뒤돌아보는
　하늘의 아이올로스를 보여다오.
아리아드네의 머리카락을 헝클어뜨리고
　서둘러 위서(僞誓)한 돛을 부풀리는 그 질풍을.

아침이 수족을 움직인다.
　(나우시카와 폴리페모스)
오랑우탄의 몸짓이
　김 나는 시트에서 일어난다. (Eliot, 『전집』 42)

Paint me a cavernous waste shore
　Cast in the unstilled Cyclades,
Paint me the bold anfractuous rocks
　Faced by the snarled and yelping seas.

Display me Aeolus above
　Reviewing the insurgent gales
Which tangle Ariadne's hair
　And swell with haste the perjured sails.

Morning stirs the feet and hands
　(Nausicaa and Polypheme).
Gesture of orang-outang
　Rises from the sheets in steam. (*PTSE* 36)

아이올로스는 그리스 신화에서 헬렌Hellen과 오르세이스Orseis의 아들로서 테살리아의 마그네시아Magnesia 왕이었고, 범선의 발명가이자 위대한 천문학자였기 때문에 사람들은 바람의 신이라고 불렀다(*CD* 18; *CM* 22). 제7-8행의 시구인 바람에 날려 헝클어진 "아리아드네의 머리카락"(Ariadne's hair)과 부풀어 오른 "위서한 돛"(perjured sails)은 테세우스가 괴물 미노타우로스를 죽이고 사랑한 아리아드네를 낙소스섬에 유기하고 귀환하는 슬픔의 항해에서 생존을 서약한 흰색 돛을 달 것을 잊어버렸기 때문에 죽음을 서약한 검은색의 돛을 달고 오는 것을 본 아테네의 부왕 아이게우스가 바다에 투신함으로써 에게해 명칭의 기원이 되는 슬픈 신화를 인유하고 있다(*CD* 608; Southam 95). 나우시카는 이오니아해Ionian Sea의 섬나라 파에아키아Phaeacia 또는 스케리아Scheria의 왕 알키노오스Alcinous와 왕비 아레테Arete의 딸이고, 『오디세이아』 제6권 「공주와 이방인」("The Princess and the Stranger")의 등장인물로서 오디세우스가 스케리아섬 연안에 난파했던 아침에 그를 구조해준다. 아리스토텔레스에 의하면, 이후에 나우시카는 오디세우스의 아들 텔레마코스와 결혼하게 된다(Homer, *Odyssey* 170-72; *CD* 387). 그리고 폴리페모스는 외눈박이 식인종 3형제 거한들인 키클로페스의 우두머리이고, 『오디세이아』 제9권 「외눈박이 거한의 동굴에서」("In the One-Eyed Giant's Cave")의 또 다른 중요한 아침 장면에 등장한다(Homer, *Odyssey* 221; Southam 95-96). 따라서 나우시카와 폴리페모스 신화들은 육욕적 등장인물 스위니Sweeney의 음경 발기가 「발기한 스위니」의 시제에 적합한 아침 시간을 함의하고 있다. 여기서 스위니는 동물 상징성에서 엘리엇의 4행시 「나이팅게일에 에워싸인 스위니」에서 "원숭이"(ape), 얼룩말"(zebra) 및 "기린"(giraffe)에 비유되는 것과 같은 방식으로 "오랑우탄"(orang-outang)과 동일시되고 있다.

다른 한편, 「나이팅게일에 에워싸인 스위니」의 제사에서 엘리엇은 스파르타의 왕 메넬라오스의 친형이자 트로이 전쟁 기간 그리스 연합군의 총사령관인 미케네의 왕 아가멤논이 암살당할 때 외친 말인 "아, 집안에서 치명상을 당하다니!"의 의미로서 그리스어 "*ὤμοι, πέπληγμαι καιρίαν πληγὴν ἔσω*"를 그대로 인용하고 있다(Aeschylus 78). 이 제사는 고대 그리스 비극 작가 아이스킬로스 3부작 『오레스테이아』의 첫 번째 비극 『아가멤논』 제 1343행에서 인용되었다. 이것은 마지막 연에서 매음굴 안의 "주인"(the host)을 포함한 창녀들에 에워싸인 스위니와 병치된 아가멤논의 큰 비명소리로 결국 드러난다.

집주인은 누군지 모를 사람과
저쪽 문간에서 얘길 하고 있고,
성심수도원 가까이선
나이팅게일들이 노래하고 있다.

그리고 피비린내 나는 숲속에서
아가멤논이 비명을 질렀을 때도 울었고,
그리고 액체 배설물을 떨어뜨려
그 빳빳한 능욕의 수의를 더럽혔다. (Eliot, 『전집』 53)

The host with someone indistinct
Converses at the door apart,
The nightingales are singing near
The Convent of the Sacred Heart,

And sang within the bloody wood
When Agamemnon cried aloud
And let their liquid siftings fall
To stain the stiff dishonoured shroud. (*PTSE* 52)

위의 아가멤논의 외침에 10년의 오랜 트로이 전쟁에서 승리자로 귀환한 후 자신의 바람난 아내 클리템네스트라와 그녀의 애인이 되어 자신을 배신한 절름발이 사촌 아이기스토스의 공모로 잔혹하게 피살되면서 내뱉은 "아 이런, 저놈들이 또 찌르는구나. 두 번 부상당하다니"(Aeschylus 79)라는 마지막 유언이 이어졌다. 그러나 전승되는 가장 오래된 기록인 『오디세이아』 제11권 「사자의 왕국」 제439-442행[40]에 의하면, 트로이에서 돌아오는 즉시 아가멤논은 아이기스토스에게 살해당했으며, 후자는 아가멤논과 클리템네스트라의 아들 오레스테스Orestes, Ὀρέστης가 복수할 때까지 미케네의 왕좌를 찬탈하여 7년간 군림하게 된 것이다. 더욱이 엘리엇은 "생중사"의 주제적 관점에서 스위니와 아가멤논을 병치시키기 위하여 제38행 "아가멤논이 비명을 질렀을 때"(When Agamemnon cried aloud)에서 비참한 개죽음을 당한 아가멤논을 분명히 도입하고 있다.

또한 시 「나이팅게일에 에워싸인 스위니」 제2-3연에서 엘리엇은 계속하여 "까마귀자리"(the Raven)와 "오리온자리" 및 "큰개자리"(the Dog)를 포함한 기타 성좌들을 원용하여 그것들의 상징적 의미, 즉 "생중사"를 시사하고 있다.

> 폭풍을 예고하는 달무리가
> 쁠라따강을 향해 서녘으로 미끄러져 간다,
> 죽음과 까마귀자리가 둥실 뜨고
> 스위니는 뿔문을 지킨다.

40) 아트레우스의 아들 아가멤논의 유령이
괴로워하며 다가왔소. 그의 주위에는
그와 함께 아이기스토스의 집에서 죽어
운명을 맞은 다른 자들의 유령들도 모여 있었소. (Homer, 『오뒷세이아』 254; *Odyssey* 262)

우울한 오리온자리와 천랑성이
구름에 가리우고, 움츠린 바다가 조용해진다.
스페인풍의 망토를 입은 여인이
스위니의 무릎에 앉으려다가 (Eliot, 『전집』 52)

The circles of the stormy moon
Slide westward toward the River Plate,
Death and the Raven drift above
And Sweeney guards the hornèd gate.

Gloomy Orion and the Dog
Are veiled; and hushed the shrunken seas;
The person in the Spanish cape
Tries to sit on Sweeney's knees (*PTSE* 51)

시구 "쁠라따강"(the River Plate)은 문자 그대로 "은銀의 강"을 뜻하고, 지리학적으로 남미 우루과이Uruguay의 수도 몬테비데오Montevideo를 함의하는데, 엘리엇의 일부 초기시 작시에 지대한 영향을 끼친 "라포르그의 출생지였기 때문에 우연한 위치는 아니다"(Southam 122). 그 도시의 술집dive에서, 엘리엇이 창조한 내적 독백에 깊이 침잠하는 프루프록과 대조적으로, 육욕적 인물 스위니는 창녀와 암시적으로 연관되는 "스페인풍의 망토를 입은 여인"(person in the Spanish cape)의 유혹을 받는다. 하늘의 "폭풍을 예고하는 달"(the stormy moon), "까마귀자리", 구름에 가려진 "우울한 오리온자리" 및 "큰개자리", 그리고 "움츠린 바다"(the shrunken seas)는 죽음의 견지에서 엘리자베스 1세 시대에 "창녀의 속어"인 "나이팅게일"(nightingales)에 에워싸인 스위니와 밀접한 연관이 있다(Southam 121).

그리스 신화에서 주제적 시어 "죽음"(Death)은 태초신 에레보스와 태초 여신 닉스의 아들이자 히프노스의 형인 타나토스의 의인화였다. 죽음은 "고전 도상학圖像學, iconography에서 무덤으로", "대낫으로 무장한" 추수꾼으로, "하나는 검고 다른 하나는 하얀 두 청년으로, 말 탄 자, 해골, 죽음의 무도로, 영혼 안내자의 임무를 수행하는 뱀이나 말 또는 개와 같은 정말 모든 동물로도 그려질 수 있다"(Chevalier and Gheerbrant 277-78). 따라서 죽음의 상징적 의미에서 예이츠의 마지막 시 「불벤산 아래」 제6부의 마지막 시행과 아일랜드 슬라이고Sligo의 드럼클리프 교회Drumcliffe Church 묘역에서 시인의 묘비명 "말 탄 자여, 지나가라!"(Horseman, pass by!)는 "죽음이여, 지나가라!"로 해석할 수 있을 것이다. 마찬가지로 엘리엇의 『황무지』 제1부 제74행 "아, 인간의 친구지만, 개를 가까이해선 안 되네,"(O keep the Dog far hence, that's friend to men,)의 시어 "개"(the Dog)는 "죽음"으로 해석할 수 있을 것이다(*PTSE* 57).

남반구 하늘의 "까마귀자리"(Corvus)도 프톨레마이오스가 기록한 48성좌 목록 중의 하나이다. 조류학에서 "까마귀속"의 용어 "Corvus"는 "갈가마귀"(raven) 또는 "까마귀"(crow)를 의미하는 라틴어에서 왔으며, "까마귀자리" 또한 그리스의 별 신화에서 파생된 것이다. 코로니스Coronis, Κορωνίς, Koronis는 테살리아의 펠리온산 부근에 살았던 전설적 라피타이족the Lapiths의 왕 플레귀아스Phlegyas의 딸로서 태양, 음악, 예언, 치료, 역병 및 시의 신 아폴론의 사랑을 받았다. 아폴론이 멀리 떠난 사이에 태양신의 아들이자 나중에 의술의 신이 되는 아스클레피오스를 이미 잉태한 코로니스는 라피타이족의 왕 엘라토스Elatus와 히페이아Hippea, Hippeia 사이의 아들 이스키스Ischys와 간음하였다. 이후에 아폴론의 전령인 하얀 까마귀가 그 불륜 사건을 알려주자 태양신은 "이 새가 이스키스의 눈을 쪼아내지 않은 것에" 아주 격분하여 저주를 퍼부어 날개를 태웠는데, 이것이 오늘날 모든 까마귀들이 검은 이유이다(*CD* 174; *CM* 106; "Corvus"). 아폴론은 여동생 달의 여신 아르테미스를 보내어서 코로니스를 화살로 쏘아 죽이게 했고(Tate 114), 그 이후에 문자 그대로 "까마귀"인 코로니스를 하늘의 별 가운데에 올려놓아 "까마귀자리"가 되었다. 비록 까마귀가 "아폴론의 신성한 태양의 새"로서 고구려의 태양새 삼족오三足烏를 연상시키지만, 위 시에서 시어 "까마귀자리"는 전통적으로 죽음의 새와 관련이 있다(Southam 122; Chevalier and Gheerbrant 789).

또한 "오리온자리"는 천구적도天球赤道에 위치하고, 밤하늘에서 가장 밝은 성좌 중의 하나이다. 그리스 신화에서 거한 오리온은 포세이돈의 아들로서 해신에게서 깊은 해저를 걷는 힘을 부여받은 사냥꾼이었다. 술에 취한 오리온이 키오스Chios의 왕 오이노피온Oenopion의 딸 메로페Merope를 겁탈하려다가 그에 의하여 소경이 되었다. 이후에 오리온은 렘노스에서 아폴론의 햇빛으로 시력을 회복하고, 크레타에서 아르테미스와 사냥을 하던 도중에 여신까지 겁탈하려고 했다. 그 결과 오리온은 아르테미스가 쏜 화살에 맞거나 그의 머리에 얹은 거대한 전갈의 독침에 찔려서 죽었는데, 전자는 하늘로 올려가서 17개 별 오리온성좌로 후자는 전갈자리가 되었다(*CD* 417; *BM* 934; *CM* 314). 호메로스의 『오디세이아』 제5권 「오디세우스－요정과 난파」 제134행 "그래서 에오스가 장미처럼 붉은 손가락으로 오리온을 데려갔을 때"와 같이 오리온은 새벽Dawn의 거신 에오스 또는 아우로라의 사랑을 받았다(Homer, *Odyssey* 156). 엘리엇의 시에서 가장 눈에 띄는 성좌들 중의 하나인 오리온자리가 "우울한", 즉 "구름으로 덮여 있는" 상태인데, 그 일반적인 어조가 "까마귀자리"의 심상과 마찬가지로 죽음 자체이기 때문이다. 사실 엘리엇은 시구 "우울한 오리온자리"(Gloomy Orion)를 『아이네이스』 제1권 제643행의 시구 "폭풍우의 오리온자리"(stormy Orion)에 근거하였으며, "우울한"은 말로가 자신의 『디도, 카르타고의 여왕』(*Dido, Queen of Carthage*, 1594)에서 "폭풍우의" 또는 "비구름의"(cloudy)를 뜻하는 베르길리우스의 표현인 라틴어 "nimbosus"에서 만든 것이다(Southam 122 재인용; Virgil, *Aeneid* 65).

남반구 하늘의 "큰개자리"(Canis Major)도 프톨레마이오스의 48성좌 목록에 포함되어 있었다. 라틴어 "카니스 마요르"(Canis Major)는 영어로 "Greater Dog"으로서 "작은개자리"(Canis Minor, Lesser Dog)와 대조적이며, 두 성좌는 오리온자리를 뒤따르는 것으로 관찰된다. 은하수는 밤하늘에 가장 밝은 별 "천랑성"(Dog Star), "낭성"(狼星) 또는 "큰개자리 알파"로 알려진 시리우스를 포함하는 큰개자리를 통과하여 흐르고 있다. 시리우스는 우리의 태양계에 근접해 있기 때문에 가장 밝은 별이다. 그리스 신화에서 시리우스는 천랑성으로 변신한 사냥꾼 오리온의 사냥개이었다(*CD* 570; *BM* 206, 946). "이집트의 달력에서 오리온성좌의 출현은 풍작의 비가 내리는 것을", 시리우스는 "비옥하게 하는 나일강 범람의 임박함을" 예고하고 있다(Southam 122). 따라서 제9-10행 "우울한 오리온자리와 천랑성이 / 구름에 가리우고"(Gloomy Orion and the Dog / Are veiled)는 지상에도 상응하는 풍요의 징조가 없이 황량한 "죽음"만이 하늘을 지배한다는 것을 상징적으로 의미한다.

1928년에 공언한 "문학에서 고전주의자"(classicist in literature) 엘리엇답게 계속하여 『황무지』에서 고전 신화들을 원용하여 시의 의미를 명시적 · 암시적으로 제시하고 있다. 시의 제사에서 엘리엇은 로마 작가 페트로니우스Petronius, c. 27-66의 풍자 소설 『사티리콘』(*Satyricon*)의 등장인물인 쿠마에 무녀Cumaean Sibyl를 인용하고 있다.

> 쿠마에 무녀가 병 안에 매달려 있는 것을
> 내 눈으로 보았다. 그때 아이들이 "*무녀, 당신 소원이 무엇이오?*"

라고 묻자, 그녀는 "*난 죽고 싶다*"라고 대답했다. (Eliot, 『전집』 55)

> "Nam Sibyllam quidem Cumis ego ipse oculis meis vidi in ampulla pendere, et cum illi pueri dicerent: *Σίβυλλα τί θέλεις;* respondebat illa: *ἀποθανεῖν θέλω*" (*PTSE* 53)

엘리엇이 인용하고 있는 고대 그리스어 "시빌라"(*Σίβυλλα*)는 라틴어 "시빌라"(sibylla)를 거쳐서 영어 "시빌"(sibyl)이 되었는데, 이것은 "여사제" 또는 "무녀"를 의미한다. 그리스 신화에서 10명의 "무녀들Sibyls은 예언의 능력을 가진 여인들이었고, 그중에서 이탈리아 나폴리 인근의 그리스 식민지 "쿠마에 무녀가 가장 유명세를 떨쳤다"(Southam 133). 베르길리우스의 『아이네이스』 제6권 제85-86행에 나와 있듯이 "초기 로마의 전설에서 쿠마에 무녀의 중요성 때문에, 또한 쿠마에와 로마와의 근접성 때문에 쿠마에 무녀는 로마인들 사이에서 가장 유명하게 되었다"("Cumaean Sibyl"). 쿠마에 무녀는 쿠마에의 아폴론 신탁을 관장하는 여사제로서 그녀를 총애하는 태양신이 모든 소원을 다 들어주기로 하였다. 여사제는 손 안에 든 모래알 만큼의 세월을 희망했지만, 불행히도 영원한 젊음을 요청하는 것을 잊어버렸다. 따라서 늙어서 병 안에 들어갈 만큼 몸은 위축되고, 사는 것이 죽는 것보다 고통스럽게 된 것이다. 아이네이아스가 트로이에서 이탈리아에 왔을 때 그녀는 이미 700세였고, 앞으로 300년의 여생이 남아 있었다고 추정된다(*CD* 565). 위의 제사에서 호기심 있는 소년들에게 보인 쿠마에 무녀의 반응은 "난 죽고 싶다"(*ἀποθανεῖν θέλω*)인데, 이것은 『황무지』의 가장 중요한 주제들 중 하나인 "죽음의 소원"(death-wish)과 연결된다.

『황무지』 제1부 「사자의 매장」 제35-41행에서 엘리엇은 셸리에 관한 제5장과 키츠에 관한 제6장에서 고찰했듯이 "히아신스"(hyacinths)의 심상으로 그리스 신화의 히아킨토스Hyacinth를 은근히 인유하고 있다.

> "1년 전 당신은 나에게 히아신스를 주셨지.
> 그래서 사람들은 나를 히아신스 소녀라고 불렀답니다."
> ―그러나 그때 당신이 꽃을 한 아름 안고 이슬에 젖은 머리로
> 밤늦게 히아신스 정원에서 나와 함께 돌아왔을 때,
> 나는 말이 안 나왔고 눈도 보이지 않았고, 나는
> 산 것도 죽은 것도 아니었고, 아무것도 몰랐었다,
> 다만 빛의 핵심, 고요를 응시할 뿐이었다. (Eliot, 『전집』 58)

> "You gave me hyacinths first a year ago;
> They called me the hyacinth girl."
> ―Yet when we came back, late, from the hyacinth garden,
> Your arms full, and your hair wet, I could not
> Speak, and my eyes failed, I was neither
> Living nor dead, and I knew nothing,
> Looking into the heart of light, the silence. (*PTSE* 56)

시구 "히아신스 정원"(hyacinth garden)은 『황무지: 에즈라 파운드의 주석이 포함된 초고 원고본의 영인본과 전사본』(*The Waste Land: A Facsimile and Transcript of the Original Drafts Including the Annotations of Ezra Pound*, 1971)에는 소문자가 아닌 대문자 "Hyacinth garden"(*WLF* 136)으로 나와 있는데, 원전비평적 접근으로 고찰할 경우 그리스 신화에서 히아킨토스의 상징적 의미를 더욱 적절하게 표방하고 있다. 그리스 신화에서 히아신스는 셸리와 키츠에 관한 제5-6장에서 고찰했지만 부연하면, 스파르타의 남서부 에우로타스강의 오른쪽 또는 서쪽 제방 둑에 위치한 아미클라이

Amyclae, Ἀμύκλαι－현재의 아미클레스Amykles 출신의 청년 히아킨토스의 빼어난 미모에 매료당한 아폴론이 그를 교육하기 위하여 던진 원반에 우연히 살해되어 흘린 그의 피에서 피어났다. 또 다른 전설에 의하면, 히아킨토스의 아름다움을 예찬하던 서풍의 신 제피로스가 냉정한 히아킨토스에게 "질투하여 원반의 방향을 바꾸어서 그의 머리를 쳐서 즉사시켰다"(*CD* 281; "Hyacinthus"). 아폴론의 "슬픔은 히아신스 꽃잎 위에 새겨진 철자 'AI'('비애'의 뜻인 그리스어)에 표현되어 있다"(*BM* 914). 프레이저 경의 『황금가지』에 의하면, 그리스의 히아킨티아Hyacinthia, Ὑακίνθια 축제는 "산뜻한 신록의 봄부터 건조한 열기의 여름까지 통과의례를 나타낸 것"이다(Southam 146 재인용). 따라서 히아신스꽃은 풍요 의식에서 부활신의 상징이었다. 그러나 위 시에서 "히아신스"(hyacinths)와 "히아신스 소녀"(hyacinth girl) 및 "히아신스 정원"(hyacinth garden)의 시어와 시구들은 성폭행을 포함한 성적 함의까지 내포하고 있다. 그 결과 의식이 전혀 없는 여성 화자는 시어 "고요"(the silence)가 상징하는 죽음에 직면하게 된다. 물론, 엘리엇은 이미 제임스의 소설 『여인의 초상』(*The Portrait of a Lady*, 1881)의 제목을 반향하는 시 「여인의 초상」 제2부 제41행 "정원에선 히아신스 향기가 풍겨와"(With the smell of hyacinths across the garden)에서 히아신스꽃의 후각적 심상을 사용한 바 있다(*PTSE* 12). 흥미롭게도 엘리엇은 기독교시 『아리엘 시』(*Ariel Poems*, 1936)에 수록된 「시므온을 위한 노래」("A Song for Simeon," 1928) 제1행 "주여, 로마 히아신스가 화분에 피어 있고"(Lord, the Roman hyacinths are blooming in bowls)에서는 히아신스 꽃의 시각적 심상을 사용하고 있다(*PTSE* 103). 또한 엘리엇의 시극 『대성당의 시해』(*Murder in the Cathedral*, 1935) 제2부에서 코러스Chorus의 대사 "장미 속에서 죽음의 냄새를 맡았다, 접시꽃, 완두콩, 히아신스, 앵초, 황화구륜초黃花九輪草 속에서도 죽음을."(I have smelt / Death in the rose, death in the hollyhock, sweet pea, hyacinth, primrose and cowslip.)에서 보듯이 히아신스를 포함한 여러 꽃들에서 죽음의 후각적 심상을 환기시킨다(*CPP* 270; Dawson 475). 특히 고전 신화에서 죽음을 상징하는 "앵초"(primrose)는 프리아포스와 플로라의 아들 파랄리소스Paralisos가 애인 멜리첸타Melicenta가 죽자 슬퍼하여 죽어서 변신한 꽃이다("Primrose").

『황무지』 제2부 「체스 게임」("A Game of Chess") 제80-81행에서 엘리엇은 로마 신화의 큐피드의 양면성을 분명히 원용하여 "그 여자"(she), 즉 클레오파트라로 표상되는 현대 상류층 여성들의 무익하고도 열매 없는 성애를 강조하고 있다.

그 여자가 앉은 의자는 광택이 찬란한 옥좌와 같이
대리석 위에서 빛났고, 거기에 체경이
열매 맺은 포도덩굴을 아로새긴 기둥으로 받쳐졌는데,
그 덩굴 사이로 황금빛 큐피드가 내다보고 있다.
(또 하나는 날개로 두 눈을 가리고 있고)
칠지촛대의 불길이 체경에 이중으로 비쳤고
이 빛을 받으며 비단갑에서 쏟아져나오는
보석의 광채는 한데 어울려
원탁 위에 넘쳐흘렀다. (Eliot, 『전집』 60)

The Chair she sat in, like a burnished throne,
Glowed on the marble, where the glass
Held up by standards wrought with fruited vines
From which a golden Cupidon peeped out
(Another hid his eyes behind his wing)
Doubled the flames of sevenbranched candelabra
Reflecting light upon the table as

> The glitter of her jewels rose to meet it,
> From satin cases poured in rich profusion. (*PTSE* 58)

로마 신화에서 사랑의 여신 비너스의 아들이고, 양면적 특성이 구현된 사랑의 신 큐피드는 부도덕한 성애의 추구와 실패를 암시하기 위하여 응시하는 "황금빛 큐피드"(a golden Cupidon)와 눈이 감긴 "또 하나"(Another)의 시어들로서 희화적으로 그려지고 있다. 프랑스어 "퀴피동"(Cupidon)은 "욕망"(desire) 또는 "열정"(passion)을 의미하는 라틴어 "쿠피도"(Cupīdō)에서 파생되었다. 비너스와 마르스 또는 비너스와 메르쿠리우스의 아들 큐피드는 그리스 신화의 에로스(화보 참조)와 동일시된다. "그는 활과 화살을 들고 다니는 날개 돋친 소년으로 등장한다. 전설에 의하면 큐피드는 화살촉을 연마하는 숫돌에 피를 적신다고 한다"(*CD* 180; *BM* 897). "열매 맺은 포도덩굴"(fruited vines)에서 빠끔히 보는 큐피드는 남녀 간의 성취된 사랑을 함의하지만, "날개로"(behind his wing) 또는 엘리엇의 녹음된 육성에 의하면 "날개 아래로"(beneath his wing) 두 눈을 가리고 있는 또 하나의 큐피드는 여인들이 은밀히 추구하지만 충족되지 않는 성적 욕망을 빗대는 것으로서 서로 극명하게 대조적인 상징이다.

『황무지』 제2부 제97-103행에서 엘리엇은 그리스 신화에서 아테네의 제5대 왕 판디온Pandion의 두 딸 필로멜라와 프로크네와 트라키아의 사악한 왕 테레우스의 변신이야기들을 원용하여 강간과 그 비극적 결과를 재현하고 있다.

> 고풍스러운 벽난로 위에는
> 삼림의 풍경을 내려다보는 창문과도 같이
> 그 야만스러운 왕에게 무참히 성폭행당한

필로멜라의 변신 그림이 걸려 있다. 그러나 그 속에서 나이팅게일은
감히 범할 수 없는 목소리로 전 황야를 가득 채우며
여전히 울고 있고, 세상은 여전히 그 짓을 계속하고 있다,
추잡한 귓전에 "적 적." (Eliot, 『전집』 60-61)

Above the antique mantel was displayed
As though a window gave upon the sylvan scene
The change of Philomel, by the barbarous king
So rudely forced; yet there the nightingale
Filled all the desert with inviolable voice
And still she cried, and still the world pursues,
"Jug Jug" to dirty ears. (*PTSE* 58)

필로멜라의 신화에 대하여 엘리엇은 『황무지』의 「주석」("Notes")에서 『변신이야기』 제6권을 참고한 것이라고 간략하게 밝히고 있는데, 구체적으로 시인은 「테레우스와 프로크네 및 필로멜라 이야기」("The Story of Tereus, Procne, and Philomela") 제하의 제430-678행을 제98-100행의 3행으로 압축한 것이다(Ovid, *Metamorphoses* 143-51; *PTSE* 73). 제99행 "필로멜라의 변신"(The change of Philomel), 즉 오비디우스의 수정본에서 필로멜라가 나이팅게일로, 원전에서는 제비로의 변신은 고대 그리스 신화의 시공을 초월하여 엘리엇이 운명적으로 직면한 20세기의 현대 상황과 일맥상통하는 것이다(Tate 84). 다시 말해, 위력적 성폭행과 그 결과적 죽음은 런던 시민들뿐만 아니라 전 세계 모든 사람들의 현재 삶에도 여전히 침투하고 있다. 이어서 테레우스가 계획적 · 강압적으로 가한 성폭행의 비참한 운명을 강조하기 위하여 엘리엇은 『황무지』 제3부 「불의 설법」 제203-06행 "짹 짹 짹 / 적 적 적 적 적 적 / 참으로 잔인하게 성폭행을 당하여. / 테레우"(Twit

twit twit / Jug jug jug jug jug jug / So rudely forc'd. / Tereu)에서 프로크네와 필로멜라가 변신한 제비와 나이팅게일의 슬픈 의성어적 울음소리들을 묘사하고 있다(*PTSE* 63). 특히 라틴 시어 "Tereu"는 "Tereus"의 호격이고 의성어이며, 엘리엇이 『황무지』 초고에서 "Tereu Tereu"로 반복적으로 쓴 것은 『황금보고寶庫』(*The Golden Treasury*)에 수록된 리처드 반필드Richard Barnfield, 1574-1620의 시 「나이팅게일」("The Nightingale") 제13-14행 "저런, 저런, 저런, 지금 나이팅게일이 울려고 한다, / 테레우, 테레우, 이윽고." (Fie, fie, fie, now would she cry; / Tereu, tereu, by and by:)에서 그 출처를 찾을 수 있을 것이다(19; *PTSE* 628).

『황무지』 제3부 「불의 설법」 제196-201행에서 엘리엇은 "스위니"와 "달"(the moon)을 언급함으로써 악타이온과 디아나의 로마 신화를 인유하고 있다.

> 그러나 때때로 내 등 뒤에서 들리는
> 자동차의 경적과 모터 소리, 이 차는
> 스위니를 싣고 샘에서 목욕하는 포터 부인에게로 데려가겠지.
> 오 달이 비치네, 찬란히 포터 부인과
> 그 딸에게
> 그들은 소다수에 발을 씻고 있고나 (Eliot, 『전집』 65)
>
> But at my back from time to time I hear
> The sound of horns and motors, which shall bring
> Sweeney to Mrs. Porter in the spring.
> O the moon shone bright on Mrs. Porter
> And on her daughter
> They wash their feet in soda water (*PTSE* 62)

육욕적 인물인 스위니가 제1차 세계대전에서 호주군 사이에 성병을 감염시킨 것으로 악명 높은 이집트 카이로Cairo의 갈보집 주인 포터 부인Mrs Porter과 그녀의 딸과 탐닉하는 부도덕한 성행위인 3인 성교threesome, ménage à trois를 은근히 한 폭의 그림같이 제시하고 있다(Southam 168). 전기비평적 접근으로 고찰하면, 스위니와 포터 부인 및 그녀의 딸과의 암시적인 3인 성교는 어떤 의미에서 러셀과 그의 애인 오톨린 및 딸같이 지낸 비비엔의 비윤리적 성애와 상응한다(Seymour-Jones 130; 안중은, 『황무지』 74-75). 그러나 스위니의 성적 일탈의 결과로서 그의 생중사의 궁극적 종말은 악타이온과 디아나의 인유로서 암시적으로 강조되고 있다. 테베의 왕 카드모스의 아들인 사냥꾼 악타이온은 동굴 속에서 벌거벗고 요정들과 함께 "샘에서"(in the spring) 목욕을 즐기는 달과 순결의 여신 디아나를 보는 순간 성욕이 발동하였다. 결국 디아나의 분노로 악타이온은 수사슴으로 변신하게 되고, 그를 추격하는 자신의 사나운 사냥개들에게 갈기갈기 찢기게 되었다(*CD* 8; *BM* 34-36). 내재적 의미를 명시하기 위하여 엘리엇은 『황무지』의 「주석」에서 로마 신화의 악타이온과 디아나를 확실히 인용하는 존 데이John Day, 1574-1638?의 풍자적 우화시 『꿀벌의 회의』(*The Parliament of Bees*, 1641)를 적시하고 있다.[41]

「불의 설법」 제215-56행에서 엘리엇은 화자로서 "나 테이레시아스, 비록 소경이지만, 남성과 여성 사이에서 가슴 울렁이는 / 쭈글쭈글한 여자 젖가

41) "그때 갑자기 귀 기울이면 들릴 거야,
모두가 디아나의 벗은 몸매를 보게 될
샘에서 목욕하는 여신에게 악타이온을
데리고 갈 각적과 사냥하는 소리가. . ."

"When of the sudden, listening, you shall hear,
A noise of horns and hunting, which shall bring
Actaeon to Diana in the spring,
Where all shall see her naked skin. . ." (*PTSE* 74)

슴을 가진 노인"(I, Tiresias, though blind, throbbing between two lives, / Old man with wrinkled female breasts, 제218-19행) 또는 "나 테이레시아스, 쭈글쭈글한 젖가슴의 노인"(I, Tiresias, old man with wrinkled dugs, 제228행)과 같이 테니슨에 관한 제8장과 파운드에 관한 제9장에서 고찰한 테베의 장님 양성 예언자 테이레시아스를 원용하고 있다(*PTSE* 63-64). 테이레시아스는 "보랏빛 시간, 저녁 시간"(the violet hour, the evening hour, 제220행)에 "화농투성이의 청년"(the young man carbuncular, 제231행)인 "몸집이 작은 주택 중개업소의 서기"(a small house agent's clerk, 제232행)와 "집에 돌아온 여타자수"(the typist home, 제222행) 사이의 참된 사랑이 결여된 공허한 기계적 성애를 *간파*, 즉 직관적으로 아는 것으로 묘사된다. 엘리엇은 제239-40행의 "충혈된 얼굴로 단호하게, 그가 다짜고짜로 공격하나, / 더듬는 손길엔 아무런 저항이 없다."(Flushed and decided, he assaults at once; / Exploring hands encounter no defence;)에서 보듯이 성적 교합에서 중개사의 적극적 접근과 여타자수의 소극적 행위를 생동적으로 묘사하고 있다(*PTSE* 64). 엘리엇은 제242-45행에서 테이레시아스의 내적독백을 통하여 불륜의 섹스와 필연적인 죽음을 은근히 병치, 연결시키고 있다.

> (그리고 나 테이레시아스는 이 긴 의자, 즉 침대에서
> 연출된 모든 일을 벌써 경험한 바다.
> 테베의 성벽 밑에 앉아도 봤고
> 사자들의 지하세계를 걸어본 나다) (Eliot, 『전집』 66)

> (And I Tiresias have foresuffered all
> Enacted on this same divan or bed;
> I who have sat by Thebes below the wall
> And walked among the lowest of the dead.) (*PTSE* 64)

제246행의 "사자들의 지하세계를 걸어본 나"(walked among the lowest of the dead.)는 『오디세이아』 제11권 「사자의 왕국」 제99-172행과 파운드의 제1칸토에서 오디세우스가 지옥에서 테이레시아스의 유령을 만나서 앞으로 그의 여정에 대한 예언을 듣는 장면을 상기시킨다(Homer, *Odyssey* 252-54; *PTSE* 667). 엘리엇은 『황무지』의 「주석」에서 예언자 테이레시아스를 "모든 여성들이 한 여성이고, 양성이 테이레시아스에서 만나기"(all the women are one woman, and the two sexes meet in Tiresias) 때문에 "시에서 가장 중요한 인물"(the most important personage in the poem)로 규정함으로써 구체적으로 진술하고 있다. 엘리엇은 오비디우스의 『변신이야기』 제3권 제316-37행의 라틴어 구절[42)]을 인용함으로써 "테이레시아스 티레시아스가 *간파*하는 것이 사실 시의 실체이다."(what Tiresias *sees*, in fact, is the substance of the poem.)라는 결론을 내리고 있다(*PTSE* 74). 엘리엇이

---

42) . . . Cum Iunone iocos et "maior vestra profecto est
Quam quae contingit maribus," dixisse, "voluptas."
Illa negat; placuit quae sit sententia docti
Quaerere Tiresiae: venus huic erat utraque nota.
Nam duo magnorum viridi coeuntia silva
Corpora serpentum baculi violaverat ictu
Deque viro factus, mirabile, femina septem
Egerat autumnos; octavo rursus eosdem
Vidit et "est vestrae si tanta potentia plagae,"
Dixit "ut auctoris sortem in contraria mutet,
Nunc quoque vos feriam!" percussis anguibus isdem
Forma prior rediit genetivaque venit imago.
Arbiter hic igitur sumptus de lite iocosa
Dicta Iovis firmat; gravius Saturnia iusto
Nec pro materia fertur doluisse suique
Iudicis aeterna damnavit lumina nocte,
At pater omnipotens (neque enim licet inrita cuiquam
Facta dei fecisse deo) pro lumine adempto
Scire futurta dedit poenamque levavit honore. (*PTSE* 74-75)

인용하는 라틴어 구절은 「티레시아스의 이야기」("The Story of Tiresias") 제하로 일부 생략된 시행들을 포함하면 다음과 같이 번역될 수 있다.

> 운명의 섭리에 따라 지상에서 이런 일들이 일어나고,
> 두 번 태어난 바쿠스의 요람이 안전한 가운데, 마침 유피테르는,
> 전하는 이야기에 따르면, 신주에 거나하게 취해
> 무거운 근심걱정들을 내려놓고는 역시 짬이 난 유노와
> 부담감 없이 농담을 주고받았다. "물론 그대들 여인들이 느끼는
> 사랑의 쾌감이 우리들 남편들에게 주어지는 것보다 더 크겠지요."
> 유노는 그렇지 않다고 했다. 그래서 그들은 현명한 티레시아스의
> 의견을 물어보기로 했다. 그는 양쪽의 사랑을 다 알고 있었기에.
> 그러니까 그는 푸른 숲속에서 교미하고 있던 큰 뱀 두 마리를
> 지팡이로 쳐서 폭행한 적이 있었다. 그러자 놀랍게도
> 그는 남자에서 여자로 변하더니 그런 모습으로
> 일곱 가을을 보냈다. 팔 년이 되던 해 그는 같은 뱀들을 다시
> 보고는 말했다. "너희들을 치는 행위에 치는 이의 성(性)을
> 반대의 것으로 바꿀 수 있는 그토록 큰 능력이 있다면,
> 이번에도 나는 너희들을 치련다." 그리고 그가 뱀들을 치자
> 그가 타고났던 이전의 형태와 모습이 되돌아왔다.
> 그래서 그는 우스꽝스러운 논쟁의 중재판관으로 임명되자
> 유피테르의 말이 옳음을 확인해주었다. 전하는 이야기에 따르면,
> 사투르누스의 딸은 티레시아스의 판결에 과도하게 속상해하며
> 그의 눈이 영원한 어둠 속에 머물도록 저주했다고 한다.
> 허나 전능한 아버지는 (어떤 신도 다른 신이 행한 일을
> 취소할 수는 없기 때문에) 티레시아스에게 빼앗긴 눈 대신 미래를
> 알 수 있는 힘을 주어 명예로써 그의 벌을 가볍게 해주었다.[43)]
>
> (Ovid, 『변신이야기』 154; *Metamorphoses* 67)

43) 『변신이야기』의 한글 번역은 천병희의 번역시를 인용했으나 일부 수정하였다.

그리스 로마 신화에서 양성 테이레시아스티레시아스는 제우스유피테르와 헤라유노가 던진 남녀 성교 시에 느끼는 쾌감의 정도에 대한 질문에 여자가 남자보다 10배나 더 강력하다고 자신의 경험에 근거하여 진술함으로써 헤라유노의 분노로 장님이 되었지만, 제우스유피테르가 예언의 능력과 다른 사람들보다 7배나 더 장수하는 혜택으로 보상을 해준다(*CD* 619).

한편, 『스위니 아고니스테스: 아리스토파네스풍의 멜로드라마의 단편』(*Sweeney Agonistes: Fragments of an Aristophanic Melodrama*, 1932)의 첫 번째 제사에서 엘리엇은 아이스킬로스 3부작 『오레스테이아』의 두 번째 비극으로 아가멤논의 장례식 헌주를 위한 『제주祭酒를 바치는 여인들』(*The Choephoroi, Χοηφόροι, The Libation Bearers*)에서 오레스테스의 대사 "*너에겐 그들이 안 보인다, 안 보인다—그러나 내게는 그들이 보인다. 그들은 나를 좇아온다. 나는 나아가야겠다.*"(*You don't see them, you don't—but I see them: / they are hunting me down, I must move on.*)를 인용하고 있다(Eliot, 『전집』 99; *PTSE* 113). 이 제사는 오레스테스가 아가멤논을 잔인하게 살해하고도 목숨을 구걸하는 어머니 클리템네스트라와 그녀의 절름발이 정부 아이기스토스를 처단함으로써 부왕의 치욕적인 죽음의 무자비한 복수를 한 뒤에 『오레스테이아』의 세 번째 비극 제목인 "에우메니데스", 즉 자비로운 여신들(또는 역설적으로 복수의 여신들인 퓨어리들)의 추격을 받고 있다는 것을 함의한다. 그러나 미케네(기원전 1300-1220)의 장례 기념물 중에서 아트레우스의 보고Treasury of Atreus, 즉 아가멤논의 벌집 무덤(화보 참조)이 다른 가까이 있는 클리템네스트라와 아이기스토스의 두 벌집 무덤들과는 멀리 떨어져 있는 것은 아주 역설적이다.

게다가 엘리엇은 예이츠가 그의 최초의 시 「행복한 목동의 노래」에서 크로노스를 분명히 적시한 것과는 달리 특히 『네 사중주』에서 신의 시간 카이로스와 대조적인 인간의 시간과 동일시되는 그리스 신화의 크로노스를 은근히 인유하고 있다(Ahn 24-25). 크로노스와 카이로스에서 파생된 엘리엇의 시간과 무시간timelessness의 개념은 이미 필자를 포함하여 수많은 학자들에 의해 광범위하게 연구되어 왔으므로 생략하기로 한다.

## III

전기비평적 접근으로 고찰하면, 엘리엇이 오비디우스의 『변신이야기』와 기타 전설적인 출처에 등장하는 그리스 신화들인 프리아포스, 코르부스, 히아킨토스, 테레우스, 프로크네, 필로멜라 및 테이레시아스를 원용하거나 인유함으로써 그의 첫 번째 아내 비비엔과 그의 철학 교수 러셀 사이의 부도덕한 성애로 인하여 직면해야 하는 지옥 같은 고통스러운 상황으로부터 도피하려고 열렬히 갈망한 것은 놀랄 일이 아니다(Ovid, *Metamorphoses* 45-48, 67, 143-51, 239-41). 엘리엇은 그의 평론 「『율리시스』, 질서와 신화」에서 "신화를 사용하는 데 있어서, 동시대와 고대의 지속적 병행을 운용하는 데 있어서 조이스 씨는 다른 작가들이 추종해야 하는 기법을 추구하고 있다."라고 예찬함으로써 호메로스의 서사시 『오디세이아』의 구조에 근거한 조이스의 소설 『율리시스』에서 사용한 신화적 기법이 그의 선배 소설가들인 제임스와 귀스따브 플로베르Gustave Flaubert, 1821-1880의 서사적 기법narrative method보다 더욱 현대적인 기교라고 주장하고 있다(*SP* 177-78). 같은 맥락으로 엘리엇은 1927년 6월 29일 "코츠월즈Cotswolds에 있는 영국성공회 핀스톡교회Church of England at Finstock Church에서 영세를 받고 신자가 됨"(Ackryod 162)으로써 영국 가톨릭교로 개종한 후에 고전 신화나 신화적 인유가 아닌 성경적 요소, 인유, 또는 상징을 더욱 많이 사용했기 때문에 자신의 중기나 후기 시보다는 초기 시에 신화적 기법을 스스로 치열하게 추구한 것이 확실하다.

결론적으로, 엘리엇의 시에 나타나 있는 그리스 로마 신화들을 운용하는 기교는 그의 복잡한 작가 의도들을 확연히 제시하고, 그의 시적 상징성을 심화시키며, 죽음, 죽음의 소원, 사랑, 시간, 부도덕한 성애 및 생중사에 관한 그의 모더니즘적 조망을 확장시키고 있다. 이 연구는 엘리엇을 잇는 『아킬레우스의 방패』(*The Shield of Achilles*, 1955)의 저자 오든과, 『아킬레우스의 승리』(*The Triumph of Achilles*, 1985)와 『아베르노』(*Averno*, 2006)의 저자 글릭의 시에 나타난 그리스 로마 신화를 탐색하는 또 다른 시도로 연결될 것이다.

# 결론

지금까지 그리스 로마 신화들은 아주 유용한 도구로서 초서를 위시하여 스펜서, 셰익스피어, 밀턴, 셸리, 키츠, 테니슨, 예이츠, 파운드 및 엘리엇으로 끝나는 10명의 위대한 영국과 미국 시인들의 시에 광범위하고도 집중적으로 직조되어 있다는 것을 확인하였다. 진실로 고전 신화들은 이러한 시인들의 모든 시에 뚜렷이 또한 심도 있게 침투하여 그들의 시적 함의나 상징성을 고양시키고, 문학 작품의 질감을 강화시키고 있다. 10장으로 천착한 이러한 시에 나타난 모든 신화적 기교들, 신화적 인유들 및 신화창조적 요소들의 핵심은 다음과 같이 요약될 수 있을 것이다.

제1장은 영시의 아버지 초서의 『캔터베리 이야기』의 제1화 「기사의 이야기」에 주로 나타난 그리스 로마 신화의 다양한 함의와 상징성을 탐색하고 있다. 기사도, 기사의 로맨스, 궁정 사랑, 교훈주의에 관한 자신의 중세 관념들을 표출하기 위하여 초서는 그리스 로마 신화를 원용하거나 인유하고 있다. 예컨대, 거신 사투르누스 또는 크로노스, 거한 아르고스, 주요신들인 유피테르, 유노, 비너스, 마르스, 포이보스 아폴론, 디아나, 메르쿠리우스

또는 헤르메스, 불카누스 및 플루토, 하위신들인 제피로스, 포르투나, 클레멘티아, 큐피드 및 파우누스, 요정들인 님페와 하마드리아데스, 신화창조적 인물들인 팔라몬과 알시테 및 에밀리, 신화적 인물들인 아이게우스, 테세우스, 히폴리테, 카파네우스, 크레온, 카드모스, 암피온, 칼리스토, 악타이온, 다프네, 아탈란테, 멜레아그로스, 리쿠르고스 및 헥토르, 전설적 괴물인 미노타우로스, 신화적 장소들인 트로이, 크레타, 아테네, 테베, 키타이론 및 트라키아이다.

제2장은 16세기 영국 르네상스 시대의 가장 위대한 시인 스펜서의 『선녀여왕』 제1권 제1-6칸토에 나타난 그리스 로마 신화의 다양한 함의와 상징성을 탐색하고 있다. 기사도, 사랑, 아름다움, 신성의 미덕, 개신교 대 가톨릭교, 기독교 대 이교주의, 진리 대 거짓 및 전쟁에 관한 자신의 르네상스 관념들을 표출하기 위하여 스펜서는 풍유적 인물들과 더불어 그리스 로마 신화를 원용하거나 인유하고 있다. 예컨대, 태초 여신 닉스, 거신들인 오케아노스, 헬리오스, 네레우스, 여성 거신 테티스와 키벨레 또는 레아, 거한들인 티티오스와 티포에우스 또는 티폰 및 아르고스, 주요신들인 요베 또는 유피테르, 유노, 넵투누스 또는 포세이돈, 플루토(플루톤) 또는 하데스 또는 디스, 프로세르피나, 포이보스 아폴론, 킨티아 또는 아르테미스 또는 디아나, 마르트 또는 마르스, 비너스, 바쿠스 및 헤카테, 하위신들인 뮤즈, 클리오, 큐피드, 모르페우스, 그레이스 또는 카리테스 또는 그라티아이, 히멘, 플로라, 헤스페로스, 아우로라, 프로테우스, 보레아스, 퓨어리들, 아스클레피오스, 파우누스, 사티로스, 실바누스, 드리오페 및 폴로에, 요정들인 하마드리아데스와 나이아데스, 신화적 인물들인 아르카스, 티토노스, 카시오페이아, 오디세우스, 오리온, 파에톤, 익시온, 시시포스, 탄탈로스, 다나이데스, 히폴리투스 및 스테노보아 또는 안테이아, 신화창조적 인물인 사티레인, 전설적 괴물들인 고르곤 또는 고르곤들, 그리폰 또는 그리펀 및 케르베

로스, 신화적 별인 시리우스, 신화적 장소들인 스틱스, 레테, 코퀴토스, 아케론, 플레게톤 및 아베르누스이다.

제3장은 의심할 여지없이 모든 시대의 가장 위대한 극작가이자 시인 셰익스피어의 『비너스와 아도니스』 그리고 『소네트』를 중심으로 그의 시에 나타난 그리스 로마 신화의 다양한 함의와 상징성을 탐색하고 있다. 사랑, 아름다움, 성애, 시간, 죽음 및 영원에 관한 자신의 르네상스 관념들을 표출하기 위하여 셰익스피어는 풍유적 인물들과 더불어 그리스 로마 신화를 원용하거나 인유하고 있다. 예컨대, 태초신 가이아, 거신들인 히페리온과 크로노스 또는 사투르누스, 주요신들인 아폴론, 비너스, 마르스 및 디아나 또는 킨티아 또는 아르테미스, 하위신들인 에코, 큐피드, 모르스 또는 타나토스, 뮤즈, 뮤즈들 및 님페들, 신화적 인물들인 아도니스, 나르키소스, 탄탈로스, 미라, 헬레네 및 필로멜라, 전설적 괴물들인 피닉스와 세이렌, 신화적 장소들인 파르나소스, 엘리시움 및 파포스이다.

제4장은 17세기 영국 르네상스 시대에서 가장 위대한 시인 밀턴의 서사시 『실낙원』 제1-2권에 나타난 그리스 로마 신화의 다양한 함의와 상징성을 탐색하고 있다. 자유, 반역, 권력, 전쟁 및 혁명에 관한 자신의 르네상스 관념들을 표출하기 위하여 밀턴은 핀란드 신화와 주인공 사탄에 집중한 성경과 더불어 그리스 로마 신화를 원용하거나 인유하고 있다. 예컨대, 태초의 공간 카오스, 태초신들인 우라노스, 가이아, 타르타로스, 에로스, 에레보스 및 닉스, 거신들인 오케아노스, 사투르누스, 아틀라스, 여성 거신 레아, 거한들인 브리아레오스, 티폰 또는 티포에우스, 티토스, 엔켈라두스, 주요신들인 요베 또는 제우스, 물키베르 또는 헤파이스토스 또는 불카누스, 아테나, 오르쿠스 또는 아데스 또는 하데스 및 헤카테, 하위신들인 뮤즈, 퓨어리들 또는 에리니에스 또는 에우메니데스 및 에리스, 신화적 인물들인 아도니스, 알키데스 또는 헤라클레스 또는 헤르쿨레스, 탄탈로스 및 오디세우스

또는 율리시스, 전설적 괴물들인 피그미족, 피톤, 메두사, 고르곤, 히드라, 키메라, 케르베로스, 스킬라, 그리폰 또는 그리핀, 신화적 성좌인 오리온, 신화적 장소들인 아오니아 또는 헬리콘산, 타르타로스, 타르수스, 펠로루스, 에트나(아이트나) 화산, 스틱스, 아도니스강, 크레타, 이다산, 올림포스산, 델피 또는 피토, 도도나, 플레그라, 테베, 일리움 또는 트로이, 렘노스, 오이테산, 에우보이아, 아케론, 코퀴토스, 플레게톤, 레테, 세르보니스호, 보스포루스, 스킬라 및 카리브디스이다.

제5장은 19세기 영국 낭만주의에서 지성미의 시인 셸리의 『풀려난 프로메테우스』와 「아틀라스의 마녀」 등 초기 작품에 나타난 그리스 로마 신화의 다양한 함의와 상징성을 탐색하고 있다. 시적 상상력, 자유, 아름다움 및 사랑에 관한 자신의 낭만주의적 관념들을 표출하기 위하여 셸리는 이집트와 힌두 신화와 더불어 그리스 로마 신화를 원용하거나 인유하고 있다. 예컨대, 태초신인 카오스, 거신들인 크로노스, 프로메테우스, 사투르누스, 오케아노스 및 아틀라스, 거한 티폰 또는 티포에우스, 주요신들인 유피테르, 하데스, 아폴론, 불카누스, 비너스, 메르쿠리우스 및 베스타, 하위신들인 알라스토르, 실레노스, 에로스 또는 큐피드, 프리아포스, 프로테우스, 아이올로스, 드리오페, 파우누스, 판, 아우로라 및 헬리아스, 요정들인 아시아, 테티스, 네레이데스, 오케아니데스, 아틀란티데스, 하마드리아데스 또는 드리아데스, 오리아데스, 나이아데스, 신화적 인물들인 메데이아, 페르세우스, 히아킨토스, 마이나데스, 헤라클레스, 가니메데스, 다이달로스, 아가베, 피그말리온, 헤르마프로디토스, 아리온 및 티토노스, 전설적 괴물들인 게리온, 고르곤, 키메라, 스핑크스, 피그미족, 키노케팔리, 하르피이아들, 신화적 장소들인 코카서스 산맥, 아틀란티스섬 및 키타이론산이다.

제6장은 19세기 영국 낭만주의에서 감각미의 시인 키츠의 시에 나타난 그리스 로마 신화의 다양한 함의와 상징성을 탐색하고 있다. 시적 영감, 상

상력, 아름다움 및 사랑에 관한 자신의 낭만주의적 관념들을 표출하기 위하여 키츠는 그리스 로마 신화를 원용하거나 인유하고 있다. 예컨대, 거신들인 히페리온, 사투르누스, 오케아노스, 여성 거신들인 오프스 또는 오피스, 킨티아 및 포이베, 주요신들인 요베 또는 유피테르, 넵투누스, 플루톤, 뮤즈들과 함께 있는 포이보스 또는 아폴론, 디아나, 비너스, 메르쿠리우스, 바쿠스 및 헤카테, 하위신들인 플로라, 프시케, 큐피드, 베스페르 또는 헤스페로스, 그레이스들, 제피로스, 파우누스, 판, 아우로라 및 트리톤, 요정들인 나이아스, 드리아스, 님페, 네레이데스, 시링크스 및 에코, 전설적 거한 폴리페모스들, 신화적 인물들인 다이달로스, 필로멜라, 엔디미온, 히아킨토스, 레안드로스, 오르페우스, 나르키소스, 프로세르피나 및 트로일로스, 신화창조적 인물인 크레시다, 신화적 괴물들인 세이렌들(세이레네스), 피닉스 및 페가소스, 신화적 장소들인 히포크레네, 라트모스 및 레테이다.

제7장은 영국 빅토리아 시대의 대표 시인이자 계관시인 테니슨의 신화시들에 나타난 그리스 로마 신화의 다양한 함의와 상징성을 탐색하고 있다. 의무, 훈육, 용기, 사랑 및 죽음에 관한 자신의 빅토리아적 관념들을 표출하기 위하여 테니슨은 그리스 로마 신화를 원용하거나 인유하고 있다. 예컨대, 주요신들인 제우스, 헤레 또는 헤라, 아프로디테, 아테나, 아폴론, 아레스, 아이도네우스 또는 하데스, 데메테르 및 디오니소스, 하위신들인 에리스, 아우로라, 우라니아 및 뮤즈들, 요정들인 헤스페리데스, 신화적 인물들인 펠레우스, 오이노네, 파리스, 세멜레, 오디세우스 또는 율리시스, 텔레마코스, 아킬레우스, 티토노스, 테이레시아스, 메노이케우스, 카드모스, 오이디푸스, 암피온, 페르세포네, 헤로 및 레안드로스, 신화적 괴물들인 세이렌들과 스핑크스, 신화적 장소들인 터키의 이다산, 가르가루스산, 일리온 또는 트로이, 이타카, 엘리시움, 티레, 디르케, 엔나, 아스포델, 히포크레네, 파르나소스 및 피에리아이다.

제8장은 아일랜드의 문예부흥, 즉 켈트의 여명의 지도자 예이츠 시에 나타난 그리스 로마 신화의 다양한 함의와 상징성을 탐색하고 있다. 시간, 사랑, 역사, 철학, 정치, 예술 및 영원에 관한 자신의 상징주의적 관념들을 표출하기 위하여 예이츠는 아일랜드와 이집트 신화, 그리스와 독일 철학과 더불어 그리스 로마 신화를 원용하거나 인유하고 있다. 예컨대, 거신들인 크로노스, 사투르누스 및 아틀라스, 주요신들인 제우스 또는 유피테르, 유노, 포세이돈, 하데스, 아폴론, 아테나 또는 미네르바, 마르스, 아프로디테 또는 비너스, 데메테르, 헤파이스토스, 헤르메스 및 디오니소스, 하위신들인 뮤즈들, 판, 아티스 및 퓨어리들, 요정 테티스, 신화적 인물들인 에우로페, 세멜레, 미노스, 라다만티스, 레다, 피티아, 펠레우스, 아킬레우스, 오디세우스, 아가멤논, 헬레네, 프리아모스, 헥토르, 페르세우스, 오이디푸스 및 안티고네, 신화적 성좌들인 플레이아데스, 큰곰자리, 작은곰자리, 북극성 및 황도대, 신화적 괴물들인 스핑크스, 피닉스 및 페가소스, 신화적 장소들인 올림포스, 아르카디아, 에우로타스강, 트로이(트로이아), 펠리온산, 파르나소스산, 엠피리언 또는 엠피레오, 콜로누스, 레테 및 엘리시움이다.

제9장은 이미지즘을 포괄하는 20세기 모더니즘에서 "시인들의 시인" 파운드의 초기 『칸토스』에 나타난 그리스 로마 신화의 다양한 함의와 상징성을 탐색하고 있다. 역사, 철학, 정치, 사랑, 성애에 관한 자신의 모더니즘적 관념들을 표출하기 위하여 파운드는 중세 역사와 그리스 철학과 더불어 그리스 로마 신화를 이미지즘적으로 원용하거나 인유하고 있다. 예컨대, 주요신들인 포세이돈 또는 넵투누스, 플루토(플루톤), 아르테미스 또는 디아나, 아테나, 아프로디테, 헤르메스 및 뤼아이오스 또는 자그레우스 또는 디오니소스, 하위신인 키르케, 요정들인 네레이데스와 살마키스, 신화적 인물들인 오디세우스, 테이레시아스, 안티클레아, 프로세르피나, 아이네이아스, 헬레네, 카드모스, 리캅스, 메돈, 아탈란테, 티로, 아코이테스, 펜테우스, 다프네,

이틴 또는 이티스 및 악타이온, 신화적 괴물들인 세이렌들과 메두사, 신화적 장소들인 키메리아 땅, 에레보스, 아베르누스, 이타카, 스키오스, 낙소스, 페르구사, 가르가피아, 살마키스, 엘리시움, 치르체오 및 테라치나이다. 특히 파운드는 그의 초기 『칸토스』에서 고전 신화와 중세 역사를 독특하게 병치시키고 있다.

제10장은 20세기의 가장 위대한 모더니즘 시인 엘리엇의 시에 나타난 그리스 로마 신화의 다양한 함의와 상징성을 탐색하고 있다. 죽음, 죽음의 소원, 사랑, 시간, 부도덕한 성애 및 생중사에 관한 자신의 모더니즘적 관념들을 표출하기 위하여 엘리엇은 그리스 로마 신화를 풍자적으로 원용하거나 인유하고 있다. 예컨대, 거신 크로노스, 주요신들인 디아나와 바쿠스, 하위신들인 키르케, 프리아포스, 헤르쿨레스 또는 헤라클레스, 아이올로스, 퀴피동 또는 큐피드, 타나토스 및 퓨어리들, 전설적 거한 폴리페모스, 신화적 인물들인 오디세우스, 아리아드네, 테세우스, 아이게우스, 아킬레우스, 나우시카, 아가멤논, 시빌, 히아킨토스, 필로멜라, 프로크네, 테레우스, 악타이온, 테이레시아스 및 오레스테스, 신화적 성좌들인 전갈자리, 카시오페이아자리, 큰곰자리, 페가소스자리, 고래자리, 북극성, 목동자리, 까마귀자리, 오리온자리, 큰개자리 및 시리우스, 신화적 장소들인 아이아이아와 키클라데스 군도이다.

결론적으로, 수많은 그리스 로마 신화들은 위에서 고찰한 10명의 위대한 영국과 미국 시인들의 다양한 시 속에 섬세하게 직조되어 있다. 지금까지 천착한 고전 신화에서 가장 돋보이는 거신, 신 또는 여신은 아버지 시간 크로노스, 제우스 또는 요베 또는 유피테르, 포이보스 아폴론 또는 아폴로, 아프로디테 또는 비너스, 팔라스 아테나, 아르테미스 또는 디아나, 아레스 또는 마르스, 헤라클레스 또는 헤르쿨레스, 에로스 또는 큐피드 및 뮤즈 또는 뮤즈들이라고 귀납적으로 추론할 수 있을 것이다. 아울러 고전 신화의 영웅들로서 테세우스, 아가멤논, 아킬레우스, 헥토르, 파리스, 오디세우스 또는 율리시스 등이 영미시를 화려하게 장식하고 있다. 또한 가장 많이 언급되는 신화적 지형은 아테네, 테베, 스파르타, 미케네, 트로이, 델피, 크레타, 올림포스산 및 에트나 화산일 것이다. 시인들의 작품 속에서 그리스 로마 신화들을 원용하거나 인유하는 기교는 그들의 복잡한 작가 의도를 강조하고, 그들의 시적 상징성을 심화시키며, 그들의 중세적, 르네상스적, 낭만주의적, 빅토리아적 또는 모더니즘적 조망을 확장시키고 있다. 이 연구는 워즈워스, 바이런 경, 아놀드, 디킨슨, 오든, 글릭 등 기타 위대한 영미 시인들의 시에 나타난 고전 신화를 추가로 탐색하고 세밀한 해석을 위한 징검다리나 사다리가 확실히 될 것이다.

필자는 2019년 11월 26일, 그리스 신화와 관련하여 『오디세이아』 제3권 제316행에서 "아테네의 곶, 신성한 수니온"(holy Sounion, Athens' headland)으로 최초로 언급된 그리스 동남단의 수니온곶Cape Sounion, Σούνιον, Sunium에 위치한 포세이돈 신전Temple of Poseidon, 기원전 444-440(화보 참조)을 방문한 체험을 간략히 소개함으로써 이 책을 마무리하고자 한다. 나오스 카페 레스토랑Naos Cafe Restaurant에서 웅장한 신전을 올려다보고, 아름다운 석양이 찬란히 부서지는 평온한 에게해를 내려다보면서 바이런 경의 신화시 「그리스의 섬들」("The Isles of Greece) 제91-94행을 소리 내어 두 번 낭송하고는 깊은 감명을 받았다. 신전에 관한 시행들은 식탁용 접시받침 종이 위에 인쇄되어 있었다.

수니움의 대리석 절벽으로 나를 데려가 주오,
　그곳에는 파도와 나 말고는 아무것도
서로 속삭이는 우리의 소리 듣지 못하리니.
　그곳에서 백조 마냥 노래 부르다 죽게 해주오.

Place me on Sunium's marbled steep,
  Where nothing, save the waves and I,
May hear our mutual murmurs sweep;
  There, swan-like, let me sing and die:

로마 신화와 관련한 필자의 또 다른 충격적 경험도 언급할만한 가치가 있을 것이다. 기원후 79년 베수비우스Vesuvius 또는 베수비오Vesuvio 화산(1,281m)의 3일간 갑작스러운 폭발로 지하에 묻혀버린 남부 이탈리아의 고대 도시 폼페이를 방문한 2014년 7월 23일, 놀라울 만큼 잘 보존된 유물과 조우하게 되었다. 아폴로 신전의 아폴로와 디아나의 청동상들, 그리고 아직도 다양한 로마 신화와 성 체위를 드러내는 반투명 프레스코화와 벽화 및 모자이크들로 장식된 대중탕과 매음굴의 벽들은 로마 신화와 인본주의가 고대 로마인들의 문학 작품과 예술적 유산뿐만 아니라 그들의 삶 속에 깊이 스며들었다는 사실을 웅변적으로 말해주고 있었다.

# 참고문헌

안중은. 『T. S. 엘리엇과 상징주의』. 동인, 2012.

_____. 『T. S. 엘리엇의 『황무지』 해석』. 동인, 2014.

이윤기. 『이윤기의 그리스 로마 신화』. 웅진지식하우스, 2020.

정인돈. 『셸리의 『프로메테우스』 연구: 라깡적 접근』. 동인, 2005.

"Achilles." Wikipedia. en.wikipedia.org/wiki/Achilles. 15 Feb. 2016.

Ackroyd, Peter. *T. S. Eliot: A Life*. Simon and Schuster, 1984.

Adriano, La Regina, ed. *Archaeological Guide to Rome*. Electra, 2013.

Aeschylus. *Oresteia: Agamemnon, the Libation Bearers, the Eumenides.* Trans. Richmond Lattimore. Ed. David Grene and Richmond Lattimore. U of Chicago P, 1953.

"Agave." www.godchecker.com/greek-mythology/AGAVE/. 20 Aug. 2017.

Ahmad, Jamal. "Myths and Legends in the Literary Works of Lord Alfred Tennyson." *Ars Artium* 5 (2017): 67-72.

Ahn, Joong-Eun. *Greek and Roman Myths in British and American Poetry*, Seorin, 2020.

_____. "Greek and Roman Myths in *The Cantos* of Ezra Pound." *Studies in British and American Language and Literature* 122 (2016): 1-21.

_____. "Greek and Roman Myths in the Early Works of P. B. Shelley." *Studies in British and American Language and Literature* 126 (2017): 239-62.

_____. "Greek and Roman Myths in Edmund Spenser's *The Faerie Queene*,

Book I, Cantos 1-6." *The New Studies of English Language & Literature* 74 (2019): 257-82

_____. "Greek and Roman Myths in Geoffrey Chaucer's 'The Knight's Tale.'" *Studies in British and American Language and Literature* 128 (2018): 1-19.

_____. "Greek and Roman Myths in John Milton's *Paradise Lost*, Books I and II." *Studies in British and American Language and Literature* 133 (2019): 179-202.

_____. "Greek and Roman Myths in the Poetry of Alfred Lord Tennyson." *Studies in British and American Language and Literature* 127 (2017): 169-92.

_____. "Greek and Roman Myths in the Poetry of John Keats." *Studies in British and American Language and Literature* 123 (2016): 21-42.

_____. "Greek and Roman Myths in the Poetry of T. S. Eliot." *Studies in British and American Language and Literature* 120 (2016): 1-27.

_____. "Greek and Roman Myths in the Poetry of W. B. Yeats." *Studies in British and American Language and Literature* 119 (2015): 23-50.

_____. "Greek and Roman Myths in the Poetry of William Shakespeare." *Studies in British and American Language and Literature* 131 (2018): 355-75.

Alexander, Michael. *The Poetic Achievement of Ezra Pound.* U of California P, 1981.

Allan, Tony and Sara Maitland. *Titans and Olympians: Greek & Roman Myth*. Time-Life Books, 1997.

"Ancient Origins." https://www.ancient-origins.net/news-history-archaeology/circes-cave-0012452. 13 Jan. 2020.

"Arcadia." Wikipedia. en.wikipedia.org/wiki/Arcadia. 20 Oct. 2015.

Arcidiacono, Salvatore. *Etna, the Volcano*. Trans. Stephen Conway. Giuseppe Maimone Editore, 2008.

"*Argonautica*." Wikipedia. https://en.wikipedia.org/wiki/Argonautica. 4 Dec. 2020.

Arkins, Brian. *Builders of My Soul: Greek and Roman Themes in Yeats.* Colin Smythe, 1990.

Aske, Martin. *Keats and Hellenism.* Cambridge UP, 2005.

"Atalanta." Wikipedia. en.wikipedia.org/wiki/Atalanta. 10 Feb. 2018.

"Aurora (mythology)." Wikipedia. en.wikipedia.org/wiki/Aurora_(mythology). 30 Oct. 2019.

Bacigalupo, Massimo. "A Late Mythologem: Canto 106." *The Forméd Thrace: The Later Poetry of Ezra Pound.* Columbia UP, 1980. 425-43.

Baker, Jeffrey. *John Keats and Symbolism.* The Harvester P, 1986.

Barnfield, Richard. "The Nightingale." *The Golden Treasury.* Ed. Oscar Williams. The New American Library, 1961.

Bell, Michael and Peter Poellner, ed. *Myth and the Making of Modernity: The Problem of Groundling in Early Twentieth-Century Literature.* Rodopi, 1998.

Blessington, Francis C. Paradise Lost *and the Classical Epic.* Routledge & Kegan Paul, 1979.

Bloom, Harold. *Shelley's Mythmaking.* Cornell UP, 1969.

_____. *Yeats.* Oxford UP, 1970.

_____, ed. *Geoffrey Chaucer's The Knight's Tale.* Chelsea, 1988.

"Bootes." Wikipedia. en.wikipedia.org/wiki/Bo%C3%B6tes. 10 Feb. 2016.

Bornstein, George, ed. *Ezra Pound Among the Poets.* The U of Chicago P, 1985.

Bowden, Muriel. *A Reader's Guide to Geoffrey Chaucer.* Thames and

Hudson, 1982.
Boyce, Charles. *Dictionary of Shakespeare.* Wordsworth Editions Ltd, 1996.
Brooker, Peter. *A Student's Guide to the Selected Poems of Ezra Pound.* Faber & Faber, 1979.
Brown, Terence. *The Life of W. B. Yeats: A Critical Biography*. Gill & Macmillan, 2001.
Buckley, Jerome Hamilton. *Tennyson: The Growth of a Poet.* Harvard UP, 1974.
Bulfinch, Thomas. 『그리스 로마 신화를 보다 1』. 노태복 역. 리베르스쿨, 2016.
_____. 『그리스 로마 신화를 보다 2』. 노태복 역. 리베르스쿨, 2016.
_____. *Bulfinch's Mythology.* 1979. Portland House, 1997.
Bush, Douglas. *Mythology and the Renaissance Tradition in English Poetry.* Norton, 1963.
_____. *Mythology and the Romantic Tradition in English Poetry.* Norton, 1963.
_____. "Notes on Milton's Classical Mythology." *Studies in Philology* 28 (1931): 259-72.
Buxton, Richard. *The Complete World of Greek Mythology*. Thames & Hudson, 2012.
Calderwood, James L. *Shakespeare and the Denial of Death.* U of Massachusetts P, 1987.
Campbell, Gordon and Thomas N. Corns. *John Milton: Life, Work, and Thought.* Oxford UP, 2010.
Carabatea, Marilena. *Greek Mythology*. Adam Editions, 2005.
Chaucer, Geoffrey. 『캔터베리 이야기』. 김진만 역. 동서문화사, 2015.
_____. The Canterbury Tales: *Nine Tales and the General Prologue.* Ed. V.

A. Kolve and Glending Olson. Norton, 1989.

_____. *Chaucer's* Canterbury Tales: *An Interlinear Translation.* Trans. Hopper, Vincent F. Barron's Educational Series, Inc., 1959.

Chevalier, Jean and Alain Gheerbrant. *Dictionary of Symbols.* Trans. John Buchanan-Brown. Penguin Books, 1996.

Childs, John Steven. *Modernist Form: Pound's Style in the Early Cantos.* Susquehanna UP, 1986.

"Clementia." Wikipedia. en.wikipedia.org/wiki/Clementia. 29 Jan. 2018.

Collett, Jonathan H. "Milton's Use of Classical Mythology in *Paradise Lost*." *PMLA* 85.1 (1970): 88-96.

"Colonus (Attica)." Wikipedia. en.wikipedia.org/wiki/Colonus_(Attica). 12 Sep. 2020.

Cookson, William. *A Guide to* The Cantos *of Ezra Pound.* Croom Helm, 1985.

"Corvus." Wikipedia. en.wikipedia.org/wiki/Corvus_(constellation). 12 Feb. 2016.

"Croesus." Wikipedia. https://en.wikipedia.org/wiki/Croesus. 1 Dec. 2020.

"Cumaean Sibyl." Wikipedia. en.wikipedia.org/wiki/Cumaean_Sibyl. 13 Feb. 2016.

"Cynocephaly." Wikipedia. en.wikipedia.org/wiki/Cynocephaly. 25 Aug. 2017.

Dante Alighieri. 『신곡 I: 지옥편』. 김문해 역. 한국도서출판중앙회, 1991.

_____. *The Divine Comedy.* Trans. Rev. H. F. Cary. Oxford UP, 1979.

Dawson, J. L. et al., ed. *A Concordance to the Complete Poems and Plays of T. S. Eliot*. Cornell UP, 1995.

"Demogorgon." Merriam-Webster. www.merriam-webster.com/dictionary/Demogorgon. 10 Aug. 2017.

"Dryad." Wikipedia. en.wikipedia.org/wiki/Dryad. 15 Oct. 2016.

Eliot, T. S. 『T. S. 엘리엇 전집: 시와 시극』. 이창배 역. 민음사, 1988.

_____. *The Complete Poems and Plays of T. S. Eliot.* 1969. Ed. Valerie Eliot. Faber & Faber, 1975.

_____. *Inventions of the March Hare: Poems 1909-1917.* Ed. Christopher Ricks. Harcourt Brace, 1996.

_____. *The Poems of T. S. Eliot* I. Ed. Christopher Ricks and Jim McCue. Johns Hopkins UP, 2015.

_____. *Selected Prose of T. S. Eliot*. Ed. Frank Kermode. Faber & Faber, 1975.

_____. "*Ulysses*, Order and Myth." *Selected Prose of T. S. Eliot*. Ed. Frank Kermode. Faber & Faber, 1975. 175-78.

_____. *The Waste Land: A Facsimile and Transcript of the Original Drafts Including the Annotations of Ezra Pound*. 1971. Ed. Valerie Eliot. A Harvest Book, 1994.

Ellmann, Richard. *The Identity of Yeats.* 1954. Faber & Faber, 1983.

_____ and Charles Feidelson, Jr., ed. *The Modern Tradition: Backgrounds of Modern Literature.* Oxford UP, 1965.

Faas, Ekbert. *Shakespeare's Poetics.* Cambridge UP, 1986.

"Fortuna." Wikipedia. en.wikipedia.org/wiki/Fortuna. 29 Jan. 2018.

Frazer, James George, Sir. *The Golden Bough: A Study in Magic and Religion.* 1922. Macmillan, 1969.

Gallagher, Philip J. "*Paradise Lost* and the Greek Theogony." *English Literary Renaissance* 9.1 (1979): 121-48.

Gardner, John. *The Life and Times of Chaucer.* Vintage Books, 1977.

Gelpi, Barbara Charlesworth. *Shelley's Goddess: Maternity, Language, Subjectivity.* Oxford UP, 1992.

Giesecke, Annette. *The Mythology of Plants: Botanical Lore from Ancient Greece and Rome.* Getty Publications, 2014.

Glück, Louise. *Poems 1962-2012*. Farrar, Straus and Giroux, 2013.

Goetz, Philip W., ed. *The New Encyclopædia Britannica* 3. Encyclopædia Britannica, Inc., 1988.

Gordon, R. K., trans. *The Story of Troilus.* U of Toronto P, 1964.

Graves, Robert. *The Greek Myths.* Penguin Books, 1992.

Gregory, Augusta, Lady. *Lady Gregory's Complete Irish Mythology.* Bounty Books, 2012.

Grimal, Pierre. *Dictionary of Classical Mythology.* 1951. Ed. Stephen Kershaw. Trans. A. R. Maxwell-Hyslop. Penguin Books, 1991.

Heaney, Seamus. *The Cure at Troy: A Version of Sophocles*' Philoctetes. Farrar, Straus and Giroux, 1991.

Hebron, Stephen. *John Keats.* The British Library, 2002.

Heinrichs, Katherine. *The Myths of Love: Classical Lovers in Medieval Literature.* The Pennsylvania State UP, 1990.

"Hercules." Wikipedia. en.wikipedia.org/wiki/Hercules. 20 Feb. 2016.

"Hermes Trismegistus." Wikipedia. en.wikipedia.org/wiki/Hermes_Trismegistus. 20 Nov. 2015.

"Hero and Leander." Wikipedia. en.wikipedia.org/wiki/Hero_and_ Leander. 15 Nov. 2016.

Hesiod. 『신통기』. 천병기 역. 한길사, 2004.

_____. *Theogony, Works and Days, Testimonia.* Ed and Trans. Glenn W. Most. Harvard UP, 2018.

"Hippocrene." Wikipedia. en.wikipedia.org/wiki/Hippocrene. 10 Oct. 2016.

Hodgart, Patricia. *A Preface to Shelley.* Longman, 1985.

Homer. 『오뒷세이아』. 천병희 역. 숲, 2007.

_____. 『일리아스』. 천병희 역. 숲, 2012.
_____. *The Iliad.* Trans. Robert Fagles. Penguin Books, 1991.
_____. *The Odyssey.* Trans. Robert Fagles. Penguin Books, 1997.
_____. *The Odyssey of Homer.* Trans. Alexander Pope. Cassell and Company, Ltd., 1715.
Honan, Park. *Shakespeare: A Life.* Oxford UP, 1998.
Hough, Graham. *A Preface to* The Faerie Queene. Norton, 1962.
Hughes, Merritt Y. *Virgil and Spenser.* U of California P, 1929.
"*Hyacinthoides non-scripta.*" Wikipedia. en.wikipedia.org/wiki/Hyacinthoides_non-scripta. 15 Aug. 2017.
"Hyacinthus." www.britannica.com/topic/Hyacinthus. 15 Feb. 2016.
Jeffares, A. Norman. *A New Commentary on the Poems of W. B. Yeats.* Macmillan, 1984.
Jordan, Elaine. *Alfred Tennyson.* Cambridge UP, 1988.
"Kabandha." Wikipedia. en.wikipedia.org/wiki/Kabandha. 25 Aug. 2017.
Kahn, Coppélia. "Venus and Adonis." *The Cambridge Companion to Shakespeare's Poetry*. Ed. Patrick Cheney. Cambridge UP, 2007. 72-87.
Keats, John. 『엔디미온』. 윤명옥 역. 지식을만드는지식, 2012.
_____. 『키츠 시선』. 윤명옥 역. 지식을만드는지식, 2010.
_____. *Keats: The Complete Poems.* Ed. Miriam Allcott. Longman, 1986.
Kerényi, C. *The Heroes of the Greeks.* 1959. Trans. H. L. Rose. Thames and Hudson, 1997.
Kokkinou, Sophia, ed. *Greek Mythology.* S. Nanos, 1989.
Kumar, Pawan. "'The broken wall, the burning roof and tower": W. B. Yeats's Revision of the Leda Myth in Historico-Political Contexts." *Rupkatha Journal on Interdisciplinary Studies in Humanities* 9.3 (2017): 125-31.

Laforgue, Jules. *Poésies complètes.* Brodard et Taupin, 1970.

Lemprière, John. *A Classical Dictionary.* 1788. George Routledge and Sons, 2019.

Leterrier, Louis, dir. *Clash of the Titans*. IMDb. 2010.

Levi, Peter. *The Life and Times of William Shakespeare.* Wings Books, 1988.

Lotspeich, Henry Gibbons. *Classical Mythology in the Poetry of Edmund Spenser.* 1932. Octagon Books, 1965.

MacCaffrey, Isabel Gamble. Paradise Lost *as "Myth."* Harvard UP, 1959.

Markley, Arnold A. *Stateliest Measures: Tennyson and the Literature of Greece and Rome.* U of Toronto P, 2004.

Matyszak, Philip. *The Greek and Roman Myths: A Guide to the Classical Stories*. Thames & Hudson, 2010.

"Mercury (mythology)." en.wikipedia.org/wiki/Mercury_(mythology). 10 Oct. 2016.

Miller, Robert P, ed. *Chaucer: Sources and Backgrounds*. Oxford UP, 1977.

Milton, John. 『실낙원』. 이창배 역. 1989. 범우사, 1996.

_____. *Paradise Lost: A Poem in Twelve Books.* W. and W. Smith, P. Wilson, and T. Ewing, 1674.

_____. *Paradise Lost.* Ed. Alastair Fowler. Longman, 1971.

_____. *Milton: Poetical Works.* Ed. Douglas Bush. Oxford UP, 1973.

"Mount Ida." Wikipedia. en.wikipedia.org/wiki/Mount_Ida. 10 Apr. 2019.

_____. Wikipedia. en.wikipedia.org/wiki/Mount_Ida_(Turkey). 6 Oct. 2017.

"Mount Olympus." Wikipedia. en.wikipedia.org/wiki/Mount_Olympus. 9 Feb. 2019.

Mustard, Wilfred P. "Tennyson and Homer." *The American Journal of Philology* 21.2 (1900): 143-53.

"Narcissus (mythology)." Wikipedia. https://en.wikipedia.org/wiki/Narcissus

_(mythology). November 11, 2018.
"Oceanids." Wikipedia. en.wikipedia.org/wiki/Oceanids. 10 Aug. 2017.
Oderman, Kevin. *Ezra Pound and the Erotic Medium.* Duke UP, 1986.
Osgood, Charles G. *The Classical Mythology of Milton's English Poems.* Henry Holt, 1900.
_____. "Milton's Classical Mythology." *Modern Language Notes* 16:5 (1901): 282-85.
Oueijan, Naji B. *Lord Byron and Mythology*. Peter Lang, 2020.
Ovid. 『원전으로 읽는 변신이야기』. 천병희 역. 숲, 2005.
_____. *Metamorphoses.* Trans. Rolfe Humphries. Indiana UP, 1983.
Parks, Rebecca, ed. *UXL Encyclopedia of World Mythology*. Gale, 2009.
Petersen, Wolfgang, dir. *Troy.* Warner Bros., 2004.
"Pleiades (Greek mythology)." Wikipedia. en.wikipedia.org/wiki/Pleiades_(Greek_mythology). 10 Nov. 2015.
Pound, Ezra. 『칸토스』. 이일환 역. 문학과지성사, 1990.
_____. *The Cantos of Ezra Pound.* A New Directions Book, 1996.
_____. *Guide to Kulchur.* Peter Owen, 1978.
_____. *Literary Essays of Ezra Pound.* 1954. Ed. T. S. Eliot. Faber & Faber, 1974.
"Primrose." gardenflowerhistories.wordpress.com/2017/02/04/primrose/. 5 Oct. 2020.
Pugh, Syrithe. *Spenser and Virgil: The Pastoral Poems.* Manchester UP, 2016.
Ricks, Christopher. *Tennyson.* Macmillan, 1989.
"Rock of Cashel." Wikipedia. en.wikipedia.org/wiki/Rock_of_Cashel. 29 Nov. 2020.
Rosenberg, D. M. *Oaten Reeds and Trumpets: Pastoral and Epic in Virgil,*

*Spenser, and Milton.* Bucknell UP, 1981.

Rowland, Ingrid D. *From Pompeii.* Harvard UP, 2014.

Rubinstein, Frankie. *A Dictionary of Shakespeare's Sexual Puns and Their Significance*. Macmillan, 1984.

Rupp, Laura E. "The Use of Classical Mythology in Edmund Spenser's *Faerie Queene* Book I and II." Butler University. MA Thesis. *Graduate Thesis Collection* 95, 1932.

Sarker, Sunil Kumar. *Shakespeare's Sonnets.* Atlantic, 2006.

Sawtelle, Alice Elizabeth. *The Sources of Spenser's Classical Mythology.* 1896. Leopold Classic Library, 2019.

Scully, Stephen. *Hesiod's* Theogony: *From Near Eastern Creation Myths to* Paradise Lost. Oxford UP, 2015.

Servi, Katerina. *Greek Mythology*. Trans. Cox & Solman. Ekdotike Athenon S. A., 2012.

Seymour-Jones, Carol. *Painted Shadow.* Doubleday, 2002.

Shakespeare, William.『셰익스피어 전집 10』. 최종철 역. 민음사, 2016.

_____. *The Complete Sonnets and Poems.* Ed. Colin Burrow. Oxford UP, 2002.

_____. *The Sonnets.* Ed. G. Blakemore Evans. Cambridge UP, 1996.

Shawcross, John T. "The Life of Milton." *The Cambridge Companion to Milton.* Ed. Dennis Danielson. Cambridge UP, 1989. 1-19.

Shelley, P. B. *The Complete Poems of Percy Bysshe Shelley.* The Modern Library, 1994.

_____. *Shelley's Poetry and Prose.* Ed. Donald H. Reiman and Sharon P. Powers. Norton: 1977.

Singh, Rajni. "Treatment of Myths and Legends in Tennyson and T. S. Eliot." *Tennyson and T. S. Eliot: A Comparative Study.* Sarup & Sons,

2005. 21-84.

"Song: 'God Lyæus, ever young.'" www.bartleby.com/library/poem/634.html. 18 Feb. 2016.

Sophocles. *The Oedipus Plays of Sophocles: Oedipus the King, Oedipus at Colonus, Antigone.* Trans. Paul Roche. The New American Library, 1958.

Souli, Sophia. *Greek Mythology.* M. Toubis, 1995.

Southam, B. C. *A Guide to the Selected Poems of T. S. Eliot.* 1968. Harcourt Brace & Co., 1994.

Spathari, Elizabeth. *Greek Mythology.* Trans. Eleni Petropoulou. Dim. Papadimas Reg't Co., 2013.

Spenser, Edmund. 『선녀여왕 1』. 임성균 역. 나남, 2007.

_____. *The Faerie Queene.* Ed. A. C. Hamilton. Longman, 1995.

Statius. *Thebaid* 1-7. Ed and Trans, D. R. Shackleton Bailey. Harvard UP, 2003.

_____. *Thebaid* 8-12 & *Achilleid* 1-2. Ed and Trans. D. R. Shackleton Bailey. Harvard UP, 2003.

Storch, Isabel. "Mythology in Shakespeare's Classical Plays." Master's thesis. Loyola University Chicago, 1948. 1-111.

Tate, Peter. *Flights of Fancy: Birds in Myth, Legend, and Superstition.* Delacorte P, 2008.

Tennyson, Alfred. 『눈물이, 부질없는 눈물이』. 이상섭 역. 민음사, 2013.

_____. 『테니슨 시선』. 윤명옥 역. 지식을만드는지식, 2020.

_____. *The Complete Poetical Works of Alfred Tennyson.* 1872. Forgotten Books, 2012.

_____. *Tennyson's Poetry: Authoritative Texts, Juvenilia and Early Responses, Criticism.* Ed. Robert W. Hill, Jr. Norton, 1971.

_____. *The Works of Tennyson.* Ed. Hallam Lord Tennyson. Macmillan, 1916. archive.org/stream/tennyson00tennworksofrich/tennyson00tennworksofrich_djvu.txt. 15 Oct. 2017.

Terrell, Carroll F. *A Companion to* The Cantos *of Ezra Pound.* U of California P, 1993.

Tomlinson, Charles. *Poetry and Metamorphosis*. Cambridge UP, 1983.

"Turnus." Wikipedia. en.wikipedia.org/wiki/Turnus. 1 Dec. 2020.

Tzorakis, George. *Knossos: A New Guide to the Palace of Knossos.* Hesperos, 2008.

Unterecker, John. *A Reader's Guide to William Butler Yeats.* Thames and Hudson, 1982.

Van Ghent, Dorothy. *Keats: The Myth of the Hero.* Princeton UP, 1983.

Vendler, Helen. "T. S. Eliot." *Time* (1998): 61-62.

"Vesta." Wikipedia. en.wikipedia.org/wiki/Vesta_ (mythology). 27 Aug. 2017.

Virgil. 『아이네이스』. 천병희 역. 숲: 2007.

_____. *The Aeneid.* Trans. Robert Fagles. Penguin Books, 2008.

Waller, Gary. *Edmund Spenser: A Literary Life.* Macmillan, 1994.

Wasserman, Earl R. "Myth in Shelley's Poetry." *Shelley: Modern Judgments.* Ed. R. B. Woodings. Aurora, 1970. 130-41.

"What or who are 'The Sailing Seven?.'" www.answers.com/Q/what or who are The Sailing Seven that William Butler Yeats refers to in the second stanza of his poem A Cradle Song. 20 Sep. 2015.

Winspeare, M. P., ed. *The Vatican Museums*. Edizioni Musei Vaticani, 2011.

Wise, Robert, dir. *Helen of Troy.* Warner Bros., 1956.

Yeats, William Butler. 『예이츠 서정시 전집 I: 아일랜드』. 김상무 역주. 서울대학교출판문화원, 2014.

_____. 『예이츠 서정시 전집 II: 사랑』. 김상무 역주. 서울대학교출판문화원,

2014.

_____. 『예이츠 서정시 전집 III: 상상력』. 김상무 역주. 서울대학교출판문화원, 2014.

_____. *Autobiographies.* 1927. Macmillan, 1970.

_____. *Collected Poems: W. B. Yeats.* Collector's Library, 2010.

_____. "Preface." *Complete Irish Mythology.* Lady Augusta Gregory. Bounty Books, 2012: 1-9.

_____. *W. B. Yeats: The Poems.* Ed. Daniel Albright. Everyman's Library, 1992.

"Zodiac." Wikipedia. en.wikipedia.org/wiki/Zodiac. 10 Nov. 2015.

# 국문색인

# 영문색인